# 国家创新型城市创新能力评价报告

# 2021

中国科学技术信息研究所　著

科学技术文献出版社
SCIENTIFIC AND TECHNICAL DOCUMENTATION PRESS
·北　京·

图书在版编目（CIP）数据

国家创新型城市创新能力评价报告. 2021 / 中国科学技术信息研究所著. —北京：科学技术文献出版社，2021.12

ISBN 978-7-5189-8740-5

Ⅰ. ①国… Ⅱ. ①中… Ⅲ. ①城市建设—国家创新系统—研究报告—中国—2021 Ⅳ. ① F299.21

中国版本图书馆 CIP 数据核字（2021）第 251293 号

国家创新型城市创新能力评价报告 2021

策划编辑：周国臻　　责任编辑：宋红梅　　责任校对：张永霞　　责任出版：张志平

出 版 者　科学技术文献出版社
地　　址　北京市复兴路 15 号　邮编　100038
编 务 部　（010）58882938，58882087（传真）
发 行 部　（010）58882868，58882870（传真）
邮 购 部　（010）58882873
官方网址　www.stdp.com.cn
发 行 者　科学技术文献出版社发行　全国各地新华书店经销
印 刷 者　北京地大彩印有限公司
版　　次　2021 年 12 月第 1 版　2021 年 12 月第 1 次印刷
开　　本　889×1194　1/16
字　　数　285 千
印　　张　18.5
书　　号　ISBN 978-7-5189-8740-5
定　　价　138.00 元

《国家创新型城市创新能力评价报告 2021》

编辑委员会及编辑人员

# 前言

创新型城市是以创新作为引领发展的第一动力，科技硬、经济强、百姓富、环境美、社会文明程度高，对建设科技强省和科技强国发挥显著支撑引领作用的现代化城市。建设创新型城市，既是贯彻落实习近平总书记“尊重科技创新的区域集聚规律，因地制宜探索差异化的创新发展路径，加快打造具有全球影响力的科技创新中心，建设若干具有强大带动力的创新型城市和区域创新中心”的要求，也是新时代城市发展的内在需求。自 2010 年以来，科技部会同有关部门先后共支持 78 个城市（区）开展创新型城市建设（名单见附录），成效显著。78 个创新型城市（区）占全国 1/10 的国土面积、1/3 的人口，汇聚了全国 78%的研发经费投入和 70%的地方财政科技投入，拥有全国 80%以上的有效发明专利，培育和产出了全国 80%的高新技术企业，取得了一批创新发展的好经验好做法，辐射带动区域乃至全国高质量发展。从 2010 年开始，中国科学技术信息研究所持续开展创新型城市建设的重大问题及监测评价指标体系研究，为科技部指导地方开展创新型城市建设提供工作支撑。2017 年 4 月 19 日，科技部和国家统计局联合印发《国家创新调查制度实施办法》，对创新能力监测和评价工作进行了完善和规范。经科技部同意，《国家创新型城市创新能力评价报告》纳入国家创新调查制度。

本报告的评价指标体系总体上延续了上一年的做法，指标体系以习近平总书记“创新是引领发展的第一动力”这一论断为核心，既体现创新型城市建设的共性要求（创新治理力、创新驱动力），又体现不同创新能级城市的主体创新功能（原始创新力、技术创新力、成果转化力），适合我国幅员辽阔的实际，以及各城市自然资源禀赋、科教资源、市场化程度、经济发展水平等存在明显差异的特点，基本囊括了城市科技创新和科技支撑经济社会高质量发展的主要指标，能够灵敏地反映各城市在科技本身及科技赋能经济社会发展方面的进步、不足和退步。在遵循评价结果动态可比的原则下，本报告根据政府统计制度的变化、数据可获得性等最新情况，对部分指标进行了调整。一是删除“外国人才来华工作数”；二是将“万名就业人员中研发人员”从原始创新力调至创新治理力；三是将“中央级普通高校和科研院所数”分拆和调整为“‘双一流’建设学科数”和“中央级科研院所数”；四是将“国家重点实验室数”改为“国家级基础研究基地数”；五是将“规上工业企业研发经费支出与主营业务收入之比”“规上工业企业新产品销售收入与主营业务收入之比”“高新技术企业营业收入与规上工业企业主营业务收入之比”分别改为“规上工业企业研发经费支出与营业收入之比”“规上工业企业新产品销售收入与营业收入之比”“高新技术企业营业收入与规上工业企业营业收入之比”。

本报告对 72 个国家创新型城市的创新能力进行了统一评价和分类评价（由于数据可获得性及城市、城区之间的可比性问题，4 个直辖市的城区和 2 个县级市未包含在内），并对每一个城市的创新能力进行了剖析，力图找出其创新发展的优势及短板，为其下一步的创新发展提供决策支撑。此外，本报告还给出了全国城市创新能力百强榜，以期帮助更多的地方和公众了解我国地级及以上城市创新发展状况。

为保持统计口径一致，《国家创新型城市创新能力评价报告》测算所涉及数据来源于国家统计局、科技部、财政部等权威部门的统计和调查。本报告主要采用 2019 年数据，科创板上市企业数量采用截至 2021 年 8 月的数据。

评价城市的创新能力，总结凝练城市创新发展的经验和存在的问题，推进创新型城市建设，是一个需要不断探索和深入研究的课题。《国家创新型城市创新能力评价报告》仍有许多不足之处，欢迎社会各界批评指正，以助我们进一步修改完善，为促进我国建设世界科技强国贡献绵薄之力。

《国家创新型城市创新能力评价报告》编写组

2021 年 12 月

# 目　录

# 第一章　创新型城市创新能力指数表现

## 一、评价指标体系、评价方法及数据来源

### （一）评价指标体系

科技创新具有区域集聚规律，创新要素只有高度集聚，才会产生聚合裂变效应，形成新的推动经济社会发展的强大动能。城市作为各类要素集聚的空间载体，是科技创新的主阵地。创新型城市是以创新作为引领发展的第一动力，科技硬、经济强、百姓富、环境美、社会文明程度高，对建设科技强省和科技强国发挥显著支撑引领作用的现代化城市。国家创新型城市创新能力评价指标体系总体上延续了上一年的做法，该指标体系以习近平总书记“创新是引领发展的第一动力”这一论断为核心，既体现创新型城市建设的共性要求（创新治理力、创新驱动力），又体现不同创新能级城市的主体创新功能（原始创新力、技术创新力、成果转化力），适合我国幅员辽阔的实际，以及各城市自然资源禀赋、科教资源、市场化程度、经济发展水平等存在明显差异的特点，基本囊括了城市科技创新和科技支撑经济社会高质量发展的主要指标，能够灵敏地反映各城市创新发展的成效和不足。

在遵循评价结果动态可比的原则下，《国家创新型城市创新能力评价报告》根据政府统计制度的变化、数据可获得性等最新情况，对部分指标进行了调整。一是删除“外国人才来华工作数”；二是将“万名就业人员中研发人员”从原始创新力调至创新治理力；三是将“中央级普通高校和科研院所数”分拆和调整为“‘双一流’建设学科数”和“中央级科研院所数”；四是将“国家重点实验室数”改为“国家级基础研究基地数”；五是将“规上工业企业研发经费支出与主营业务收入之比”“规上工业企业新产品销售收入与主营业务收入之比”“高新技术企业营业收入与规上工业企业主营业务收入之比”分别改为“规上工业企业研发经费支出与营业收入之比”“规上工业企业新产品销售收入与营业收入之比”“高新技术企业营业收入与规上工业企业营业收入之比”。

调整后的国家创新型城市创新能力评价指标体系如表 1-1 所示。

表 1-1　国家创新型城市创新能力评价指标体系

| 一级指标 | 序号 | 二级指标 |
|---|---|---|
| 创新治理力 | 1 | 党委政府加快科技管理职能转变，加强创新体系顶层设计和系统布局，出台实施创新驱动发展战略的决定或意见及其配套政策 |
| | 2 | 财政科技支出占公共财政支出比重/% |
| | 3 | 常住人口增长率/% |
| | 4 | 万名就业人员中研发人员/（人年/万人） |
| | 5 | 万人专利申请量/（件/万人） |
| | 6 | 人均地区生产总值/（万元/人） |
| 原始创新力 | 7 | 全社会研发经费支出与地区生产总值之比/% |
| | 8 | 基础研究经费占研发经费比重/% |
| | 9 | “双一流”建设学科数/个 |
| | 10 | 中央级科研院所数/个 |
| | 11 | 国家级基础研究基地数/个 |
| | 12 | 国家级科技成果奖数/项当量 |
| 技术创新力 | 13 | 规上工业企业研发经费支出与营业收入之比/% |
| | 14 | 高新技术企业数/家 |
| | 15 | 国家级技术创新类科技创新基地数/个 |
| | 16 | 国家高新区营业收入与地区生产总值之比/% |
| | 17 | 万人发明专利拥有量/（件/万人） |
| | 18 | 技术输出合同成交额与地区生产总值之比/% |
| 成果转化力 | 19 | 技术输入合同成交额与地区生产总值之比/% |
| | 20 | 科创板上市企业数/家 |
| | 21 | 国家级科技企业孵化器、大学科技园、双创示范基地数/个 |
| | 22 | 国家级科技企业孵化器、大学科技园新增在孵企业数/家 |
| | 23 | 科技型中小企业数/家 |
| | 24 | 规上工业企业新产品销售收入与营业收入之比/% |
| 创新驱动力 | 25 | 高新技术企业营业收入与规上工业企业营业收入之比/% |
| | 26 | 城乡居民人均可支配收入之比 |
| | 27 | 单位地区生产总值能耗/（吨标准煤/万元） |
| | 28 | PM2.5 年平均浓度/（微克/立方米） |
| | 29 | 人均实际使用外资额/（美元/人） |
| | 30 | 居民人均可支配收入/（万元/人） |

## （二）评价方法

本报告中定性指标得分由专家根据相关材料打分得出，定量指标得分的计算采用国际上通用的标杆法。标杆法是目前国际上广泛应用的一种评价方法，在国内的相关评价中也经常采用，其原理是：对被评价对象给出基准值，并以此标准去衡量所有被评价对象，得到单项指标的得分。各城市创新能力指数通过综合加权平均计算得出。

本报告对国家创新型城市进行统一评价和分类评价，相对应的一级指标权重如表 1-2 所示。

表 1-2　国家创新型城市创新能力评价一级指标的权重

| 一级指标 | 统一评价权重/% | 分类评价权重/% | | |
|---|---|---|---|---|
| | | 创新策源地 | 创新增长极 | 创新集聚区 |
| 创新治理力 | 20 | 20 | 20 | 20 |
| 原始创新力 | 20 | 40 | 10 | 10 |
| 技术创新力 | 20 | 10 | 40 | 10 |
| 成果转化力 | 20 | 10 | 10 | 40 |
| 创新驱动力 | 20 | 20 | 20 | 20 |

各一级指标下二级指标的权重总体上遵循平均分配的原则。突出目标导向和结果导向，对全社会研发经费支出与地区生产总值之比、财政科技支出占公共财政支出比重、国家级科技成果奖数、技术合同成交额与地区生产总值之比、高新技术企业数、高新技术企业营业收入与规上工业企业营业收入之比等创新发展的关键指标适当调增权重。

## （三）数据来源

《国家创新型城市创新能力评价报告》测算所涉及数据来源于国家统计局、科技部、财政部等权威部门的统计和调查。本报告主要采用 2019 年数据，科创板上市企业数量采用截至 2021 年 8 月的数据。

# 二、创新型城市创新能力评价

## （一）国家创新型城市创新能力评价排名

截至目前，科技部先后共支持 78 个城市（区）建设国家创新型城市，包括 72 个地级市，北京市海淀区、上海市杨浦区、天津市滨海新区、重庆市沙坪坝区 4 个直辖市城区，以及昌吉市、石河子市 2 个县级市。由于数据可获得性及城市、城区之间的可比性问题，编写组仅对 72 个国家创新型城市的创新能力进行评价，结果如图 1-1 所示。

排名前 10 位的城市依次是深圳、杭州、广州、南京、苏州、武汉、西安、长沙、合肥和青岛。与上年排名相比，长春、徐州、宜昌、扬州、东营、金华、呼和浩特、合肥等城市位次上升较快，比上年上升 3 位以上，也有一些城市排名出现较大幅度的下降。

总体来看，各城市将创新型城市建设作为深入实施创新驱动发展战略的旗帜性抓手，以只争朝夕的使命感、责任感、紧迫感，在创新型国家建设中奋勇争先，探索各具特色的创新发展路径，成效显著。

一是集聚高端科技创新资源，充分发挥了科技创新策源地作用。创新型城市坚持“四个面向”，瞄准源头创新，强化国家战略科技力量建设，打造重大科研平台，有效集聚全球高端科研人才，在承接国家重大战略科技任务、突破关键核心技术方面发挥了突出作用。创新型城市集聚了全国 95%的中央级高校和科研院所、94%的国家重点实验室和 80%以上的大科学装置，产出了全国 94%的重大原创性科技成果，贡献了全国 89%的技术市场合同成交额，部分城市成为科技创新策源地。例如，西安、深圳、杭州、南京、武汉、合肥等城市全社会研发经费支出与地区生产总值之比超过 3%。兰州、长春、广州、合肥、南京等城市基础研究经费占研发经费比重超过 10%。南京、武汉、杭州、长沙、西安、广州、成都、长春等城市国家级科技成果奖超过 100 项当量。西安、长春、成都、广州、武汉等城市技术输出合同成交额与地区生产总值之比超过 5%。

二是促进科技经济深度融合，形成高质量发展主力军。创新型城市围绕产业链部署创新链、围绕创新链布局产业链，支持大中小企业和各类主体融通创新，促进科技经济深度融合，产业不断向中高端迈进。创新型城市拥有全国 47%的国家高新区，集聚了全国72%的企业研发经费投入，培育了全国80%的高新技术企业和76%的科技型中小企业，贡献了全国76%的高新技术企业营业收入，科创板上市企业占全国的93%，一批城市成为创新增长极。例如，深圳、南通、西安、徐州、扬州、合肥、株洲等城市规上工业企业研发经费支出与营业收入之比超过2%。深圳、广州、苏州、东莞、杭州等城市高新技术企业数超过5000家。西安、石家庄、长沙、济南、杭州、深圳、武汉等城市高新技术企业营业收入与规上工业企业营业收入之比超过80%。

三是不断优化创新创业生态，成为全面创新改革的试验田。创新型城市坚持科技创新和制度创新"双轮驱动"，深入分析自身特色优势和差距短板，精心谋划和组织实施创新型城市改革蓝图，强化普惠性和精准性政策供给，加快科技管理职能转变，加强创新公共服务，推进资源开放共享，为各类创新主体松绑减负、清障搭台，激发全社会创新创业活力。例如，南京等城市成立党委创新委，全面加强党对科技创新的领导。成都发布加强科技创新能力建设"18条"，建立重大关键核心技术攻关"揭榜挂帅"制度、科研项目经费"包干制+负面清单"制度等。

四是主动融入国家区域发展战略，成为支撑引领区域协同创新、协调发展的关键节点。创新型城市积极构建和完善区域创新体系，深入落实京津冀、长三角、粤港澳大湾区等国家区域发展战略，发挥对区域的创新辐射带动作用，积极打造区域科技创新中心。同时，不断完善科技资源共享和核心技术联合攻关机制，共建产业合作示范区，探索共同投入、共担风险、共享收益的协同创新模式，推动区域创新共同体建设，促进城市之间协同联动发展。例如，上海、嘉兴、杭州、金华、苏州、湖州、芜湖、合肥等8个创新型城市协同打造G60科创走廊，形成支撑区域重大战略和区域协调发展战略实施的城市群载体。武汉通过光谷科技创新大走廊建设，辐射带动鄂州、黄石、黄冈、咸宁发展，引领武汉城市圈同城化发展。

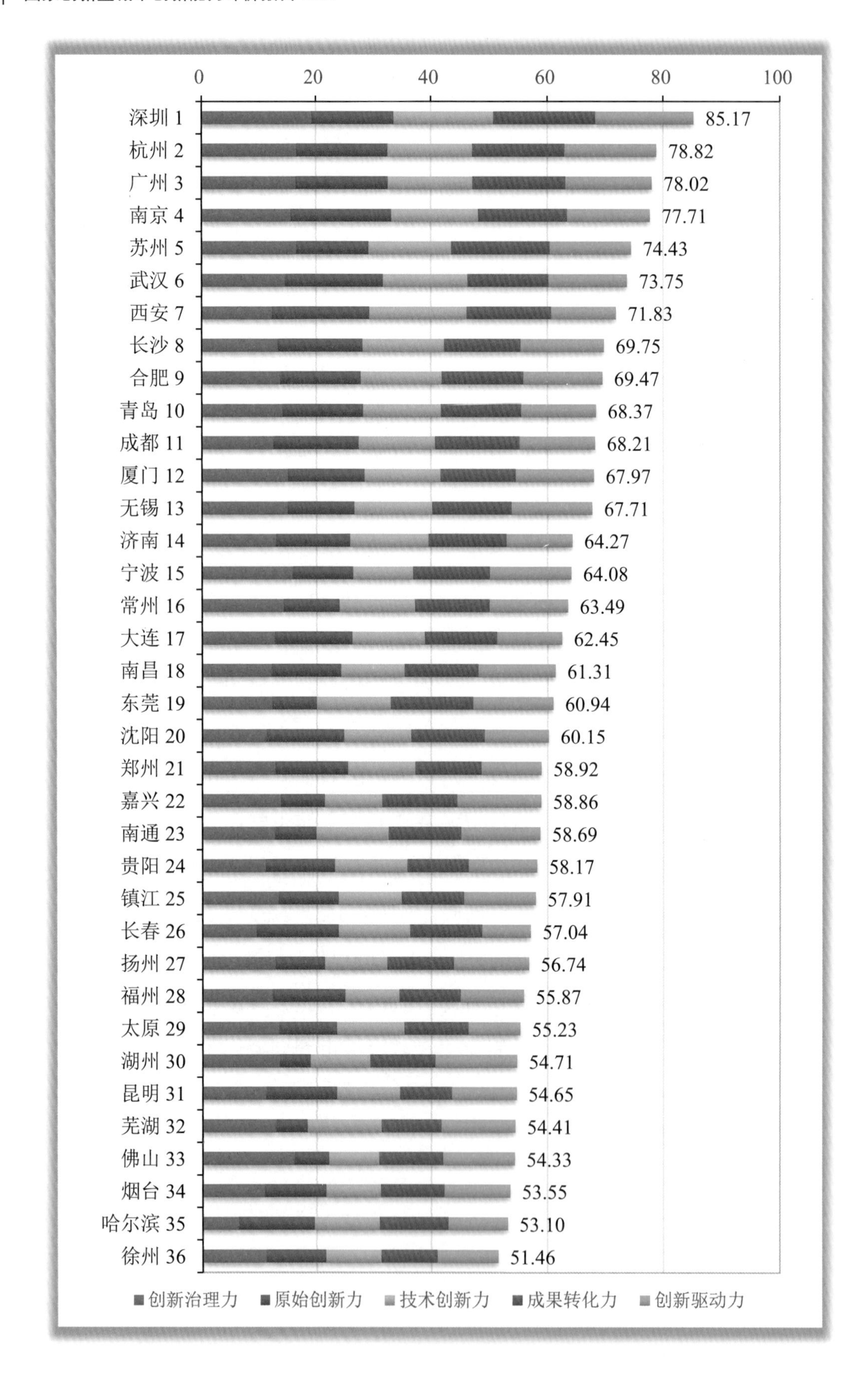


图 1-1　国家创新型城市创新能力指数及排序

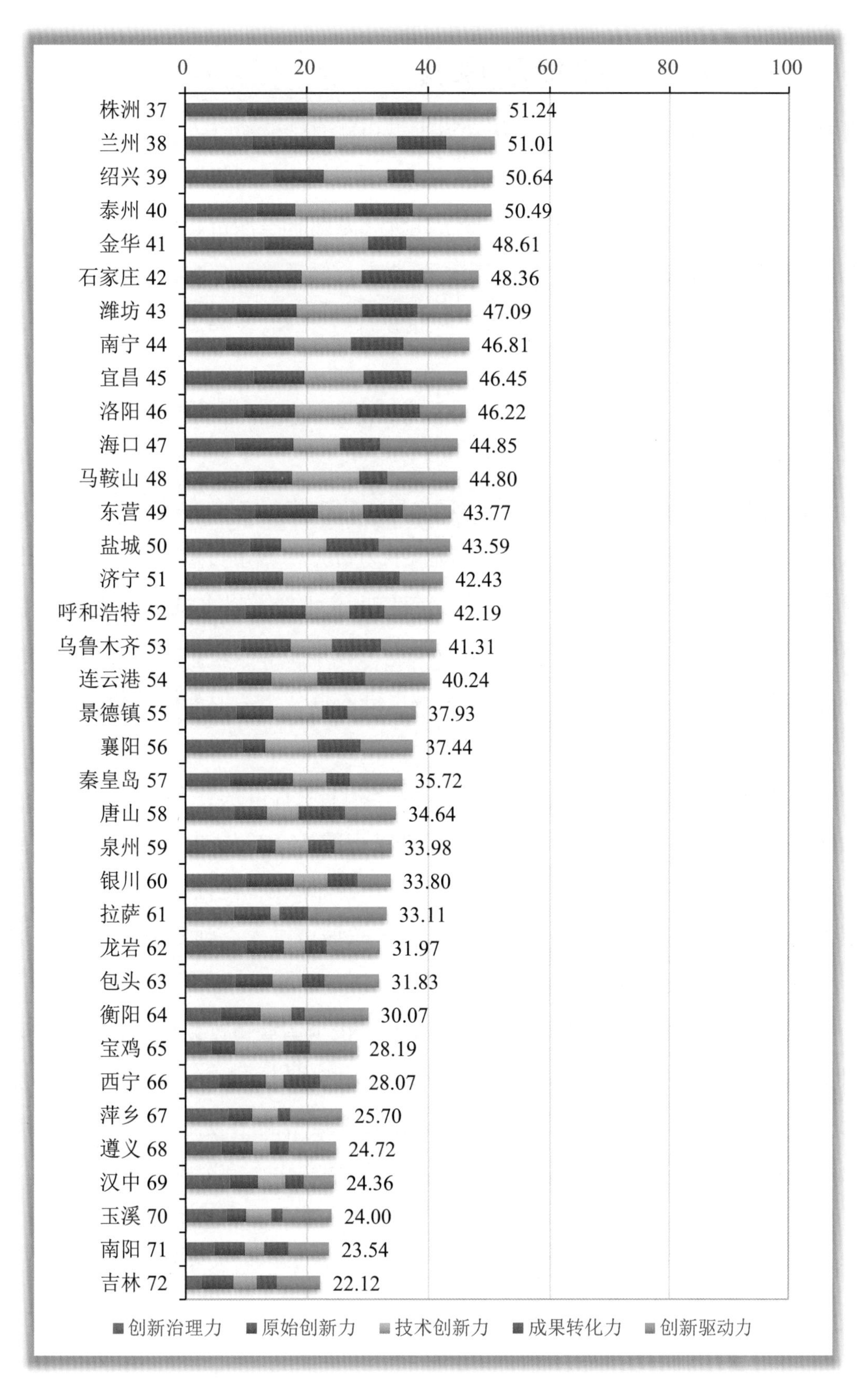


图 1-1 国家创新型城市创新能力指数及排序（续）

## （二）全国城市创新能力百强榜

我国幅员辽阔、城市众多，地级及以上城市就有 297 个（不包括自治州、直辖市辖区）。除了对国家创新型城市创新能力进行评价外，编写组还采用同样的方法对 288 个地级及以上城市的创新能力进行了评价（海南省三沙市、儋州市，西藏自治区日喀则市、昌都市、林芝市、山南市、那曲市，新疆维吾尔自治区吐鲁番市、哈密市由于数据可得性原因不在评价之列）。根据评价结果，得到全国城市创新能力百强榜（图 1-2）。

排名前 10 位的城市分别是：北京、上海、深圳、杭州、广州、南京、苏州、武汉、西安和长沙。

苏浙鲁粤创新发展成绩耀眼。在省际格局中，江苏（13 个）、浙江（11 个）、山东（11 个）、广东（8 个）进入全国城市创新能力百强榜城市数量位居前列。江苏所辖全部 13 个地级及以上城市、浙江所辖全部 11 个地级及以上城市均进入百强榜，创新发展较为均衡。山东所辖 16 个地级及以上城市中有 11 个城市进入百强榜，广东所辖 21 个地级及以上城市中有 8 个城市进入百强榜，但与江苏和浙江相比，广东两极分化较为明显。

长江经济带占据半壁江山。长江经济带沿线 11 个省市共有 51 个城市上榜，占据百强榜半壁江山，占长江经济带 109 个参评城市的 46.8%。从上游的成渝城市群，到长江中游城市群，再到下游的长三角城市群，全流域创新创业蓬勃发展。长江经济带有上海、杭州、南京、苏州、武汉、长沙 6 个城市进入百强城市前 10 强，成为中国创新发展版图上名副其实的“金腰带”。

“东强西弱”“南强北弱”的态势较为明显。在全国城市创新能力百强榜中，东部拥有 56 席，占 86 个东部参评城市的 65.1%；中部拥有 24 席，占 80 个中部参评城市的 30.0%；西部拥有 16 席，占 88 个西部参评城市的 18.2%；东北拥有 4 席，占 34 个东北参评城市的 11.8%。分南北看，在百强榜中，南方拥有 68 席，占 154 个南方参评城市的 44.2%，北方占 32 席，占 134 个北方参评城市的 23.9%。无论是从上榜城市数量还是占比看，我国城市创新发展区域不均衡态势仍然较为突出。

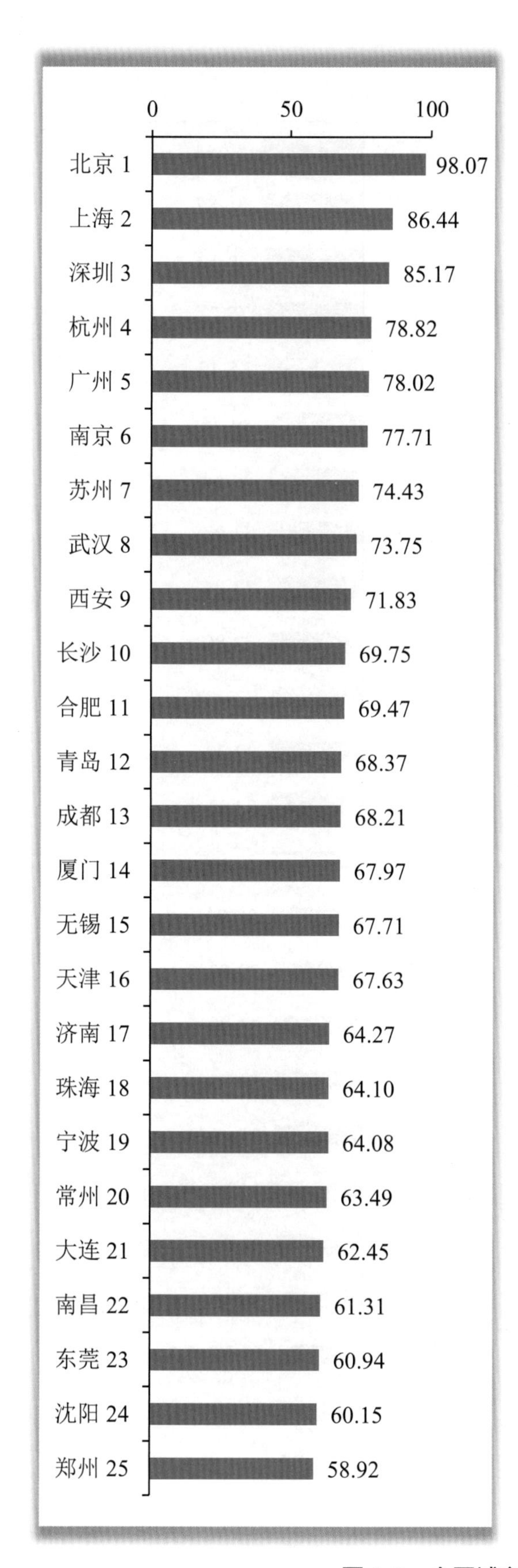

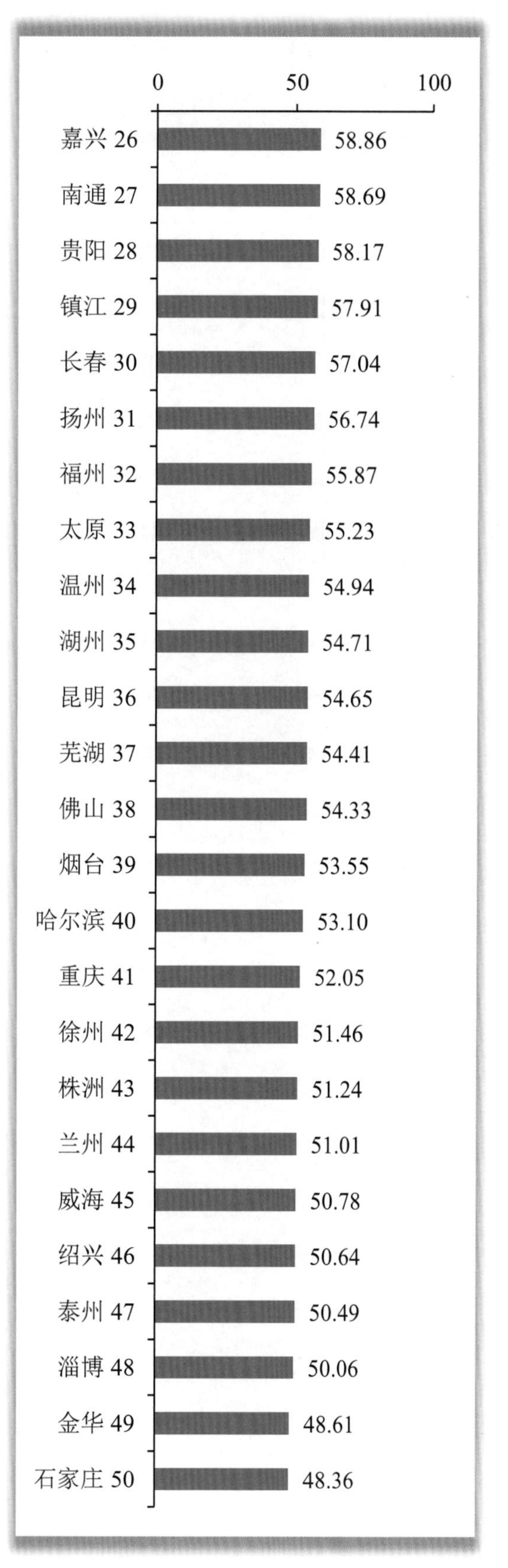


图 1-2　全国城市创新能力百强榜

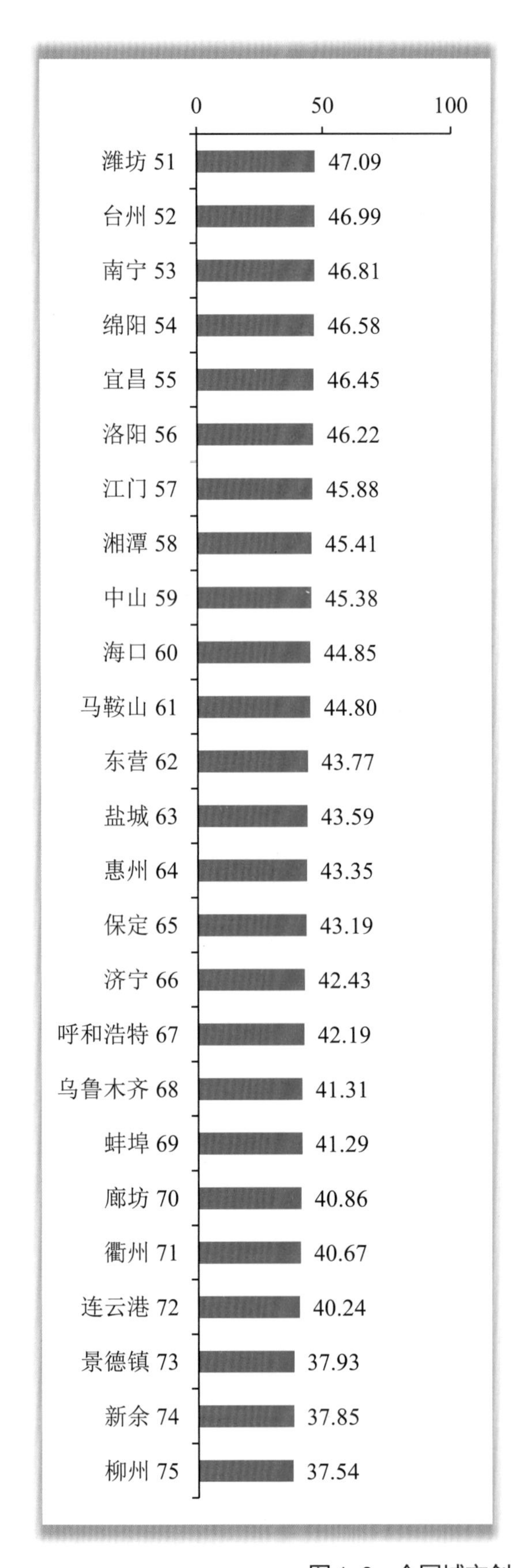


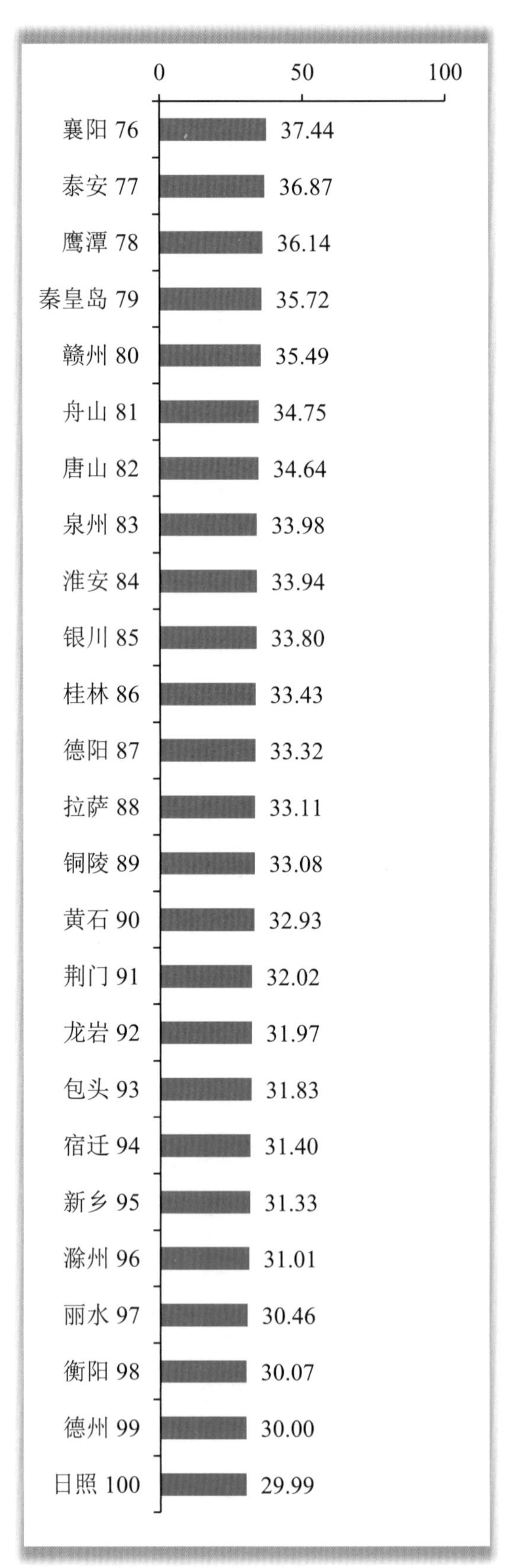


图 1-2 全国城市创新能力百强榜（续）

## 三、创新型城市创新能力分类评价

编写组依据主体创新功能（创新能级）的不同，将 72 个创新型城市分为创新策源地、创新增长极和创新集聚区三大类。需要说明的是，任何一个城市的科技创新功能都不是单一的，一个城市的主体创新功能是原始创新，并不意味着该城市只做原始创新，而是指该城市具备开展前沿基础研究和关键核心技术攻关的条件和能力，应当在国家科技自立自强中承担攻坚克难的使命。创新策源地城市也要根据自身经济和人口承载力情况开展技术创新和成果转化。我国绝大部分创新策源地类别城市同时也是创新增长极。创新增长极城市和创新集聚区城市要根据自身的条件和产业发展的需要，在特色优势领域开展原始创新，但原始创新显然不是当前这两类城市最为重要的主体创新功能。一般而言，创新增长极和创新集聚区类别城市不会是创新策源地。国家创新型城市分类结果如表 1–3 所示。

表 1–3 国家创新型城市分类

| 类别 | 城市 | 分类标准 |
| --- | --- | --- |
| 创新策源地（15 个） | 南京、西安、武汉、广州、杭州、成都、长沙、长春、深圳、青岛、合肥、沈阳、兰州、哈尔滨、大连 | 重大原创性成果产出较多，原始创新力排名前15位等 |
| 创新增长极（25 个） | 苏州、济南、无锡、常州、厦门、芜湖、东莞、南通、贵阳、太原、郑州、株洲、昆明、马鞍山、扬州、镇江、南昌、潍坊、绍兴、湖州、宁波、洛阳、嘉兴、石家庄、徐州 | 高新技术产业发展较好，技术创新力排名前 40 位等 |
| 创新集聚区（32 个） | 佛山、烟台、福州、济宁、泰州、南宁、盐城、乌鲁木齐、宜昌、连云港、唐山、襄阳、海口、东营、金华、西宁、呼和浩特、银川、拉萨、宝鸡、泉州、景德镇、秦皇岛、包头、龙岩、遵义、衡阳、南阳、汉中、萍乡、玉溪、吉林 | 原始创新力和技术创新力较弱 |

## （一）创新策源地

15 个创新策源地城市创新能力指数及排序如图 1-3 所示。

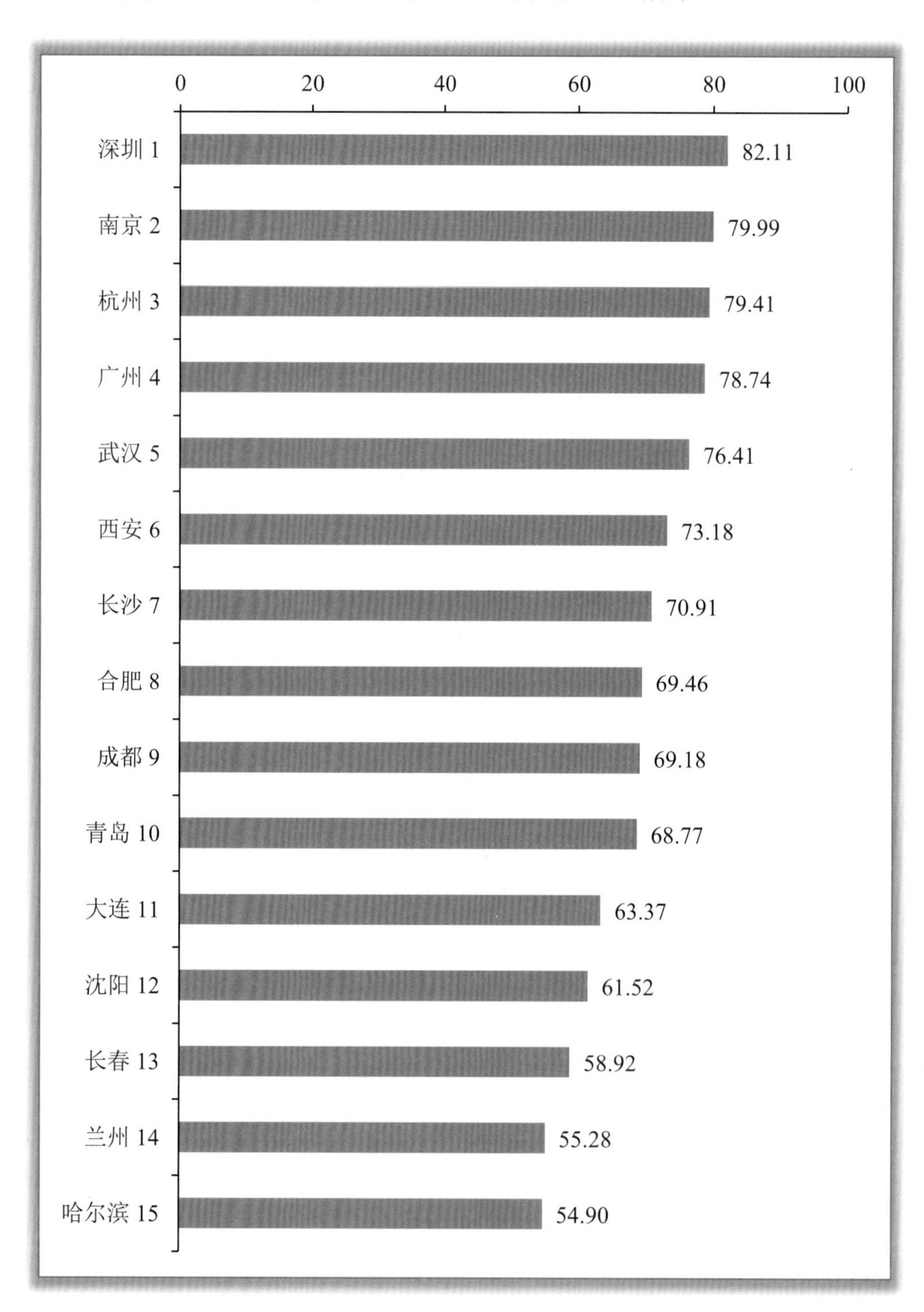


图 1-3 创新策源地城市创新能力指数及排序

15 个创新策源地城市原始创新力有关指标如表 1-4 所示。从研发强度看，西安和深圳远高于其他城市，但从基础研究经费占研发经费比重看，哈尔滨、兰州、长春、广州、合肥、南京均远高于西安和深圳。从重大科技成果产出看，南京、武汉和杭州名列前茅。深圳虽然在 15 个创新策源地城市创新能力排名中位列第一，但在基础研究投入、重大科技成果产出等方面与南京、武汉、杭州、长沙、西安、广州、长春等科教资源富集城市存在较大的差距。

**表 1-4 创新策源地城市原始创新力有关指标**

| 城市 | 全社会研发经费支出与地区生产总值之比/% | 基础研究经费占研发经费比重/% | “双一流”建设学科数/个 | 国家级科技成果奖数/项当量 |
| --- | --- | --- | --- | --- |
| 深圳 | 4.93 | 1.82 | 0 | 63.8 |
| 南京 | 3.32 | 10.94 | 38 | 186.4 |
| 杭州 | 3.45 | 6.13 | 19 | 143.5 |
| 广州 | 2.87 | 13.68 | 18 | 119.2 |
| 武汉 | 3.21 | 5.42 | 29 | 163.4 |
| 西安 | 5.17 | 6.24 | 16 | 125.5 |
| 长沙 | 2.73 | 5.92 | 12 | 126.6 |
| 合肥 | 3.10 | 11.34 | 13 | 47.4 |
| 成都 | 2.66 | 7.54 | 13 | 111.4 |
| 青岛 | 2.51 | 5.34 | 4 | 75.5 |
| 大连 | 2.85 | 9.34 | 3 | 45.9 |
| 沈阳 | 2.64 | 4.90 | 2 | 60.3 |
| 长春 | 2.05 | 14.31 | 11 | 106.3 |
| 兰州 | 2.25 | 25.81 | 4 | 26.8 |
| 哈尔滨 | 1.77 | 26.25 | 11 | 69.0 |

## （二）创新增长极

25 个创新增长极城市创新能力指数及排序如图 1-4 所示。

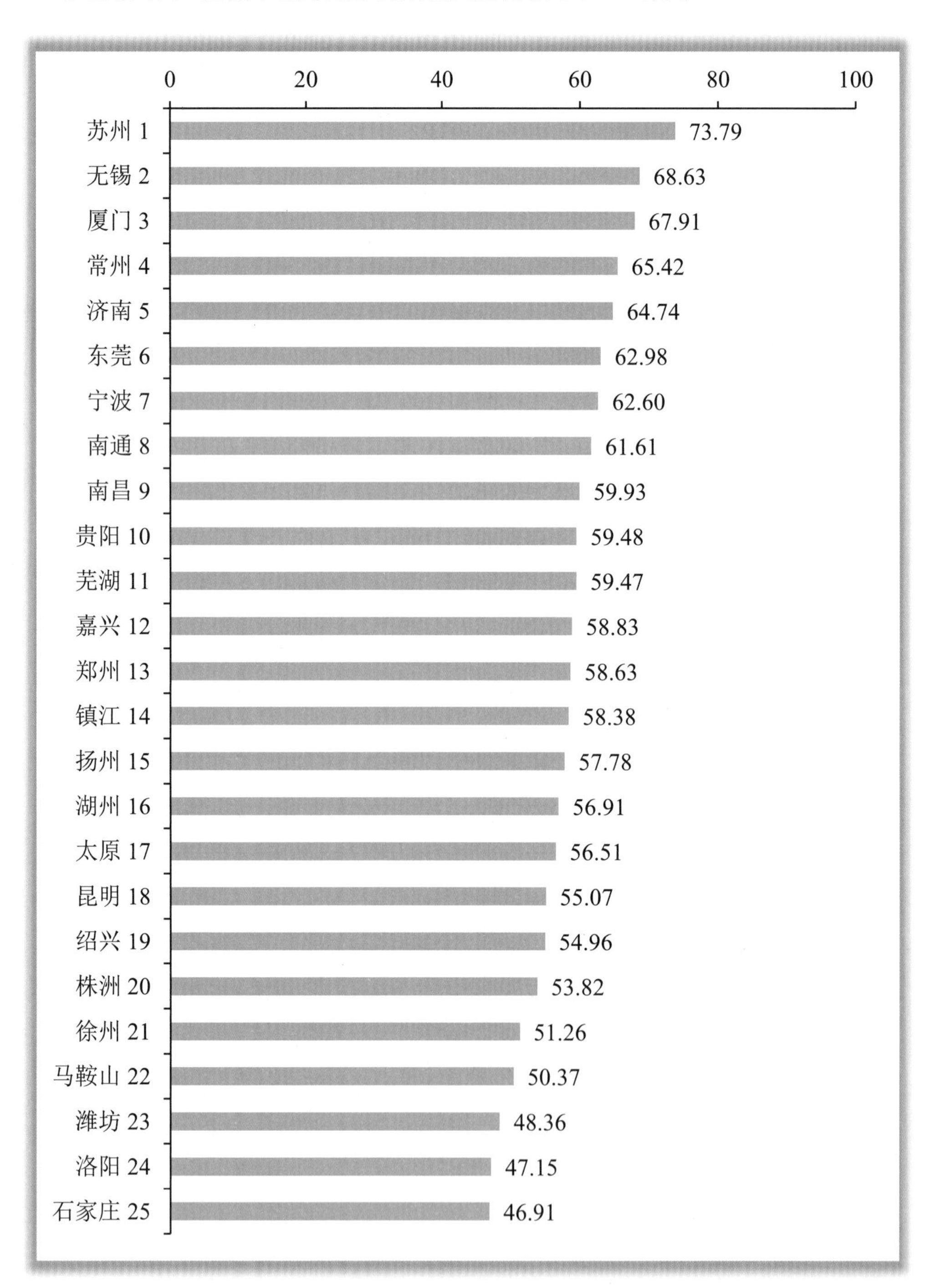


图 1-4　创新增长极城市创新能力指数及排序

25 个创新增长极城市技术创新力有关指标如表 1-5 所示。从企业研发强度看，南通、徐州、扬州、株洲、芜湖和绍兴表现突出，超过 2%。从技术创新主体看，苏州和东莞高新技术企业数超过 6000 家，远高于其他城市。从万人发明专利拥有量看，苏州、无锡、镇江表现优异，但从技术输出合同成交额与地区生产总值之比看，株洲、贵阳和芜湖表现更为突出，超过 3%。

表 1-5　创新增长极城市技术创新力有关指标

| 城市 | 规上工业企业研发经费支出与营业收入之比/% | 高新技术企业数/家 | 国家高新区营业收入与地区生产总值之比/% | 万人发明专利拥有量/(件/万人) | 技术输出合同成交额与地区生产总值之比/% |
|---|---|---|---|---|---|
| 苏州 | 1.78 | 6971 | 63.2 | 58.7 | 1.38 |
| 无锡 | 1.83 | 2765 | 51.5 | 43.9 | 1.53 |
| 厦门 | 1.79 | 1911 | 60.1 | 31.8 | 1.48 |
| 常州 | 1.77 | 1743 | 63.9 | 36.5 | 1.38 |
| 济南 | 1.99 | 2212 | 60.7 | 28.6 | 2.99 |
| 东莞 | 1.20 | 6051 | 59.9 | 35.7 | 2.07 |
| 宁波 | 1.46 | 2131 | 38.5 | 31.5 | 0.73 |
| 南通 | 2.64 | 1691 | 27.5 | 29.8 | 1.07 |
| 南昌 | 1.02 | 1423 | 63.6 | 10.3 | 1.02 |
| 贵阳 | 1.37 | 1062 | 61.1 | 13.7 | 3.36 |
| 芜湖 | 2.23 | 839 | 38.9 | 35.1 | 3.06 |
| 嘉兴 | 1.43 | 1733 | 15.4 | 32.5 | 1.76 |
| 郑州 | 1.52 | 1917 | 25.4 | 13.8 | 1.10 |
| 镇江 | 1.86 | 941 | 17.6 | 40.1 | 0.79 |
| 扬州 | 2.46 | 1267 | 6.6 | 15.1 | 0.96 |
| 湖州 | 1.69 | 936 | 20.0 | 35.1 | 1.67 |
| 太原 | 1.67 | 1607 | 74.9 | 21.2 | 2.00 |
| 昆明 | 0.91 | 1015 | 35.0 | 14.7 | 1.05 |
| 绍兴 | 2.05 | 1336 | 14.4 | 21.7 | 0.71 |
| 株洲 | 2.27 | 544 | 86.4 | 15.0 | 3.52 |
| 徐州 | 2.48 | 724 | 15.7 | 13.5 | 0.53 |
| 马鞍山 | 1.84 | 470 | 62.6 | 23.6 | 0.92 |
| 潍坊 | 1.34 | 796 | 73.5 | 8.1 | 1.28 |
| 洛阳 | 1.59 | 631 | 40.0 | 10.6 | 0.96 |
| 石家庄 | 1.97 | 2061 | 36.5 | 7.2 | 0.50 |

## （三）创新集聚区

32 个创新集聚区城市创新能力指数及排序如图 1-5 所示。

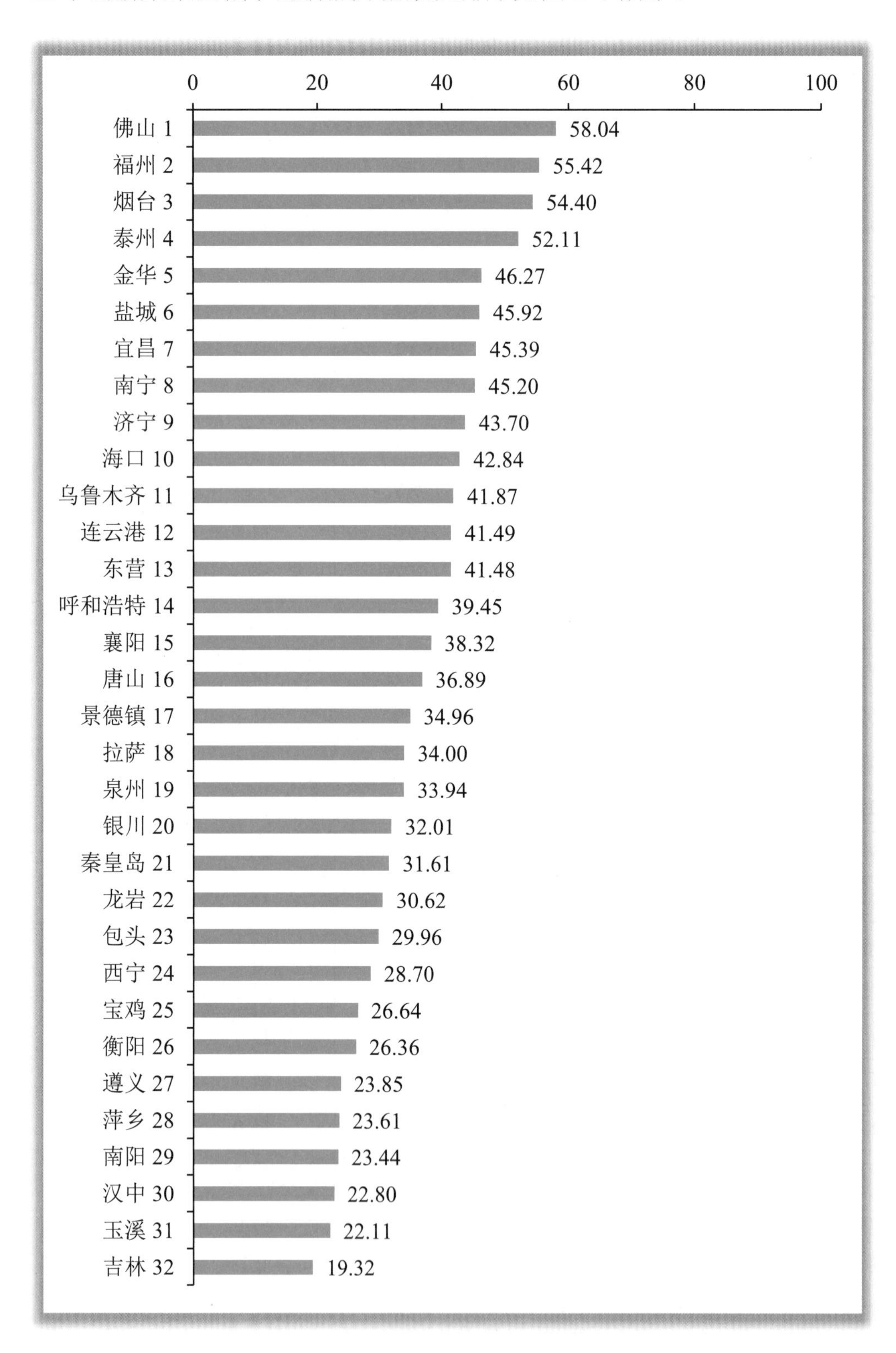


图 1-5　创新集聚区城市创新能力指数及排序

32 个创新集聚区城市成果转化力有关指标如表 1-6 所示。从技术购买看，拉萨和南宁表现抢眼，技术输入合同成交额与地区生产总值之比超过 4%。从高水平科技企业孵化基地和新增在孵企业数看，佛山、烟台、南宁、盐城等城市较多。从科技型中小企业培育看，烟台、佛山、福州成效显著，科技型中小企业超过 1000 家。从新产品开发看，金华和襄阳表现突出，规上工业企业新产品销售收入与营业收入之比超过 30%。

**表 1-6 创新集聚区城市成果转化力有关指标**

| 城市 | 技术输入合同成交额与地区生产总值之比/% | 科创板上市企业数/家 | 国家级科技企业孵化器、大学科技园、双创示范基地数/个 | 国家级科技企业孵化器、大学科技园新增在孵企业数/家 | 科技型中小企业数/家 | 规上工业企业新产品销售收入与营业收入之比/% |
| --- | --- | --- | --- | --- | --- | --- |
| 佛山 | 0.55 | 3 | 42 | 364 | 1353 | 19.6 |
| 福州 | 1.65 | 3 | 16 | 124 | 1008 | 12.4 |
| 烟台 | 0.91 | 1 | 20 | 252 | 1547 | 17.8 |
| 泰州 | 0.56 | 3 | 10 | 189 | 855 | 23.9 |
| 金华 | 1.78 | 0 | 4 | 73 | 256 | 31.8 |
| 盐城 | 0.74 | 0 | 21 | 220 | 975 | 13.9 |
| 宜昌 | 1.36 | 0 | 12 | 130 | 499 | 21.4 |
| 南宁 | 4.00 | 0 | 13 | 214 | 504 | 6.6 |
| 济宁 | 1.62 | 1 | 21 | 132 | 400 | 18.2 |
| 海口 | 2.56 | 1 | 6 | 25 | 180 | 14.4 |
| 乌鲁木齐 | 1.74 | 0 | 24 | 193 | 171 | 13.2 |
| 连云港 | 1.21 | 2 | 5 | 24 | 552 | 25.2 |
| 东营 | 1.86 | 0 | 8 | 172 | 221 | 6.9 |
| 呼和浩特 | 2.27 | 0 | 14 | 55 | 117 | 16.3 |
| 襄阳 | 1.62 | 0 | 8 | 82 | 348 | 30.5 |
| 唐山 | 2.97 | 0 | 14 | 65 | 516 | 14.0 |
| 景德镇 | 1.24 | 0 | 5 | 0 | 128 | 29.0 |
| 拉萨 | 15.54 | 0 | 4 | 6 | 103 | 0.0 |
| 泉州 | 0.27 | 0 | 11 | 29 | 564 | 6.7 |
| 银川 | 1.97 | 0 | 9 | 26 | 184 | 11.6 |

续表

| 城市 | 技术输入合同成交额与地区生产总值之比/% | 科创板上市企业数/家 | 国家级科技企业孵化器、大学科技园、双创示范基地数/个 | 国家级科技企业孵化器、大学科技园新增在孵企业数/家 | 科技型中小企业数/家 | 规上工业企业新产品销售收入与营业收入之比/% |
| --- | --- | --- | --- | --- | --- | --- |
| 秦皇岛 | 0.69 | 0 | 8 | 43 | 148 | 19.2 |
| 龙岩 | 0.12 | 2 | 1 | 13 | 239 | 9.6 |
| 包头 | 0.24 | 0 | 14 | 95 | 33 | 15.6 |
| 西宁 | 4.21 | 0 | 16 | 65 | 154 | 7.4 |
| 宝鸡 | 1.18 | 0 | 6 | 46 | 199 | 14.4 |
| 衡阳 | 0.44 | 0 | 1 | 0 | 159 | 17.1 |
| 遵义 | 1.25 | 0 | 4 | 23 | 35 | 11.5 |
| 萍乡 | 0.45 | 0 | 1 | 0 | 150 | 15.6 |
| 南阳 | 0.53 | 1 | 4 | 7 | 358 | 15.5 |
| 汉中 | 0.64 | 0 | 1 | 0 | 112 | 10.0 |
| 玉溪 | 0.14 | 0 | 2 | 0 | 49 | 9.2 |
| 吉林 | 0.85 | 0 | 6 | 73 | 41 | 10.5 |

# 第二章　创新型城市创新发展画像

## 一、东部地区

### （一）石家庄

2019 年，石家庄常住人口 1103 万人，地区生产总值 5810 亿元。石家庄创新能力指数为 48.36，在 72 个创新型城市中排名第 42 位（与上年相比进 1 位），属于创新增长极类别城市（在 25 个该类别城市中排名第 25 位）。从创新能力构成看，石家庄创新治理力、创新驱动力有待提升（图 2-1）；从具体指标看，石家庄在空气质量、财政科技投入等方面存在明显的短板。

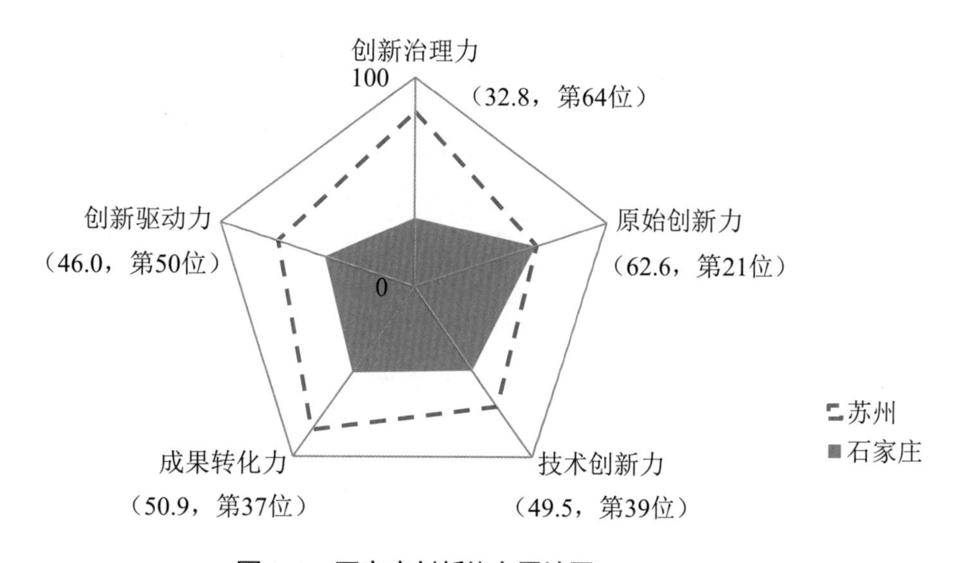


**图 2-1　石家庄创新能力雷达图**

判断一个城市经济发展的主要驱动力，除了看整体创新能力排名外，还需要观察固定资产投资与地区生产总值之比，比值越低说明经济增长对投资的依赖越低，科技创新对经济社会发展的支撑引领作用越大。近年来石家庄固定资产投资与地区生产总值之比呈上升趋势，近 3 年平均值为 111.5%，高于全国平均水平（68.8%），公共财政收入占地区生产总值比重呈上升趋势，总体上石家庄仍处于投资驱动发展阶段，创新发展动能有待增强（图 2-2）。图 2-3 至图 2-6 分别为石家庄研发经费投入强度及财政科技支出占比、万人发明专利拥有量及技术合同成交额与地区生产总值之比、高新技术企业及其与规上工业企业之比、创新能力指标数据及排名等。

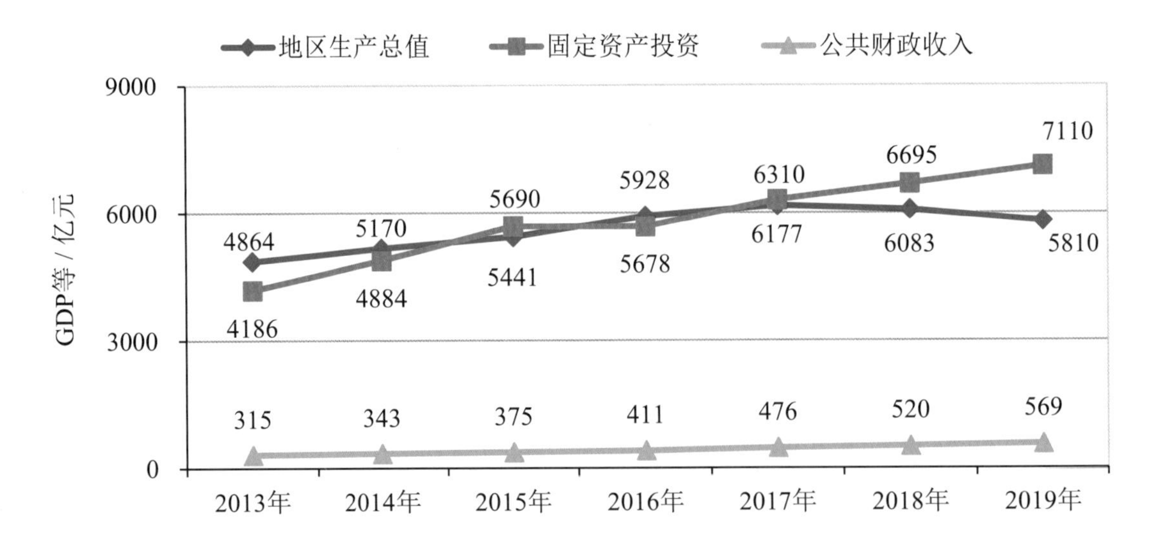


图 2-2　石家庄地区生产总值、固定资产投资和公共财政收入

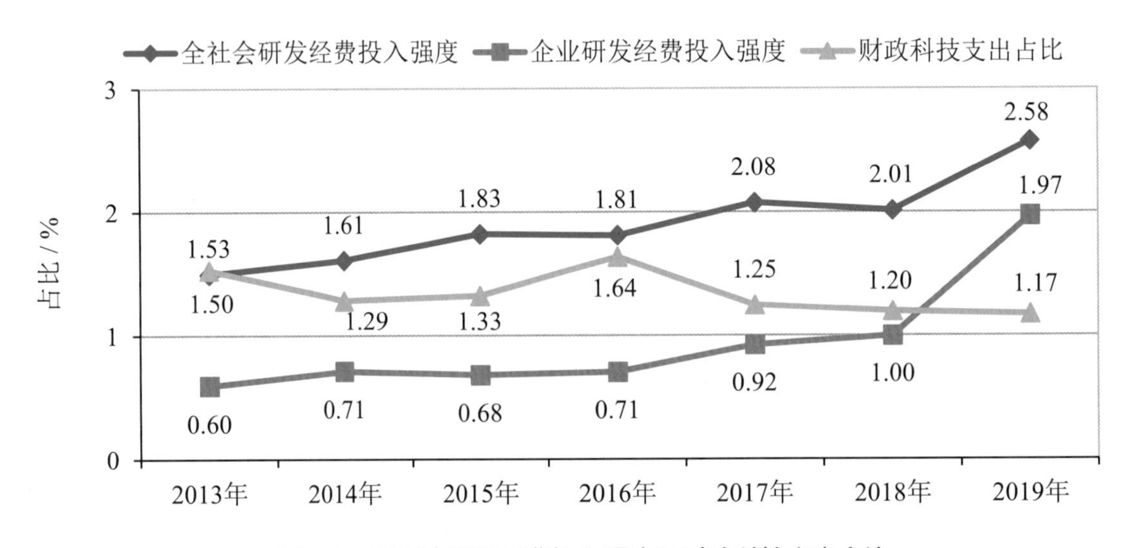


图 2-3　石家庄研发经费投入强度及财政科技支出占比

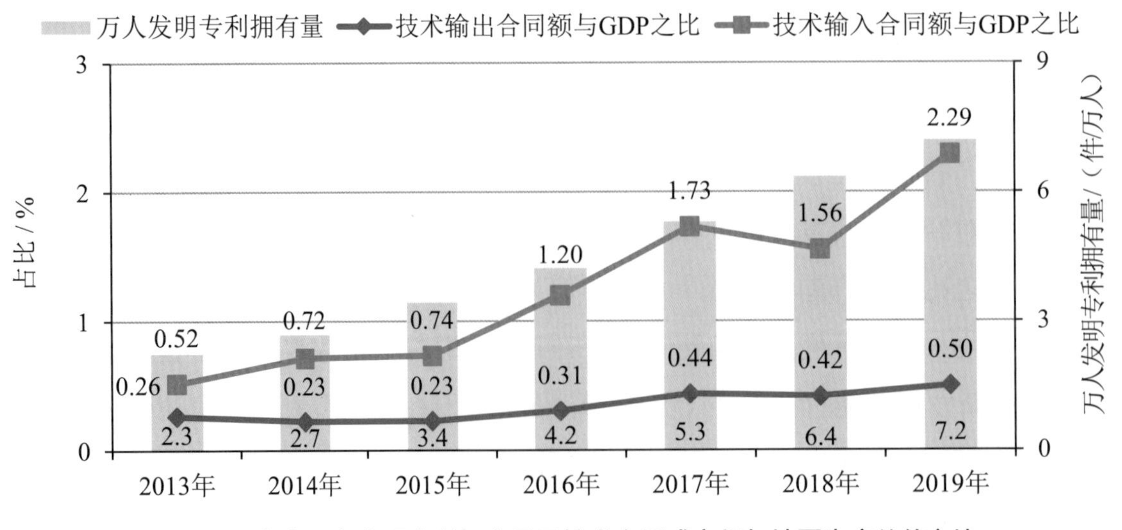


图 2-4　石家庄万人发明专利拥有量及技术合同成交额与地区生产总值之比

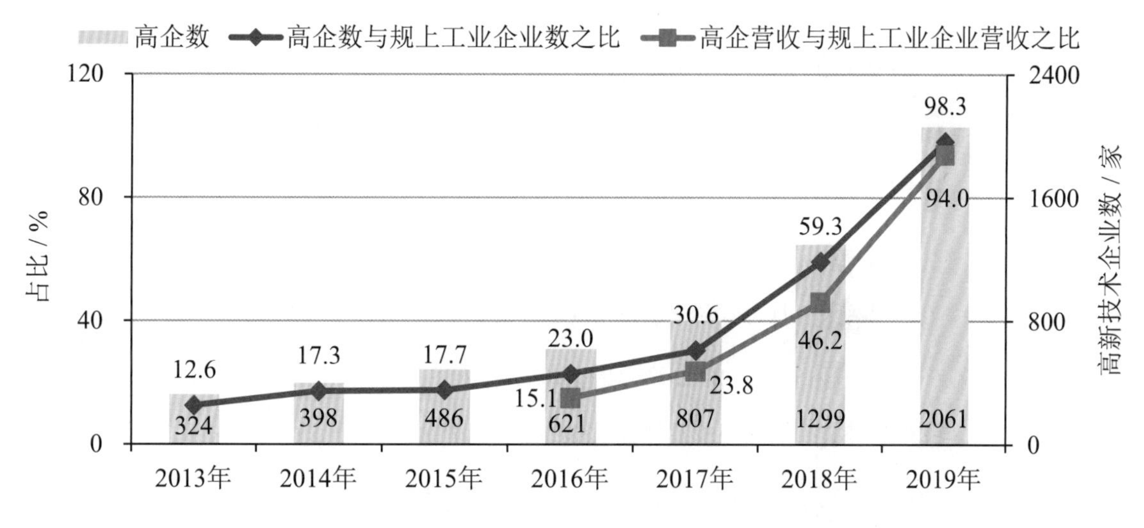


**图 2-5　石家庄高新技术企业及其与规上工业企业之比**

图 2-1 雷达图中，红色虚线代表石家庄所在的创新增长极类别中创新能力指数排名第 1 位的城市，其他城市的雷达图中，红色虚线同样代表该城市所在的创新类别中创新能力指数排名第 1 位的城市。

在图 2-3 至图 2-5 中，“全社会研发经费投入强度”是指“全社会研发经费支出与地区生产总值之比”，“企业研发经费投入强度”是指“规上工业企业研发经费支出与营业收入之比”，“财政科技支出占比”是指“财政科技支出占公共财政支出比重”，“GDP”是指“地区生产总值”，“高企数”是指“高新技术企业数”，“高企营收与规上工业企业营收之比”是指“高新技术企业营业收入与规上工业企业营业收入之比”。

图 2-6 展示的是石家庄创新能力 5 个维度各指标的数据及各指标在 72 个创新型城市中的排名。该图直观地展示了城市创新发展的“长短板”：左边的条形越长，说明对应的指标在 72 个城市中排名越靠前；条形越短，说明对应的指标在 72 个城市中排名越靠后。

需要说明的是，创新能力评价的 30 个指标中，除了定性指标“党委政府加快科技管理职能转变，加强创新体系顶层设计和系统布局，出台实施创新驱动发展战略的决定或意见及其配套政策”外，还有中央级科研院所数、国家级基础研究基地数、国家级技术创新类科技创新基地数 3 个指标按有关要求未展示。其他城市创新能力 5 个维度的指标数据及排名图所展示的情况类似，不再一一说明，图号在正文中也不再一一提及。

| 排名 | 指标 | 类别 |
| --- | --- | --- |
| 42 | 创新能力指数 48.36 | |
| 66 | 财政科技支出占公共财政支出比重 1.17% | 创新治理力 |
| 33 | 常住人口增长率 0.73% | 创新治理力 |
| 55 | 万名就业人员中研发人员 37.32人年/万人 | 创新治理力 |
| 52 | 万人专利申请量 21.07件/万人 | 创新治理力 |
| 64 | 人均地区生产总值 5.27万元/人 | 创新治理力 |
| 26 | 全社会研发经费支出与地区生产总值之比 2.58% | 原始创新力 |
| 37 | 基础研究经费占研发经费比重 2.55% | 原始创新力 |
| 34 | “双一流”建设学科数 0个 | 原始创新力 |
| 22 | 国家级科技成果奖数 23.75项当量 | 原始创新力 |
| 17 | 规上工业企业研发经费支出与营业收入之比 1.97% | 技术创新力 |
| 17 | 高新技术企业数 2061家 | 技术创新力 |
| 39 | 国家高新区营业收入与地区生产总值之比 36.54% | 技术创新力 |
| 57 | 万人发明专利拥有量 7.20件/万人 | 技术创新力 |
| 56 | 技术输出合同成交额与地区生产总值之比 0.50% | 技术创新力 |
| 22 | 技术输入合同成交额与地区生产总值之比 2.29% | 成果转化力 |
| 41 | 科创板上市企业数 0家 | 成果转化力 |
| 24 | 国家级科技企业孵化器、大学科技园、双创示范基地数 34个 | 成果转化力 |
| 39 | 国家级科技企业孵化器、大学科技园新增在孵企业数 171家 | 成果转化力 |
| 23 | 科技型中小企业数 1120家 | 成果转化力 |
| 45 | 规上工业企业新产品销售收入与营业收入之比 15.95% | 成果转化力 |
| 2 | 高新技术企业营业收入与规上工业企业营业收入之比 93.99% | 创新驱动力 |
| 54 | 城乡居民人均可支配收入之比 2.43 | 创新驱动力 |
| 59 | 单位地区生产总值能耗 0.66吨标准煤/万元 | 创新驱动力 |
| 72 | PM2.5年平均浓度 63微克/立方米 | 创新驱动力 |
| 40 | 人均实际使用外资额 148.08美元/人 | 创新驱动力 |
| 52 | 居民人均可支配收入 3.86万元/人 | 创新驱动力 |

图 2-6　石家庄创新能力指标数据及排名

### （二）唐山

2019 年，唐山常住人口 796 万人，地区生产总值 6890 亿元。唐山创新能力指数为 34.64，在 72 个创新型城市中排名第 58 位（与上年相比进 2 位），属于创新集聚区类别城市（在 32 个该类别城市中排名第 16 位）。从创新能力构成看，唐山技术创新力、创新驱动力有待提升；从具体指标看，唐山在综合能耗、高新区发展等方面存在明显的短板。

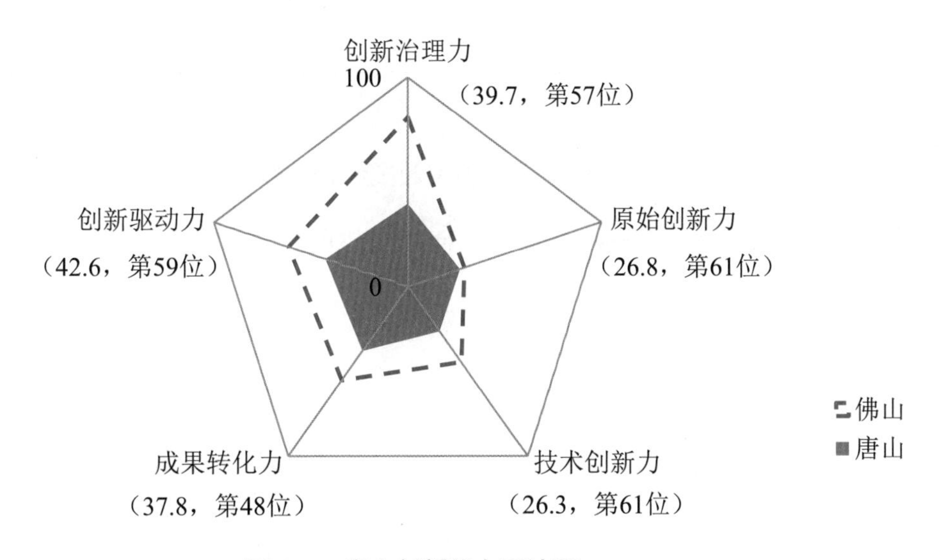


图 2-7　唐山创新能力雷达图

从经济发展阶段来看，近年来唐山固定资产投资与地区生产总值之比呈上升趋势，近 3 年平均值为 84.4%，高于全国平均水平（68.8%），公共财政收入占地区生产总值比重呈上升趋势，总体上唐山仍处于投资驱动发展阶段，创新发展动能有待增强。

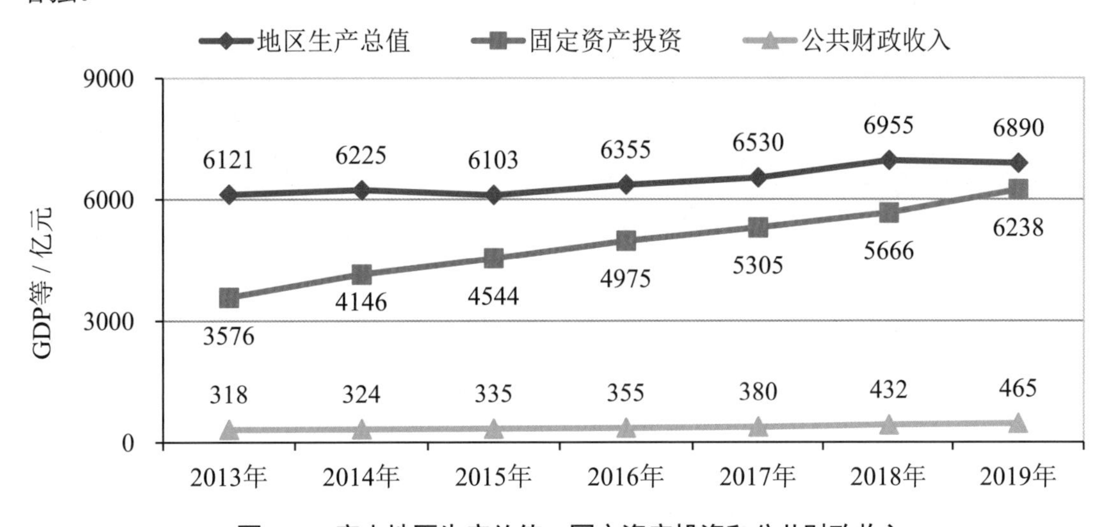


图 2-8　唐山地区生产总值、固定资产投资和公共财政收入

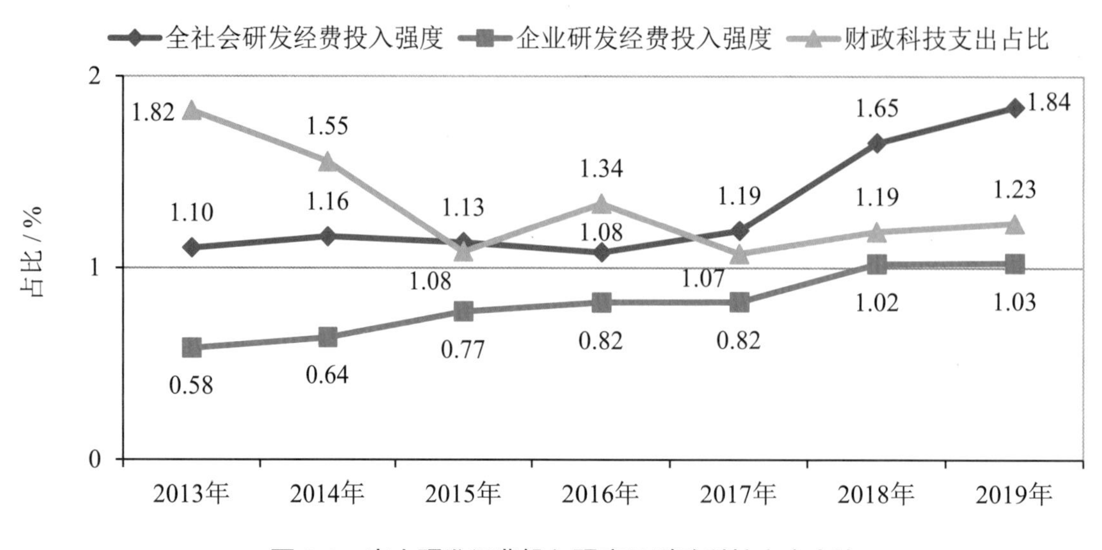


图 2-9　唐山研发经费投入强度及财政科技支出占比

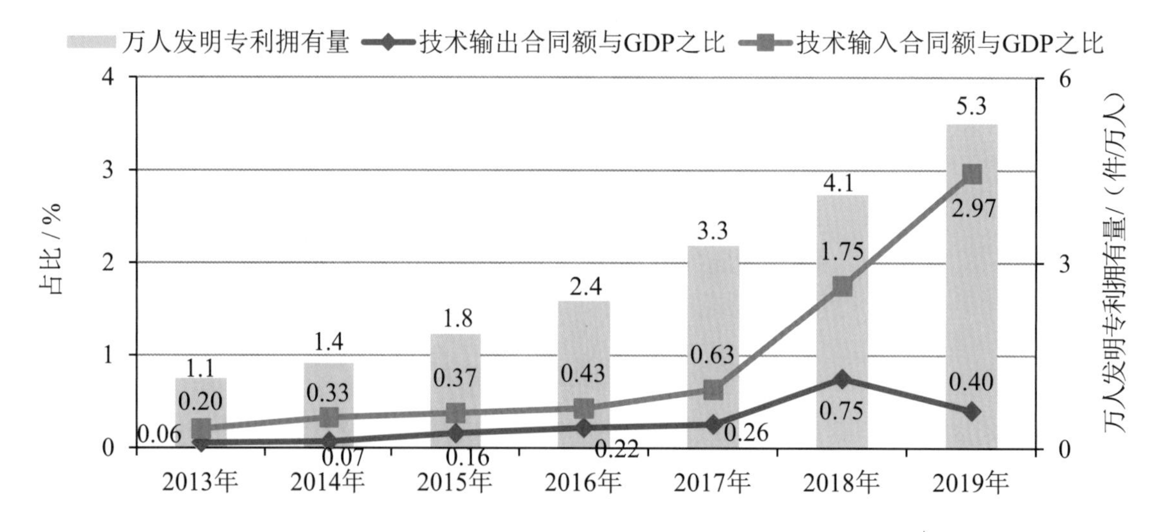


图 2-10　唐山万人发明专利拥有量及技术合同成交额与地区生产总值之比

图 2-11　唐山高新技术企业及其与规上工业企业之比

| 排名 | 指标 | 分类 |
| --- | --- | --- |
| 58 | 创新能力指数 34.64 | |
| 64 | 财政科技支出占公共财政支出比重 1.23% | 创新治理力 |
| 43 | 常住人口增长率 0.36% | 创新治理力 |
| 50 | 万名就业人员中研发人员 47.97人年/万人 | 创新治理力 |
| 61 | 万人专利申请量 15.45件/万人 | 创新治理力 |
| 42 | 人均地区生产总值 8.65万元/人 | 创新治理力 |
| 45 | 全社会研发经费支出与地区生产总值之比 1.84% | 原始创新力 |
| 52 | 基础研究经费占研发经费比重 0.73% | 原始创新力 |
| 34 | “双一流”建设学科数 0个 | 原始创新力 |
| 47 | 国家级科技成果奖数 2.46项当量 | 原始创新力 |
| 58 | 规上工业企业研发经费支出与营业收入之比 1.03% | 技术创新力 |
| 35 | 高新技术企业数 979家 | 技术创新力 |
| 66 | 国家高新区营业收入与地区生产总值之比 1.82% | 技术创新力 |
| 61 | 万人发明专利拥有量 5.26件/万人 | 技术创新力 |
| 59 | 技术输出合同成交额与地区生产总值之比 0.40% | 技术创新力 |
| 16 | 技术输入合同成交额与地区生产总值之比 2.97% | 成果转化力 |
| 41 | 科创板上市企业数 0家 | 成果转化力 |
| 44 | 国家级科技企业孵化器、大学科技园、双创示范基地数 14个 | 成果转化力 |
| 53 | 国家级科技企业孵化器、大学科技园新增在孵企业数 65家 | 成果转化力 |
| 41 | 科技型中小企业数 516家 | 成果转化力 |
| 53 | 规上工业企业新产品销售收入与营业收入之比 14.04% | 成果转化力 |
| 39 | 高新技术企业营业收入与规上工业企业营业收入之比 39.92% | 创新驱动力 |
| 41 | 城乡居民人均可支配收入之比 2.21 | 创新驱动力 |
| 70 | 单位地区生产总值能耗 1.71吨标准煤/万元 | 创新驱动力 |
| 61 | PM2.5年平均浓度 54微克/立方米 | 创新驱动力 |
| 33 | 人均实际使用外资额 226.50美元/人 | 创新驱动力 |
| 39 | 居民人均可支配收入 4.26万元/人 | 创新驱动力 |

图 2-12　唐山创新能力指标数据及排名

## （三）秦皇岛

2019 年，秦皇岛常住人口 315 万人，地区生产总值 1612 亿元。秦皇岛创新能力指数为 35.72，在 72 个创新型城市中排名第 57 位（与上年相比退 5 位），属于创新集聚区类别城市（在 32 个该类别城市中排名第 21 位）。从创新能力构成看，秦皇岛成果转化力、创新治理力有待提升；从具体指标看，秦皇岛在高新区发展、财政科技投入等方面存在明显的短板。

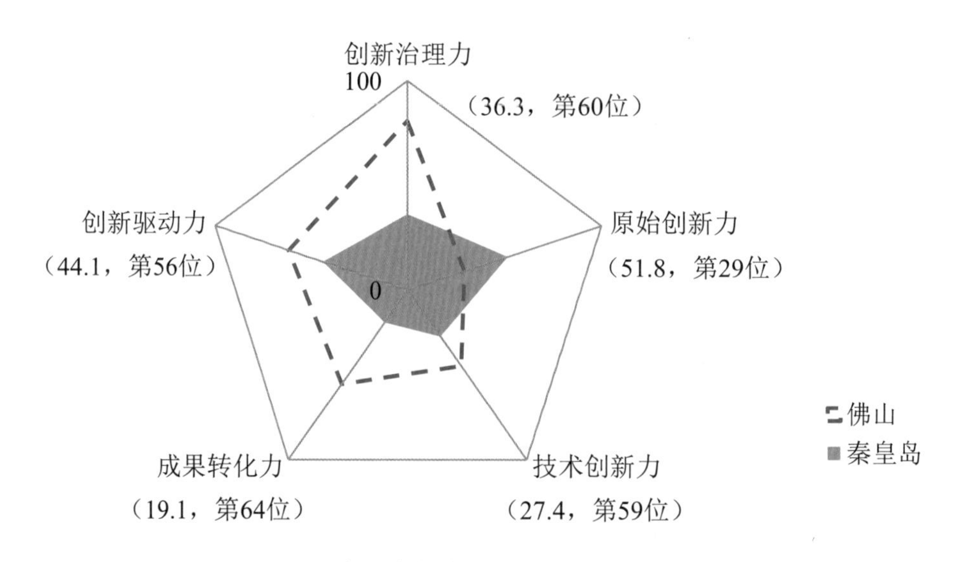


图 2-13　秦皇岛创新能力雷达图

从经济发展阶段来看，近年来秦皇岛固定资产投资与地区生产总值之比呈下降趋势，近 3 年平均值为 49.4%，低于全国平均水平（68.8%），公共财政收入占地区生产总值比重呈下降趋势，总体上秦皇岛处于由投资驱动向创新驱动的过渡阶段，创新发展动能正不断增强。

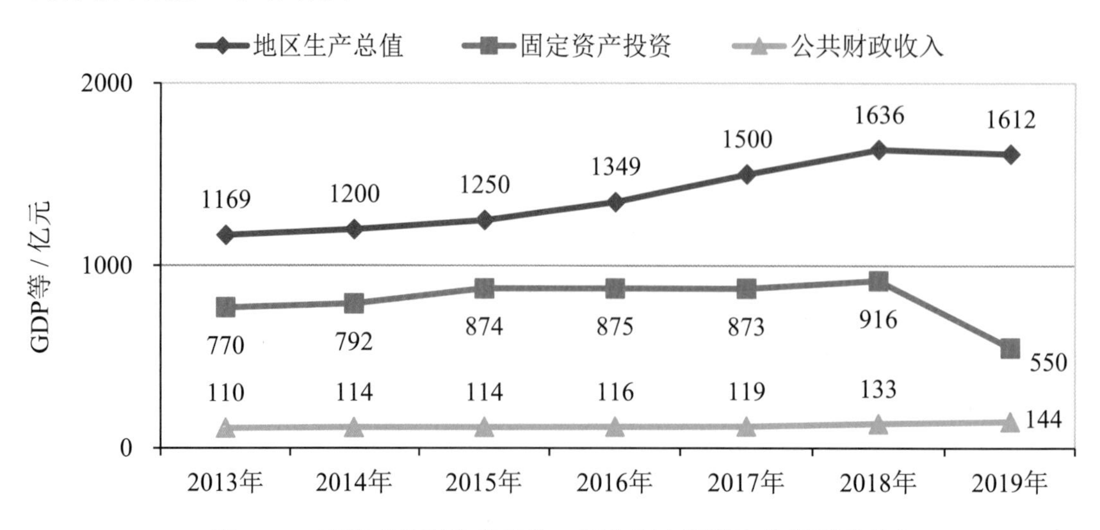


图 2-14　秦皇岛地区生产总值、固定资产投资和公共财政收入

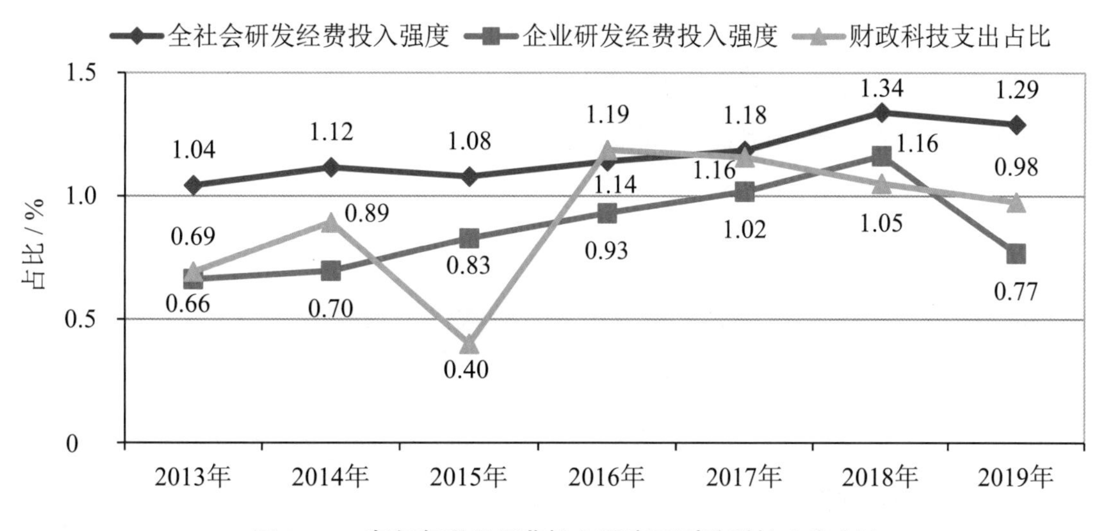


图 2-15　秦皇岛研发经费投入强度及财政科技支出占比

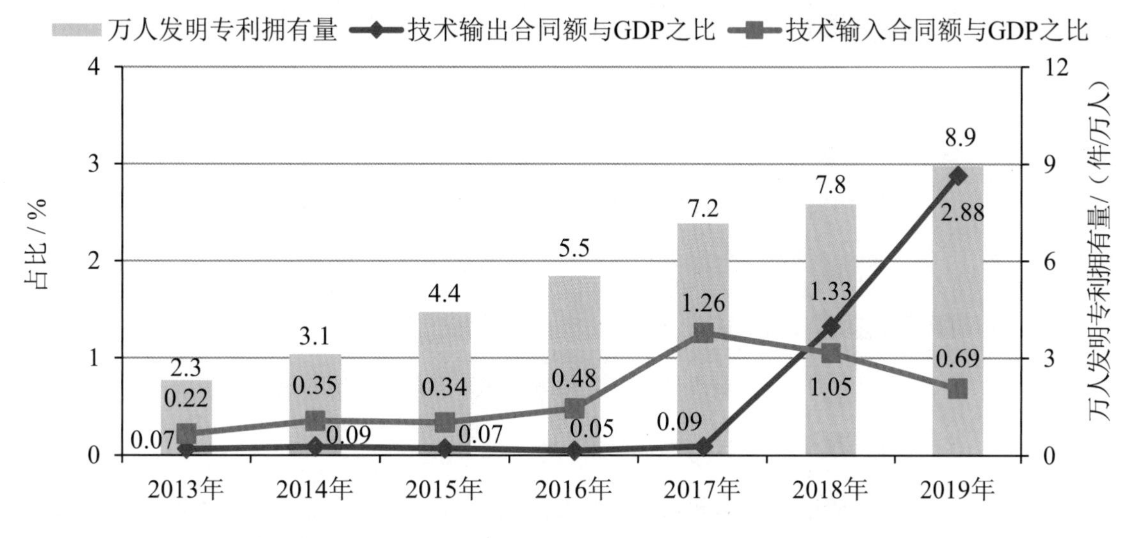


图 2-16　秦皇岛万人发明专利拥有量及技术合同成交额与地区生产总值之比

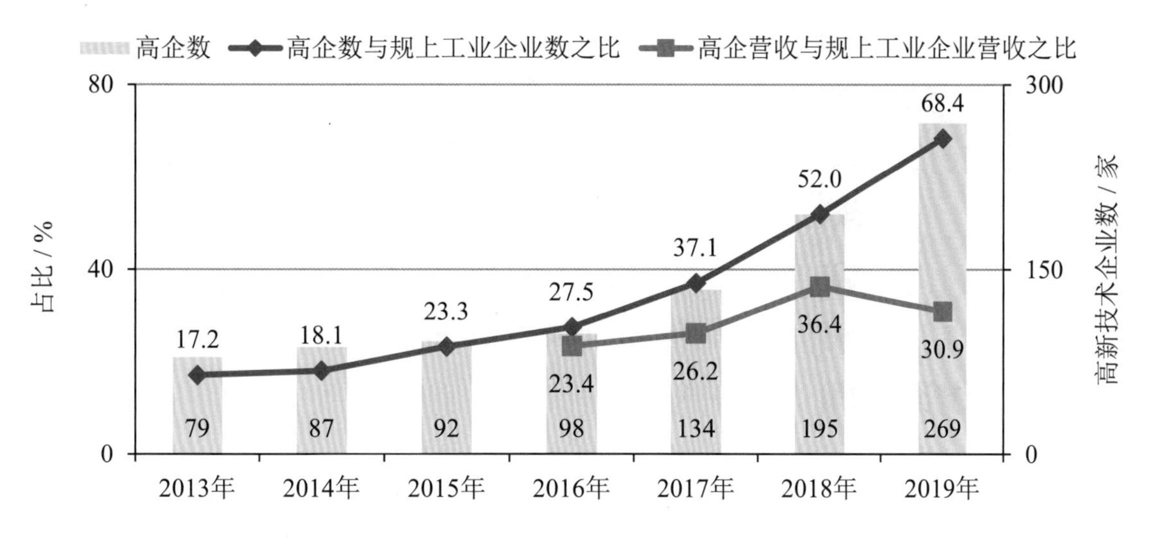


图 2-17　秦皇岛高新技术企业及其与规上工业企业之比

| 排名 | 指标数据 | 维度 |
| --- | --- | --- |
| 57 | 创新能力指数 35.72 | |
| 67 | 财政科技支出占公共财政支出比重 0.98% | 创新治理力 |
| 42 | 常住人口增长率 0.39% | 创新治理力 |
| 61 | 万名就业人员中研发人员 30.13人年/万人 | 创新治理力 |
| 57 | 万人专利申请量 17.84件/万人 | 创新治理力 |
| 66 | 人均地区生产总值 5.12万元/人 | 创新治理力 |
| 59 | 全社会研发经费支出与地区生产总值之比 1.29% | 原始创新力 |
| 15 | 基础研究经费占研发经费比重 9.53% | 原始创新力 |
| 34 | “双一流”建设学科数 0个 | 原始创新力 |
| 40 | 国家级科技成果奖数 6.41项当量 | 原始创新力 |
| 63 | 规上工业企业研发经费支出与营业收入之比 0.77% | 技术创新力 |
| 58 | 高新技术企业数 269家 | 技术创新力 |
| 67 | 国家高新区营业收入与地区生产总值之比 0 | 技术创新力 |
| 50 | 万人发明专利拥有量 8.95件/万人 | 技术创新力 |
| 13 | 技术输出合同成交额与地区生产总值之比 2.88% | 技术创新力 |
| 61 | 技术输入合同成交额与地区生产总值之比 0.69% | 成果转化力 |
| 41 | 科创板上市企业数 0家 | 成果转化力 |
| 54 | 国家级科技企业孵化器、大学科技园、双创示范基地数 8个 | 成果转化力 |
| 57 | 国家级科技企业孵化器、大学科技园新增在孵企业数 43家 | 成果转化力 |
| 64 | 科技型中小企业数 148家 | 成果转化力 |
| 37 | 规上工业企业新产品销售收入与营业收入之比 19.24% | 成果转化力 |
| 55 | 高新技术企业营业收入与规上工业企业营业收入之比 30.93% | 创新驱动力 |
| 58 | 城乡居民人均可支配收入之比 2.55 | 创新驱动力 |
| 60 | 单位地区生产总值能耗 0.67吨标准煤/万元 | 创新驱动力 |
| 49 | PM2.5年平均浓度 44微克/立方米 | 创新驱动力 |
| 22 | 人均实际使用外资额 381.51美元/人 | 创新驱动力 |
| 55 | 居民人均可支配收入 3.84万元/人 | 创新驱动力 |

图 2-18　秦皇岛创新能力指标数据及排名

## （四）南京

2019 年，南京常住人口 850 万人，地区生产总值 14030 亿元。南京创新能力指数为 77.71，在 72 个创新型城市中排名第 4 位（与上年相比无变化），属于创新策源地类别城市（在 15 个该类别城市中排名第 2 位）。从创新能力构成看，南京创新治理力、创新驱动力有待提升；从具体指标看，南京在城乡协调发展、空气质量等方面存在明显的短板。

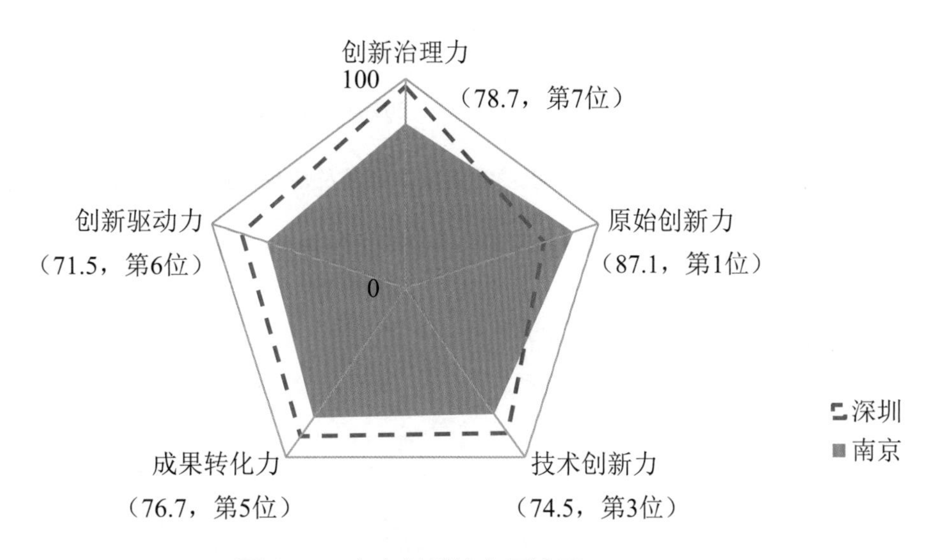


图 2-19　南京创新能力雷达图

从经济发展阶段来看，近年来南京固定资产投资与地区生产总值之比呈下降趋势，近 3 年平均值为 54.1%，低于全国平均水平（68.8%），公共财政收入占地区生产总值比重呈上升趋势，总体上南京已经跨越投资驱动，进入创新驱动发展阶段，高质量发展势头良好。

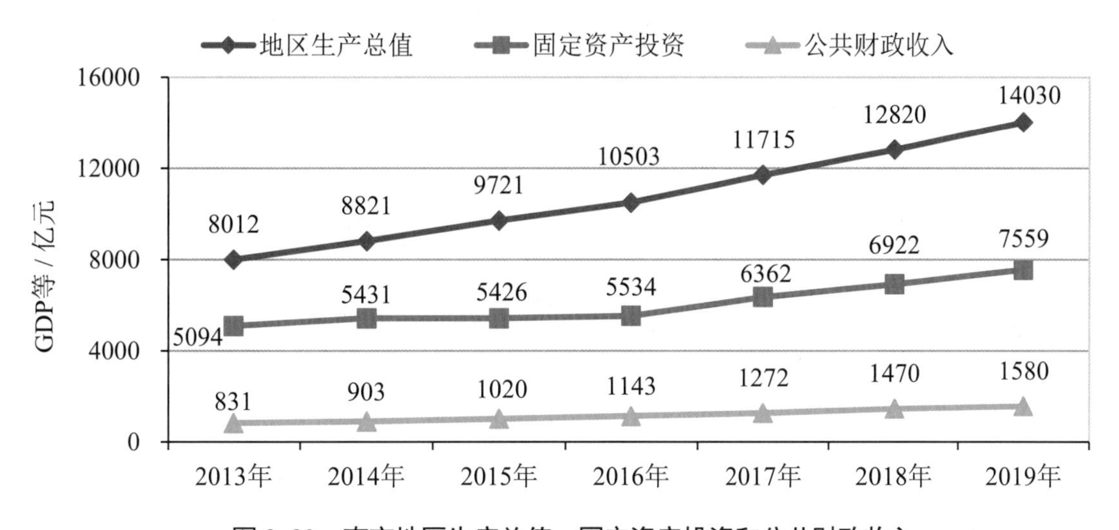


图 2-20　南京地区生产总值、固定资产投资和公共财政收入

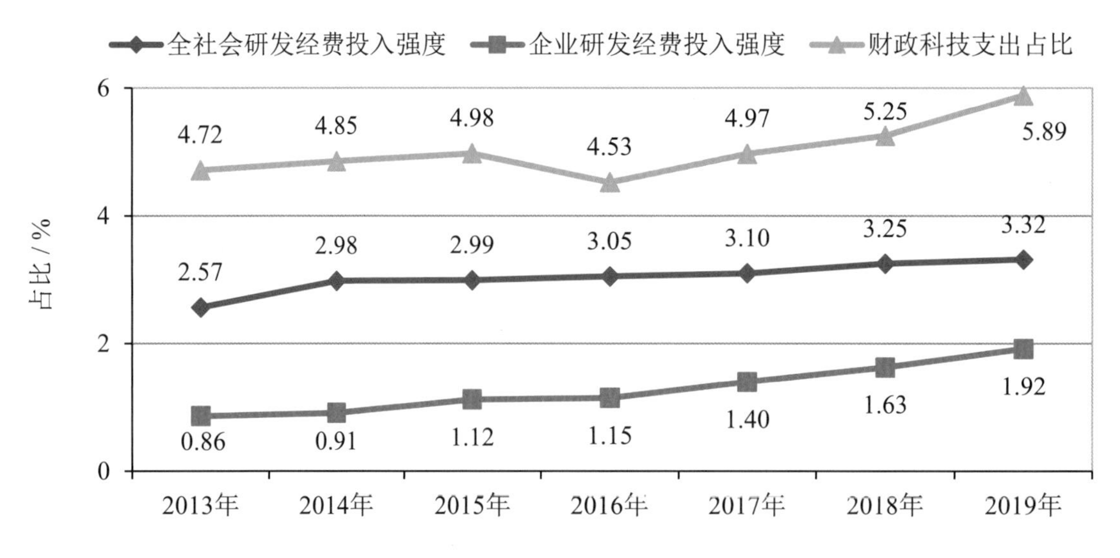


图 2-21　南京研发经费投入强度及财政科技支出占比

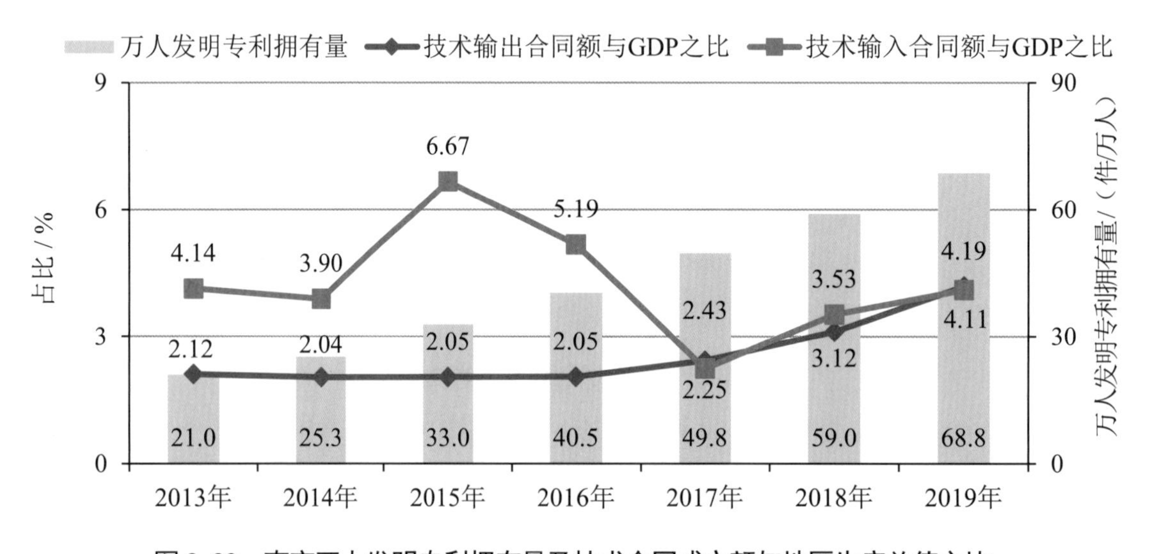


图 2-22　南京万人发明专利拥有量及技术合同成交额与地区生产总值之比

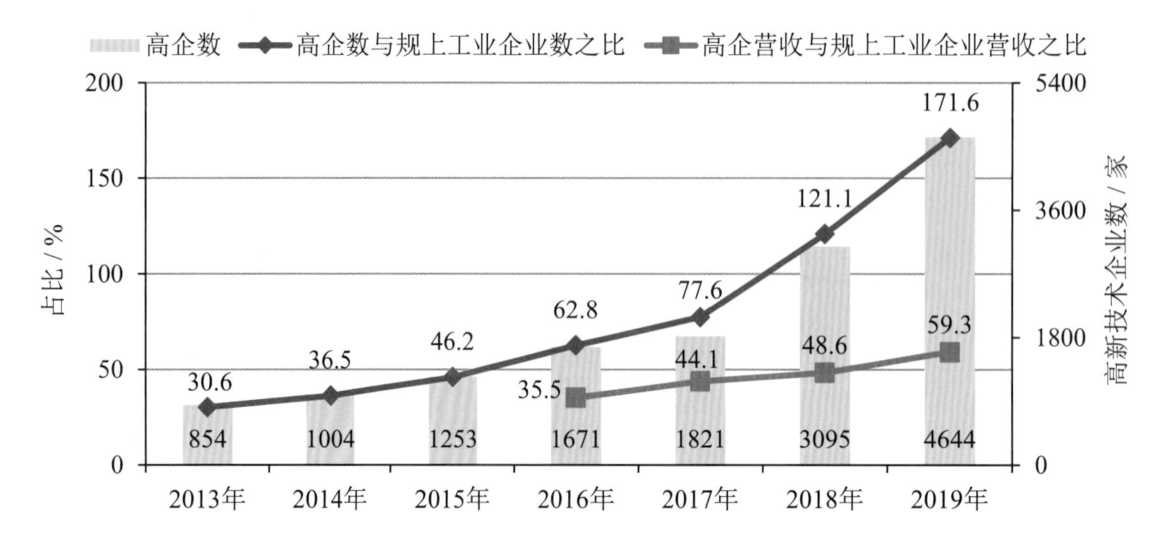


图 2-23　南京高新技术企业及其与规上工业企业之比

| 排名 | 指标 | 类别 |
|---|---|---|
| 4 | 创新能力指数 77.71 | |
| 11 | 财政科技支出占公共财政支出比重 5.89% | 创新治理力 |
| 32 | 常住人口增长率 0.76% | 创新治理力 |
| 2 | 万名就业人员中研发人员 244.34人年/万人 | 创新治理力 |
| 3 | 万人专利申请量 118.40件/万人 | 创新治理力 |
| 4 | 人均地区生产总值 16.51万元/人 | 创新治理力 |
| 5 | 全社会研发经费支出与地区生产总值之比 3.32% | 原始创新力 |
| 13 | 基础研究经费占研发经费比重 10.94% | 原始创新力 |
| 1 | “双一流”建设学科数 38个 | 原始创新力 |
| 1 | 国家级科技成果奖数 186.38项当量 | 原始创新力 |
| 18 | 规上工业企业研发经费支出与营业收入之比 1.92% | 技术创新力 |
| 7 | 高新技术企业数 4644家 | 技术创新力 |
| 30 | 国家高新区营业收入与地区生产总值之比 48.32% | 技术创新力 |
| 2 | 万人发明专利拥有量 68.79件/万人 | 技术创新力 |
| 7 | 技术输出合同成交额与地区生产总值之比 4.19% | 技术创新力 |
| 9 | 技术输入合同成交额与地区生产总值之比 4.11% | 成果转化力 |
| 11 | 科创板上市企业数 5家 | 成果转化力 |
| 5 | 国家级科技企业孵化器、大学科技园、双创示范基地数 96个 | 成果转化力 |
| 5 | 国家级科技企业孵化器、大学科技园新增在孵企业数 701家 | 成果转化力 |
| 3 | 科技型中小企业数 6693家 | 成果转化力 |
| 34 | 规上工业企业新产品销售收入与营业收入之比 20.40% | 成果转化力 |
| 17 | 高新技术企业营业收入与规上工业企业营业收入之比 59.34% | 创新驱动力 |
| 50 | 城乡居民人均可支配收入之比 2.33 | 创新驱动力 |
| 8 | 单位地区生产总值能耗 0.28吨标准煤/万元 | 创新驱动力 |
| 38 | PM2.5年平均浓度 40微克/立方米 | 创新驱动力 |
| 15 | 人均实际使用外资额 482.42美元/人 | 创新驱动力 |
| 5 | 居民人均可支配收入 6.44万元/人 | 创新驱动力 |

图 2-24　南京创新能力指标数据及排名

## （五）无锡

2019 年，无锡常住人口 659 万人，地区生产总值 11852 亿元。无锡创新能力指数为 67.71，在 72 个创新型城市中排名第 13 位（与上年相比退 1 位），属于创新增长极类别城市（在 25 个该类别城市中排名第 2 位）。从创新能力构成看，无锡原始创新力、成果转化力有待提升；从具体指标看，无锡在基础研究投入、人才吸引力等方面存在明显的短板。

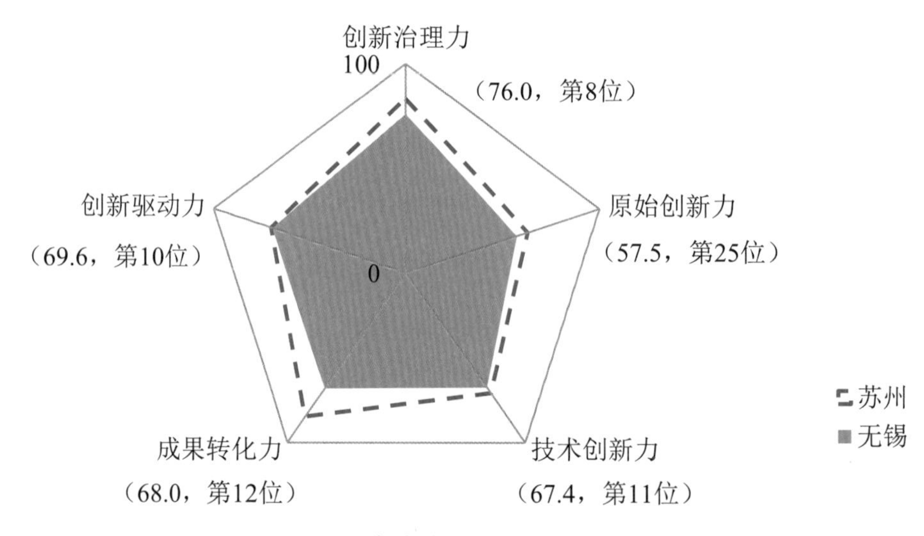


图 2-25　无锡创新能力雷达图

从经济发展阶段来看，近年来无锡固定资产投资与地区生产总值之比呈下降趋势，近 3 年平均值为 45.7%，低于全国平均水平（68.8%），公共财政收入占地区生产总值比重呈下降趋势，总体上无锡已经跨越投资驱动，进入创新驱动发展阶段，高质量发展势头良好。

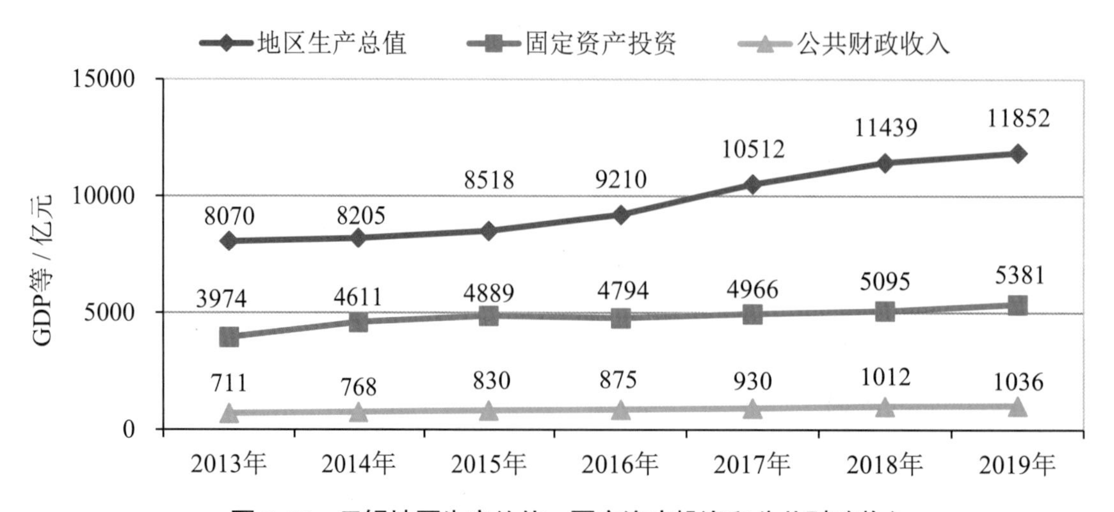


图 2-26　无锡地区生产总值、固定资产投资和公共财政收入

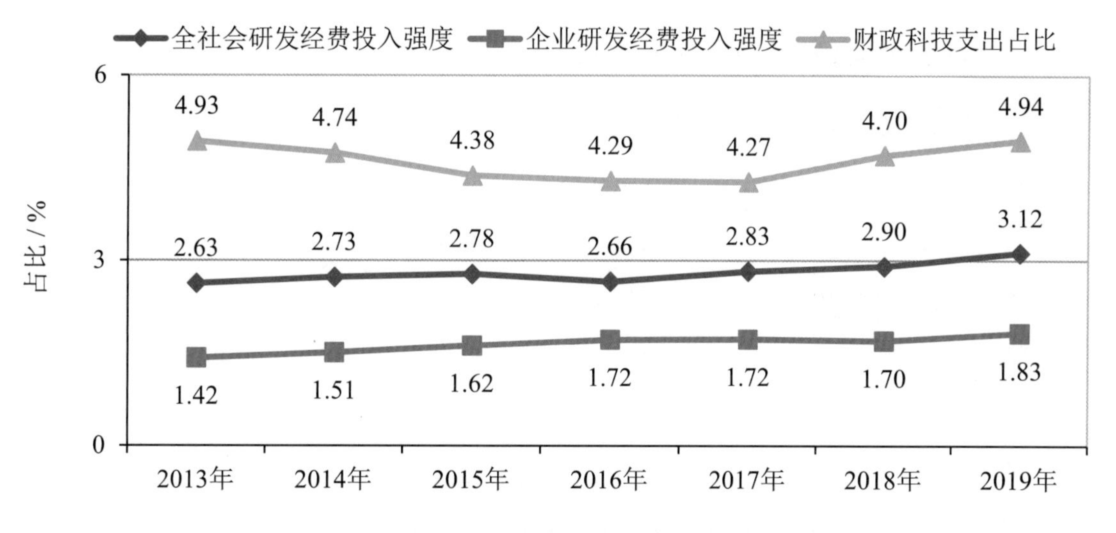


图 2-27 无锡研发经费投入强度及财政科技支出占比

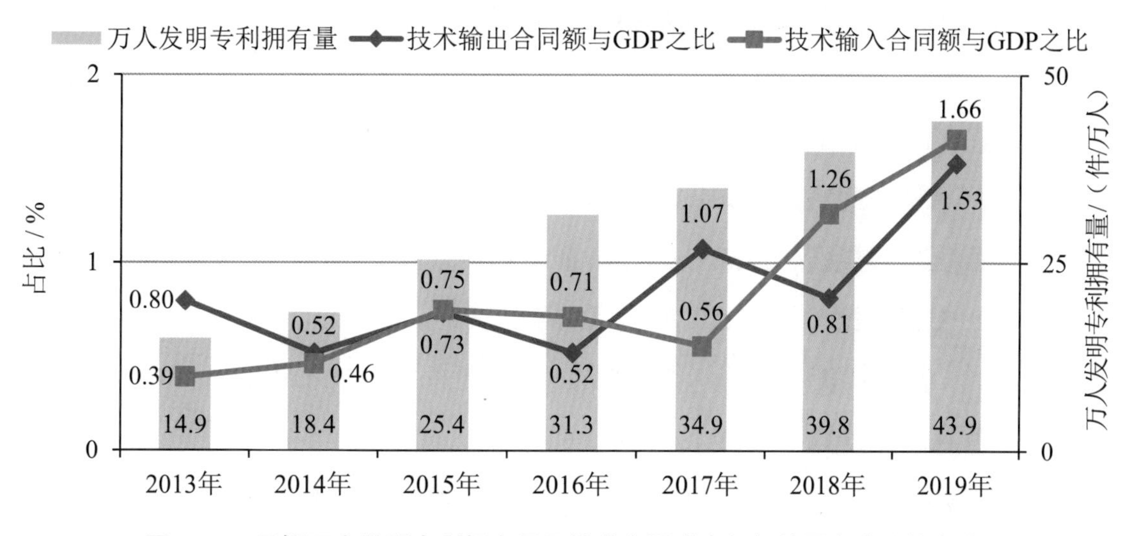


图 2-28 无锡万人发明专利拥有量及技术合同成交额与地区生产总值之比

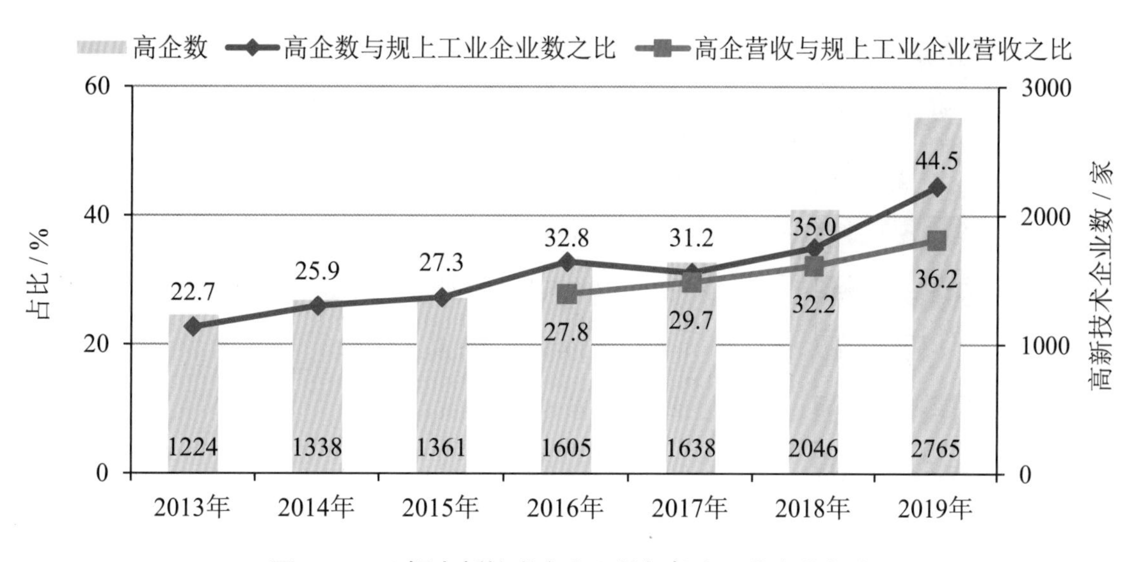


图 2-29 无锡高新技术企业及其与规上工业企业之比

| 排名 | 指标 | 分类 |
|---|---|---|
| 13 | 创新能力指数 67.71 | |
| 14 | 财政科技支出占公共财政支出比重 4.94% | 创新治理力 |
| 51 | 常住人口增长率 0.26% | 创新治理力 |
| 5 | 万名就业人员中研发人员 199.50人年/万人 | 创新治理力 |
| 7 | 万人专利申请量 100.39件/万人 | 创新治理力 |
| 2 | 人均地区生产总值 17.98万元/人 | 创新治理力 |
| 7 | 全社会研发经费支出与地区生产总值之比 3.12% | 原始创新力 |
| 62 | 基础研究经费占研发经费比重 0.40% | 原始创新力 |
| 17 | “双一流”建设学科数 2个 | 原始创新力 |
| 18 | 国家级科技成果奖数 30.64项当量 | 原始创新力 |
| 22 | 规上工业企业研发经费支出与营业收入之比 1.83% | 技术创新力 |
| 13 | 高新技术企业数 2765家 | 技术创新力 |
| 27 | 国家高新区营业收入与地区生产总值之比 51.50% | 技术创新力 |
| 5 | 万人发明专利拥有量 43.93件/万人 | 技术创新力 |
| 28 | 技术输出合同成交额与地区生产总值之比 1.53% | 技术创新力 |
| 34 | 技术输入合同成交额与地区生产总值之比 1.66% | 成果转化力 |
| 7 | 科创板上市企业数 8家 | 成果转化力 |
| 17 | 国家级科技企业孵化器、大学科技园、双创示范基地数 38个 | 成果转化力 |
| 8 | 国家级科技企业孵化器、大学科技园新增在孵企业数 467家 | 成果转化力 |
| 8 | 科技型中小企业数 3706家 | 成果转化力 |
| 30 | 规上工业企业新产品销售收入与营业收入之比 21.82% | 成果转化力 |
| 44 | 高新技术企业营业收入与规上工业企业营业收入之比 36.22% | 创新驱动力 |
| 14 | 城乡居民人均可支配收入之比 1.84 | 创新驱动力 |
| 19 | 单位地区生产总值能耗 0.34吨标准煤/万元 | 创新驱动力 |
| 36 | PM2.5年平均浓度 39微克/立方米 | 创新驱动力 |
| 14 | 人均实际使用外资额 549.16美元/人 | 创新驱动力 |
| 9 | 居民人均可支配收入 6.19万元/人 | 创新驱动力 |

图 2-30　无锡创新能力指标数据及排名

## （六）徐州

2019 年，徐州常住人口 883 万人，地区生产总值 7151 亿元。徐州创新能力指数为 51.46，在 72 个创新型城市中排名第 36 位（与上年相比进 8 位），属于创新增长极类别城市（在 25 个该类别城市中排名第 21 位）。从创新能力构成看，徐州创新驱动力、技术创新力有待提升；从具体指标看，徐州在空气质量、居民收入等方面存在明显的短板。

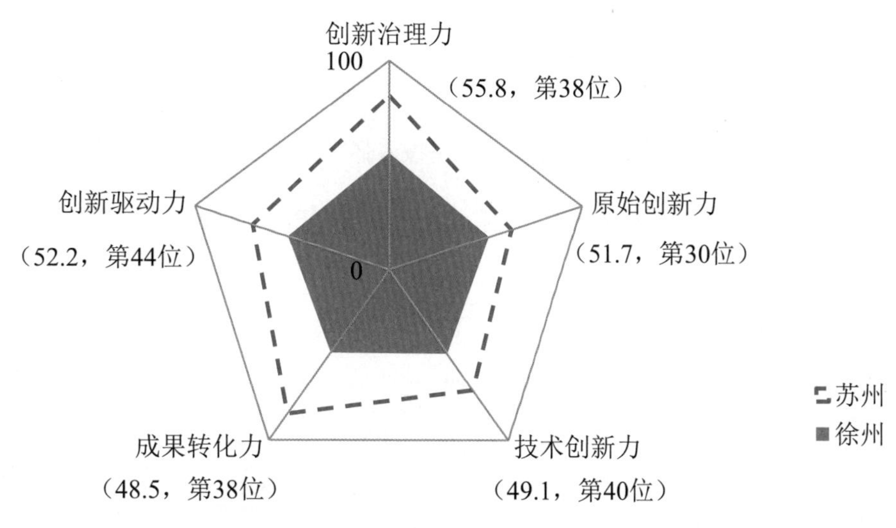


图 2-31　徐州创新能力雷达图

从经济发展阶段来看，近年来徐州固定资产投资与地区生产总值之比呈下降趋势，近 3 年平均值为 74.1%，高于全国平均水平（68.8%），公共财政收入占地区生产总值比重呈下降趋势，总体上徐州处于由投资驱动向创新驱动的过渡阶段，创新发展动能正不断增强。

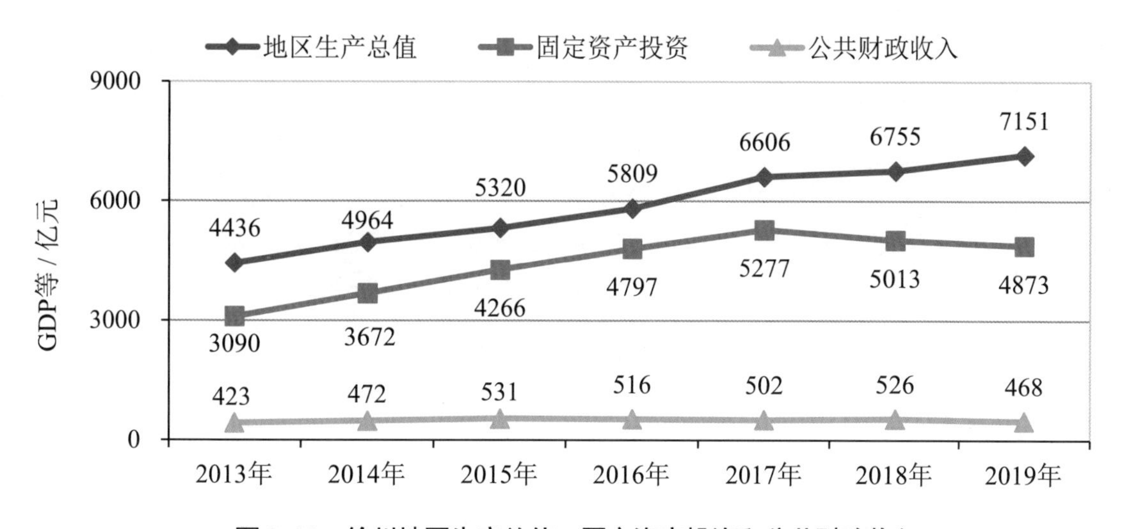


图 2-32　徐州地区生产总值、固定资产投资和公共财政收入

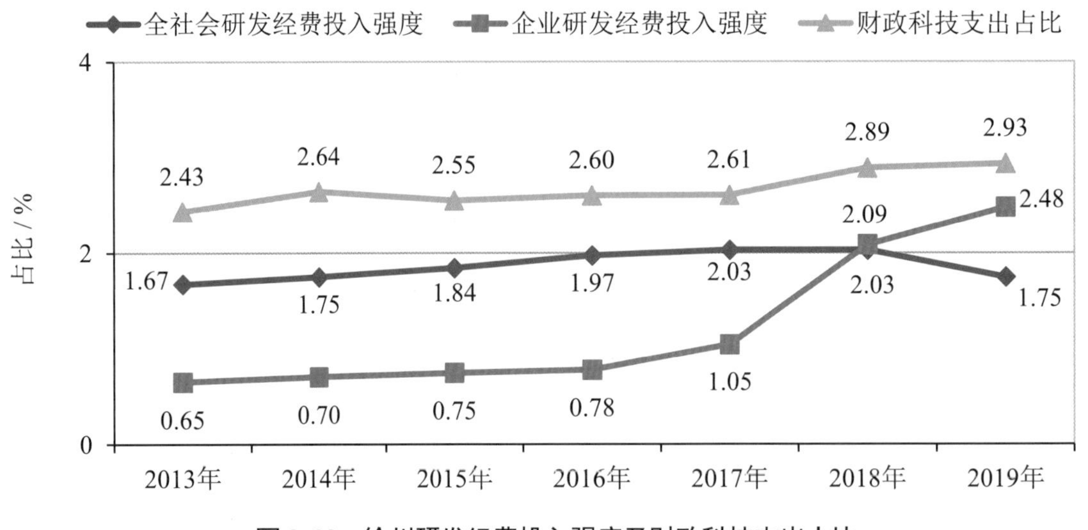


图 2-33　徐州研发经费投入强度及财政科技支出占比

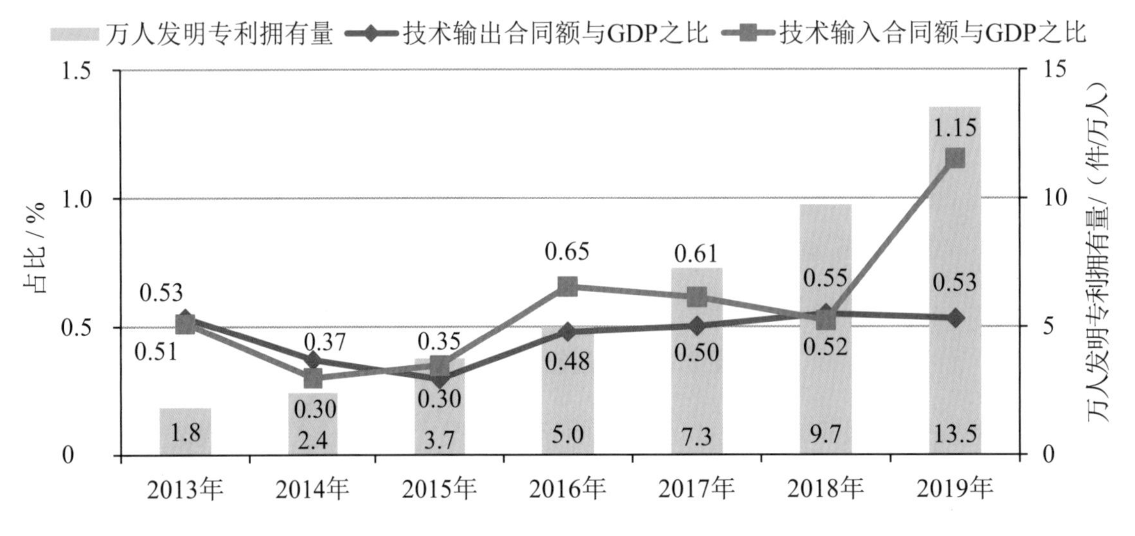


图 2-34　徐州万人发明专利拥有量及技术合同成交额与地区生产总值之比

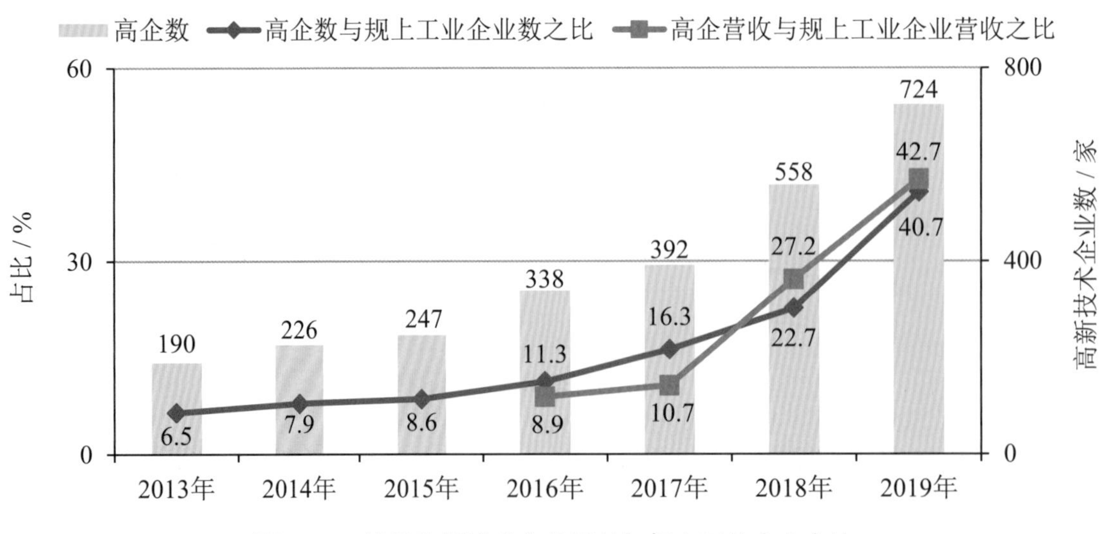


图 2-35　徐州高新技术企业及其与规上工业企业之比

| 排名 | 指标数据 | 分类 |
| --- | --- | --- |
| 36 | 创新能力指数 51.46 | |
| 39 | 财政科技支出占公共财政支出比重 2.93% | 创新治理力 |
| 49 | 常住人口增长率 0.27% | 创新治理力 |
| 40 | 万名就业人员中研发人员 64.82人年/万人 | 创新治理力 |
| 31 | 万人专利申请量 38.71件/万人 | 创新治理力 |
| 49 | 人均地区生产总值 8.10万元/人 | 创新治理力 |
| 49 | 全社会研发经费支出与地区生产总值之比 1.75% | 原始创新力 |
| 36 | 基础研究经费占研发经费比重 2.90% | 原始创新力 |
| 17 | “双一流”建设学科数 2个 | 原始创新力 |
| 34 | 国家级科技成果奖数 9.25项当量 | 原始创新力 |
| 5 | 规上工业企业研发经费支出与营业收入之比 2.48% | 技术创新力 |
| 44 | 高新技术企业数 724家 | 技术创新力 |
| 54 | 国家高新区营业收入与地区生产总值之比 15.71% | 技术创新力 |
| 38 | 万人发明专利拥有量 13.53件/万人 | 技术创新力 |
| 54 | 技术输出合同成交额与地区生产总值之比 0.53% | 技术创新力 |
| 53 | 技术输入合同成交额与地区生产总值之比 1.15% | 成果转化力 |
| 41 | 科创板上市企业数 0家 | 成果转化力 |
| 36 | 国家级科技企业孵化器、大学科技园、双创示范基地数 20个 | 成果转化力 |
| 29 | 国家级科技企业孵化器、大学科技园新增在孵企业数 240家 | 成果转化力 |
| 36 | 科技型中小企业数 610家 | 成果转化力 |
| 24 | 规上工业企业新产品销售收入与营业收入之比 24.33% | 成果转化力 |
| 31 | 高新技术企业营业收入与规上工业企业营业收入之比 42.67% | 创新驱动力 |
| 13 | 城乡居民人均可支配收入之比 1.82 | 创新驱动力 |
| 7 | 单位地区生产总值能耗 0.28吨标准煤/万元 | 创新驱动力 |
| 66 | PM2.5年平均浓度 57微克/立方米 | 创新驱动力 |
| 32 | 人均实际使用外资额 236.81美元/人 | 创新驱动力 |
| 63 | 居民人均可支配收入 3.62万元/人 | 创新驱动力 |

图 2-36　徐州创新能力指标数据及排名

## （七）常州

2019 年，常州常住人口 474 万人，地区生产总值 7401 亿元。常州创新能力指数为 63.49，在 72 个创新型城市中排名第 16 位（与上年相比无变化），属于创新增长极类别城市（在 25 个该类别城市中排名第 4 位）。从创新能力构成看，常州成果转化力、创新驱动力有待提升；从具体指标看，常州在人才吸引力、高新技术产业发展等方面存在明显的短板。

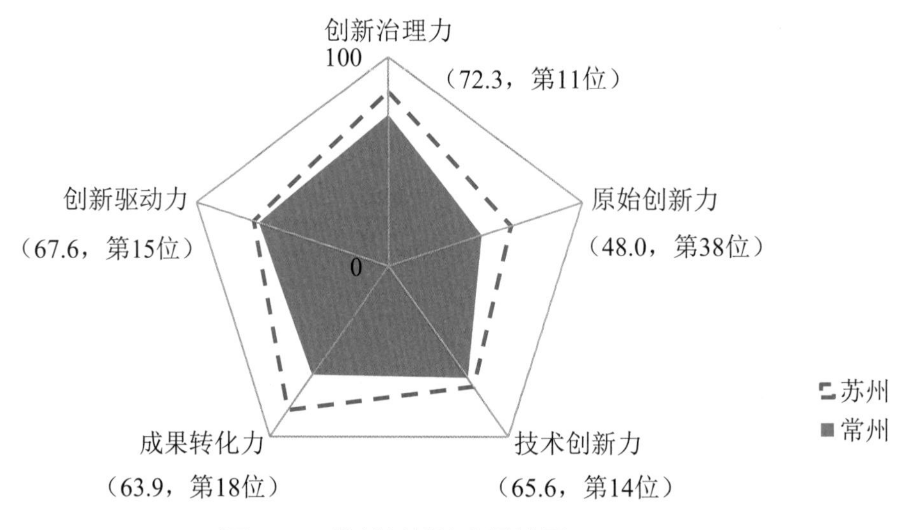


图 2-37　常州创新能力雷达图

从经济发展阶段来看，近年来常州固定资产投资与地区生产总值之比呈下降趋势，近 3 年平均值为 54.4%，低于全国平均水平（68.8%），公共财政收入占地区生产总值比重呈下降趋势，总体上常州已经跨越投资驱动，进入创新驱动发展阶段，高质量发展势头良好。

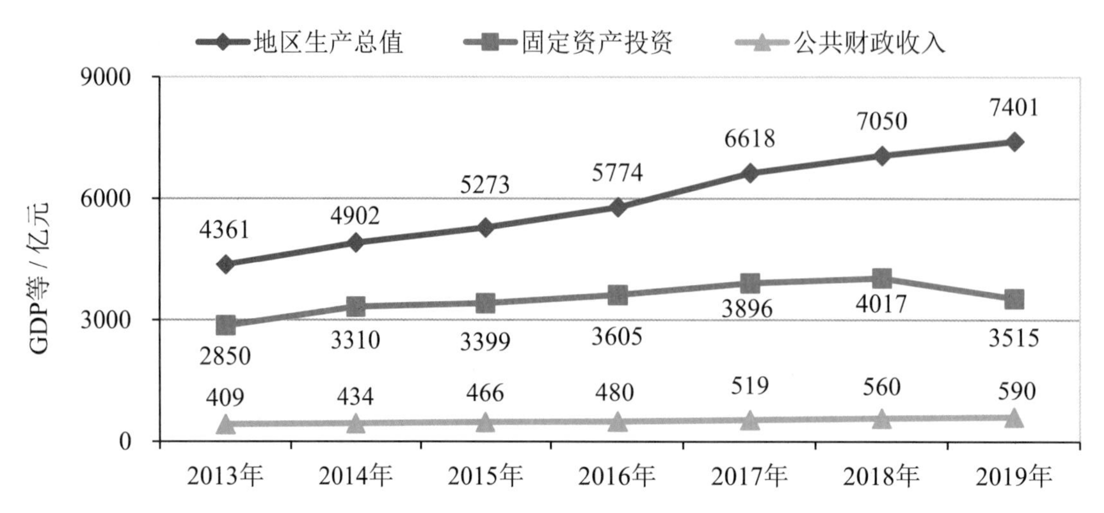


图 2-38　常州地区生产总值、固定资产投资和公共财政收入

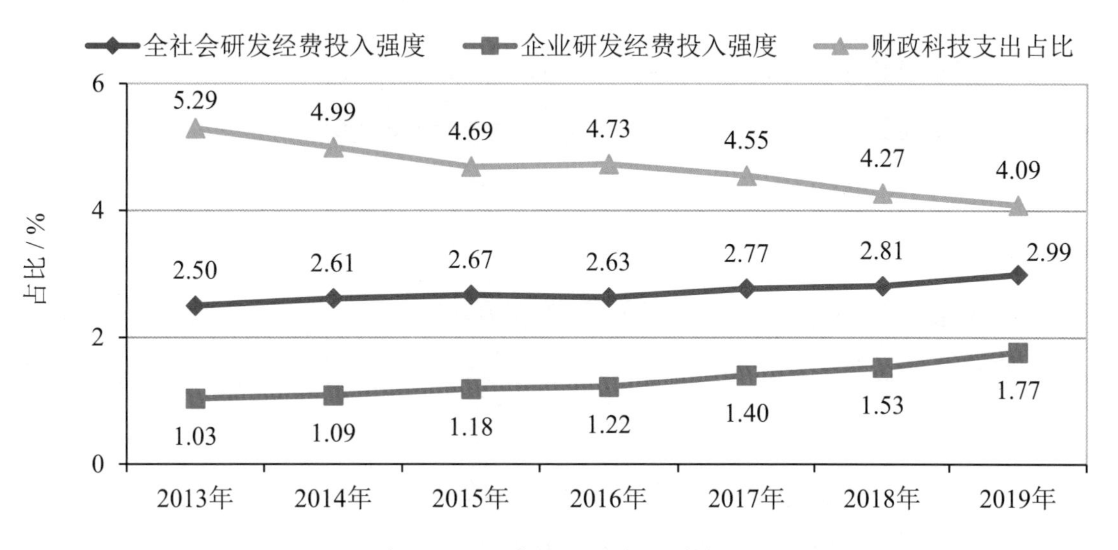


图 2-39　常州研发经费投入强度及财政科技支出占比

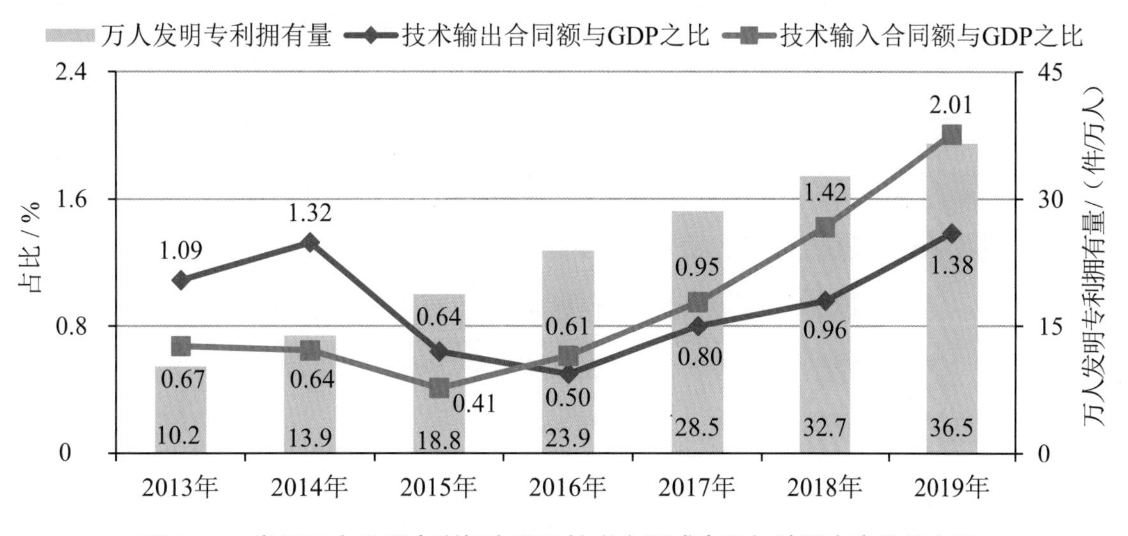


图 2-40　常州万人发明专利拥有量及技术合同成交额与地区生产总值之比

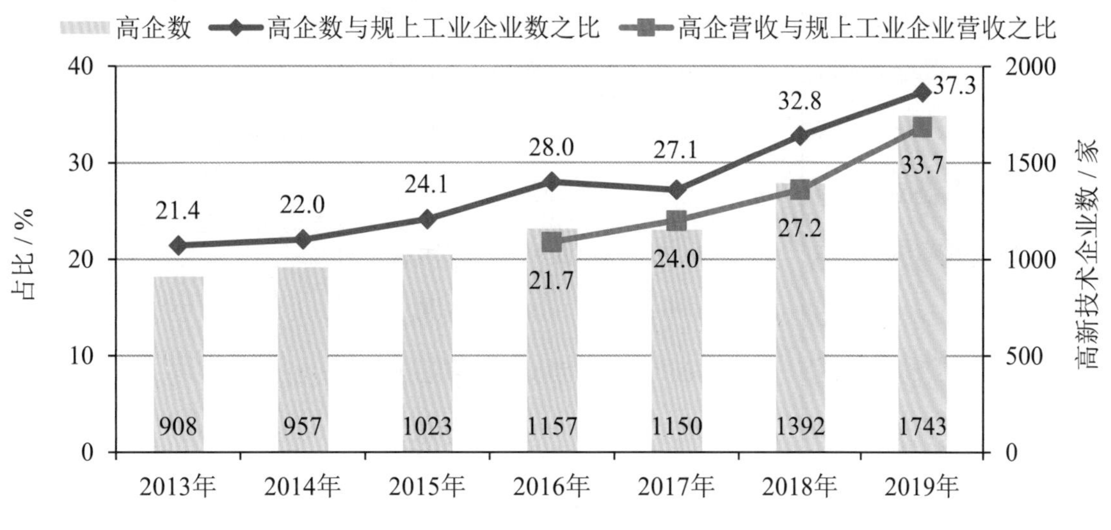


图 2-41　常州高新技术企业及其与规上工业企业之比

| 排名 | 指标 | 类别 |
|---|---|---|
| 16 | 创新能力指数 63.49 | |
| 20 | 财政科技支出占公共财政支出比重 4.09% | 创新治理力 |
| 57 | 常住人口增长率 0.16% | 创新治理力 |
| 3 | 万名就业人员中研发人员 207.91人年/万人 | 创新治理力 |
| 6 | 万人专利申请量 102.24件/万人 | 创新治理力 |
| 5 | 人均地区生产总值 15.63万元/人 | 创新治理力 |
| 12 | 全社会研发经费支出与地区生产总值之比 2.99% | 原始创新力 |
| 64 | 基础研究经费占研发经费比重 0.34% | 原始创新力 |
| 34 | “双一流”建设学科数 0个 | 原始创新力 |
| 38 | 国家级科技成果奖数 7.47项当量 | 原始创新力 |
| 27 | 规上工业企业研发经费支出与营业收入之比 1.77% | 技术创新力 |
| 21 | 高新技术企业数 1743家 | 技术创新力 |
| 15 | 国家高新区营业收入与地区生产总值之比 63.94% | 技术创新力 |
| 10 | 万人发明专利拥有量 36.54件/万人 | 技术创新力 |
| 32 | 技术输出合同成交额与地区生产总值之比 1.38% | 技术创新力 |
| 26 | 技术输入合同成交额与地区生产总值之比 2.01% | 成果转化力 |
| 16 | 科创板上市企业数 3家 | 成果转化力 |
| 24 | 国家级科技企业孵化器、大学科技园、双创示范基地数 34个 | 成果转化力 |
| 16 | 国家级科技企业孵化器、大学科技园新增在孵企业数 359家 | 成果转化力 |
| 29 | 科技型中小企业数 967家 | 成果转化力 |
| 28 | 规上工业企业新产品销售收入与营业收入之比 23.02% | 成果转化力 |
| 52 | 高新技术企业营业收入与规上工业企业营业收入之比 33.70% | 创新驱动力 |
| 17 | 城乡居民人均可支配收入之比 1.91 | 创新驱动力 |
| 3 | 单位地区生产总值能耗 0.25吨标准煤/万元 | 创新驱动力 |
| 49 | PM2.5年平均浓度 44微克/立方米 | 创新驱动力 |
| 13 | 人均实际使用外资额 554.92美元/人 | 创新驱动力 |
| 13 | 居民人均可支配收入 5.83万元/人 | 创新驱动力 |

图 2-42　常州创新能力指标数据及排名

## （八）苏州

2019 年，苏州常住人口 1075 万人，地区生产总值 19236 亿元。苏州创新能力指数为 74.43，在 72 个创新型城市中排名第 5 位（与上年相比进 2 位），属于创新增长极类别城市（在 25 个该类别城市中排名第 1 位）。从创新能力构成看，苏州原始创新力、创新驱动力有待提升；从具体指标看，苏州在人才吸引力、基础研究投入等方面存在明显的短板。

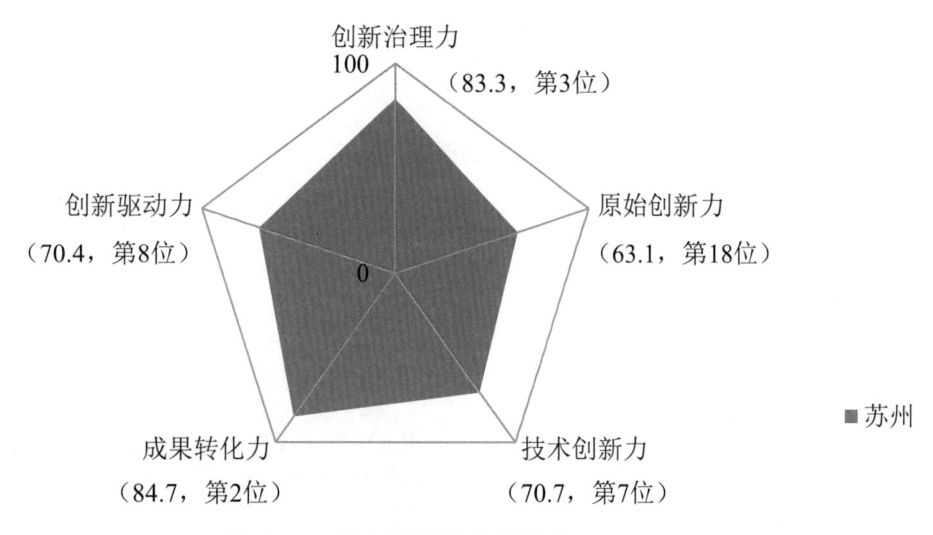


图 2-43　苏州创新能力雷达图

从经济发展阶段来看，近年来苏州固定资产投资与地区生产总值之比呈下降趋势，近 3 年平均值为 31.3%，低于全国平均水平（68.8%），公共财政收入占地区生产总值比重呈上升趋势，总体上苏州已经跨越投资驱动，进入创新驱动发展阶段，高质量发展势头良好。

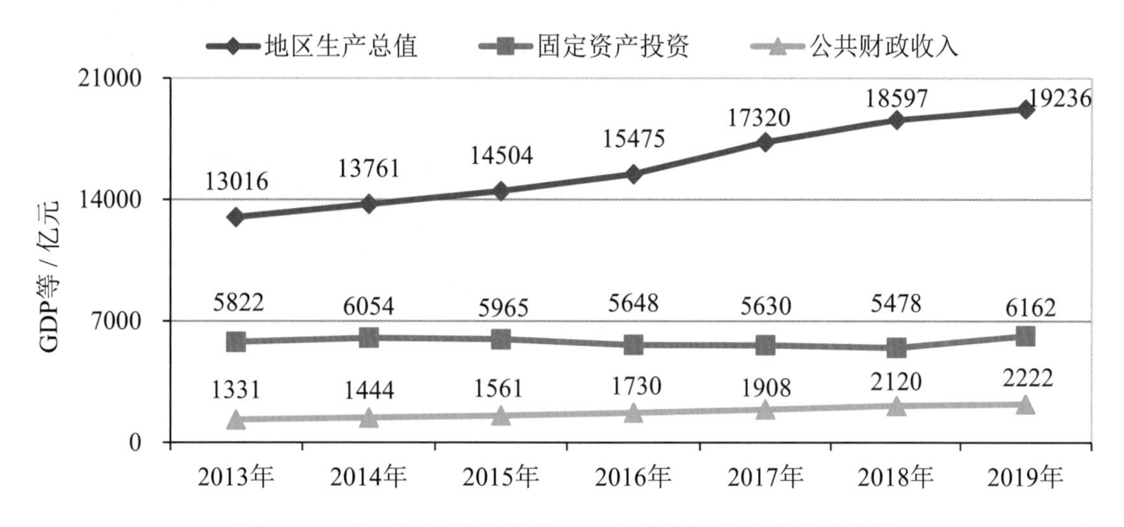


图 2-44　苏州地区生产总值、固定资产投资和公共财政收入

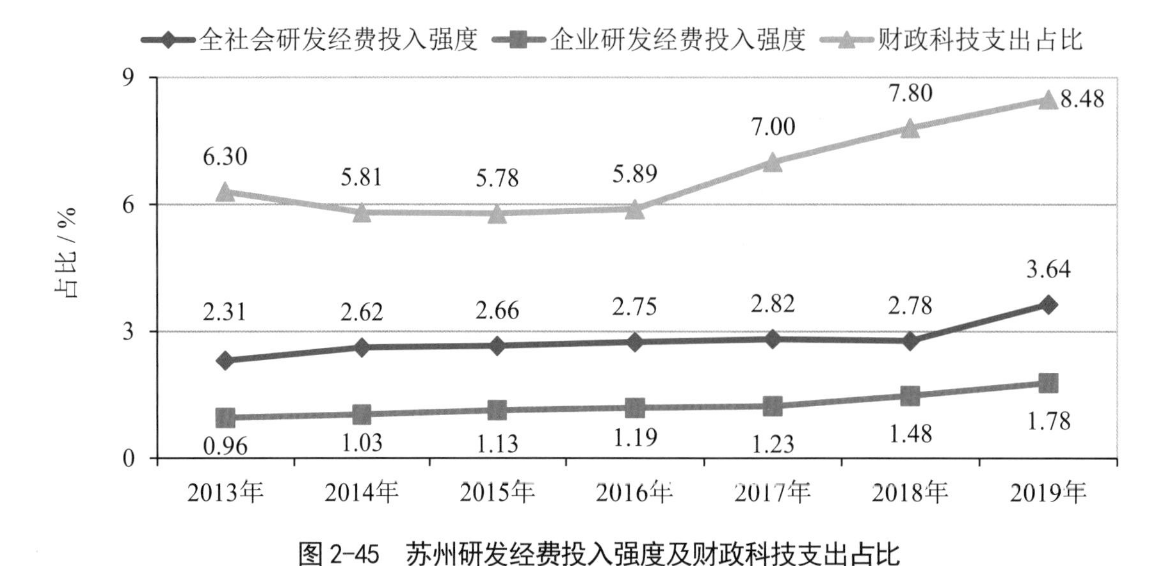


图 2-45　苏州研发经费投入强度及财政科技支出占比

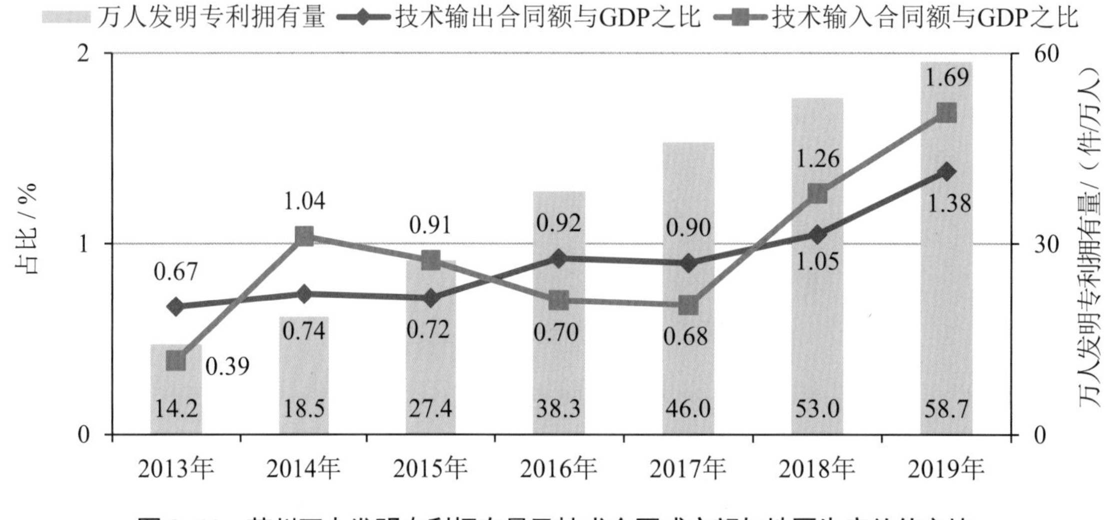


图 2-46　苏州万人发明专利拥有量及技术合同成交额与地区生产总值之比

图 2-47　苏州高新技术企业及其与规上工业企业之比

| 排名 | 指标数据 | 类别 |
|---|---|---|
| 5 | 创新能力指数 74.43 | |
| 6 | 财政科技支出占公共财政支出比重 8.48% | 创新治理力 |
| 50 | 常住人口增长率 0.26% | 创新治理力 |
| 4 | 万名就业人员中研发人员 202.82人年/万人 | 创新治理力 |
| 2 | 万人专利申请量 151.53件/万人 | 创新治理力 |
| 3 | 人均地区生产总值 17.89万元/人 | 创新治理力 |
| 3 | 全社会研发经费支出与地区生产总值之比 3.64% | 原始创新力 |
| 47 | 基础研究经费占研发经费比重 1.20% | 原始创新力 |
| 22 | “双一流”建设学科数 1个 | 原始创新力 |
| 13 | 国家级科技成果奖数 52.23项当量 | 原始创新力 |
| 24 | 规上工业企业研发经费支出与营业收入之比 1.78% | 技术创新力 |
| 3 | 高新技术企业数 6971家 | 技术创新力 |
| 19 | 国家高新区营业收入与地区生产总值之比 63.16% | 技术创新力 |
| 3 | 万人发明专利拥有量 58.67件/万人 | 技术创新力 |
| 33 | 技术输出合同成交额与地区生产总值之比 1.38% | 技术创新力 |
| 33 | 技术输入合同成交额与地区生产总值之比 1.69% | 成果转化力 |
| 1 | 科创板上市企业数 33家 | 成果转化力 |
| 2 | 国家级科技企业孵化器、大学科技园、双创示范基地数 101个 | 成果转化力 |
| 1 | 国家级科技企业孵化器、大学科技园新增在孵企业数 1143家 | 成果转化力 |
| 5 | 科技型中小企业数 5176家 | 成果转化力 |
| 17 | 规上工业企业新产品销售收入与营业收入之比 29.56% | 成果转化力 |
| 35 | 高新技术企业营业收入与规上工业企业营业收入之比 41.12% | 创新驱动力 |
| 19 | 城乡居民人均可支配收入之比 1.95 | 创新驱动力 |
| 43 | 单位地区生产总值能耗 0.47吨标准煤/万元 | 创新驱动力 |
| 26 | PM2.5年平均浓度 36微克/立方米 | 创新驱动力 |
| 18 | 人均实际使用外资额 429.35美元/人 | 创新驱动力 |
| 1 | 居民人均可支配收入 6.86万元/人 | 创新驱动力 |

图 2-48　苏州创新能力指标数据及排名

## （九）南通

2019 年，南通常住人口 732 万人，地区生产总值 9383 亿元。南通创新能力指数为 58.69，在 72 个创新型城市中排名第 23 位（与上年相比进 3 位），属于创新增长极类别城市（在 25 个该类别城市中排名第 8 位）。从创新能力构成看，南通创新治理力、成果转化力有待提升；从具体指标看，南通在人才吸引力、高水平科学与工程研究基地等方面存在明显的短板。

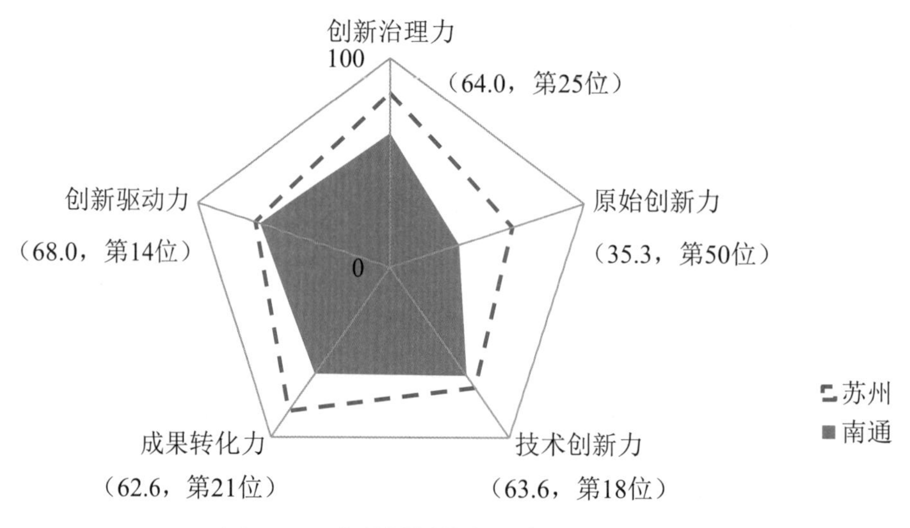


图 2-49　南通创新能力雷达图

从经济发展阶段来看，近年来南通固定资产投资与地区生产总值之比呈下降趋势，近 3 年平均值为 61.1%，低于全国平均水平（68.8%），公共财政收入占地区生产总值比重呈下降趋势，总体上南通已经跨越投资驱动，进入创新驱动发展阶段，高质量发展势头良好。

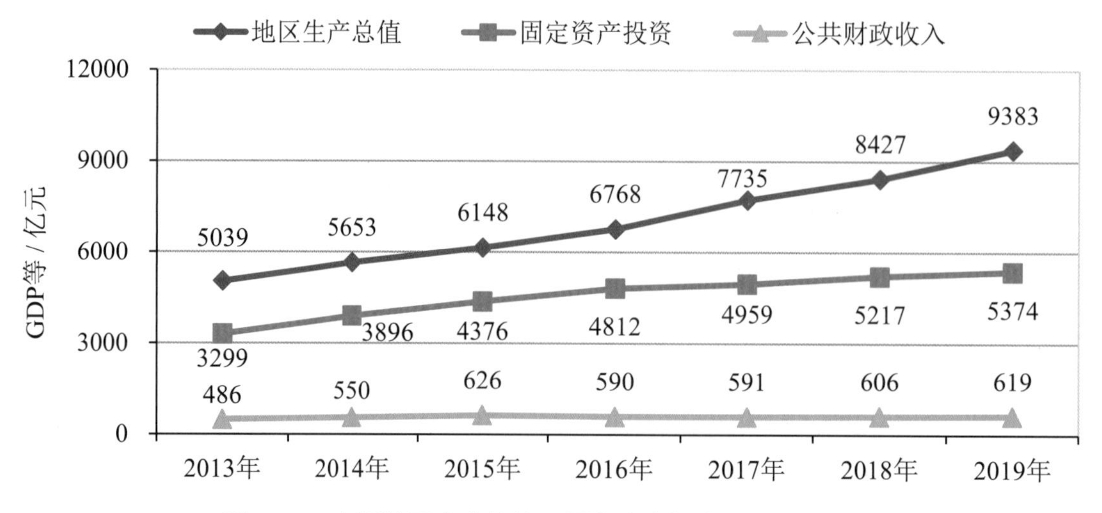


图 2-50　南通地区生产总值、固定资产投资和公共财政收入

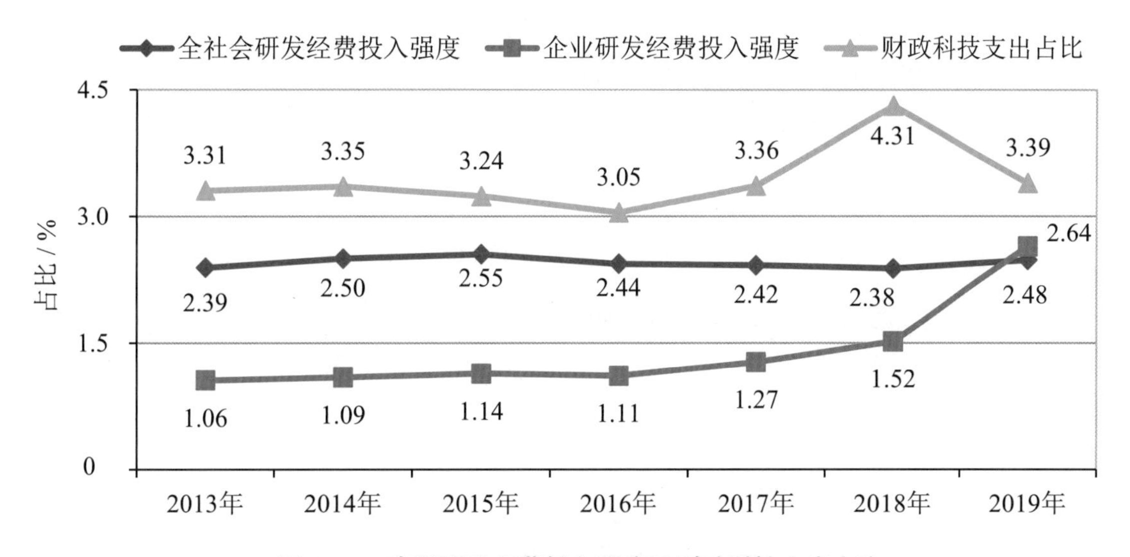


图 2-51　南通研发经费投入强度及财政科技支出占比

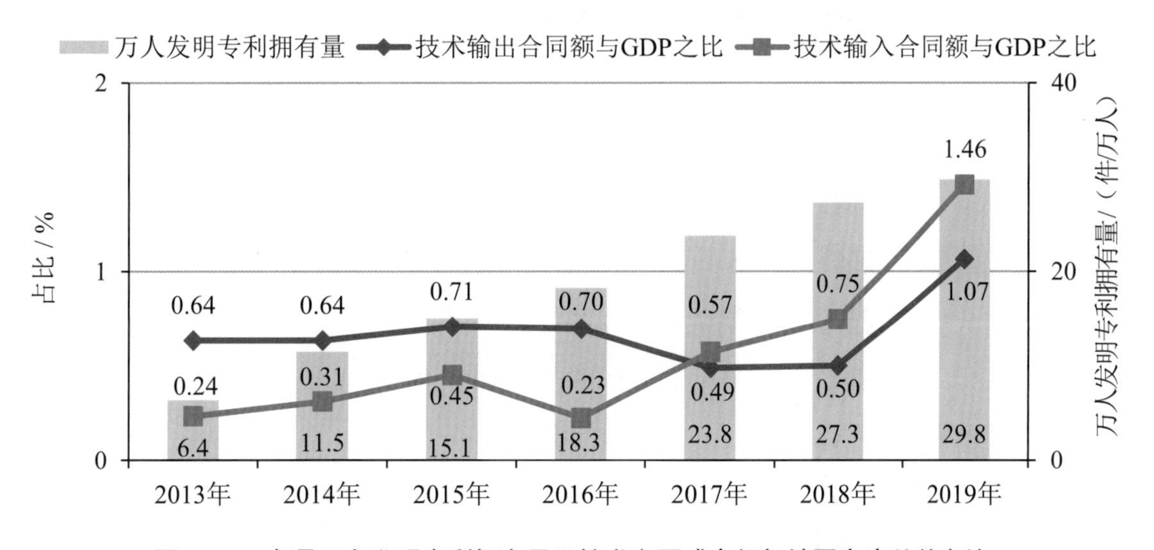


图 2-52　南通万人发明专利拥有量及技术合同成交额与地区生产总值之比

图 2-53　南通高新技术企业及其与规上工业企业之比

| 排名 | 指标及数据 | 类别 |
| --- | --- | --- |
| 23 | 创新能力指数 58.69 | |
| 32 | 财政科技支出占公共财政支出比重 3.39% | 创新治理力 |
| 61 | 常住人口增长率 0.11% | 创新治理力 |
| 20 | 万名就业人员中研发人员 118.92人年/万人 | 创新治理力 |
| 26 | 万人专利申请量 49.20件/万人 | 创新治理力 |
| 16 | 人均地区生产总值 12.82万元/人 | 创新治理力 |
| 29 | 全社会研发经费支出与地区生产总值之比 2.48% | 原始创新力 |
| 60 | 基础研究经费占研发经费比重 0.43% | 原始创新力 |
| 34 | “双一流”建设学科数 0个 | 原始创新力 |
| 45 | 国家级科技成果奖数 3.40项当量 | 原始创新力 |
| 3 | 规上工业企业研发经费支出与营业收入之比 2.64% | 技术创新力 |
| 24 | 高新技术企业数 1691家 | 技术创新力 |
| 44 | 国家高新区营业收入与地区生产总值之比 27.46% | 技术创新力 |
| 20 | 万人发明专利拥有量 29.80件/万人 | 技术创新力 |
| 39 | 技术输出合同成交额与地区生产总值之比 1.07% | 技术创新力 |
| 42 | 技术输入合同成交额与地区生产总值之比 1.46% | 成果转化力 |
| 14 | 科创板上市企业数 4家 | 成果转化力 |
| 29 | 国家级科技企业孵化器、大学科技园、双创示范基地数 24个 | 成果转化力 |
| 25 | 国家级科技企业孵化器、大学科技园新增在孵企业数 274家 | 成果转化力 |
| 30 | 科技型中小企业数 893家 | 成果转化力 |
| 12 | 规上工业企业新产品销售收入与营业收入之比 32.01% | 成果转化力 |
| 32 | 高新技术企业营业收入与规上工业企业营业收入之比 42.49% | 创新驱动力 |
| 31 | 城乡居民人均可支配收入之比 2.07 | 创新驱动力 |
| 4 | 单位地区生产总值能耗 0.26吨标准煤/万元 | 创新驱动力 |
| 29 | PM2.5年平均浓度 37微克/立方米 | 创新驱动力 |
| 24 | 人均实际使用外资额 364.21美元/人 | 创新驱动力 |
| 23 | 居民人均可支配收入 5.02万元/人 | 创新驱动力 |

图 2-54　南通创新能力指标数据及排名

## （十）连云港

2019 年，连云港常住人口 451 万人，地区生产总值 3139 亿元。连云港创新能力指数为 40.24，在 72 个创新型城市中排名第 54 位（与上年相比退 7 位），属于创新集聚区类别城市（在 32 个该类别城市中排名第 12 位）。从创新能力构成看，连云港技术创新力、创新治理力有待提升；从具体指标看，连云港在人才吸引力、居民收入等方面存在明显的短板。

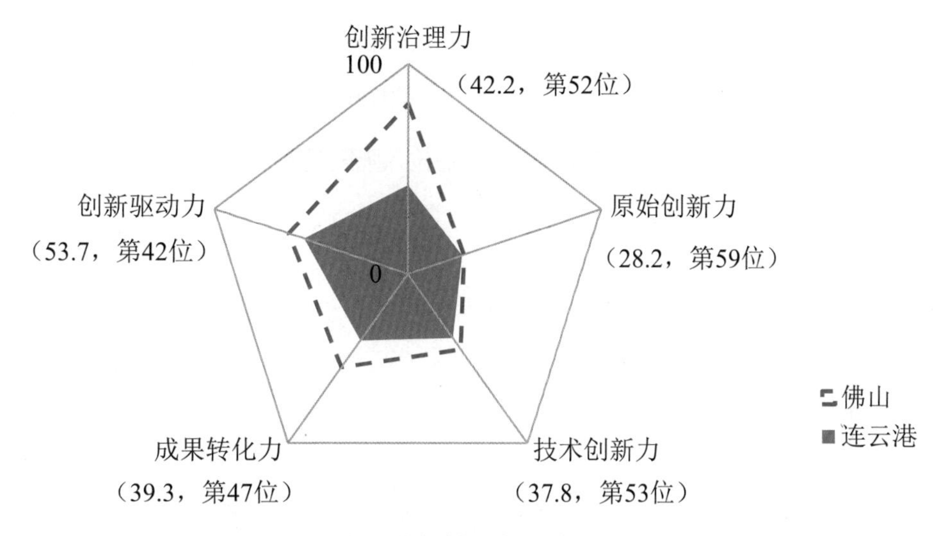


图 2-55　连云港创新能力雷达图

从经济发展阶段来看，近年来连云港固定资产投资与地区生产总值之比呈上升趋势，近 3 年平均值为 96.7%，高于全国平均水平（68.8%），公共财政收入占地区生产总值比重呈下降趋势，总体上连云港仍处于投资驱动发展阶段，创新发展动能有待增强。

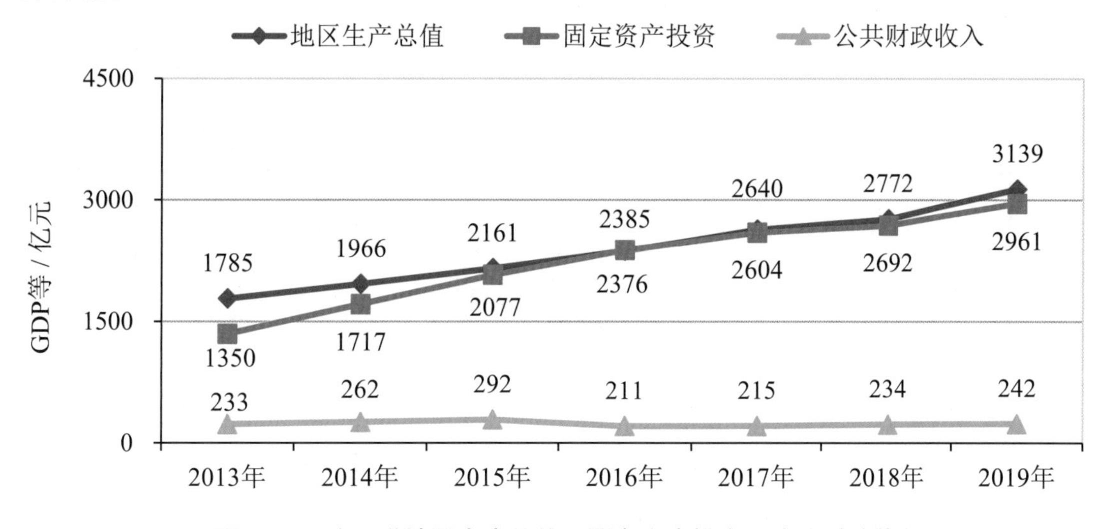


图 2-56　连云港地区生产总值、固定资产投资和公共财政收入

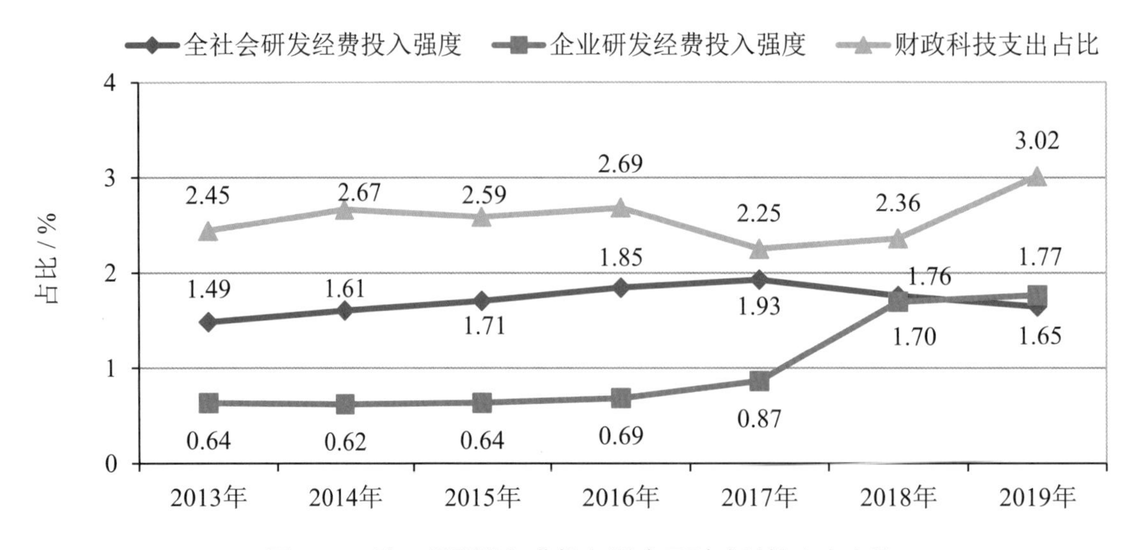


图 2-57 连云港研发经费投入强度及财政科技支出占比

图 2-58 连云港万人发明专利拥有量及技术合同成交额与地区生产总值之比

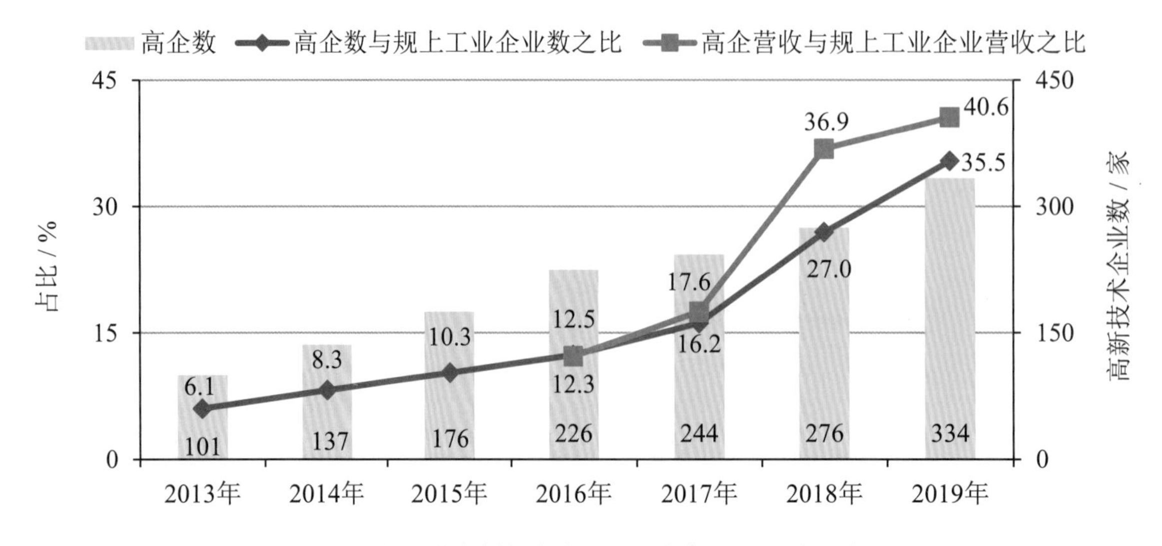


图 2-59 连云港高新技术企业及其与规上工业企业之比

| 排名 | 指标 | 类别 |
| --- | --- | --- |
| 54 | 创新能力指数 40.24 | |
| 36 | 财政科技支出占公共财政支出比重 3.02% | 创新治理力 |
| 68 | 常住人口增长率 -0.20% | 创新治理力 |
| 48 | 万名就业人员中研发人员 53.16人年/万人 | 创新治理力 |
| 56 | 万人专利申请量 18.60件/万人 | 创新治理力 |
| 57 | 人均地区生产总值 6.96万元/人 | 创新治理力 |
| 53 | 全社会研发经费支出与地区生产总值之比 1.65% | 原始创新力 |
| 68 | 基础研究经费占研发经费比重 0.23% | 原始创新力 |
| 34 | “双一流”建设学科数 0个 | 原始创新力 |
| 60 | 国家级科技成果奖数 0项当量 | 原始创新力 |
| 26 | 规上工业企业研发经费支出与营业收入之比 1.77% | 技术创新力 |
| 55 | 高新技术企业数 334家 | 技术创新力 |
| 50 | 国家高新区营业收入与地区生产总值之比 21.65% | 技术创新力 |
| 56 | 万人发明专利拥有量 7.34件/万人 | 技术创新力 |
| 50 | 技术输出合同成交额与地区生产总值之比 0.67% | 技术创新力 |
| 51 | 技术输入合同成交额与地区生产总值之比 1.21% | 成果转化力 |
| 25 | 科创板上市企业数 2家 | 成果转化力 |
| 60 | 国家级科技企业孵化器、大学科技园、双创示范基地数 5个 | 成果转化力 |
| 63 | 国家级科技企业孵化器、大学科技园新增在孵企业数 24家 | 成果转化力 |
| 39 | 科技型中小企业数 552家 | 成果转化力 |
| 23 | 规上工业企业新产品销售收入与营业收入之比 25.16% | 成果转化力 |
| 37 | 高新技术企业营业收入与规上工业企业营业收入之比 40.63% | 创新驱动力 |
| 20 | 城乡居民人均可支配收入之比 1.96 | 创新驱动力 |
| 12 | 单位地区生产总值能耗 0.29吨标准煤/万元 | 创新驱动力 |
| 41 | PM2.5年平均浓度 42微克/立方米 | 创新驱动力 |
| 42 | 人均实际使用外资额 136.12美元/人 | 创新驱动力 |
| 64 | 居民人均可支配收入 3.54万元/人 | 创新驱动力 |

图 2-60　连云港创新能力指标数据及排名

## （十一）盐城

2019 年，盐城常住人口 721 万人，地区生产总值 5702 亿元。盐城创新能力指数为 43.59，在 72 个创新型城市中排名第 50 位（与上年相比无变化），属于创新集聚区类别城市（在 32 个该类别城市中排名第 6 位）。从创新能力构成看，盐城技术创新力、成果转化力有待提升；从具体指标看，盐城在高新区发展、市场导向的科技成果产出等方面存在明显的短板。

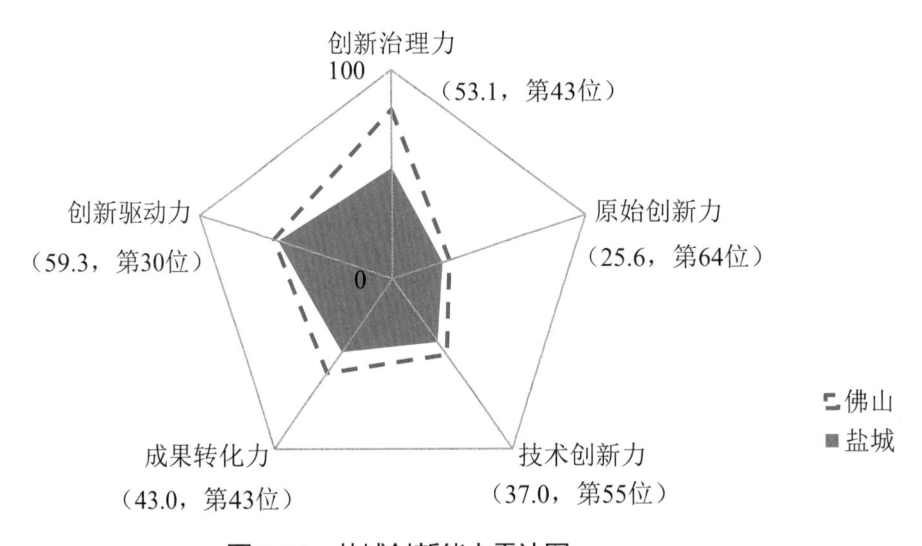


图 2-61　盐城创新能力雷达图

从经济发展阶段来看，近年来盐城固定资产投资与地区生产总值之比呈上升趋势，近 3 年平均值为 85.0%，高于全国平均水平（68.8%），公共财政收入占地区生产总值比重呈下降趋势，总体上盐城仍处于投资驱动发展阶段，创新发展动能有待增强。

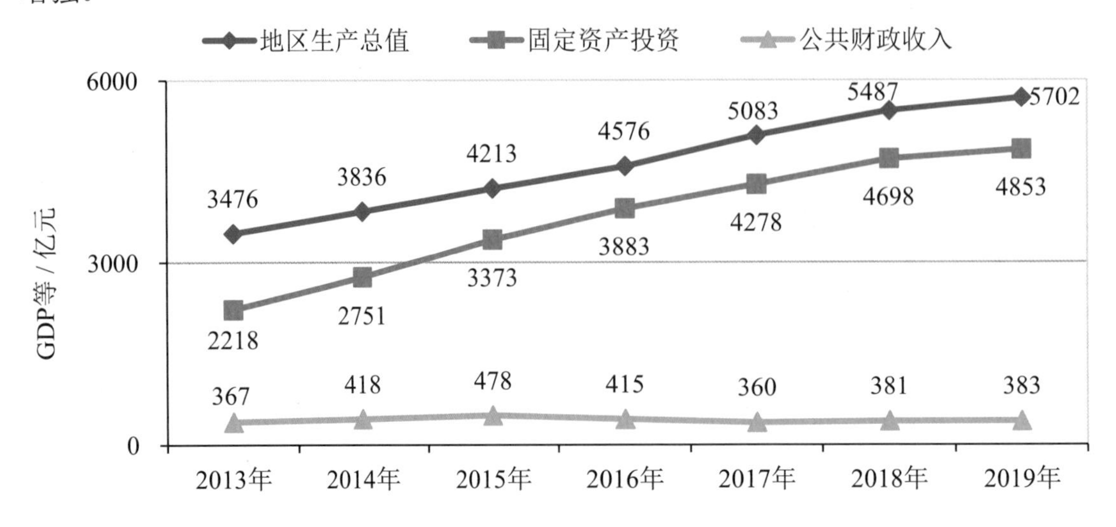


图 2-62　盐城地区生产总值、固定资产投资和公共财政收入

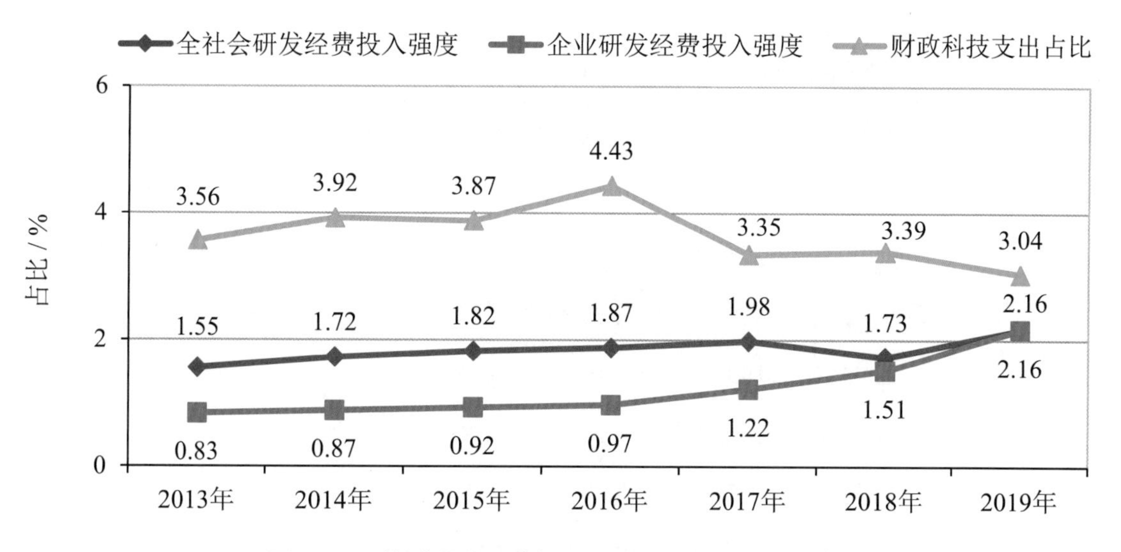


图 2-63　盐城研发经费投入强度及财政科技支出占比

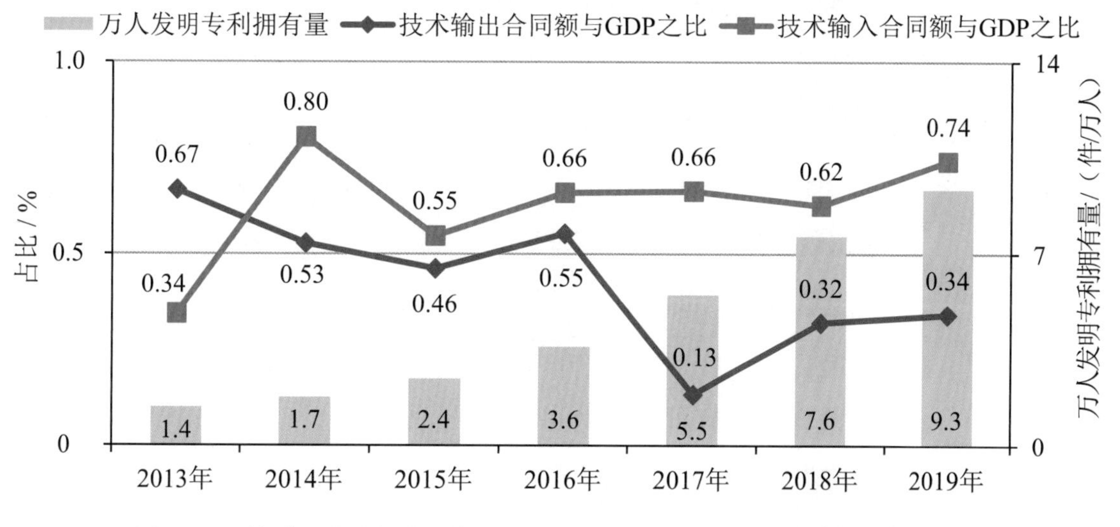


图 2-64　盐城万人发明专利拥有量及技术合同成交额与地区生产总值之比

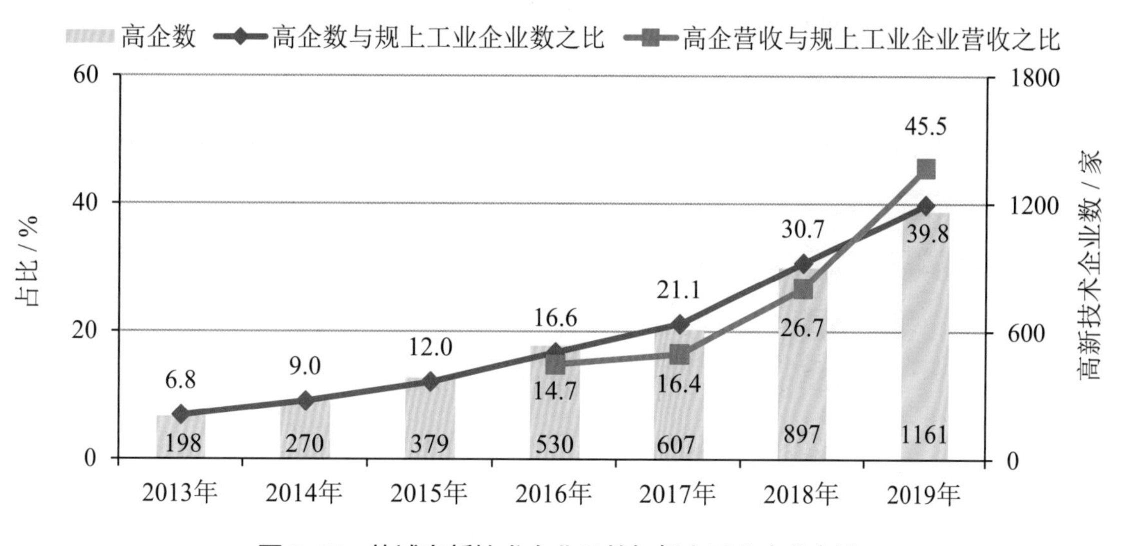


图 2-65　盐城高新技术企业及其与规上工业企业之比

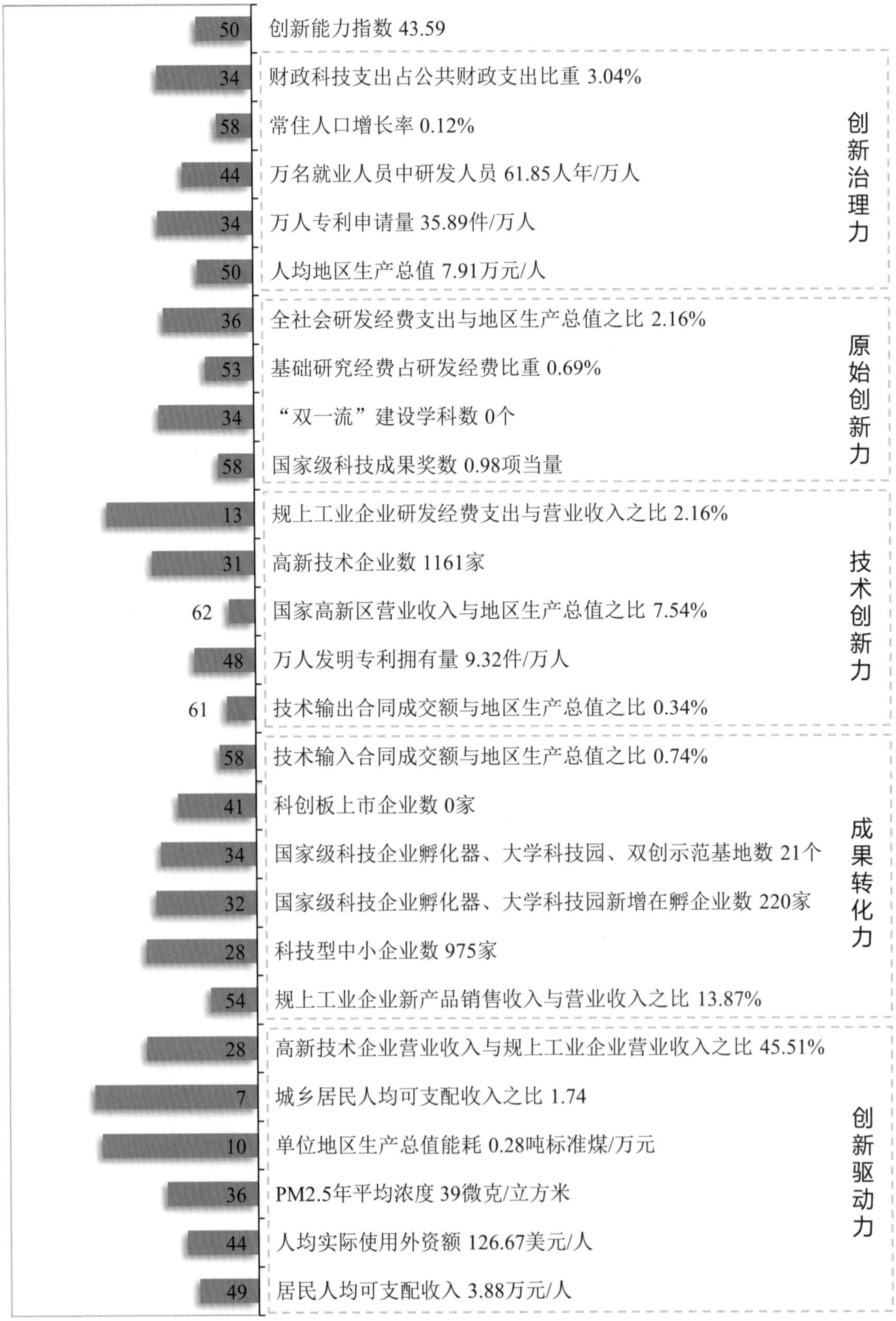

50 创新能力指数 43.59

创新治理力

34 财政科技支出占公共财政支出比重 3.04%

58 常住人口增长率 0.12%

44 万名就业人员中研发人员 61.85人年/万人

34 万人专利申请量 35.89件/万人

50 人均地区生产总值 7.91万元/人

原始创新力

36 全社会研发经费支出与地区生产总值之比 2.16%

53 基础研究经费占研发经费比重 0.69%

34 “双一流”建设学科数 0个

58 国家级科技成果奖数 0.98项当量

技术创新力

13 规上工业企业研发经费支出与营业收入之比 2.16%

31 高新技术企业数 1161家

62 国家高新区营业收入与地区生产总值之比 7.54%

48 万人发明专利拥有量 9.32件/万人

61 技术输出合同成交额与地区生产总值之比 0.34%

成果转化力

58 技术输入合同成交额与地区生产总值之比 0.74%

41 科创板上市企业数 0家

34 国家级科技企业孵化器、大学科技园、双创示范基地数 21个

32 国家级科技企业孵化器、大学科技园新增在孵企业数 220家

28 科技型中小企业数 975家

54 规上工业企业新产品销售收入与营业收入之比 13.87%

创新驱动力

28 高新技术企业营业收入与规上工业企业营业收入之比 45.51%

7 城乡居民人均可支配收入之比 1.74

10 单位地区生产总值能耗 0.28吨标准煤/万元

36 PM2.5年平均浓度 39微克/立方米

44 人均实际使用外资额 126.67美元/人

49 居民人均可支配收入 3.88万元/人

图 2-66　盐城创新能力指标数据及排名

## （十二）扬州

2019 年，扬州常住人口 455 万人，地区生产总值 5850 亿元。扬州创新能力指数为 56.74，在 72 个创新型城市中排名第 27 位（与上年相比进 7 位），属于创新增长极类别城市（在 25 个该类别城市中排名第 15 位）。从创新能力构成看，扬州技术创新力、创新治理力有待提升；从具体指标看，扬州在高新区发展、科技成果转移转化等方面存在明显的短板。

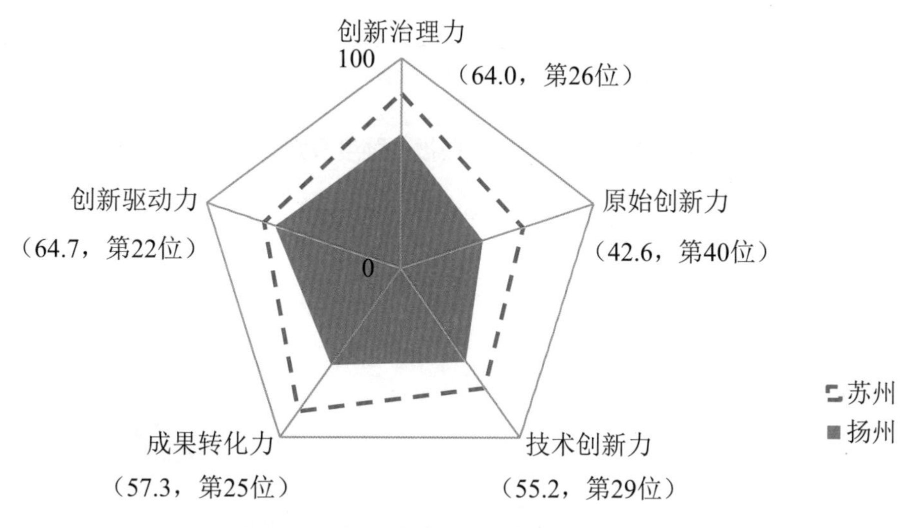


图 2-67　扬州创新能力雷达图

从经济发展阶段来看，近年来扬州固定资产投资与地区生产总值之比呈下降趋势，近 3 年平均值为 69.7%，高于全国平均水平（68.8%），公共财政收入占地区生产总值比重呈下降趋势，总体上扬州处于由投资驱动向创新驱动的过渡阶段，创新发展动能正不断增强。

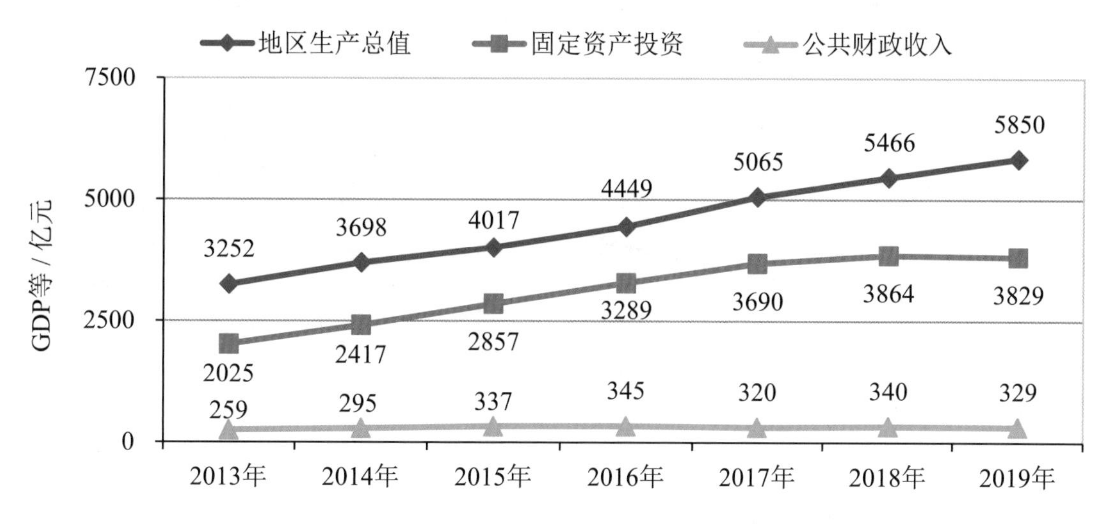


图 2-68　扬州地区生产总值、固定资产投资和公共财政收入

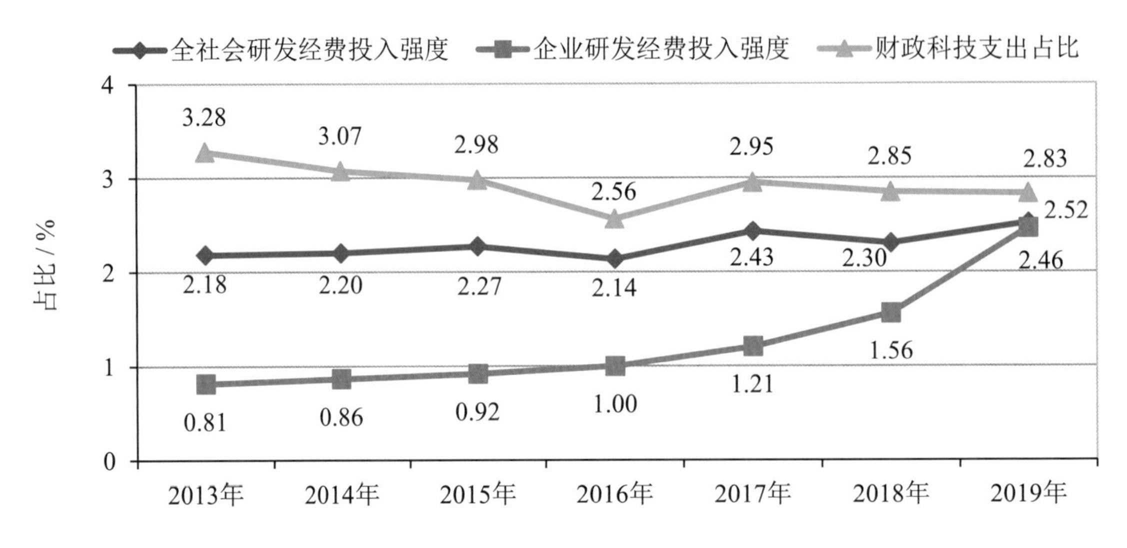


图 2-69 扬州研发经费投入强度及财政科技支出占比

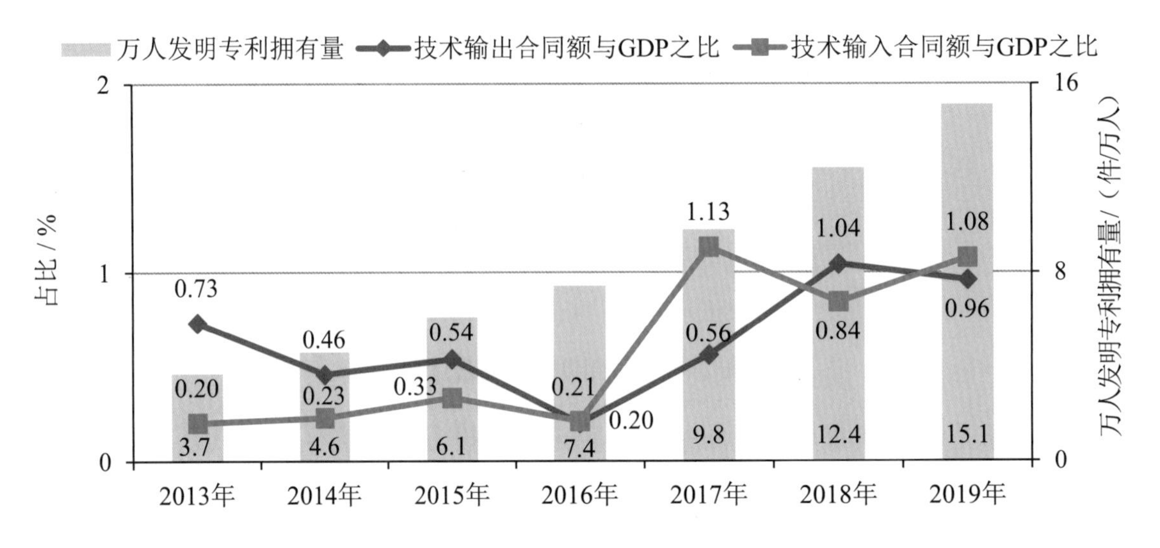


图 2-70 扬州万人发明专利拥有量及技术合同成交额与地区生产总值之比

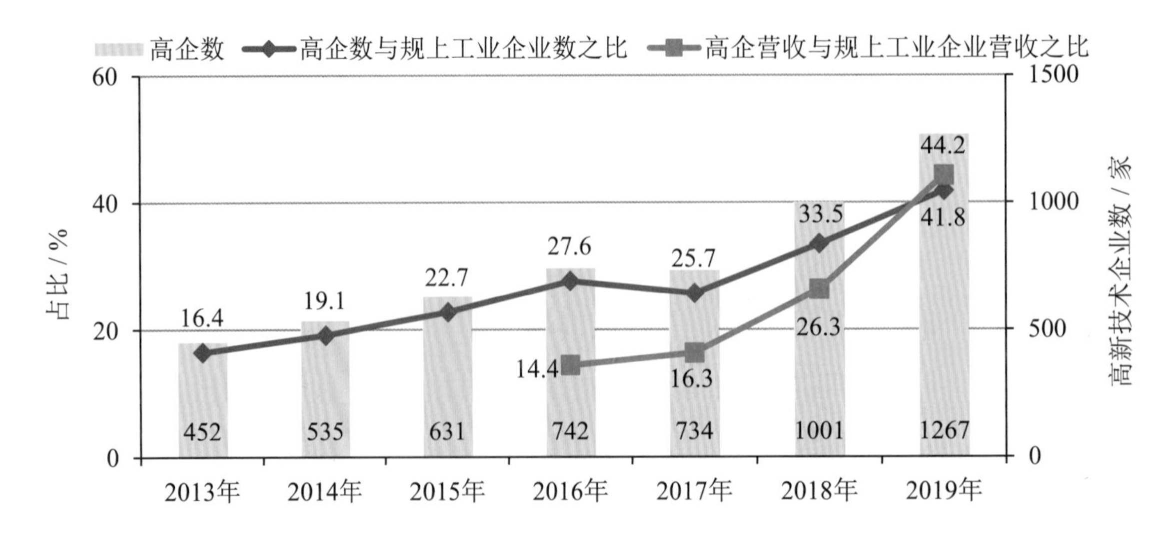


图 2-71 扬州高新技术企业及其与规上工业企业之比

| 排名 | 指标 | 分类 |
| --- | --- | --- |
| 27 | 创新能力指数 56.74 | |
| 40 | 财政科技支出占公共财政支出比重 2.83% | 创新治理力 |
| 41 | 常住人口增长率 0.40% | 创新治理力 |
| 25 | 万名就业人员中研发人员 105.38人年/万人 | 创新治理力 |
| 16 | 万人专利申请量 71.03件/万人 | 创新治理力 |
| 15 | 人均地区生产总值 12.86万元/人 | 创新治理力 |
| 27 | 全社会研发经费支出与地区生产总值之比 2.52% | 原始创新力 |
| 58 | 基础研究经费占研发经费比重 0.51% | 原始创新力 |
| 34 | “双一流”建设学科数 0个 | 原始创新力 |
| 27 | 国家级科技成果奖数 17.75项当量 | 原始创新力 |
| 6 | 规上工业企业研发经费支出与营业收入之比 2.46% | 技术创新力 |
| 30 | 高新技术企业数 1267家 | 技术创新力 |
| 63 | 国家高新区营业收入与地区生产总值之比 6.63% | 技术创新力 |
| 33 | 万人发明专利拥有量 15.11件/万人 | 技术创新力 |
| 42 | 技术输出合同成交额与地区生产总值之比 0.96% | 技术创新力 |
| 54 | 技术输入合同成交额与地区生产总值之比 1.08% | 成果转化力 |
| 30 | 科创板上市企业数 1家 | 成果转化力 |
| 32 | 国家级科技企业孵化器、大学科技园、双创示范基地数 22个 | 成果转化力 |
| 37 | 国家级科技企业孵化器、大学科技园新增在孵企业数 177家 | 成果转化力 |
| 31 | 科技型中小企业数 879家 | 成果转化力 |
| 18 | 规上工业企业新产品销售收入与营业收入之比 29.25% | 成果转化力 |
| 30 | 高新技术企业营业收入与规上工业企业营业收入之比 44.18% | 创新驱动力 |
| 18 | 城乡居民人均可支配收入之比 1.95 | 创新驱动力 |
| 6 | 单位地区生产总值能耗 0.27吨标准煤/万元 | 创新驱动力 |
| 45 | PM2.5年平均浓度 43微克/立方米 | 创新驱动力 |
| 27 | 人均实际使用外资额 305.03美元/人 | 创新驱动力 |
| 35 | 居民人均可支配收入 4.56万元/人 | 创新驱动力 |

图 2-72 扬州创新能力指标数据及排名

## （十三）镇江

2019 年，镇江常住人口 320 万人，地区生产总值 4127 亿元。镇江创新能力指数为 57.91，在 72 个创新型城市中排名第 25 位（与上年相比退 4 位），属于创新增长极类别城市（在 25 个该类别城市中排名第 14 位）。从创新能力构成看，镇江成果转化力、技术创新力有待提升；从具体指标看，镇江在空气质量、人才吸引力等方面存在明显的短板。

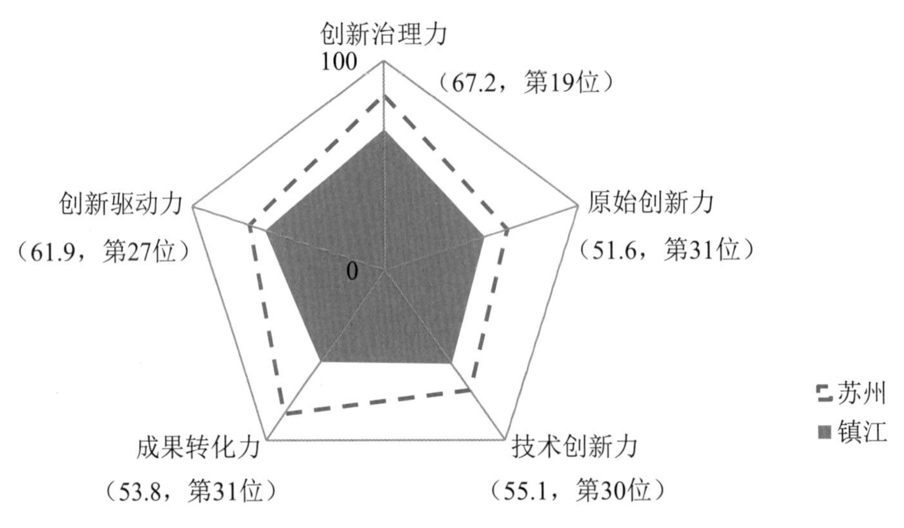


图 2-73　镇江创新能力雷达图

从经济发展阶段来看，近年来镇江固定资产投资与地区生产总值之比呈下降趋势，近 3 年平均值为 50.0%，低于全国平均水平（68.8%），公共财政收入占地区生产总值比重呈下降趋势，总体上镇江已经跨越投资驱动，进入创新驱动发展阶段，高质量发展势头良好。

图 2-74　镇江地区生产总值、固定资产投资和公共财政收入

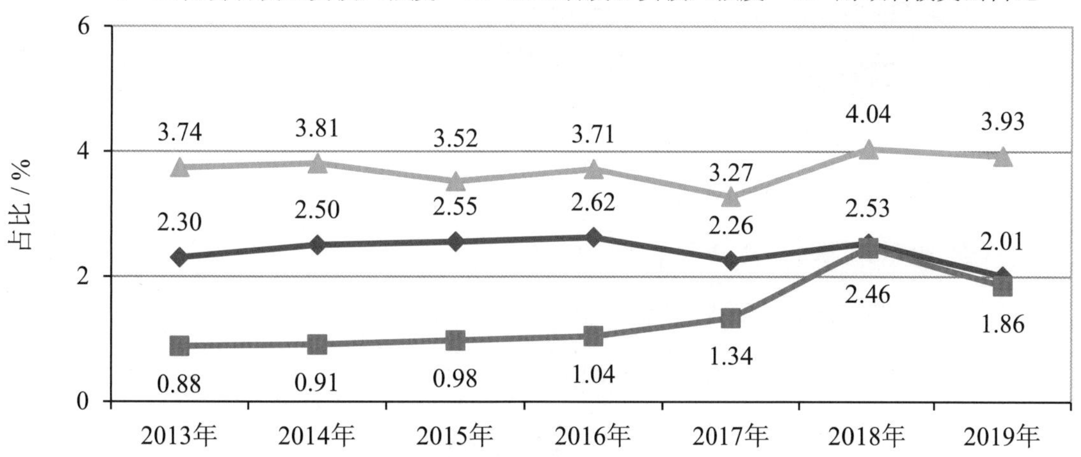


**图 2-75　镇江研发经费投入强度及财政科技支出占比**

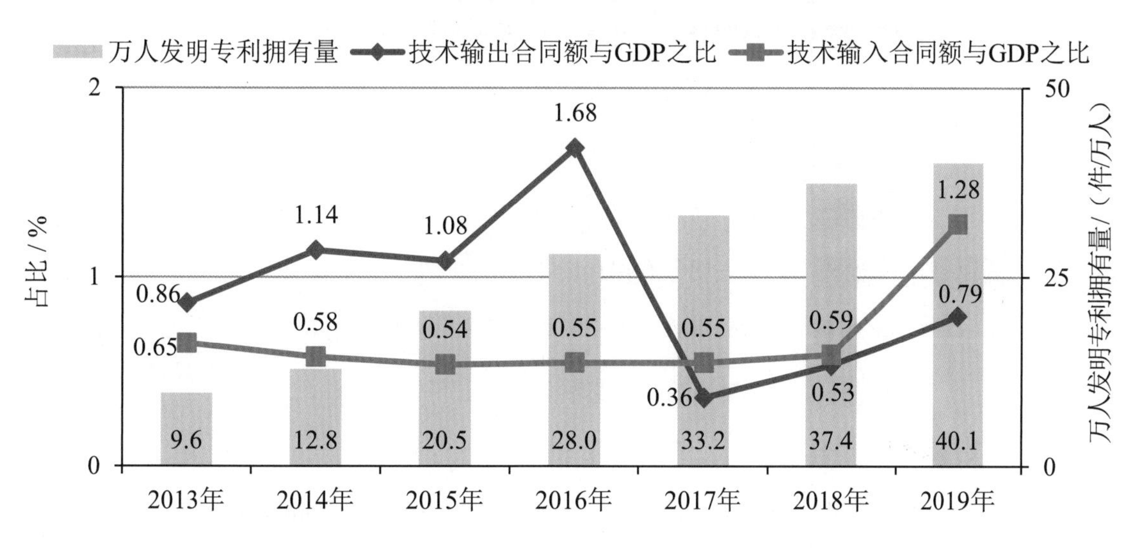


**图 2-76　镇江万人发明专利拥有量及技术合同成交额与地区生产总值之比**

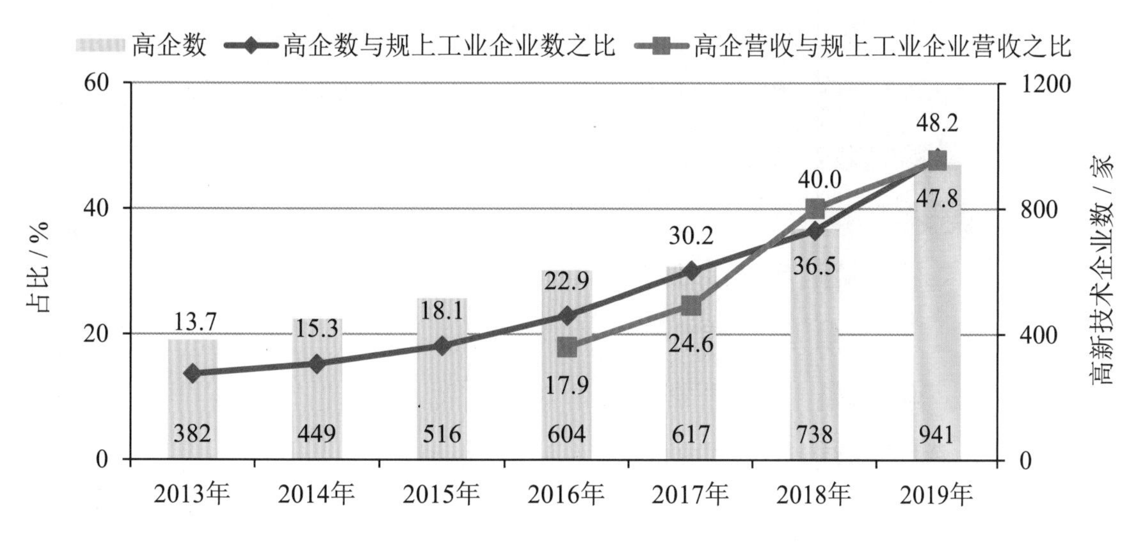


**图 2-77　镇江高新技术企业及其与规上工业企业之比**

| 排名 | 指标 | 类别 |
| --- | --- | --- |
| 25 | 创新能力指数 57.91 | |
| 25 | 财政科技支出占公共财政支出比重 3.93% | 创新治理力 |
| 53 | 常住人口增长率 0.22% | 创新治理力 |
| 30 | 万名就业人员中研发人员 99.56人年/万人 | 创新治理力 |
| 14 | 万人专利申请量 72.21件/万人 | 创新治理力 |
| 14 | 人均地区生产总值 12.88万元/人 | 创新治理力 |
| 42 | 全社会研发经费支出与地区生产总值之比 2.01% | 原始创新力 |
| 35 | 基础研究经费占研发经费比重 2.97% | 原始创新力 |
| 34 | “双一流”建设学科数 0个 | 原始创新力 |
| 29 | 国家级科技成果奖数 15.97项当量 | 原始创新力 |
| 19 | 规上工业企业研发经费支出与营业收入之比 1.86% | 技术创新力 |
| 38 | 高新技术企业数 941家 | 技术创新力 |
| 52 | 国家高新区营业收入与地区生产总值之比 17.58% | 技术创新力 |
| 8 | 万人发明专利拥有量 40.10件/万人 | 技术创新力 |
| 45 | 技术输出合同成交额与地区生产总值之比 0.79% | 技术创新力 |
| 48 | 技术输入合同成交额与地区生产总值之比 1.28% | 成果转化力 |
| 16 | 科创板上市企业数 3家 | 成果转化力 |
| 38 | 国家级科技企业孵化器、大学科技园、双创示范基地数 16个 | 成果转化力 |
| 41 | 国家级科技企业孵化器、大学科技园新增在孵企业数 143家 | 成果转化力 |
| 37 | 科技型中小企业数 586家 | 成果转化力 |
| 22 | 规上工业企业新产品销售收入与营业收入之比 25.49% | 成果转化力 |
| 27 | 高新技术企业营业收入与规上工业企业营业收入之比 47.77% | 创新驱动力 |
| 21 | 城乡居民人均可支配收入之比 1.97 | 创新驱动力 |
| 44 | 单位地区生产总值能耗 0.47吨标准煤/万元 | 创新驱动力 |
| 54 | PM2.5年平均浓度 45微克/立方米 | 创新驱动力 |
| 36 | 人均实际使用外资额 205.89美元/人 | 创新驱动力 |
| 18 | 居民人均可支配收入 5.27万元/人 | 创新驱动力 |

图 2-78　镇江创新能力指标数据及排名

## （十四）泰州

2019 年，泰州常住人口 464 万人，地区生产总值 5133 亿元。泰州创新能力指数为 50.49，在 72 个创新型城市中排名第 40 位（与上年相比退 4 位），属于创新集聚区类别城市（在 32 个该类别城市中排名第 4 位）。从创新能力构成看，泰州技术创新力、成果转化力有待提升；从具体指标看，泰州在人才吸引力、科技成果转移转化等方面存在明显的短板。

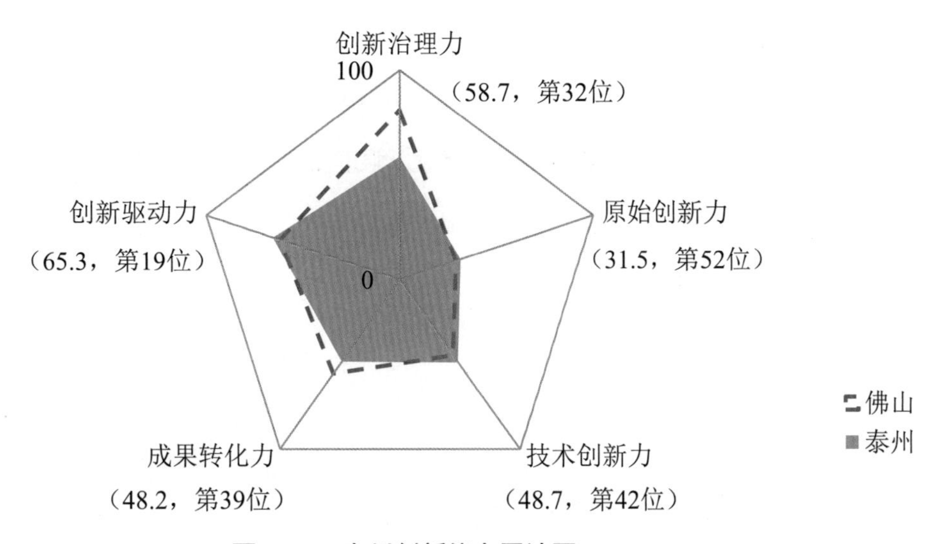


图 2-79　泰州创新能力雷达图

从经济发展阶段来看，近年来泰州固定资产投资与地区生产总值之比呈上升趋势，近 3 年平均值为 76.4%，高于全国平均水平（68.8%），公共财政收入占地区生产总值比重呈下降趋势，总体上泰州仍处于投资驱动发展阶段，创新发展动能有待增强。

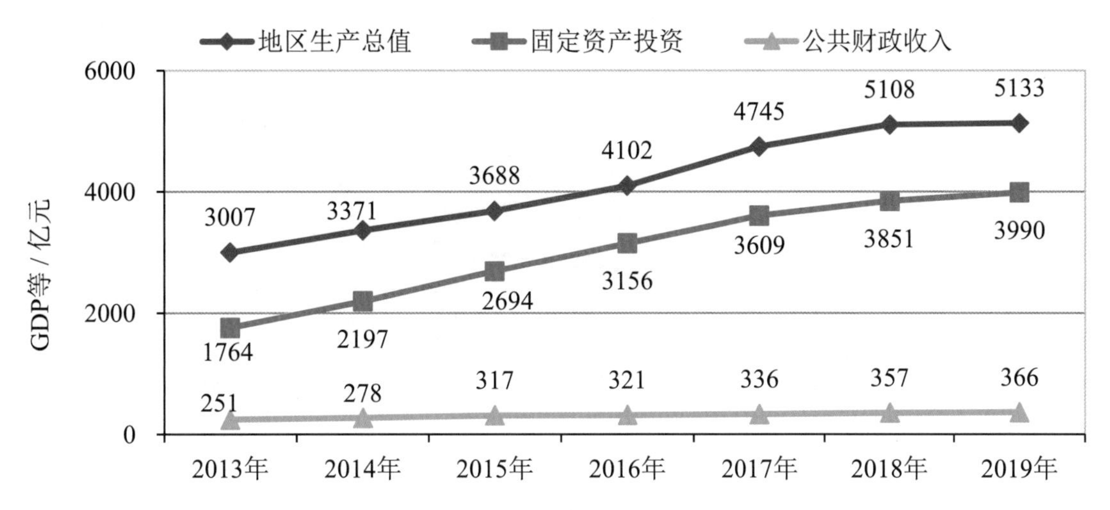


图 2-80　泰州地区生产总值、固定资产投资和公共财政收入

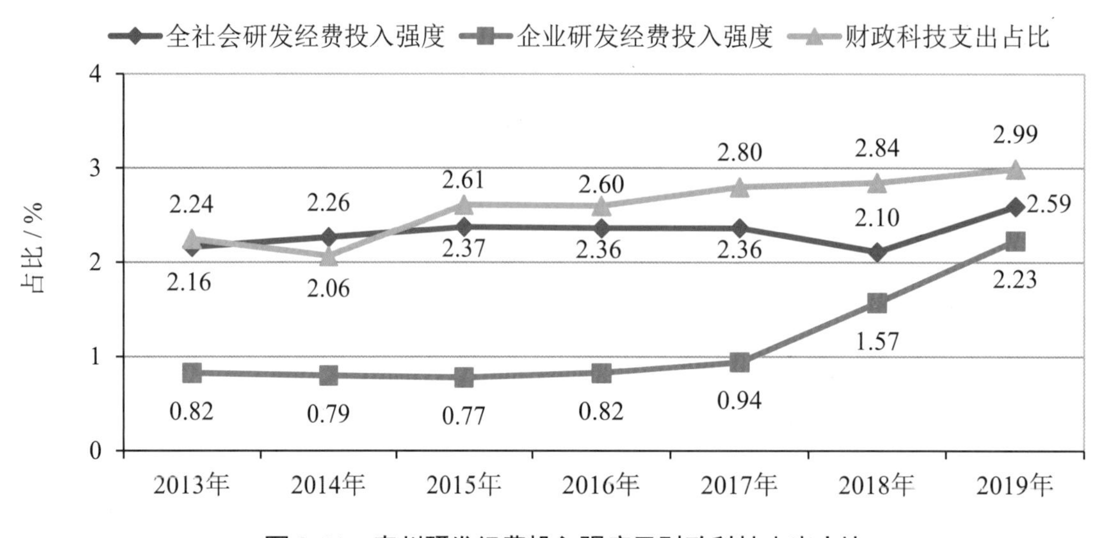


图 2-81　泰州研发经费投入强度及财政科技支出占比

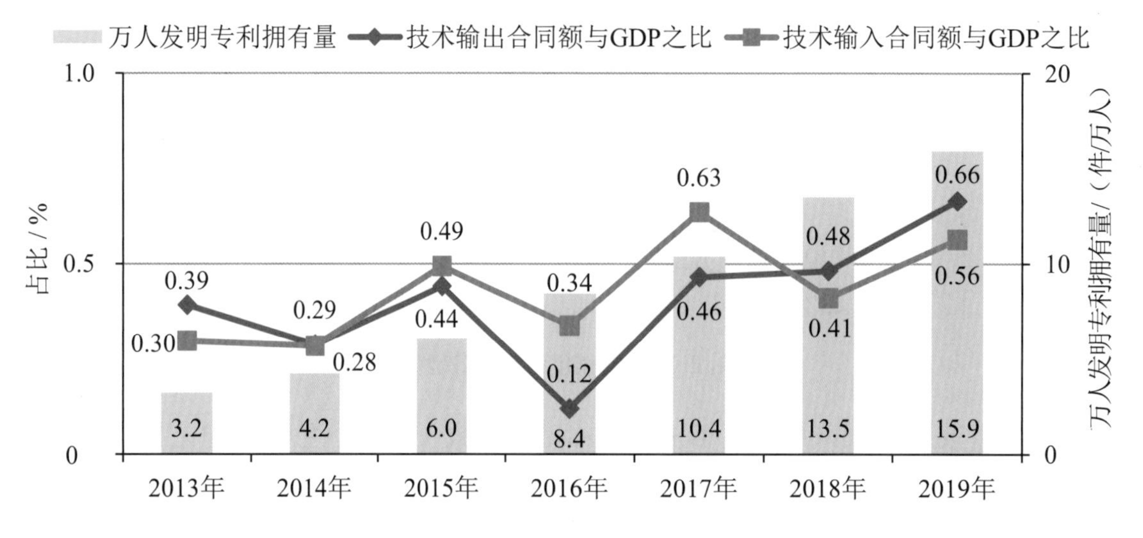


图 2-82　泰州万人发明专利拥有量及技术合同成交额与地区生产总值之比

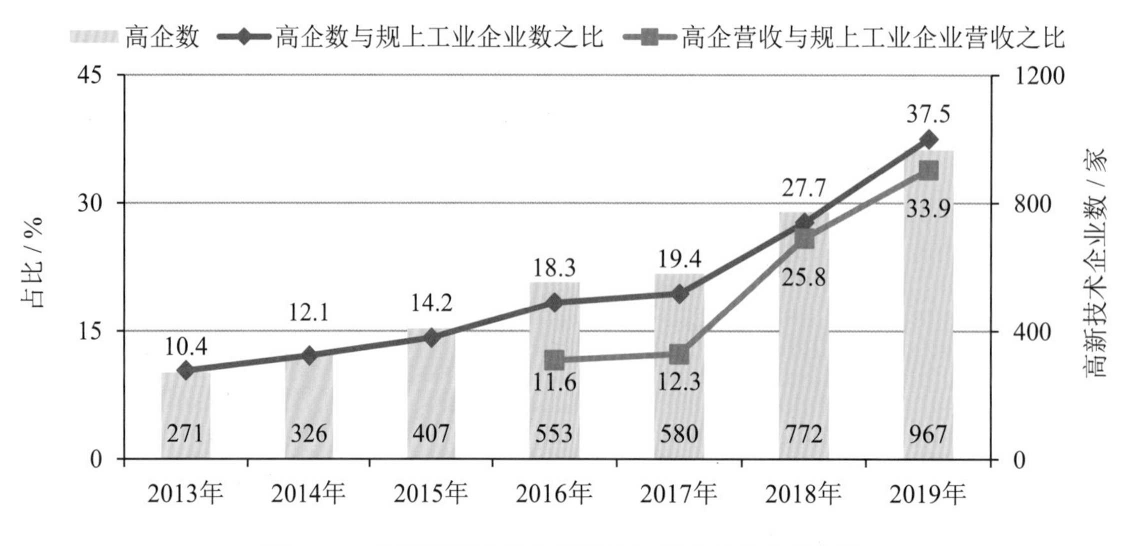


图 2-83　泰州高新技术企业及其与规上工业企业之比

| 排名 | 指标 | 类别 |
|---|---|---|
| 40 | 创新能力指数 50.49 | |
| 37 | 财政科技支出占公共财政支出比重 2.99% | 创新治理力 |
| 67 | 常住人口增长率 0.01% | 创新治理力 |
| 33 | 万名就业人员中研发人员 81.02人年/万人 | 创新治理力 |
| 24 | 万人专利申请量 52.05件/万人 | 创新治理力 |
| 25 | 人均地区生产总值 11.07万元/人 | 创新治理力 |
| 25 | 全社会研发经费支出与地区生产总值之比 2.59% | 原始创新力 |
| 67 | 基础研究经费占研发经费比重 0.25% | 原始创新力 |
| 34 | “双一流”建设学科数 0个 | 原始创新力 |
| 58 | 国家级科技成果奖数 0.98项当量 | 原始创新力 |
| 11 | 规上工业企业研发经费支出与营业收入之比 2.23% | 技术创新力 |
| 37 | 高新技术企业数 967家 | 技术创新力 |
| 48 | 国家高新区营业收入与地区生产总值之比 22.80% | 技术创新力 |
| 31 | 万人发明专利拥有量 15.91件/万人 | 技术创新力 |
| 51 | 技术输出合同成交额与地区生产总值之比 0.66% | 技术创新力 |
| 64 | 技术输入合同成交额与地区生产总值之比 0.56% | 成果转化力 |
| 16 | 科创板上市企业数 3家 | 成果转化力 |
| 50 | 国家级科技企业孵化器、大学科技园、双创示范基地数 10个 | 成果转化力 |
| 36 | 国家级科技企业孵化器、大学科技园新增在孵企业数 189家 | 成果转化力 |
| 32 | 科技型中小企业数 855家 | 成果转化力 |
| 26 | 规上工业企业新产品销售收入与营业收入之比 23.86% | 成果转化力 |
| 51 | 高新技术企业营业收入与规上工业企业营业收入之比 33.87% | 创新驱动力 |
| 28 | 城乡居民人均可支配收入之比 2.04 | 创新驱动力 |
| 2 | 单位地区生产总值能耗 0.18吨标准煤/万元 | 创新驱动力 |
| 40 | PM2.5年平均浓度 41微克/立方米 | 创新驱动力 |
| 26 | 人均实际使用外资额 316.78美元/人 | 创新驱动力 |
| 29 | 居民人均可支配收入 4.72万元/人 | 创新驱动力 |

图 2-84 泰州创新能力指标数据及排名

## （十五）杭州

2019 年，杭州常住人口 1036 万人，地区生产总值 15373 亿元。杭州创新能力指数为 78.82，在 72 个创新型城市中排名第 2 位（与上年相比进 1 位），属于创新策源地类别城市（在 15 个该类别城市中排名第 3 位）。从创新能力构成看，杭州技术创新力、原始创新力有待提升；从具体指标看，杭州在空气质量、基础研究投入等方面存在明显的短板。

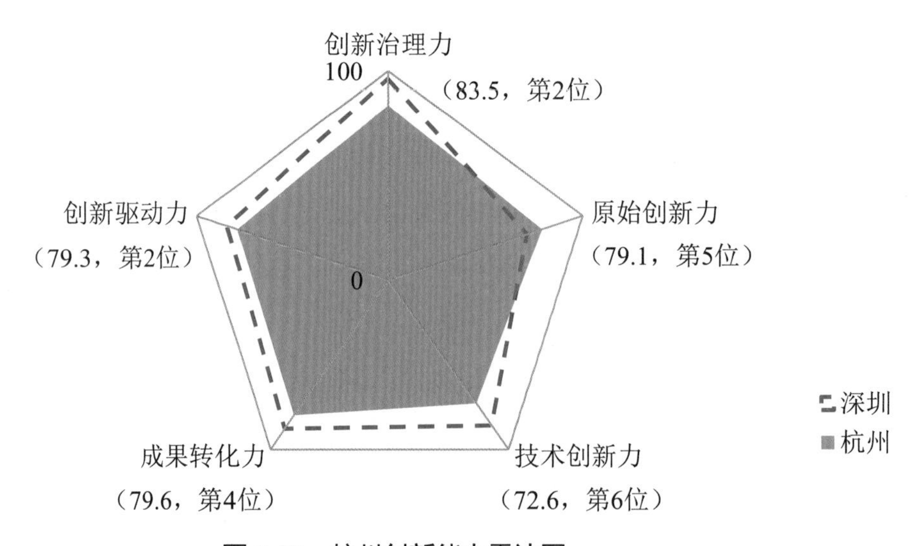


图 2-85　杭州创新能力雷达图

从经济发展阶段来看，近年来杭州固定资产投资与地区生产总值之比呈下降趋势，近 3 年平均值为 45.7%，低于全国平均水平（68.8%），公共财政收入占地区生产总值比重呈上升趋势，总体上杭州已经跨越投资驱动，进入创新驱动发展阶段，高质量发展势头良好。

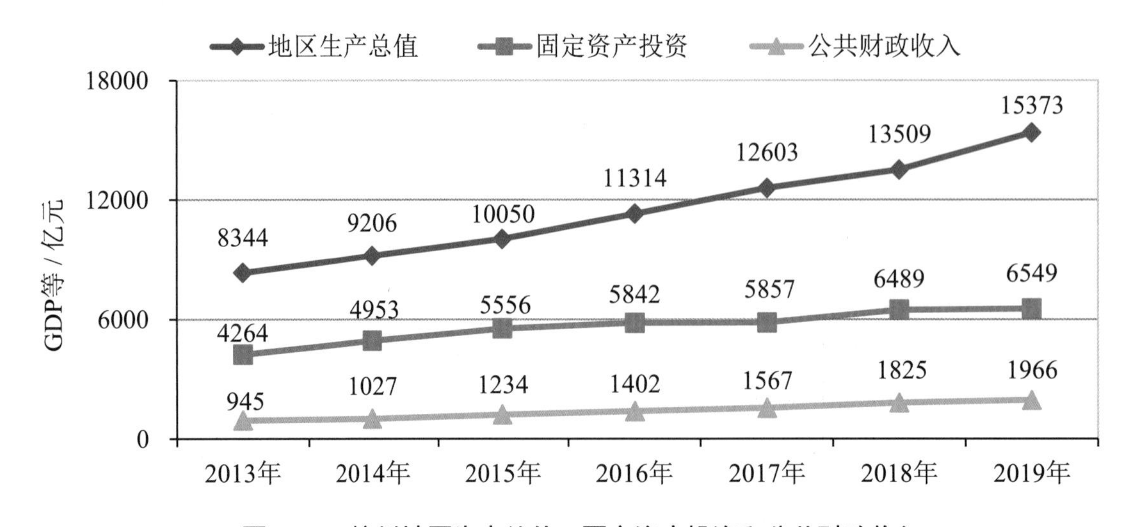


图 2-86　杭州地区生产总值、固定资产投资和公共财政收入

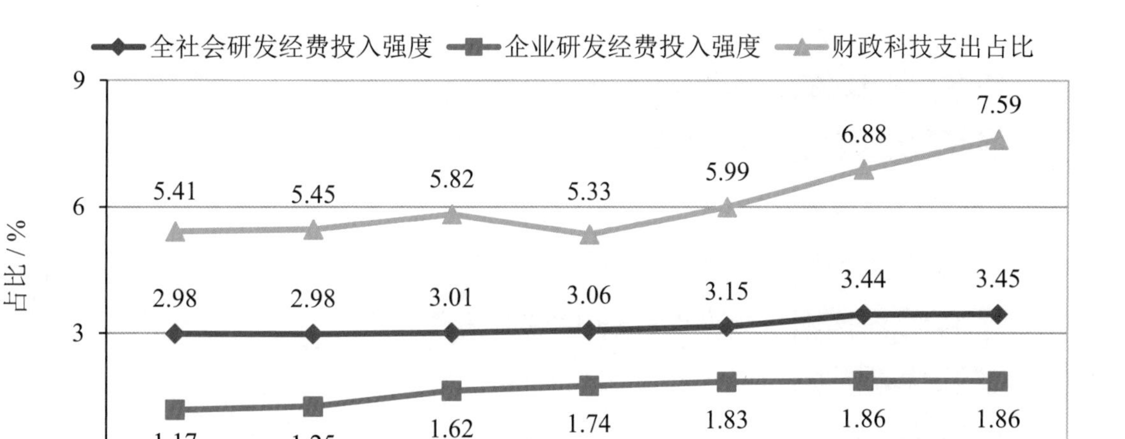


图 2-87 杭州研发经费投入强度及财政科技支出占比

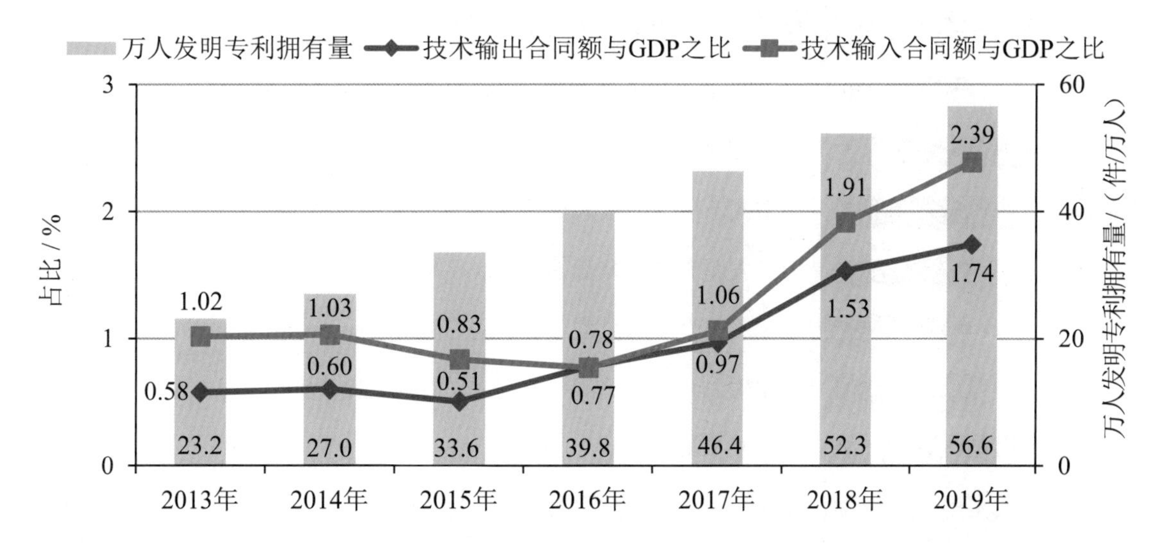


图 2-88 杭州万人发明专利拥有量及技术合同成交额与地区生产总值之比

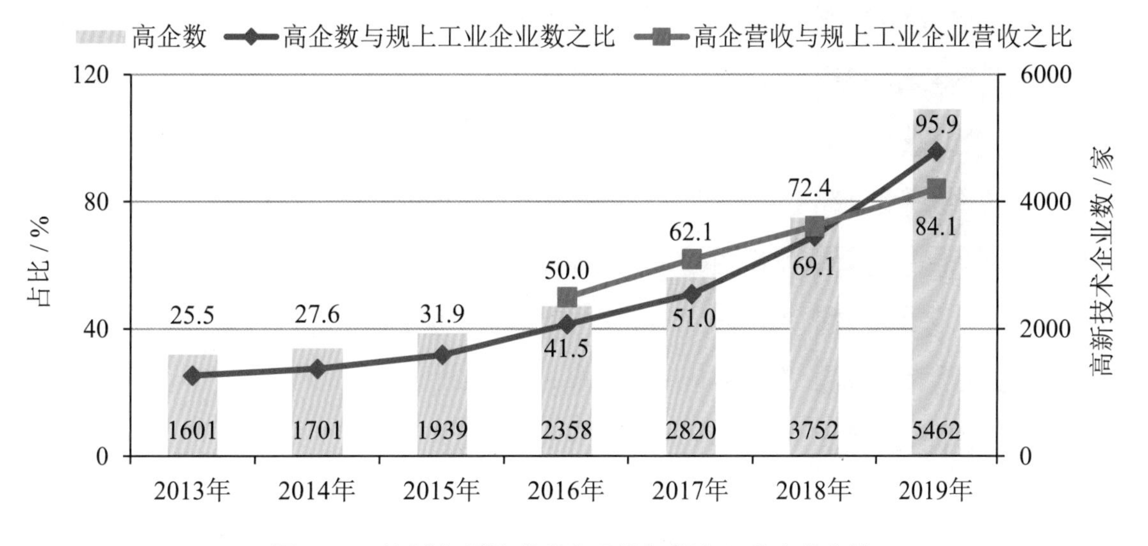


图 2-89 杭州高新技术企业及其与规上工业企业之比

| 排名 | 指标数据 | 分类 |
| --- | --- | --- |
| 2 | 创新能力指数 78.82 | |
| 8 | 财政科技支出占公共财政支出比重 7.59% | 创新治理力 |
| 1 | 常住人口增长率 5.65% | 创新治理力 |
| 7 | 万名就业人员中研发人员 175.38人年/万人 | 创新治理力 |
| 5 | 万人专利申请量 106.42件/万人 | 创新治理力 |
| 7 | 人均地区生产总值 14.84万元/人 | 创新治理力 |
| 4 | 全社会研发经费支出与地区生产总值之比 3.45% | 原始创新力 |
| 27 | 基础研究经费占研发经费比重 6.13% | 原始创新力 |
| 3 | “双一流”建设学科数 19个 | 原始创新力 |
| 3 | 国家级科技成果奖数 143.51项当量 | 原始创新力 |
| 20 | 规上工业企业研发经费支出与营业收入之比 1.86% | 技术创新力 |
| 5 | 高新技术企业数 5462家 | 技术创新力 |
| 12 | 国家高新区营业收入与地区生产总值之比 68.28% | 技术创新力 |
| 4 | 万人发明专利拥有量 56.61件/万人 | 技术创新力 |
| 26 | 技术输出合同成交额与地区生产总值之比 1.74% | 技术创新力 |
| 21 | 技术输入合同成交额与地区生产总值之比 2.39% | 成果转化力 |
| 3 | 科创板上市企业数 16家 | 成果转化力 |
| 2 | 国家级科技企业孵化器、大学科技园、双创示范基地数 101个 | 成果转化力 |
| 2 | 国家级科技企业孵化器、大学科技园新增在孵企业数 957家 | 成果转化力 |
| 10 | 科技型中小企业数 2983家 | 成果转化力 |
| 5 | 规上工业企业新产品销售收入与营业收入之比 37.07% | 成果转化力 |
| 5 | 高新技术企业营业收入与规上工业企业营业收入之比 84.12% | 创新驱动力 |
| 12 | 城乡居民人均可支配收入之比 1.82 | 创新驱动力 |
| 13 | 单位地区生产总值能耗 0.31吨标准煤/万元 | 创新驱动力 |
| 32 | PM2.5年平均浓度 38微克/立方米 | 创新驱动力 |
| 11 | 人均实际使用外资额 591.52美元/人 | 创新驱动力 |
| 2 | 居民人均可支配收入 6.61万元/人 | 创新驱动力 |

图 2-90　杭州创新能力指标数据及排名

## （十六）宁波

2019 年，宁波常住人口 854 万人，地区生产总值 11985 亿元。宁波创新能力指数为 64.08，在 72 个创新型城市中排名第 15 位（与上年相比无变化），属于创新增长极类别城市（在 25 个该类别城市中排名第 7 位）。从创新能力构成看，宁波技术创新力、成果转化力有待提升；从具体指标看，宁波在高新技术产业发展、高水平技术创新基地等方面存在明显的短板。

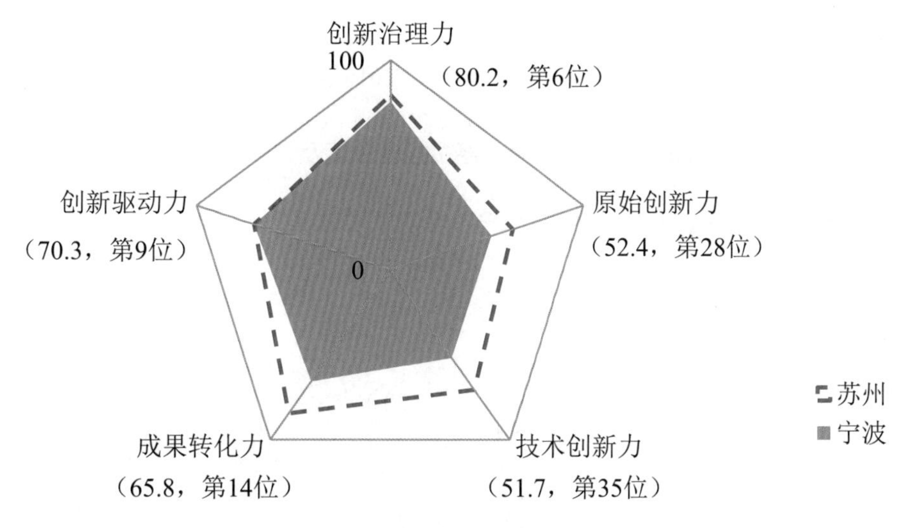


图 2-91　宁波创新能力雷达图

从经济发展阶段来看，近年来宁波固定资产投资与地区生产总值之比呈下降趋势，近 3 年平均值为 43.3%，低于全国平均水平（68.8%），公共财政收入占地区生产总值比重呈上升趋势，总体上宁波已经跨越投资驱动，进入创新驱动发展阶段，高质量发展势头良好。

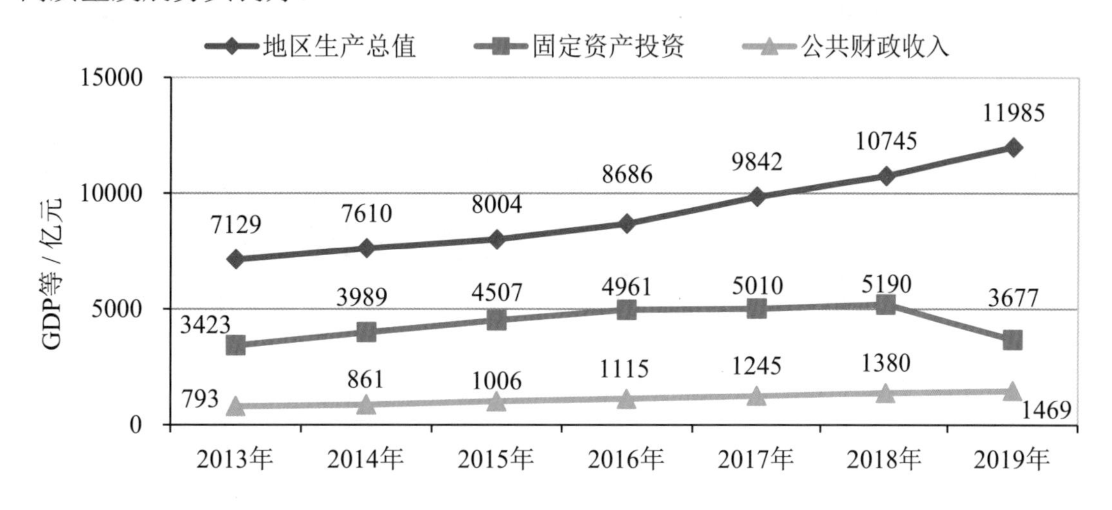


图 2-92　宁波地区生产总值、固定资产投资和公共财政收入

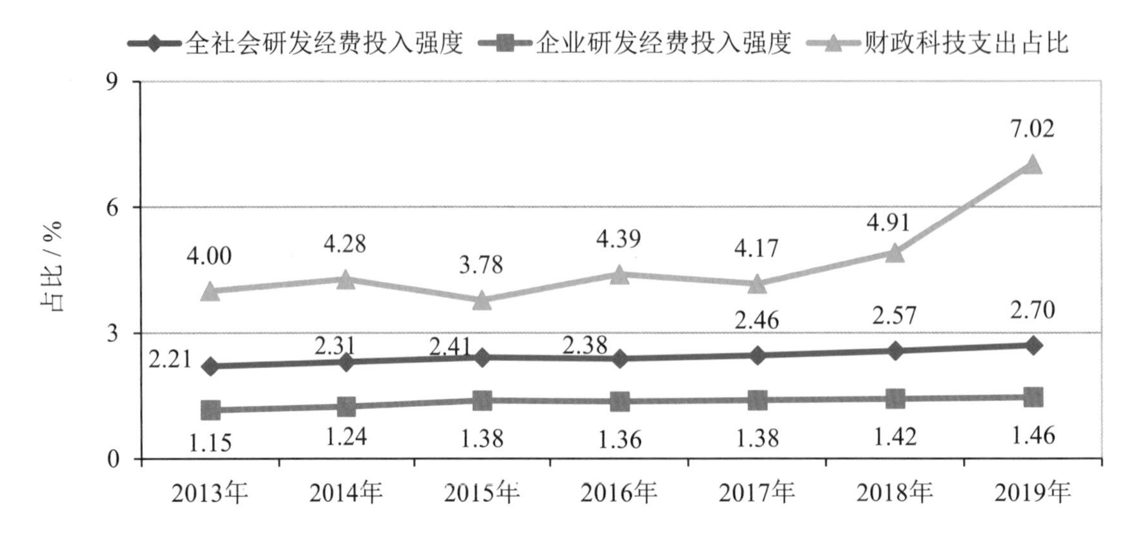


图 2-93 宁波研发经费投入强度及财政科技支出占比

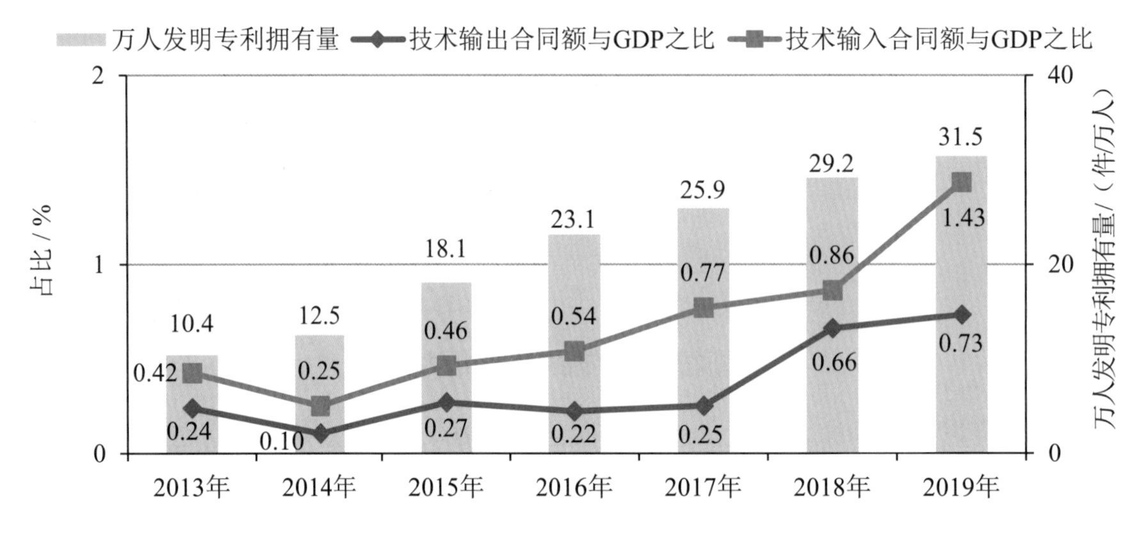


图 2-94 宁波万人发明专利拥有量及技术合同成交额与地区生产总值之比

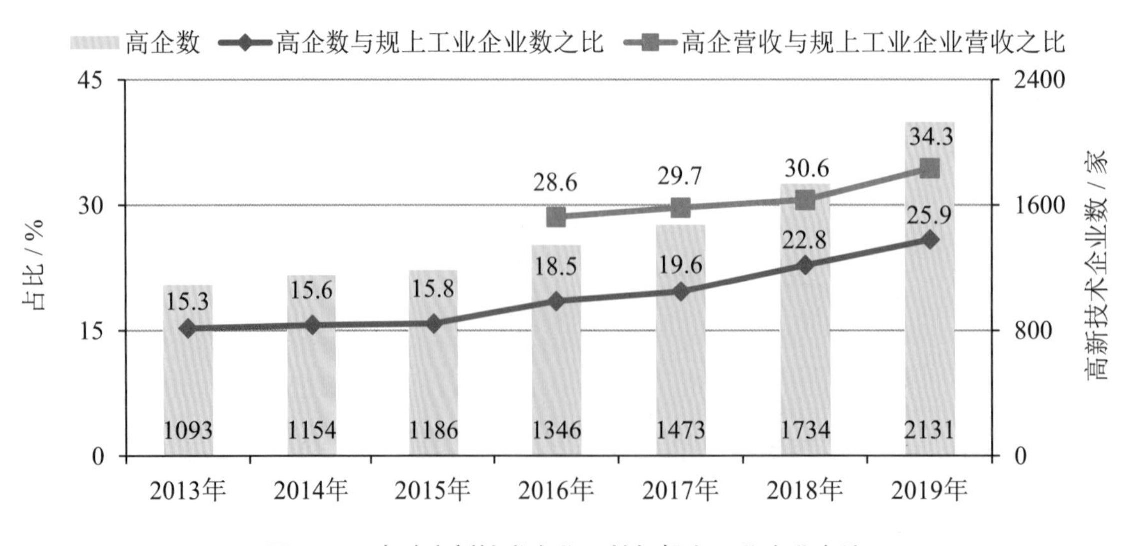


图 2-95 宁波高新技术企业及其与规上工业企业之比

| 排名 | 指标 | 维度 |
|---|---|---|
| 15 | 创新能力指数 64.08 | |
| 10 | 财政科技支出占公共财政支出比重 7.02% | 创新治理力 |
| 3 | 常住人口增长率 4.15% | 创新治理力 |
| 6 | 万名就业人员中研发人员 178.00人年/万人 | 创新治理力 |
| 11 | 万人专利申请量 78.32件/万人 | 创新治理力 |
| 9 | 人均地区生产总值 14.03万元/人 | 创新治理力 |
| 20 | 全社会研发经费支出与地区生产总值之比 2.70% | 原始创新力 |
| 44 | 基础研究经费占研发经费比重 1.49% | 原始创新力 |
| 22 | “双一流”建设学科数 1个 | 原始创新力 |
| 32 | 国家级科技成果奖数 11.85项当量 | 原始创新力 |
| 37 | 规上工业企业研发经费支出与营业收入之比 1.46% | 技术创新力 |
| 16 | 高新技术企业数 2131家 | 技术创新力 |
| 36 | 国家高新区营业收入与地区生产总值之比 38.53% | 技术创新力 |
| 19 | 万人发明专利拥有量 31.46件/万人 | 技术创新力 |
| 46 | 技术输出合同成交额与地区生产总值之比 0.73% | 技术创新力 |
| 45 | 技术输入合同成交额与地区生产总值之比 1.43% | 成果转化力 |
| 16 | 科创板上市企业数 3家 | 成果转化力 |
| 15 | 国家级科技企业孵化器、大学科技园、双创示范基地数 39个 | 成果转化力 |
| 8 | 国家级科技企业孵化器、大学科技园新增在孵企业数 467家 | 成果转化力 |
| 12 | 科技型中小企业数 2088家 | 成果转化力 |
| 10 | 规上工业企业新产品销售收入与营业收入之比 32.39% | 成果转化力 |
| 50 | 高新技术企业营业收入与规上工业企业营业收入之比 34.34% | 创新驱动力 |
| 10 | 城乡居民人均可支配收入之比 1.77 | 创新驱动力 |
| 25 | 单位地区生产总值能耗 0.38吨标准煤/万元 | 创新驱动力 |
| 13 | PM2.5年平均浓度 29微克/立方米 | 创新驱动力 |
| 29 | 人均实际使用外资额 276.68美元/人 | 创新驱动力 |
| 4 | 居民人均可支配收入 6.49万元/人 | 创新驱动力 |

图 2-96　宁波创新能力指标数据及排名

## （十七）嘉兴

2019 年，嘉兴常住人口 480 万人，地区生产总值 5370 亿元。嘉兴创新能力指数为 58.86，在 72 个创新型城市中排名第 22 位（与上年相比进 1 位），属于创新增长极类别城市（在 25 个该类别城市中排名第 12 位）。从创新能力构成看，嘉兴技术创新力、成果转化力有待提升；从具体指标看，嘉兴在高新区发展、高水平技术创新基地等方面存在明显的短板。

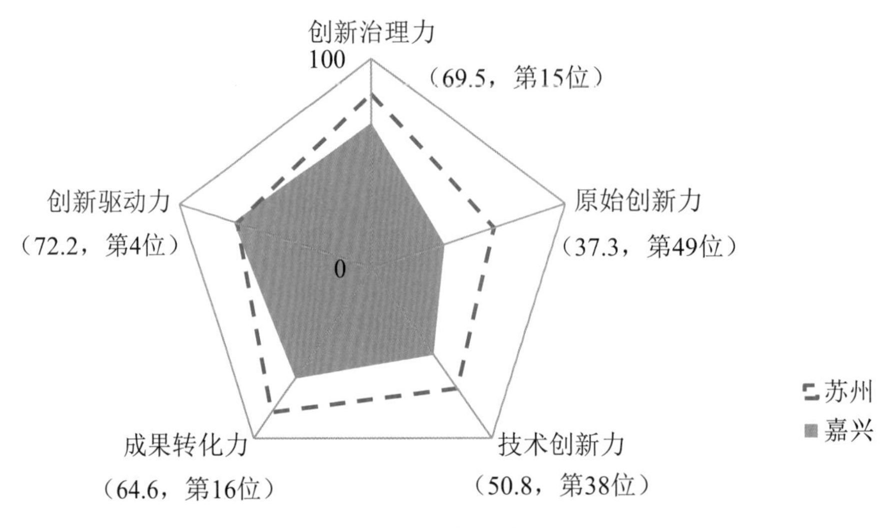


图 2-97　嘉兴创新能力雷达图

从经济发展阶段来看，近年来嘉兴固定资产投资与地区生产总值之比呈下降趋势，近 3 年平均值为 60.6%，低于全国平均水平（68.8%），公共财政收入占地区生产总值比重呈上升趋势，总体上嘉兴已经跨越投资驱动，进入创新驱动发展阶段，高质量发展势头良好。

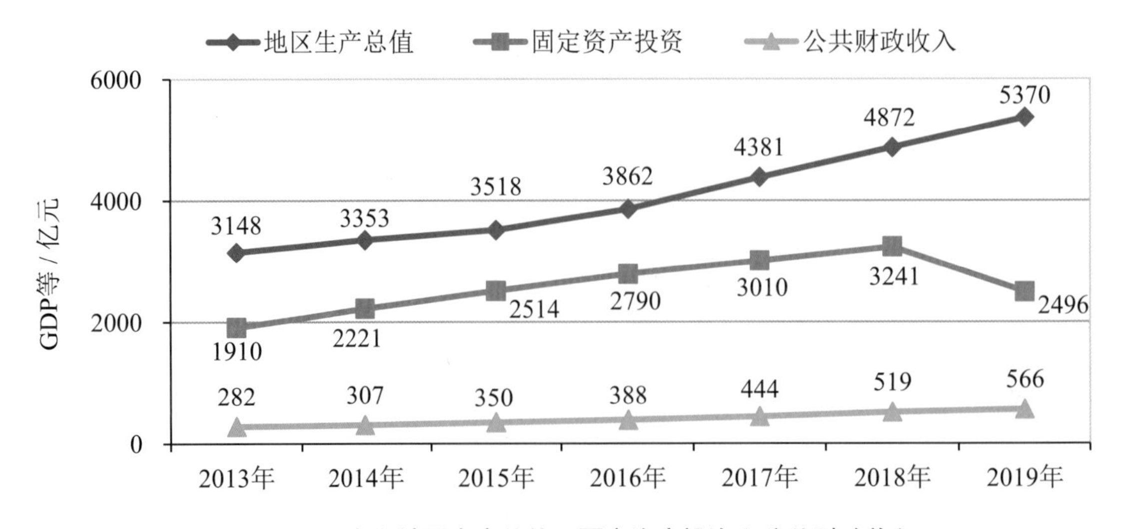


图 2-98　嘉兴地区生产总值、固定资产投资和公共财政收入

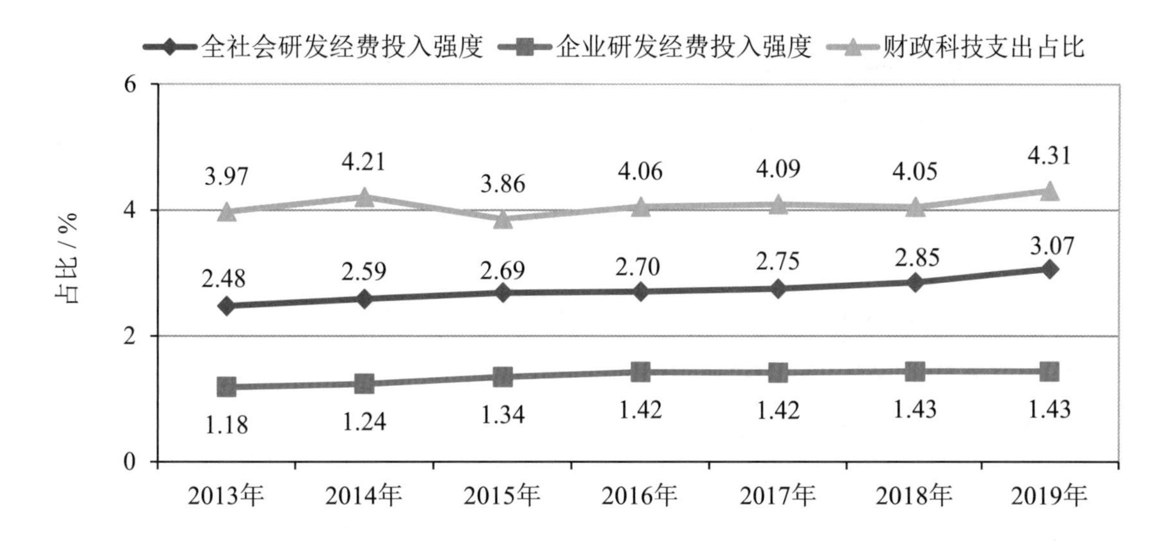


图 2-99　嘉兴研发经费投入强度及财政科技支出占比

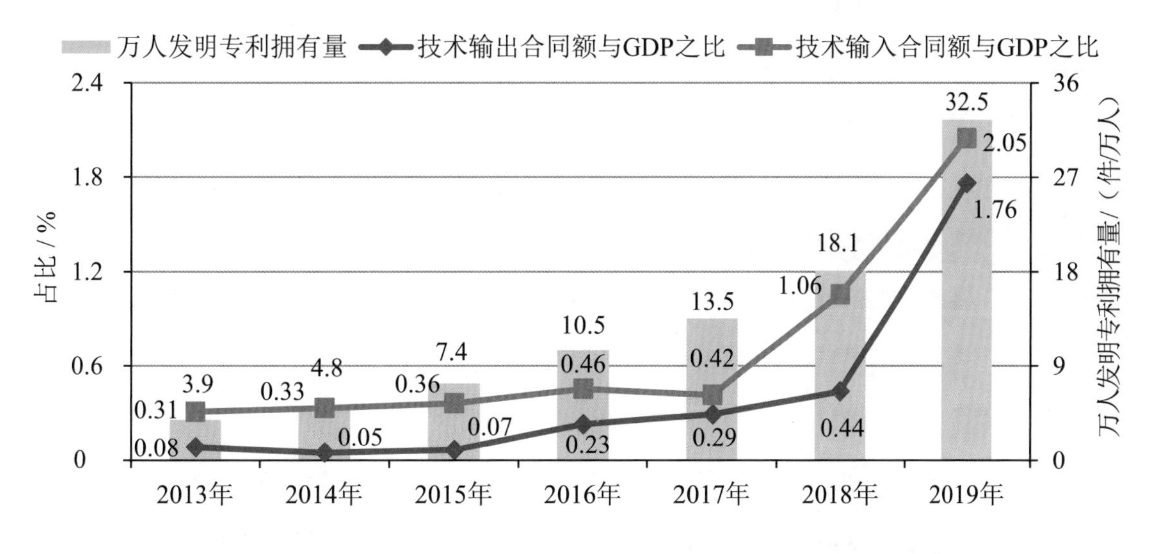


图 2-100　嘉兴万人发明专利拥有量及技术合同成交额与地区生产总值之比

图 2-101　嘉兴高新技术企业及其与规上工业企业之比

| 排名 | 指标 | 分类 |
| --- | --- | --- |
| 22 | 创新能力指数 58.86 | |
| 15 | 财政科技支出占公共财政支出比重 4.31% | 创新治理力 |
| 13 | 常住人口增长率 1.57% | 创新治理力 |
| 12 | 万名就业人员中研发人员 139.72人年/万人 | 创新治理力 |
| 10 | 万人专利申请量 78.51件/万人 | 创新治理力 |
| 24 | 人均地区生产总值 11.19万元/人 | 创新治理力 |
| 10 | 全社会研发经费支出与地区生产总值之比 3.07% | 原始创新力 |
| 55 | 基础研究经费占研发经费比重 0.63% | 原始创新力 |
| 34 | “双一流”建设学科数 0个 | 原始创新力 |
| 42 | 国家级科技成果奖数 4.86项当量 | 原始创新力 |
| 38 | 规上工业企业研发经费支出与营业收入之比 1.43% | 技术创新力 |
| 22 | 高新技术企业数 1733家 | 技术创新力 |
| 55 | 国家高新区营业收入与地区生产总值之比 15.39% | 技术创新力 |
| 16 | 万人发明专利拥有量 32.51件/万人 | 技术创新力 |
| 25 | 技术输出合同成交额与地区生产总值之比 1.76% | 技术创新力 |
| 25 | 技术输入合同成交额与地区生产总值之比 2.05% | 成果转化力 |
| 16 | 科创板上市企业数 3家 | 成果转化力 |
| 32 | 国家级科技企业孵化器、大学科技园、双创示范基地数 22个 | 成果转化力 |
| 33 | 国家级科技企业孵化器、大学科技园新增在孵企业数 219家 | 成果转化力 |
| 34 | 科技型中小企业数 754家 | 成果转化力 |
| 3 | 规上工业企业新产品销售收入与营业收入之比 39.20% | 成果转化力 |
| 40 | 高新技术企业营业收入与规上工业企业营业收入之比 39.04% | 创新驱动力 |
| 3 | 城乡居民人均可支配收入之比 1.66 | 创新驱动力 |
| 32 | 单位地区生产总值能耗 0.40吨标准煤/万元 | 创新驱动力 |
| 22 | PM2.5年平均浓度 35微克/立方米 | 创新驱动力 |
| 3 | 人均实际使用外资额 859.46美元/人 | 创新驱动力 |
| 8 | 居民人均可支配收入 6.19万元/人 | 创新驱动力 |

图 2-102　嘉兴创新能力指标数据及排名

## （十八）湖州

2019 年，湖州常住人口 306 万人，地区生产总值 3122 亿元。湖州创新能力指数为 54.71，在 72 个创新型城市中排名第 30 位（与上年相比退 1 位），属于创新增长极类别城市（在 25 个该类别城市中排名第 16 位）。从创新能力构成看，湖州技术创新力、成果转化力有待提升；从具体指标看，湖州在重大科技成果产出、高新区发展等方面存在明显的短板。

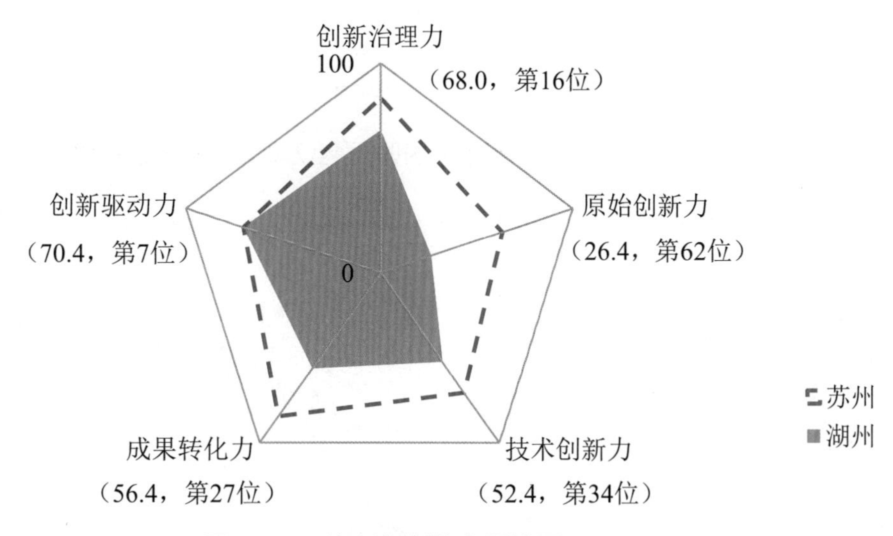


图 2-103　湖州创新能力雷达图

从经济发展阶段来看，近年来湖州固定资产投资与地区生产总值之比呈下降趋势，近 3 年平均值为 60.9%，低于全国平均水平（68.8%），公共财政收入占地区生产总值比重呈上升趋势，总体上湖州已经跨越投资驱动，进入创新驱动发展阶段，高质量发展势头良好。

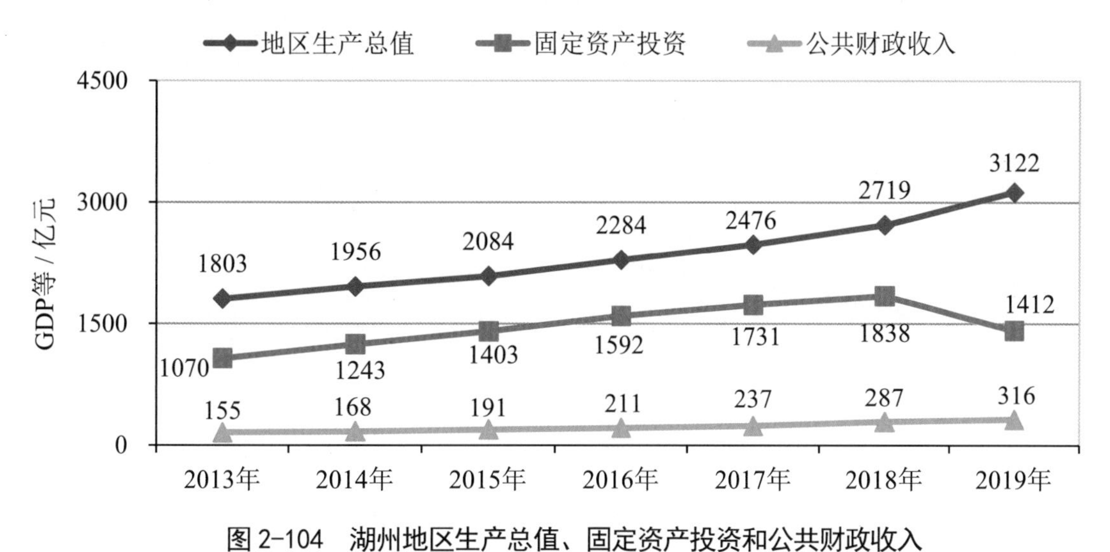


图 2-104　湖州地区生产总值、固定资产投资和公共财政收入

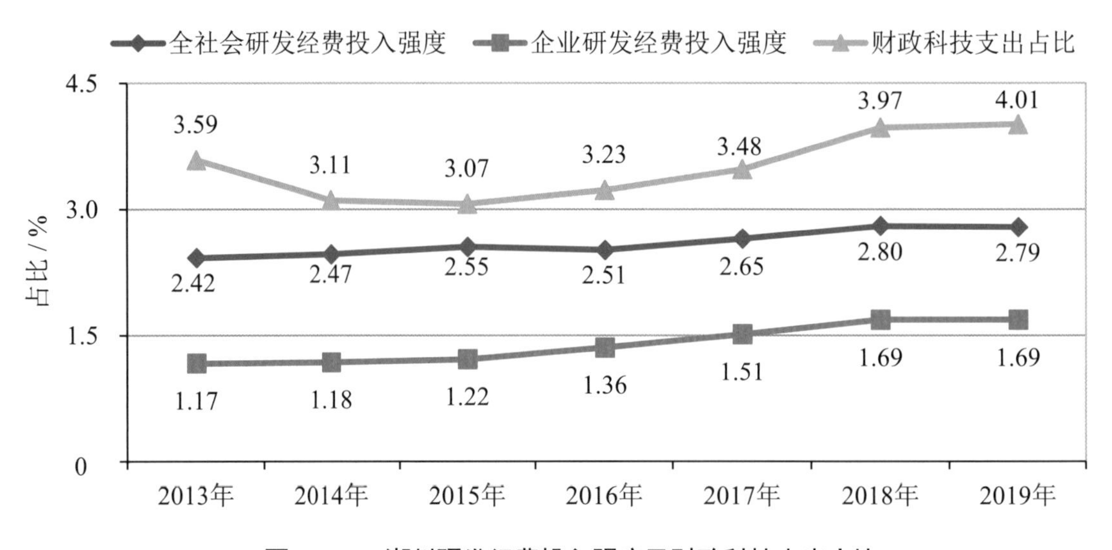


图 2-105 湖州研发经费投入强度及财政科技支出占比

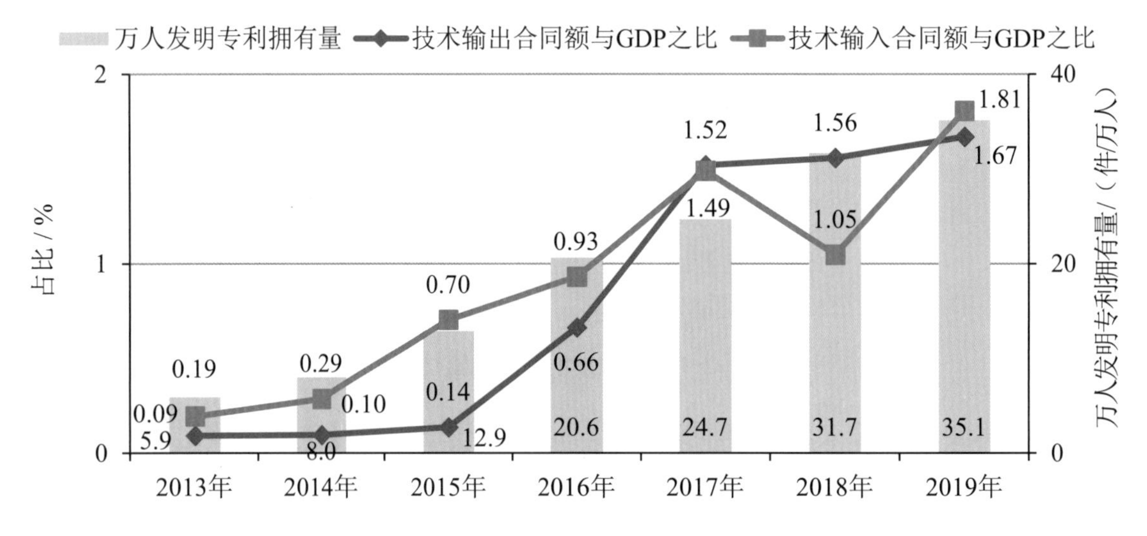


图 2-106 湖州万人发明专利拥有量及技术合同成交额与地区生产总值之比

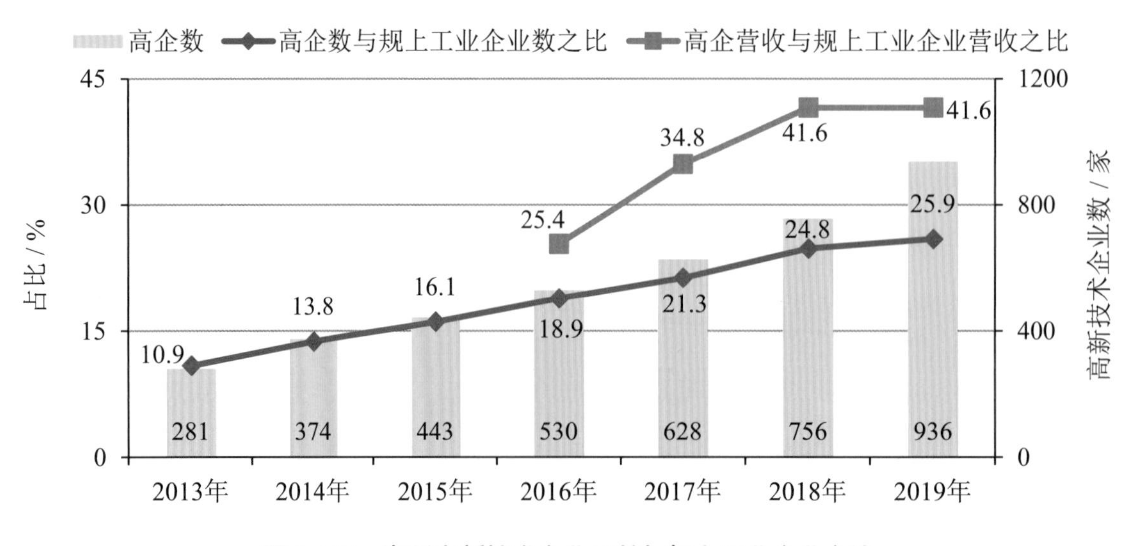


图 2-107 湖州高新技术企业及其与规上工业企业之比

| 排名 | 指标数据 | 类别 |
| --- | --- | --- |
| 30 | 创新能力指数 54.71 | |
| 23 | 财政科技支出占公共财政支出比重 4.01% | 创新治理力 |
| 22 | 常住人口增长率 1.09% | 创新治理力 |
| 13 | 万名就业人员中研发人员 139.52人年/万人 | 创新治理力 |
| 12 | 万人专利申请量 76.57件/万人 | 创新治理力 |
| 30 | 人均地区生产总值 10.20万元/人 | 创新治理力 |
| 18 | 全社会研发经费支出与地区生产总值之比 2.79% | 原始创新力 |
| 66 | 基础研究经费占研发经费比重 0.27% | 原始创新力 |
| 34 | “双一流”建设学科数 0个 | 原始创新力 |
| 57 | 国家级科技成果奖数 1.04项当量 | 原始创新力 |
| 29 | 规上工业企业研发经费支出与营业收入之比 1.69% | 技术创新力 |
| 39 | 高新技术企业数 936家 | 技术创新力 |
| 51 | 国家高新区营业收入与地区生产总值之比 19.96% | 技术创新力 |
| 12 | 万人发明专利拥有量 35.14件/万人 | 技术创新力 |
| 27 | 技术输出合同成交额与地区生产总值之比 1.67% | 技术创新力 |
| 29 | 技术输入合同成交额与地区生产总值之比 1.81% | 成果转化力 |
| 16 | 科创板上市企业数 3家 | 成果转化力 |
| 43 | 国家级科技企业孵化器、大学科技园、双创示范基地数 15个 | 成果转化力 |
| 43 | 国家级科技企业孵化器、大学科技园新增在孵企业数 139家 | 成果转化力 |
| 40 | 科技型中小企业数 528家 | 成果转化力 |
| 7 | 规上工业企业新产品销售收入与营业收入之比 34.82% | 成果转化力 |
| 33 | 高新技术企业营业收入与规上工业企业营业收入之比 41.56% | 创新驱动力 |
| 4 | 城乡居民人均可支配收入之比 1.70 | 创新驱动力 |
| 39 | 单位地区生产总值能耗 0.45吨标准煤/万元 | 创新驱动力 |
| 19 | PM2.5年平均浓度 32微克/立方米 | 创新驱动力 |
| 9 | 人均实际使用外资额 620.53美元/人 | 创新驱动力 |
| 11 | 居民人均可支配收入 5.90万元/人 | 创新驱动力 |

图 2-108　湖州创新能力指标数据及排名

## （十九）绍兴

2019 年，绍兴常住人口 506 万人，地区生产总值 5781 亿元。绍兴创新能力指数为 50.64，在 72 个创新型城市中排名第 39 位（与上年相比无变化），属于创新增长极类别城市（在 25 个该类别城市中排名第 19 位）。从创新能力构成看，绍兴成果转化力、技术创新力有待提升；从具体指标看，绍兴在高水平科技企业孵化基地、科技成果转移转化等方面存在明显的短板。

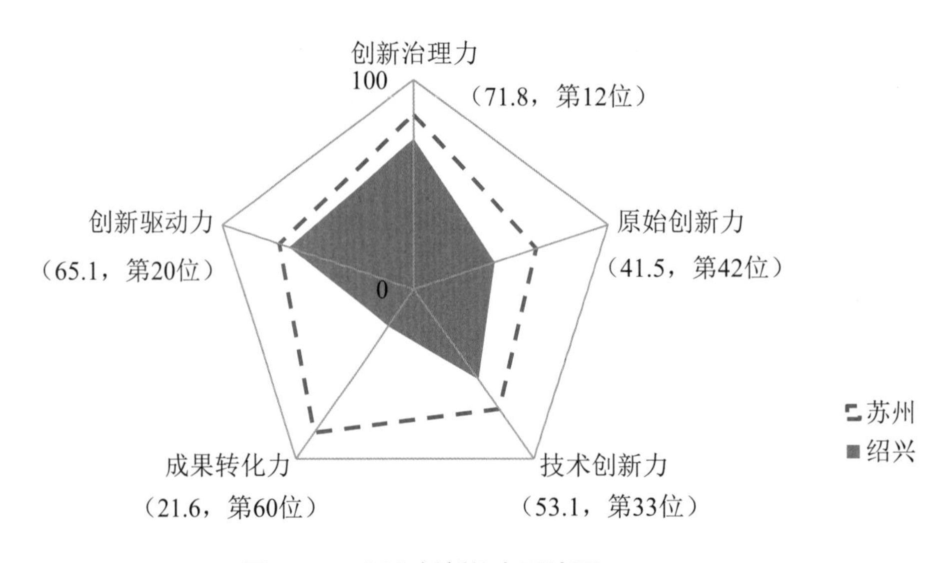


图 2-109　绍兴创新能力雷达图

从经济发展阶段来看，近年来绍兴固定资产投资与地区生产总值之比呈下降趋势，近 3 年平均值为 51.8%，低于全国平均水平（68.8%），公共财政收入占地区生产总值比重呈上升趋势，总体上绍兴已经跨越投资驱动，进入创新驱动发展阶段，高质量发展势头良好。

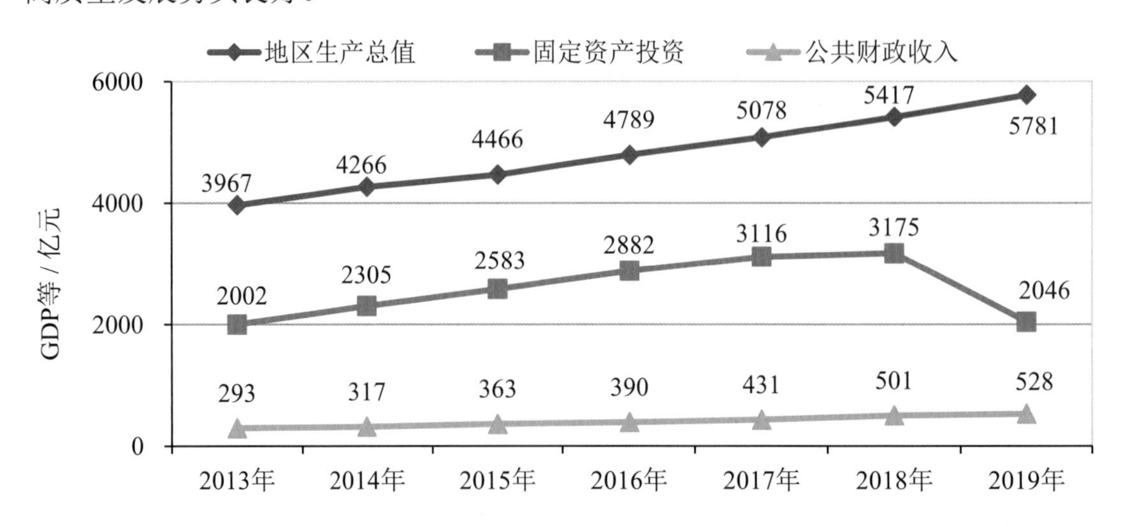


图 2-110　绍兴地区生产总值、固定资产投资和公共财政收入

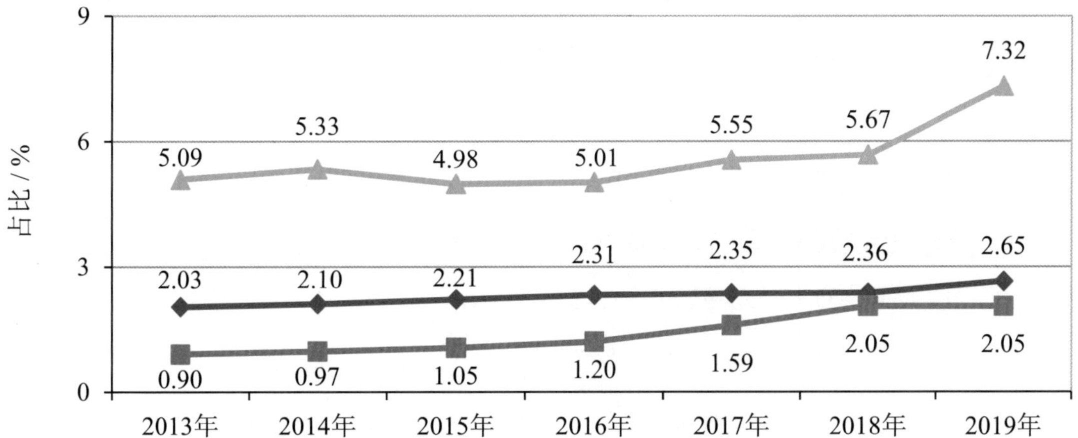


图 2-111　绍兴研发经费投入强度及财政科技支出占比

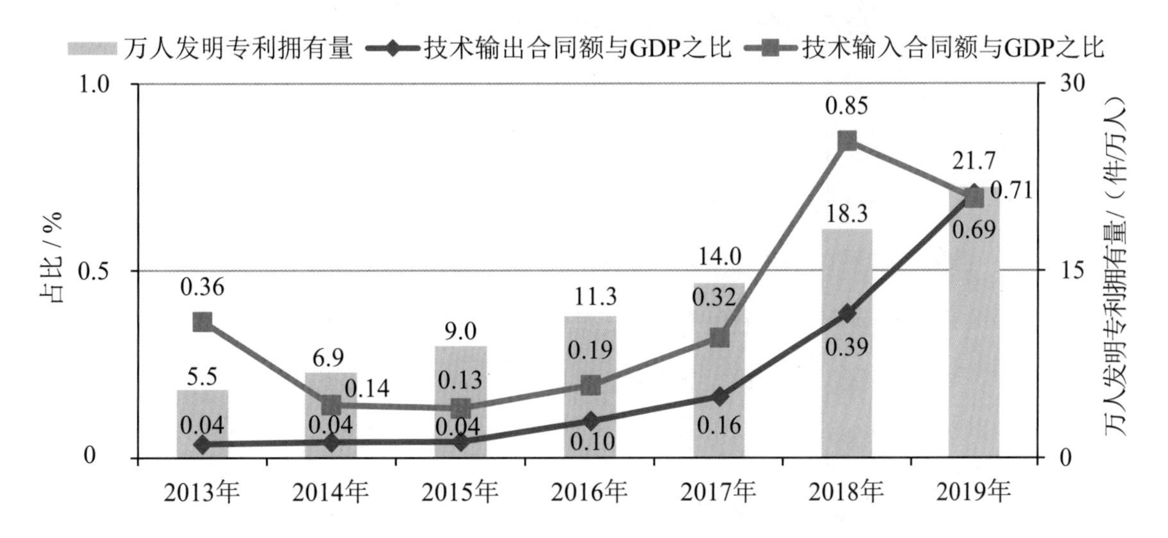


图 2-112　绍兴万人发明专利拥有量及技术合同成交额与地区生产总值之比

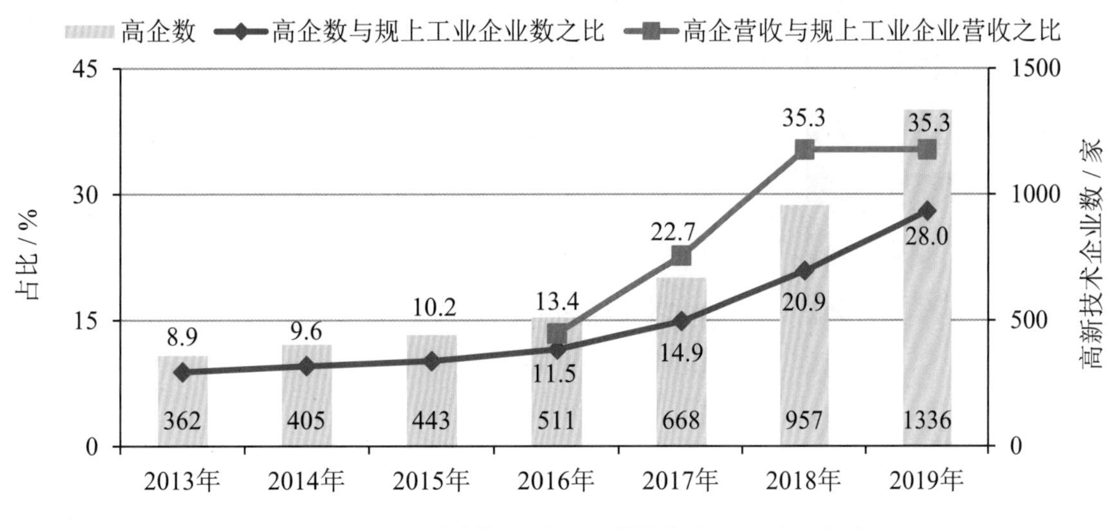


图 2-113　绍兴高新技术企业及其与规上工业企业之比

| 排名 | 指标 | 分类 |
|---|---|---|
| 39 | 创新能力指数 50.64 | |
| 9 | 财政科技支出占公共财政支出比重 7.32% | 创新治理力 |
| 38 | 常住人口增长率 0.44% | 创新治理力 |
| 10 | 万名就业人员中研发人员 143.28人年/万人 | 创新治理力 |
| 18 | 万人专利申请量 70.21件/万人 | 创新治理力 |
| 20 | 人均地区生产总值 11.43万元/人 | 创新治理力 |
| 23 | 全社会研发经费支出与地区生产总值之比 2.65% | 原始创新力 |
| 69 | 基础研究经费占研发经费比重 0.22% | 原始创新力 |
| 34 | “双一流”建设学科数 0个 | 原始创新力 |
| 33 | 国家级科技成果奖数 10.69项当量 | 原始创新力 |
| 15 | 规上工业企业研发经费支出与营业收入之比 2.05% | 技术创新力 |
| 28 | 高新技术企业数 1336家 | 技术创新力 |
| 56 | 国家高新区营业收入与地区生产总值之比 14.45% | 技术创新力 |
| 25 | 万人发明专利拥有量 21.67件/万人 | 技术创新力 |
| 49 | 技术输出合同成交额与地区生产总值之比 0.71% | 技术创新力 |
| 60 | 技术输入合同成交额与地区生产总值之比 0.69% | 成果转化力 |
| 41 | 科创板上市企业数 0家 | 成果转化力 |
| 67 | 国家级科技企业孵化器、大学科技园、双创示范基地数 3个 | 成果转化力 |
| 59 | 国家级科技企业孵化器、大学科技园新增在孵企业数 37家 | 成果转化力 |
| 51 | 科技型中小企业数 279家 | 成果转化力 |
| 8 | 规上工业企业新产品销售收入与营业收入之比 33.76% | 成果转化力 |
| 47 | 高新技术企业营业收入与规上工业企业营业收入之比 35.30% | 创新驱动力 |
| 9 | 城乡居民人均可支配收入之比 1.77 | 创新驱动力 |
| 36 | 单位地区生产总值能耗 0.43吨标准煤/万元 | 创新驱动力 |
| 26 | PM2.5年平均浓度 36微克/立方米 | 创新驱动力 |
| 43 | 人均实际使用外资额 130.00美元/人 | 创新驱动力 |
| 6 | 居民人均可支配收入 6.39万元/人 | 创新驱动力 |

图 2-114 绍兴创新能力指标数据及排名

## （二十）金华

2019 年，金华常住人口 562 万人，地区生产总值 4560 亿元。金华创新能力指数为 48.61，在 72 个创新型城市中排名第 41 位（与上年相比进 5 位），属于创新集聚区类别城市（在 32 个该类别城市中排名第 5 位）。从创新能力构成看，金华成果转化力、技术创新力有待提升；从具体指标看，金华在高新区发展、高水平科技企业孵化基地等方面存在明显的短板。

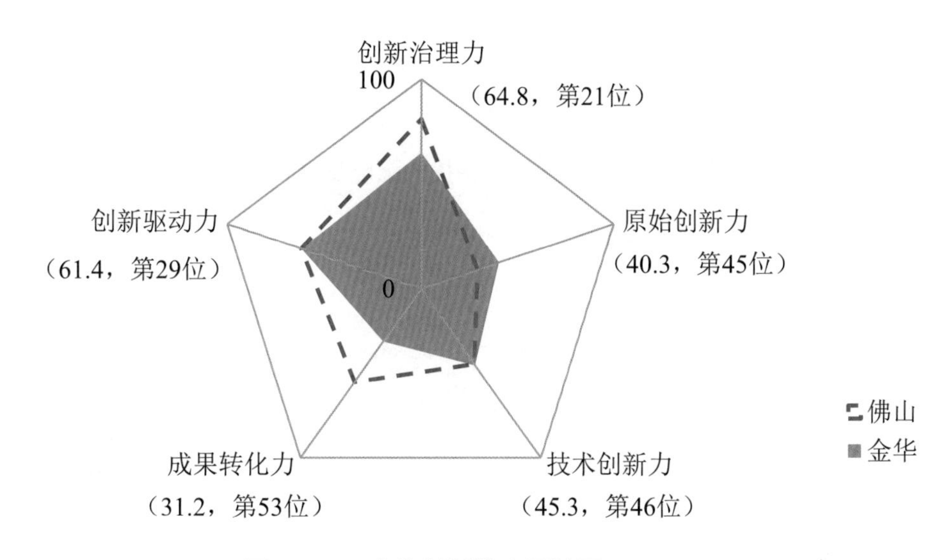


图 2-115　金华创新能力雷达图

从经济发展阶段来看，近年来金华固定资产投资与地区生产总值之比呈下降趋势，近 3 年平均值为 48.8%，低于全国平均水平（68.8%），公共财政收入占地区生产总值比重呈上升趋势，总体上金华处于由投资驱动向创新驱动的过渡阶段，创新发展动能正不断增强。

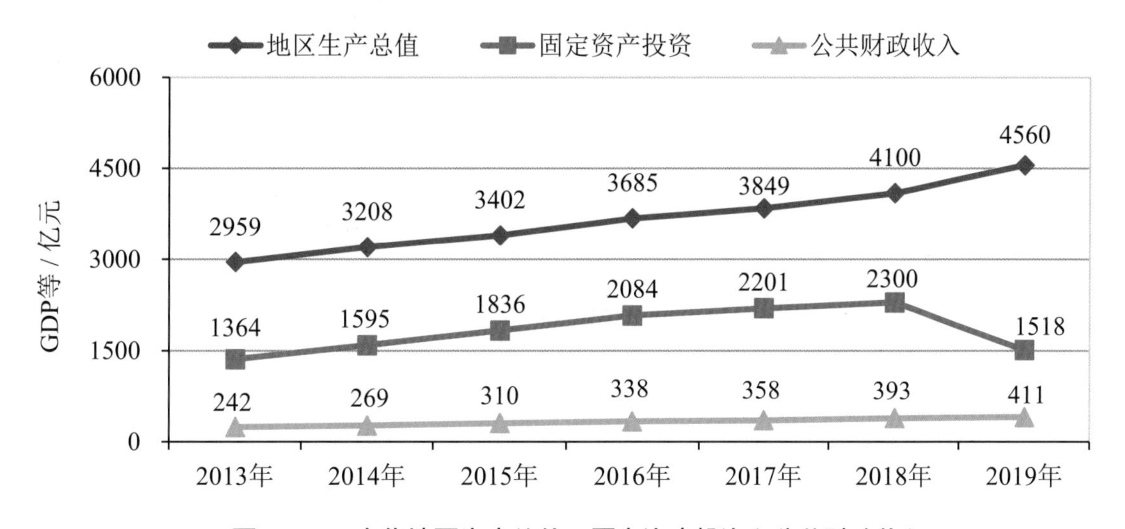


图 2-116　金华地区生产总值、固定资产投资和公共财政收入

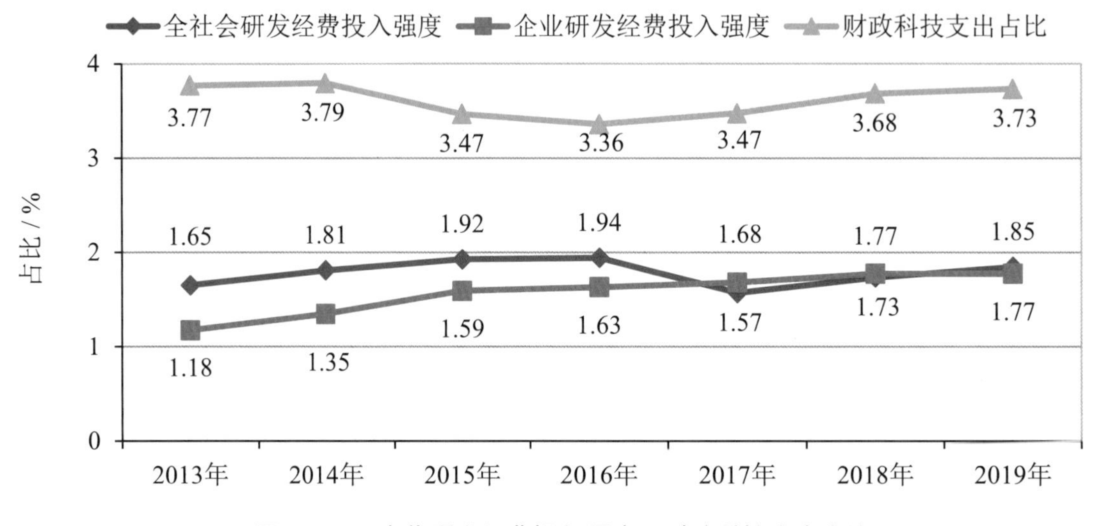


图 2-117　金华研发经费投入强度及财政科技支出占比

图 2-118　金华万人发明专利拥有量及技术合同成交额与地区生产总值之比

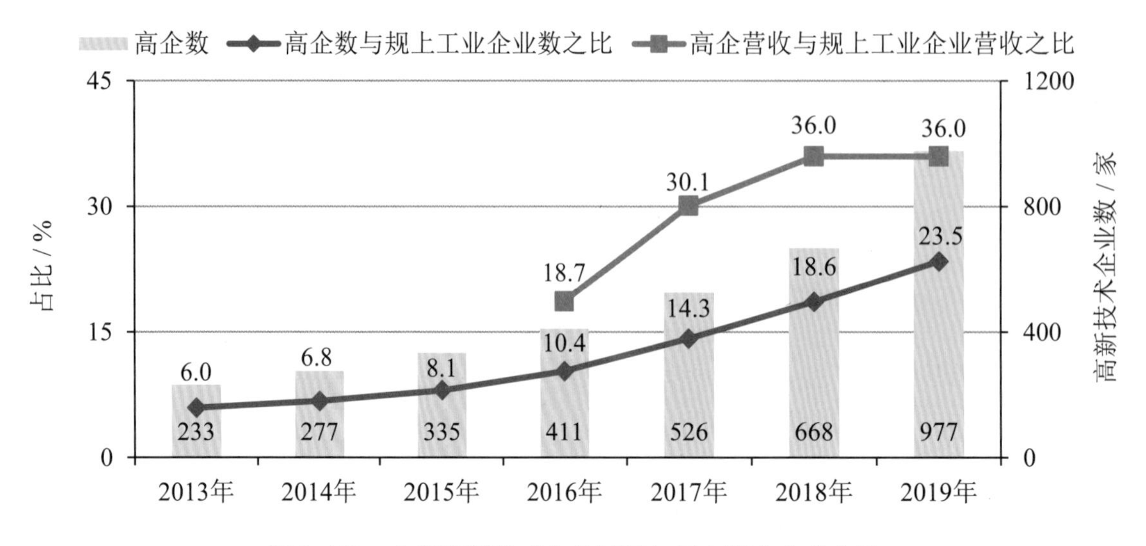


图 2-119　金华高新技术企业及其与规上工业企业之比

| 排名 | 指标 | 类别 |
| --- | --- | --- |
| 41 | 创新能力指数 48.61 | |
| 28 | 财政科技支出占公共财政支出比重 3.73% | 创新治理力 |
| 44 | 常住人口增长率 0.36% | 创新治理力 |
| 21 | 万名就业人员中研发人员 113.79人年/万人 | 创新治理力 |
| 13 | 万人专利申请量 75.87件/万人 | 创新治理力 |
| 48 | 人均地区生产总值 8.11万元/人 | 创新治理力 |
| 44 | 全社会研发经费支出与地区生产总值之比 1.85% | 原始创新力 |
| 42 | 基础研究经费占研发经费比重 1.73% | 原始创新力 |
| 34 | “双一流”建设学科数 0个 | 原始创新力 |
| 39 | 国家级科技成果奖数 6.90项当量 | 原始创新力 |
| 25 | 规上工业企业研发经费支出与营业收入之比 1.77% | 技术创新力 |
| 36 | 高新技术企业数 977家 | 技术创新力 |
| 67 | 国家高新区营业收入与地区生产总值之比 0 | 技术创新力 |
| 40 | 万人发明专利拥有量 12.22件/万人 | 技术创新力 |
| 20 | 技术输出合同成交额与地区生产总值之比 2.08% | 技术创新力 |
| 30 | 技术输入合同成交额与地区生产总值之比 1.78% | 成果转化力 |
| 41 | 科创板上市企业数 0家 | 成果转化力 |
| 63 | 国家级科技企业孵化器、大学科技园、双创示范基地数 4个 | 成果转化力 |
| 51 | 国家级科技企业孵化器、大学科技园新增在孵企业数 73家 | 成果转化力 |
| 52 | 科技型中小企业数 256家 | 成果转化力 |
| 14 | 规上工业企业新产品销售收入与营业收入之比 31.82% | 成果转化力 |
| 45 | 高新技术企业营业收入与规上工业企业营业收入之比 36.01% | 创新驱动力 |
| 32 | 城乡居民人均可支配收入之比 2.08 | 创新驱动力 |
| 30 | 单位地区生产总值能耗 0.39吨标准煤/万元 | 创新驱动力 |
| 17 | PM2.5年平均浓度 31微克/立方米 | 创新驱动力 |
| 61 | 人均实际使用外资额 38.51美元/人 | 创新驱动力 |
| 10 | 居民人均可支配收入 5.93万元/人 | 创新驱动力 |

图 2-120　金华创新能力指标数据及排名

## （二十一）福州

2019 年，福州常住人口 780 万人，地区生产总值 9392 亿元。福州创新能力指数为 55.87，在 72 个创新型城市中排名第 28 位（与上年相比进 2 位），属于创新集聚区类别城市（在 32 个该类别城市中排名第 2 位）。从创新能力构成看，福州技术创新力、创新驱动力有待提升；从具体指标看，福州在高新技术产业发展、新技术应用等方面存在明显的短板。

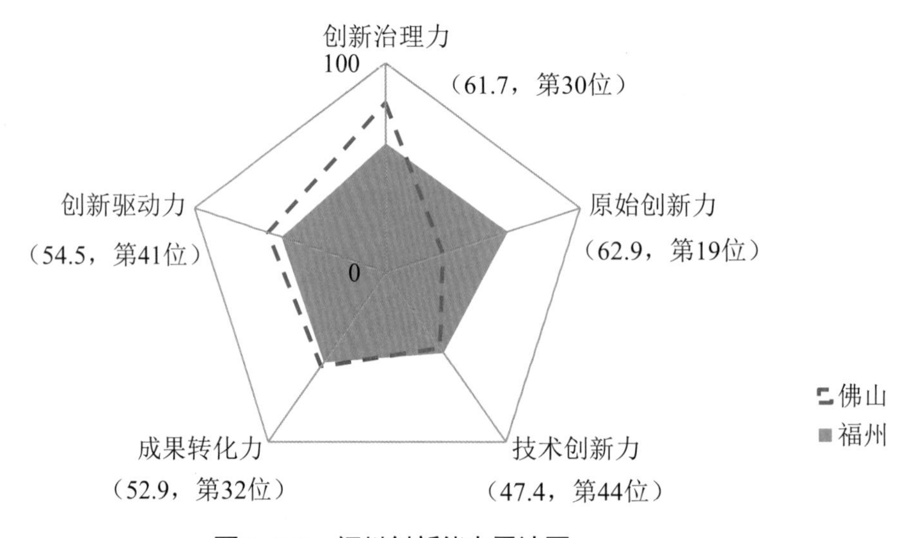


图 2-121　福州创新能力雷达图

从经济发展阶段来看，近年来福州固定资产投资与地区生产总值之比呈下降趋势，近 3 年平均值为 80.2%，高于全国平均水平（68.8%），公共财政收入占地区生产总值比重呈下降趋势，总体上福州处于由投资驱动向创新驱动的过渡阶段，创新发展动能正不断增强。

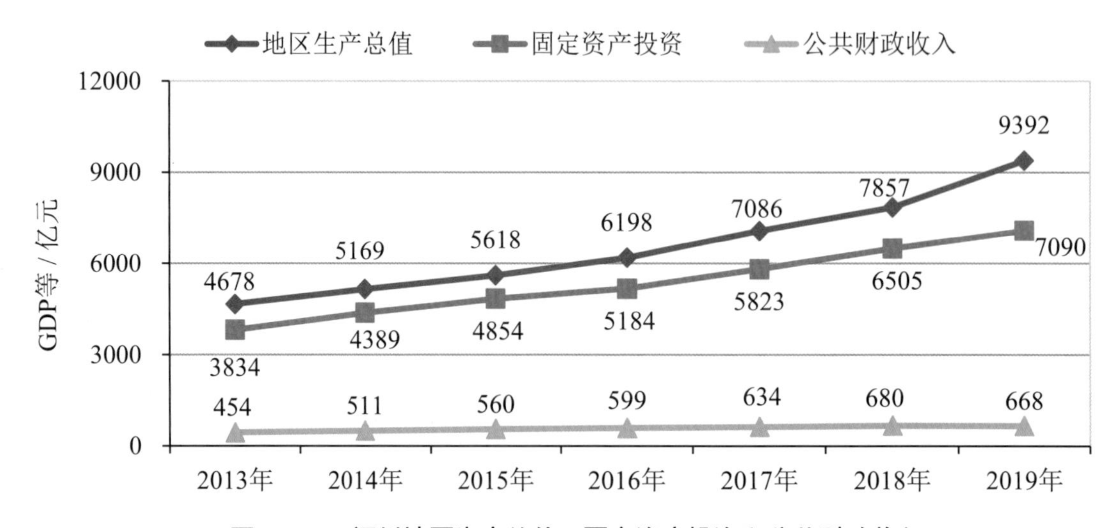


图 2-122　福州地区生产总值、固定资产投资和公共财政收入

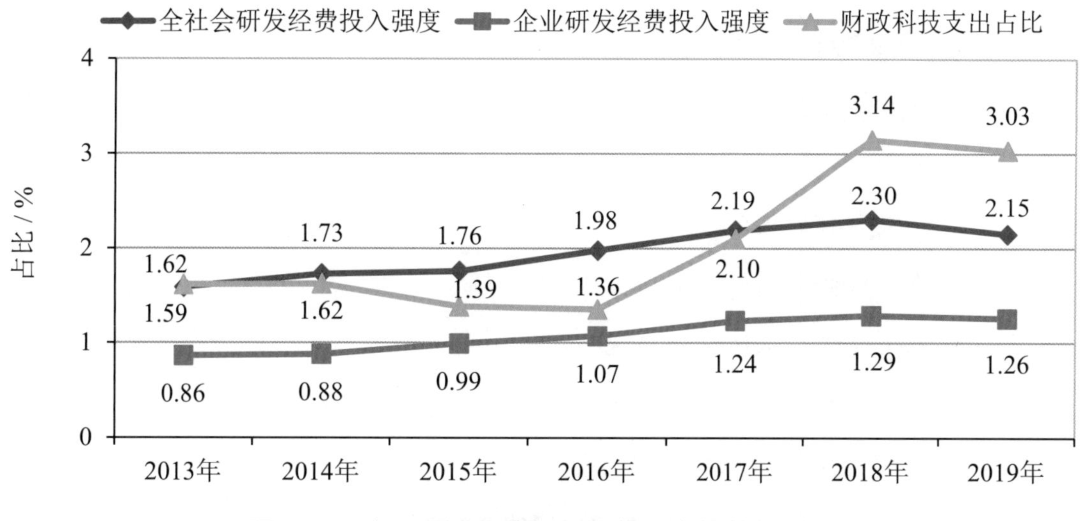


图 2-123　福州研发经费投入强度及财政科技支出占比

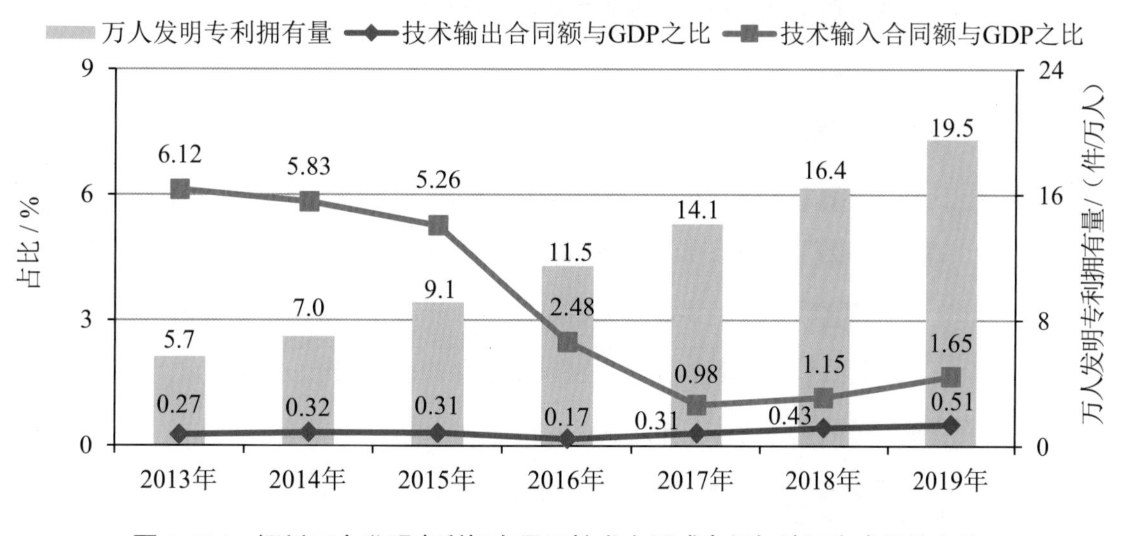


图 2-124　福州万人发明专利拥有量及技术合同成交额与地区生产总值之比

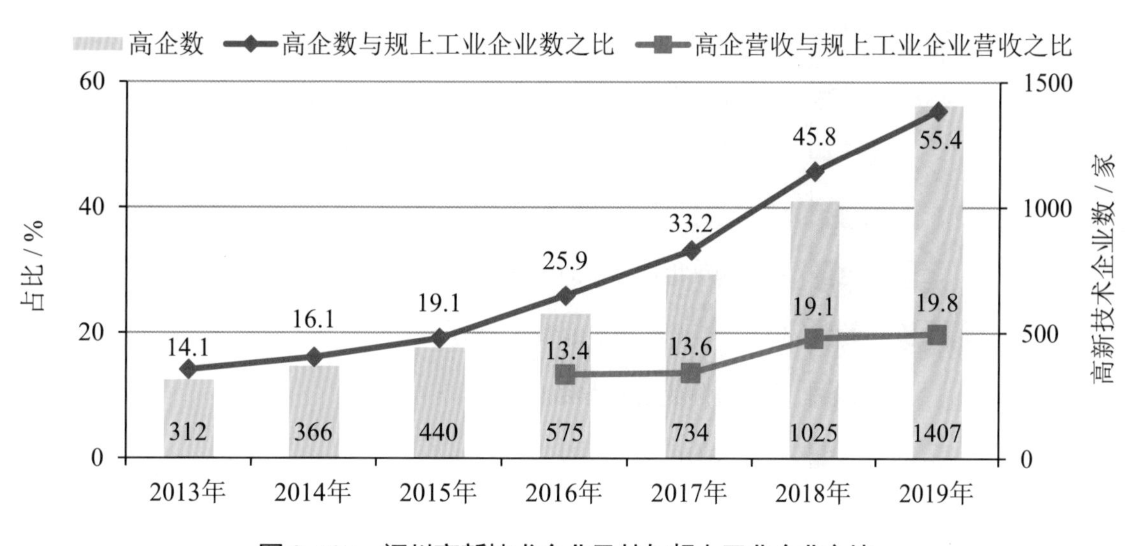


图 2-125　福州高新技术企业及其与规上工业企业之比

| 排名 | 指标 | 分类 |
| --- | --- | --- |
| 28 | 创新能力指数 55.87 | |
| 35 | 财政科技支出占公共财政支出比重 3.03% | 创新治理力 |
| 31 | 常住人口增长率 0.78% | 创新治理力 |
| 34 | 万名就业人员中研发人员 75.68人年/万人 | 创新治理力 |
| 33 | 万人专利申请量 37.57件/万人 | 创新治理力 |
| 18 | 人均地区生产总值 12.04万元/人 | 创新治理力 |
| 37 | 全社会研发经费支出与地区生产总值之比 2.15% | 原始创新力 |
| 18 | 基础研究经费占研发经费比重 9.20% | 原始创新力 |
| 22 | “双一流”建设学科数 1个 | 原始创新力 |
| 23 | 国家级科技成果奖数 21.81项当量 | 原始创新力 |
| 47 | 规上工业企业研发经费支出与营业收入之比 1.26% | 技术创新力 |
| 27 | 高新技术企业数 1407家 | 技术创新力 |
| 57 | 国家高新区营业收入与地区生产总值之比 13.23% | 技术创新力 |
| 29 | 万人发明专利拥有量 19.52件/万人 | 技术创新力 |
| 55 | 技术输出合同成交额与地区生产总值之比 0.51% | 技术创新力 |
| 36 | 技术输入合同成交额与地区生产总值之比 1.65% | 成果转化力 |
| 16 | 科创板上市企业数 3家 | 成果转化力 |
| 38 | 国家级科技企业孵化器、大学科技园、双创示范基地数 16个 | 成果转化力 |
| 46 | 国家级科技企业孵化器、大学科技园新增在孵企业数 124家 | 成果转化力 |
| 27 | 科技型中小企业数 1008家 | 成果转化力 |
| 57 | 规上工业企业新产品销售收入与营业收入之比 12.43% | 成果转化力 |
| 66 | 高新技术企业营业收入与规上工业企业营业收入之比 19.81% | 创新驱动力 |
| 45 | 城乡居民人均可支配收入之比 2.25 | 创新驱动力 |
| 31 | 单位地区生产总值能耗 0.40吨标准煤/万元 | 创新驱动力 |
| 6 | PM2.5年平均浓度 24微克/立方米 | 创新驱动力 |
| 45 | 人均实际使用外资额 120.66美元/人 | 创新驱动力 |
| 28 | 居民人均可支配收入 4.79万元/人 | 创新驱动力 |

图 2-126　福州创新能力指标数据及排名

## （二十二）厦门

2019 年，厦门常住人口 429 万人，地区生产总值 5995 亿元。厦门创新能力指数为 67.97，在 72 个创新型城市中排名第 12 位（与上年相比退 1 位），属于创新增长极类别城市（在 25 个该类别城市中排名第 3 位）。从创新能力构成看，厦门成果转化力、创新驱动力有待提升；从具体指标看，厦门在城乡协调发展、高新技术产业发展等方面存在明显的短板。

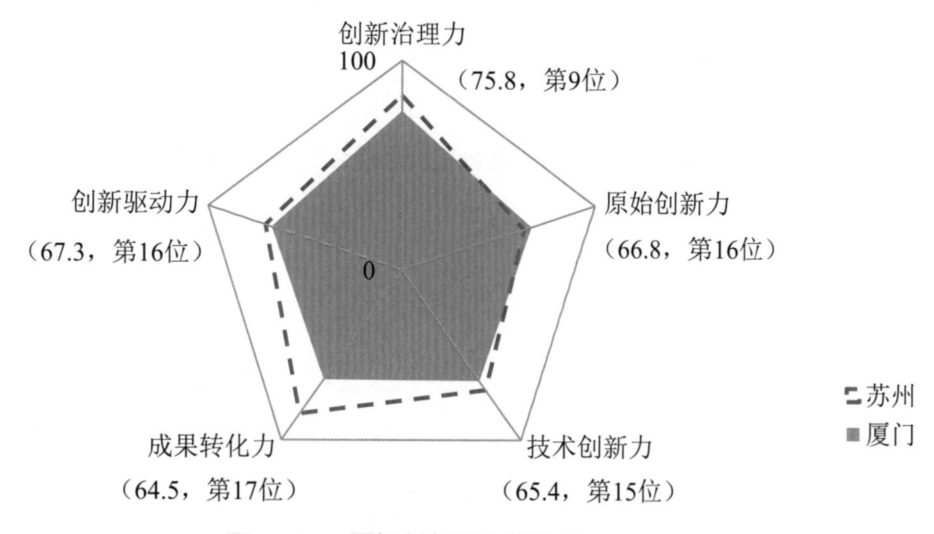


图 2-127　厦门创新能力雷达图

从经济发展阶段来看，近年来厦门固定资产投资与地区生产总值之比呈下降趋势，近 3 年平均值为 52.3%，低于全国平均水平（68.8%），公共财政收入占地区生产总值比重呈下降趋势，总体上厦门已经跨越投资驱动，进入创新驱动发展阶段，高质量发展势头良好。

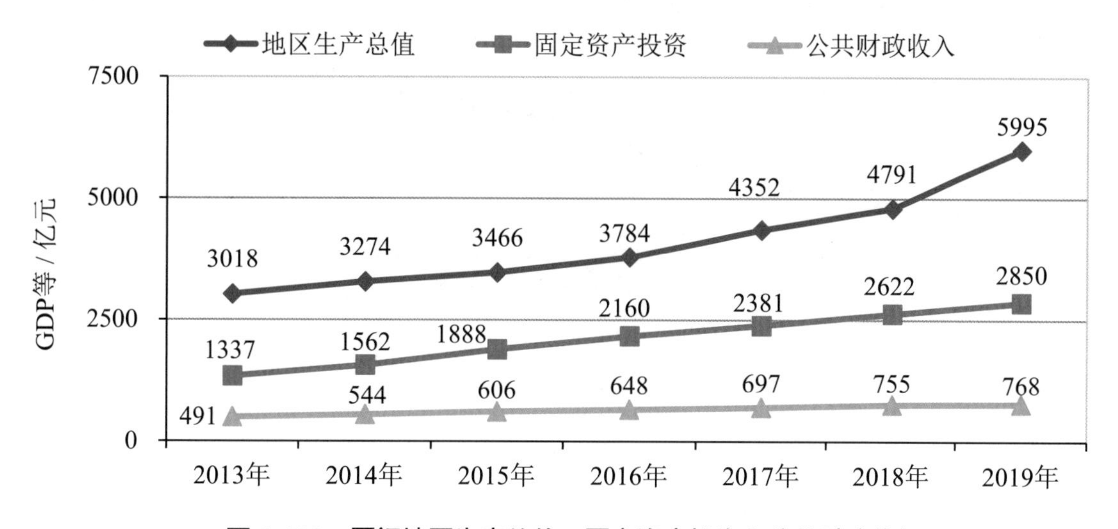


图 2-128　厦门地区生产总值、固定资产投资和公共财政收入

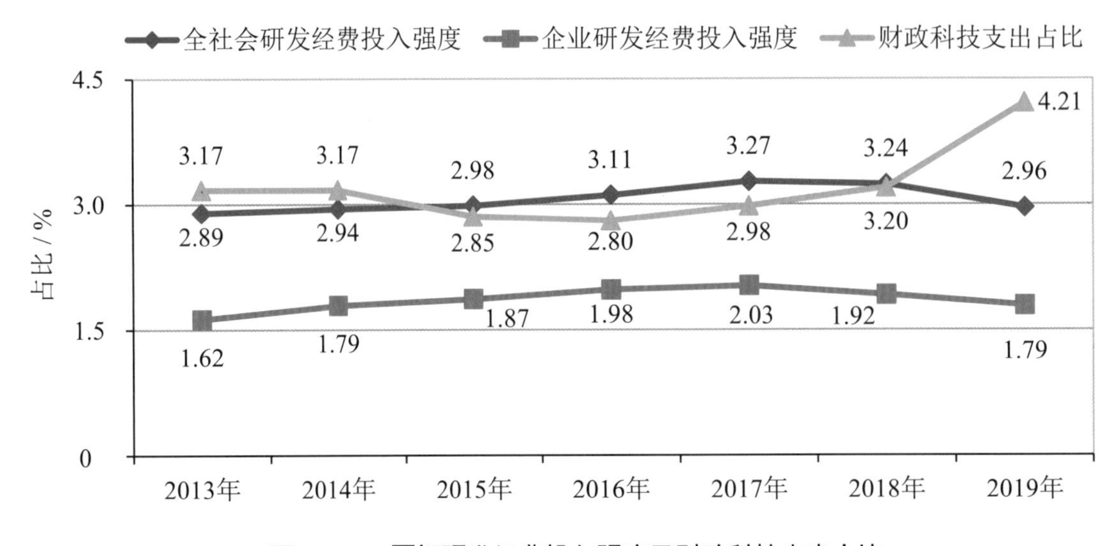


图 2-129　厦门研发经费投入强度及财政科技支出占比

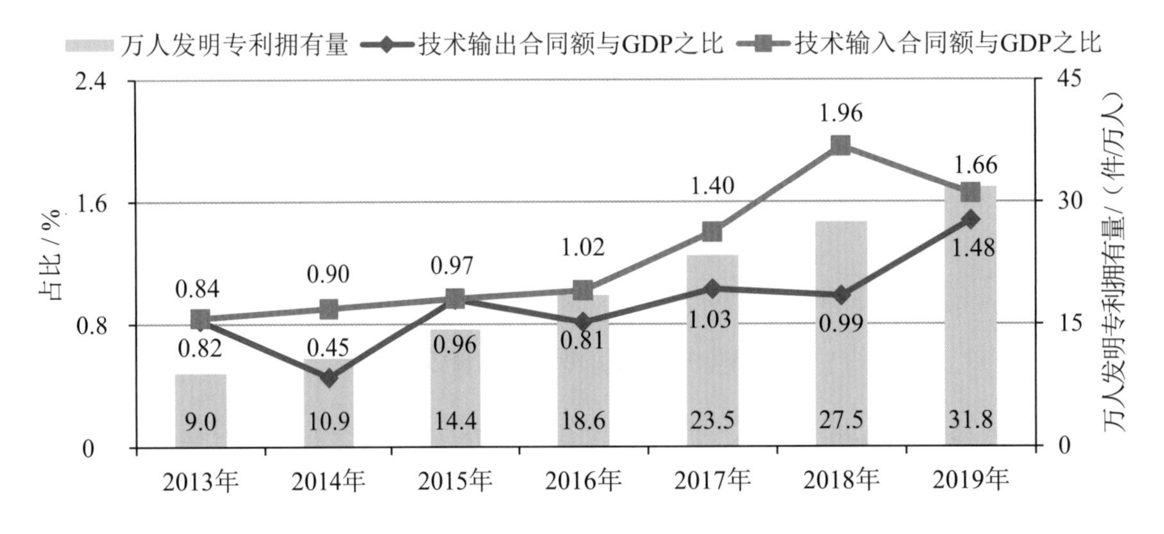


图 2-130　厦门万人发明专利拥有量及技术合同成交额与地区生产总值之比

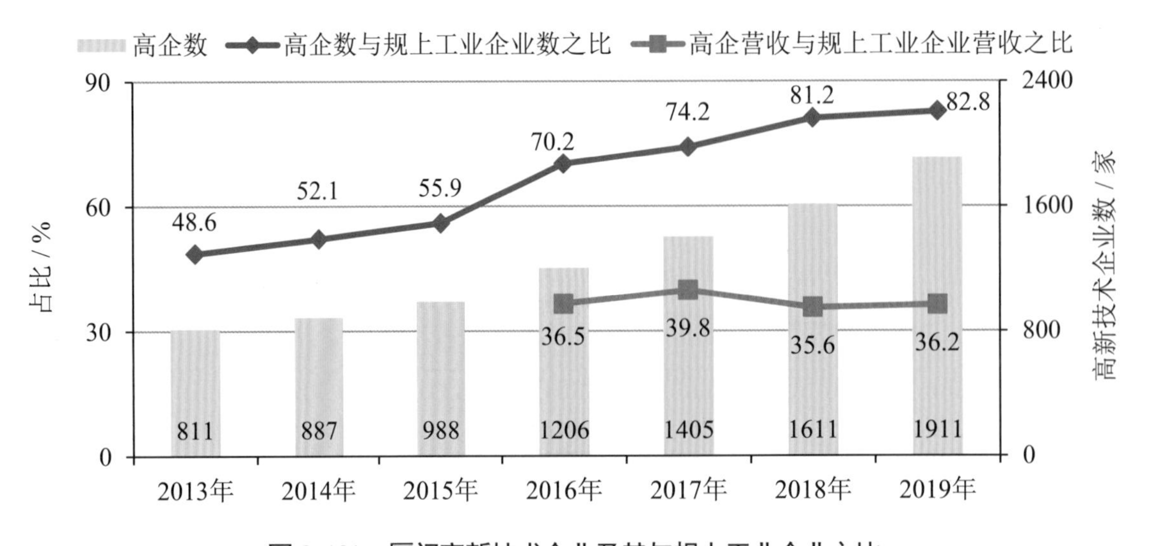


图 2-131　厦门高新技术企业及其与规上工业企业之比

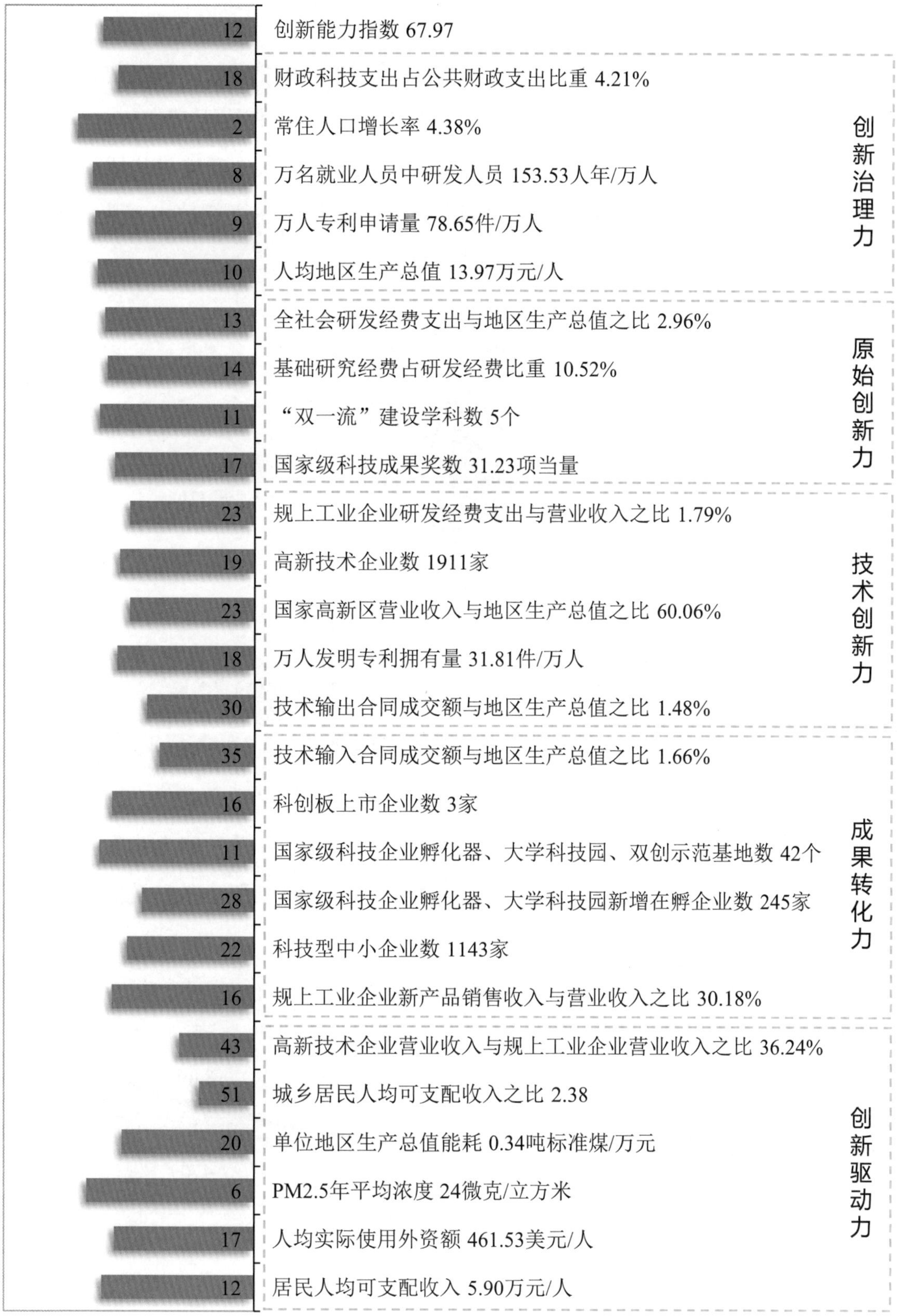

| 排名 | 指标 | 分类 |
| --- | --- | --- |
| 12 | 创新能力指数 67.97 | |
| 18 | 财政科技支出占公共财政支出比重 4.21% | 创新治理力 |
| 2 | 常住人口增长率 4.38% | 创新治理力 |
| 8 | 万名就业人员中研发人员 153.53人年/万人 | 创新治理力 |
| 9 | 万人专利申请量 78.65件/万人 | 创新治理力 |
| 10 | 人均地区生产总值 13.97万元/人 | 创新治理力 |
| 13 | 全社会研发经费支出与地区生产总值之比 2.96% | 原始创新力 |
| 14 | 基础研究经费占研发经费比重 10.52% | 原始创新力 |
| 11 | “双一流”建设学科数 5个 | 原始创新力 |
| 17 | 国家级科技成果奖数 31.23项当量 | 原始创新力 |
| 23 | 规上工业企业研发经费支出与营业收入之比 1.79% | 技术创新力 |
| 19 | 高新技术企业数 1911家 | 技术创新力 |
| 23 | 国家高新区营业收入与地区生产总值之比 60.06% | 技术创新力 |
| 18 | 万人发明专利拥有量 31.81件/万人 | 技术创新力 |
| 30 | 技术输出合同成交额与地区生产总值之比 1.48% | 技术创新力 |
| 35 | 技术输入合同成交额与地区生产总值之比 1.66% | 成果转化力 |
| 16 | 科创板上市企业数 3家 | 成果转化力 |
| 11 | 国家级科技企业孵化器、大学科技园、双创示范基地数 42个 | 成果转化力 |
| 28 | 国家级科技企业孵化器、大学科技园新增在孵企业数 245家 | 成果转化力 |
| 22 | 科技型中小企业数 1143家 | 成果转化力 |
| 16 | 规上工业企业新产品销售收入与营业收入之比 30.18% | 成果转化力 |
| 43 | 高新技术企业营业收入与规上工业企业营业收入之比 36.24% | 创新驱动力 |
| 51 | 城乡居民人均可支配收入之比 2.38 | 创新驱动力 |
| 20 | 单位地区生产总值能耗 0.34吨标准煤/万元 | 创新驱动力 |
| 6 | PM2.5年平均浓度 24微克/立方米 | 创新驱动力 |
| 17 | 人均实际使用外资额 461.53美元/人 | 创新驱动力 |
| 12 | 居民人均可支配收入 5.90万元/人 | 创新驱动力 |

图 2-132 厦门创新能力指标数据及排名

## （二十三）泉州

2019 年，泉州常住人口 874 万人，地区生产总值 9947 亿元。泉州创新能力指数为 33.98，在 72 个创新型城市中排名第 59 位（与上年相比无变化），属于创新集聚区类别城市（在 32 个该类别城市中排名第 19 位）。从创新能力构成看，泉州成果转化力、技术创新力有待提升；从具体指标看，泉州在高新技术产业发展、市场导向的科技成果产出等方面存在明显的短板。

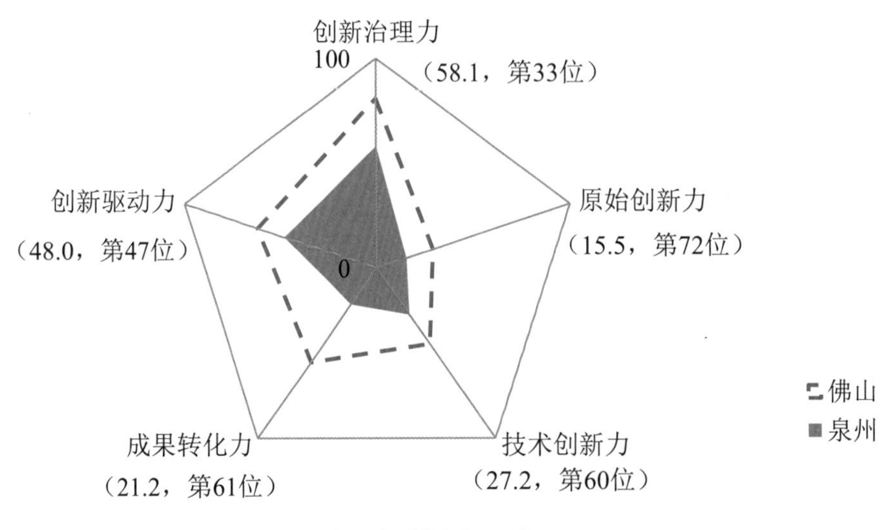


图 2-133　泉州创新能力雷达图

从经济发展阶段来看，近年来泉州固定资产投资与地区生产总值之比呈下降趋势，近 3 年平均值为 53.5%，低于全国平均水平（68.8%），公共财政收入占地区生产总值比重呈下降趋势，总体上泉州处于由投资驱动向创新驱动的过渡阶段，创新发展动能正不断增强。

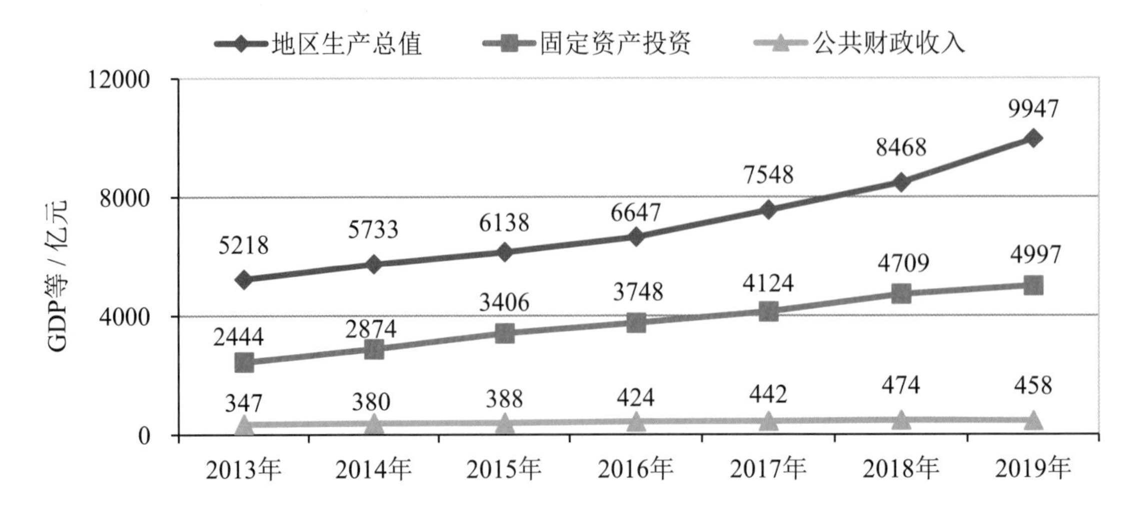


图 2-134　泉州地区生产总值、固定资产投资和公共财政收入

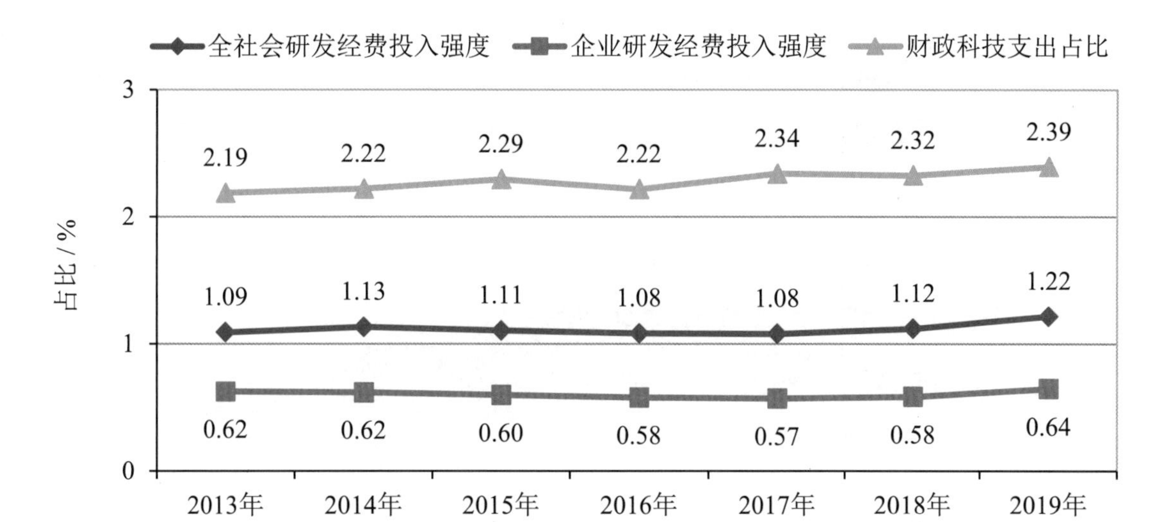


图 2-135　泉州研发经费投入强度及财政科技支出占比

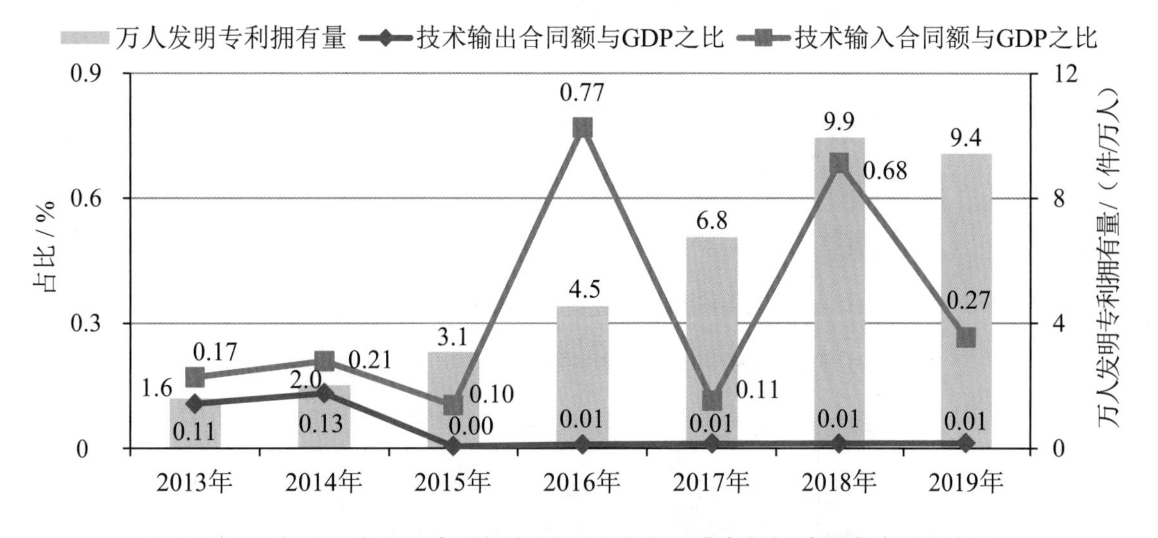


图 2-136　泉州万人发明专利拥有量及技术合同成交额与地区生产总值之比

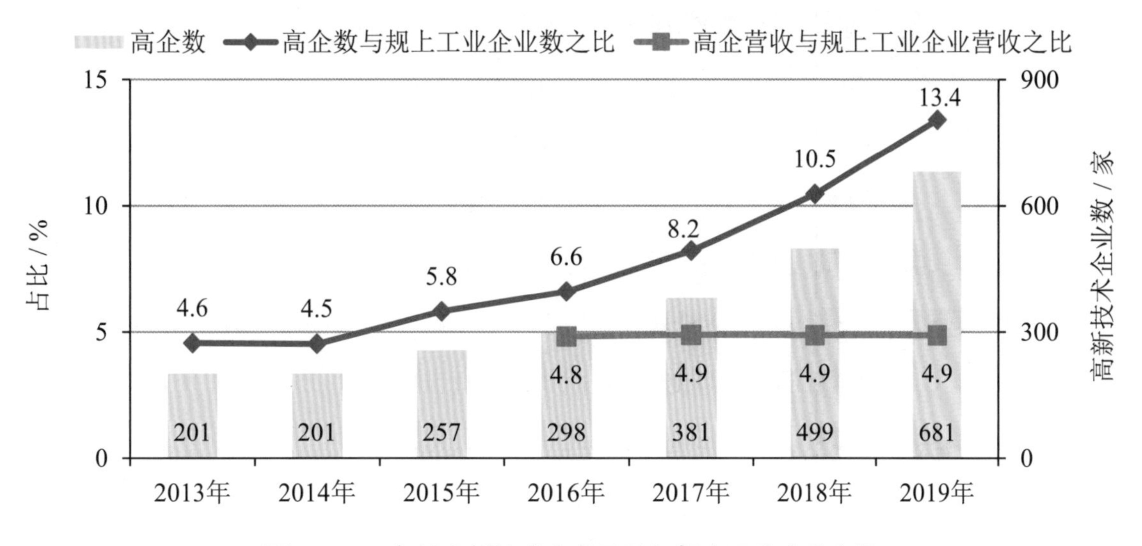


图 2-137　泉州高新技术企业及其与规上工业企业之比

| 排名 | 指标 | 维度 |
| --- | --- | --- |
| 59 | 创新能力指数 33.98 | |
| 48 | 财政科技支出占公共财政支出比重 2.39% | 创新治理力 |
| 37 | 常住人口增长率 0.46% | 创新治理力 |
| 52 | 万名就业人员中研发人员 43.17人年/万人 | 创新治理力 |
| 21 | 万人专利申请量 56.57件/万人 | 创新治理力 |
| 21 | 人均地区生产总值 11.38万元/人 | 创新治理力 |
| 62 | 全社会研发经费支出与地区生产总值之比 1.22% | 原始创新力 |
| 63 | 基础研究经费占研发经费比重 0.36% | 原始创新力 |
| 34 | “双一流”建设学科数 0个 | 原始创新力 |
| 60 | 国家级科技成果奖数 0项当量 | 原始创新力 |
| 65 | 规上工业企业研发经费支出与营业收入之比 0.64% | 技术创新力 |
| 45 | 高新技术企业数 681家 | 技术创新力 |
| 61 | 国家高新区营业收入与地区生产总值之比 7.81% | 技术创新力 |
| 47 | 万人发明专利拥有量 9.43件/万人 | 技术创新力 |
| 71 | 技术输出合同成交额与地区生产总值之比 0.01% | 技术创新力 |
| 69 | 技术输入合同成交额与地区生产总值之比 0.27% | 成果转化力 |
| 41 | 科创板上市企业数 0家 | 成果转化力 |
| 49 | 国家级科技企业孵化器、大学科技园、双创示范基地数 11个 | 成果转化力 |
| 60 | 国家级科技企业孵化器、大学科技园新增在孵企业数 29家 | 成果转化力 |
| 38 | 科技型中小企业数 564家 | 成果转化力 |
| 70 | 规上工业企业新产品销售收入与营业收入之比 6.73% | 成果转化力 |
| 72 | 高新技术企业营业收入与规上工业企业营业收入之比 4.86% | 创新驱动力 |
| 44 | 城乡居民人均可支配收入之比 2.24 | 创新驱动力 |
| 37 | 单位地区生产总值能耗 0.43吨标准煤/万元 | 创新驱动力 |
| 6 | PM2.5年平均浓度 24微克/立方米 | 创新驱动力 |
| 53 | 人均实际使用外资额 73.19美元/人 | 创新驱动力 |
| 24 | 居民人均可支配收入 4.96万元/人 | 创新驱动力 |

图 2-138　泉州创新能力指标数据及排名

## （二十四）龙岩

2019 年，龙岩常住人口 264 万人，地区生产总值 2679 亿元。龙岩创新能力指数为 31.97，在 72 个创新型城市中排名第 62 位（与上年相比无变化），属于创新集聚区类别城市（在 32 个该类别城市中排名第 22 位）。从创新能力构成看，龙岩技术创新力、成果转化力有待提升；从具体指标看，龙岩在科技成果转移转化、市场导向的科技成果产出等方面存在明显的短板。

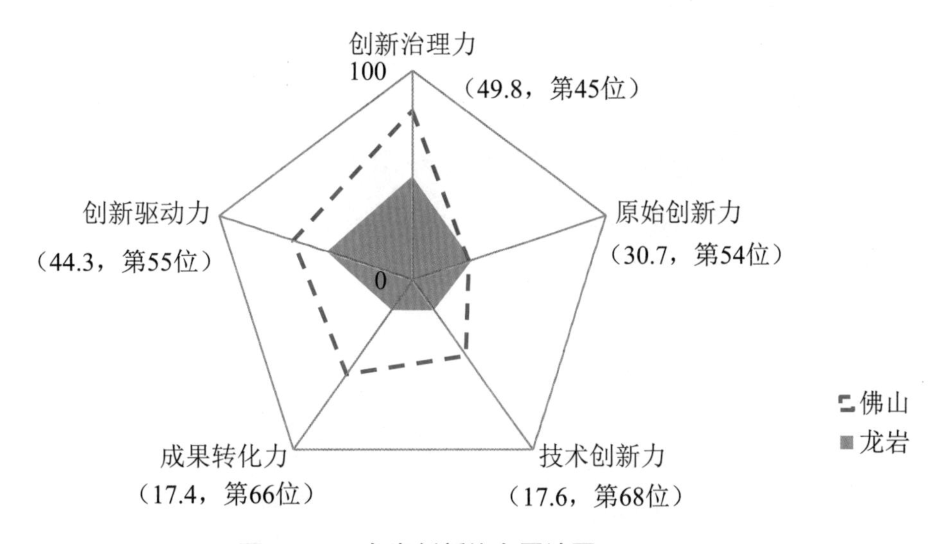


图 2-139　龙岩创新能力雷达图

从经济发展阶段来看，近年来龙岩固定资产投资与地区生产总值之比呈上升趋势，近 3 年平均值为 116.1%，高于全国平均水平（68.8%），公共财政收入占地区生产总值比重呈下降趋势，总体上龙岩仍处于投资驱动发展阶段，创新发展动能有待增强。

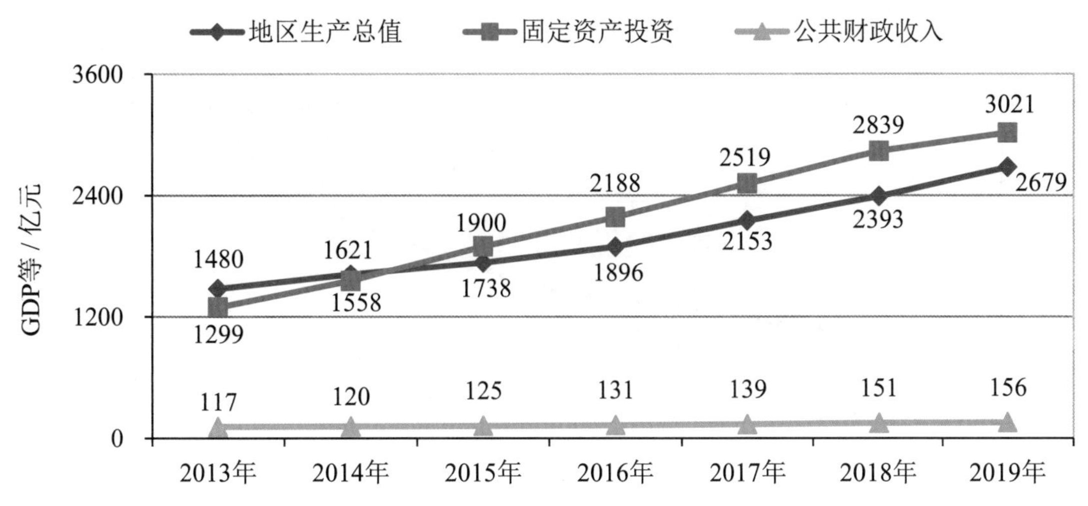


图 2-140　龙岩地区生产总值、固定资产投资和公共财政收入

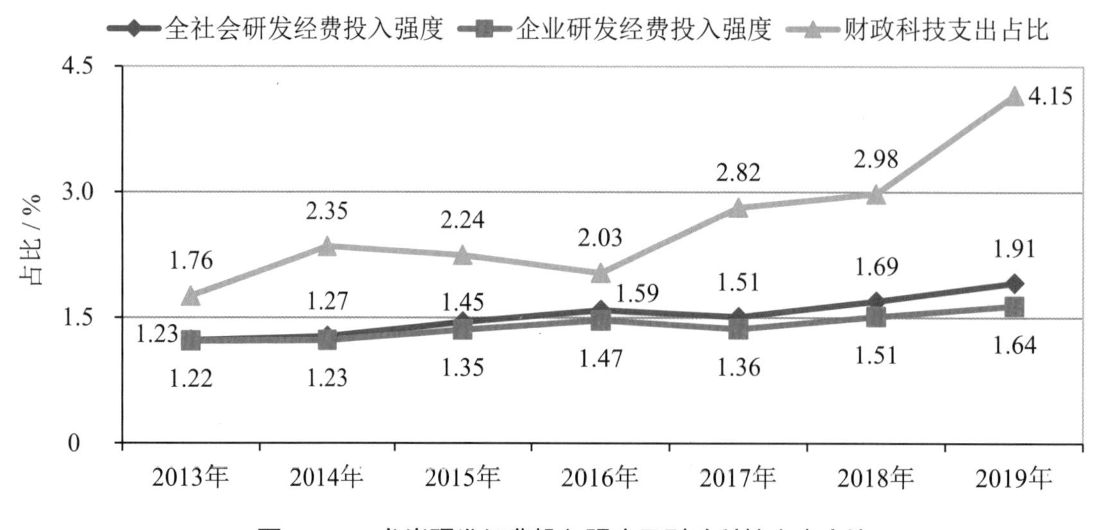


图 2-141 龙岩研发经费投入强度及财政科技支出占比

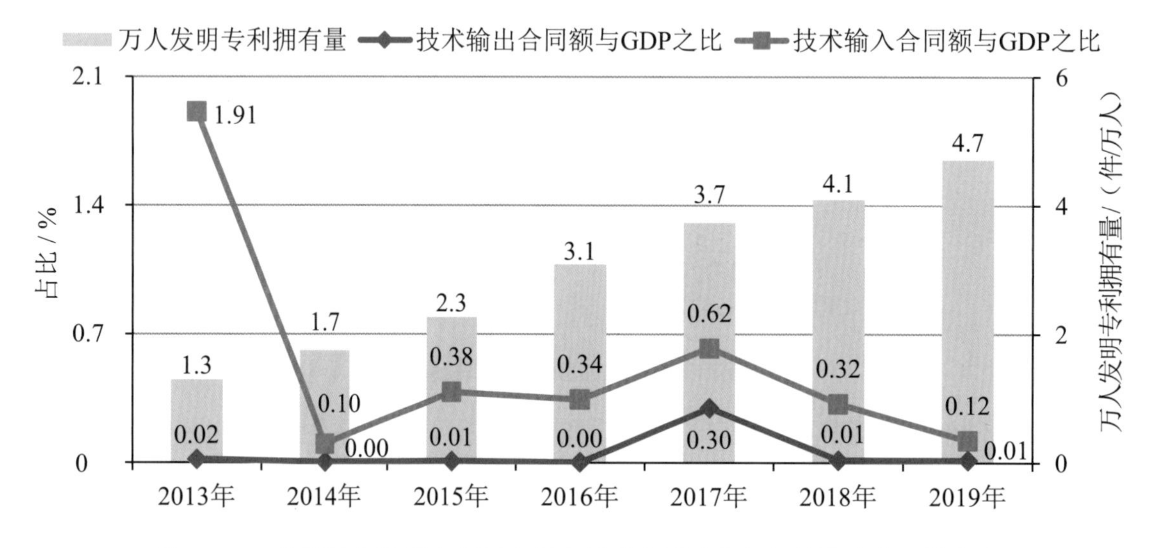


图 2-142 龙岩万人发明专利拥有量及技术合同成交额与地区生产总值之比

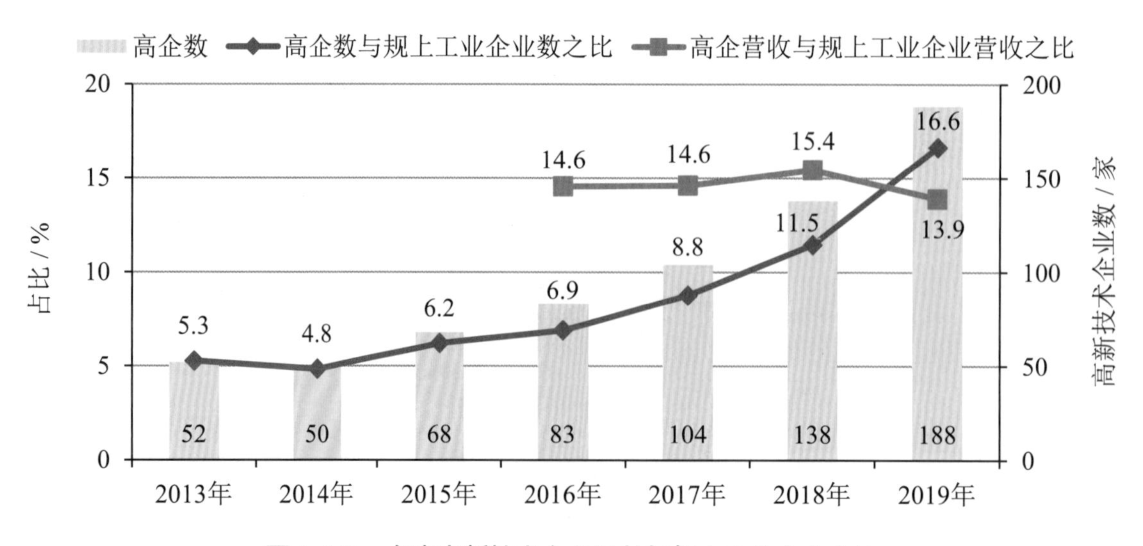


图 2-143 龙岩高新技术企业及其与规上工业企业之比

| 排名 | 指标及数据 | 分项 |
| --- | --- | --- |
| 62 | 创新能力指数 31.97 | |
| 19 | 财政科技支出占公共财政支出比重 4.15% | 创新治理力 |
| 65 | 常住人口增长率 0.05% | 创新治理力 |
| 53 | 万名就业人员中研发人员 41.48人年/万人 | 创新治理力 |
| 38 | 万人专利申请量 32.58件/万人 | 创新治理力 |
| 31 | 人均地区生产总值 10.14万元/人 | 创新治理力 |
| 43 | 全社会研发经费支出与地区生产总值之比 1.91% | 原始创新力 |
| 70 | 基础研究经费占研发经费比重 0.22% | 原始创新力 |
| 34 | “双一流”建设学科数 0个 | 原始创新力 |
| 52 | 国家级科技成果奖数 2.06项当量 | 原始创新力 |
| 31 | 规上工业企业研发经费支出与营业收入之比 1.64% | 技术创新力 |
| 62 | 高新技术企业数 188家 | 技术创新力 |
| 58 | 国家高新区营业收入与地区生产总值之比 12.44% | 技术创新力 |
| 62 | 万人发明专利拥有量 4.71件/万人 | 技术创新力 |
| 72 | 技术输出合同成交额与地区生产总值之比 0.01% | 技术创新力 |
| 72 | 技术输入合同成交额与地区生产总值之比 0.12% | 成果转化力 |
| 25 | 科创板上市企业数 2家 | 成果转化力 |
| 69 | 国家级科技企业孵化器、大学科技园、双创示范基地数 1个 | 成果转化力 |
| 65 | 国家级科技企业孵化器、大学科技园新增在孵企业数 13家 | 成果转化力 |
| 53 | 科技型中小企业数 239家 | 成果转化力 |
| 64 | 规上工业企业新产品销售收入与营业收入之比 9.61% | 成果转化力 |
| 67 | 高新技术企业营业收入与规上工业企业营业收入之比 13.90% | 创新驱动力 |
| 30 | 城乡居民人均可支配收入之比 2.06 | 创新驱动力 |
| 47 | 单位地区生产总值能耗 0.50吨标准煤/万元 | 创新驱动力 |
| 3 | PM2.5年平均浓度 22微克/立方米 | 创新驱动力 |
| 67 | 人均实际使用外资额 18.10美元/人 | 创新驱动力 |
| 50 | 居民人均可支配收入 3.88万元/人 | 创新驱动力 |

图 2-144 龙岩创新能力指标数据及排名

## （二十五）济南

2019 年，济南常住人口 891 万人，地区生产总值 9443 亿元。济南创新能力指数为 64.27，在 72 个创新型城市中排名第 14 位（与上年相比无变化），属于创新增长极类别城市（在 25 个该类别城市中排名第 5 位）。从创新能力构成看，济南创新驱动力、创新治理力有待提升；从具体指标看，济南在城乡协调发展、空气质量等方面存在明显的短板。

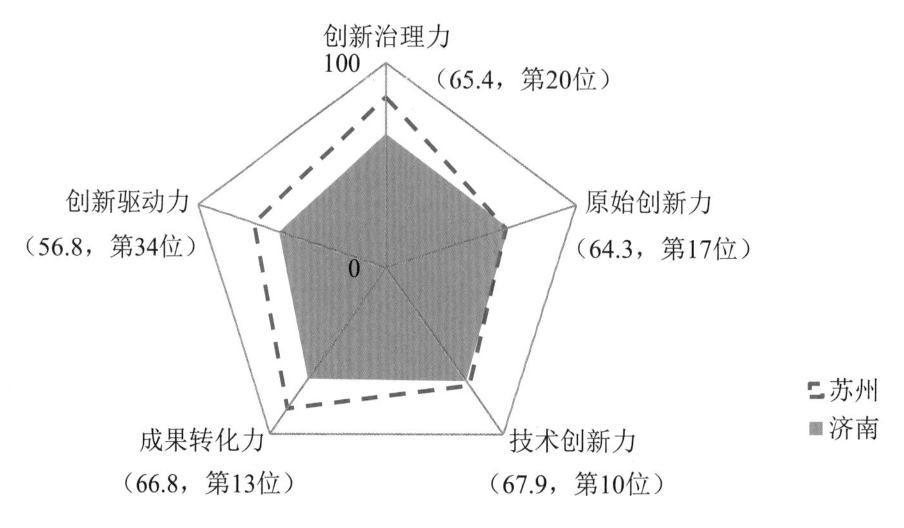


图 2-145　济南创新能力雷达图

从经济发展阶段来看，近年来济南固定资产投资与地区生产总值之比呈上升趋势，近 3 年平均值为 59.6%，低于全国平均水平（68.8%），公共财政收入占地区生产总值比重呈下降趋势，总体上济南已经跨越投资驱动，进入创新驱动发展阶段，高质量发展势头有待进一步稳固。

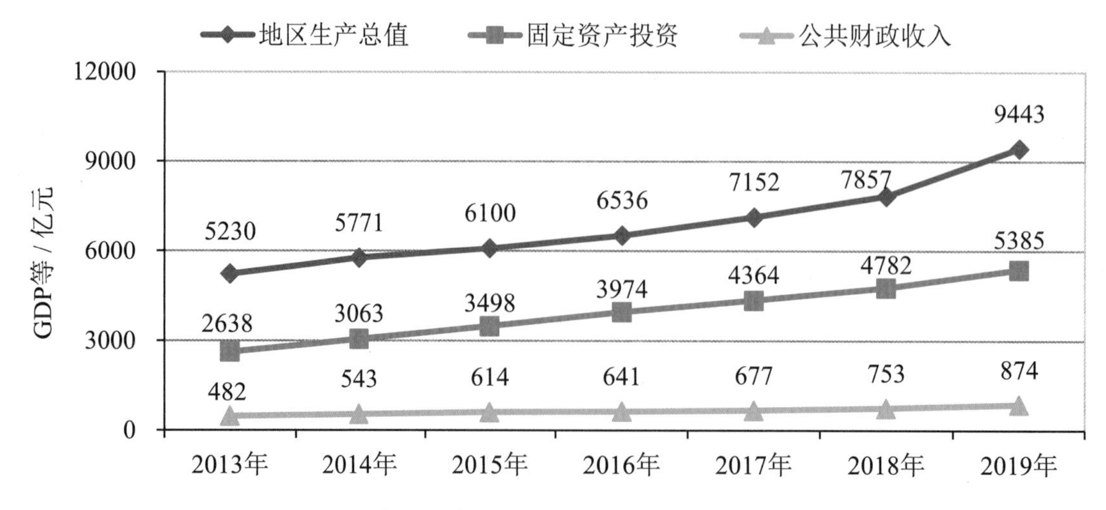


图 2-146　济南地区生产总值、固定资产投资和公共财政收入

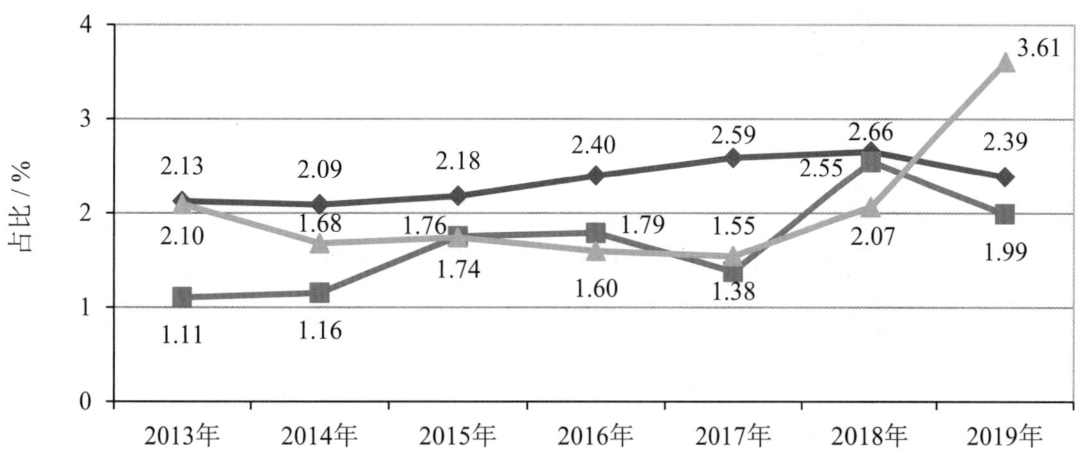


图 2-147　济南研发经费投入强度及财政科技支出占比

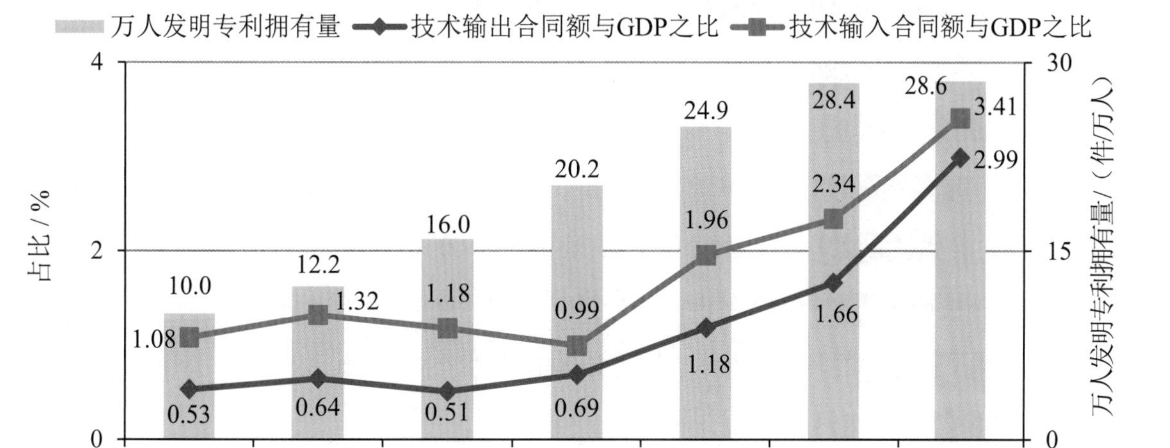


图 2-148　济南万人发明专利拥有量及技术合同成交额与地区生产总值之比

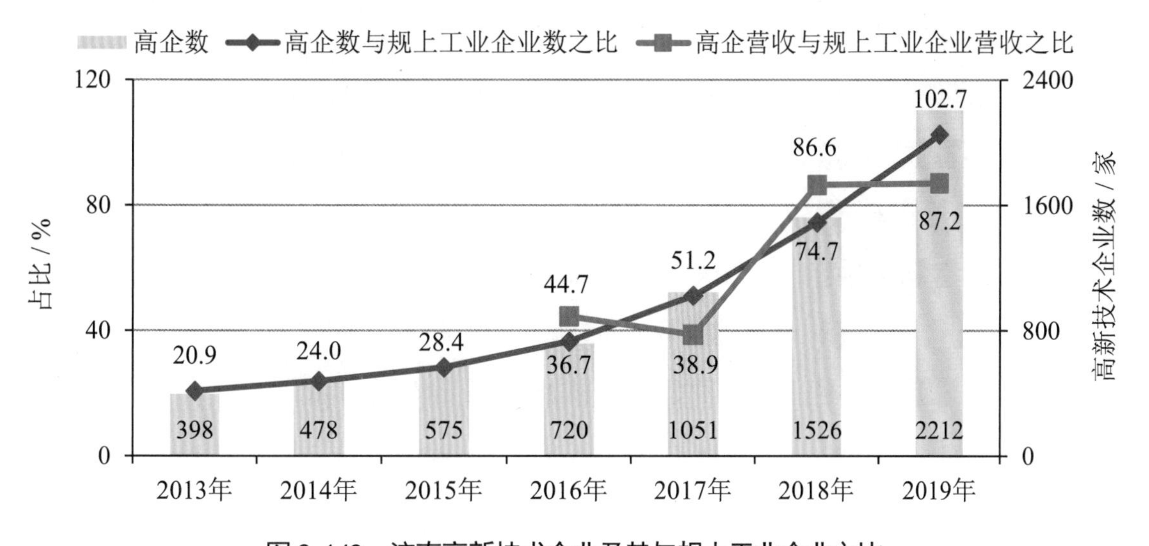


图 2-149　济南高新技术企业及其与规上工业企业之比

| 排名 | 指标 | 分类 |
| --- | --- | --- |
| 14 | 创新能力指数 64.27 | |
| 30 | 财政科技支出占公共财政支出比重 3.61% | 创新治理力 |
| 30 | 常住人口增长率 0.78% | 创新治理力 |
| 31 | 万名就业人员中研发人员 98.01人年/万人 | 创新治理力 |
| 23 | 万人专利申请量 52.17件/万人 | 创新治理力 |
| 28 | 人均地区生产总值 10.60万元/人 | 创新治理力 |
| 30 | 全社会研发经费支出与地区生产总值之比 2.39% | 原始创新力 |
| 25 | 基础研究经费占研发经费比重 6.76% | 原始创新力 |
| 17 | “双一流”建设学科数 2个 | 原始创新力 |
| 16 | 国家级科技成果奖数 39.92项当量 | 原始创新力 |
| 16 | 规上工业企业研发经费支出与营业收入之比 1.99% | 技术创新力 |
| 15 | 高新技术企业数 2212家 | 技术创新力 |
| 22 | 国家高新区营业收入与地区生产总值之比 60.74% | 技术创新力 |
| 21 | 万人发明专利拥有量 28.55件/万人 | 技术创新力 |
| 12 | 技术输出合同成交额与地区生产总值之比 2.99% | 技术创新力 |
| 13 | 技术输入合同成交额与地区生产总值之比 3.41% | 成果转化力 |
| 11 | 科创板上市企业数 5家 | 成果转化力 |
| 10 | 国家级科技企业孵化器、大学科技园、双创示范基地数 48个 | 成果转化力 |
| 22 | 国家级科技企业孵化器、大学科技园新增在孵企业数 285家 | 成果转化力 |
| 26 | 科技型中小企业数 1060家 | 成果转化力 |
| 13 | 规上工业企业新产品销售收入与营业收入之比 31.91% | 成果转化力 |
| 4 | 高新技术企业营业收入与规上工业企业营业收入之比 87.16% | 创新驱动力 |
| 66 | 城乡居民人均可支配收入之比 2.67 | 创新驱动力 |
| 34 | 单位地区生产总值能耗 0.42吨标准煤/万元 | 创新驱动力 |
| 64 | PM2.5年平均浓度 55微克/立方米 | 创新驱动力 |
| 31 | 人均实际使用外资额 251.72美元/人 | 创新驱动力 |
| 19 | 居民人均可支配收入 5.19万元/人 | 创新驱动力 |

图 2-150 济南创新能力指标数据及排名

## （二十六）青岛

2019 年，青岛常住人口 950 万人，地区生产总值 11741 亿元。青岛创新能力指数为 68.37，在 72 个创新型城市中排名第 10 位（与上年相比无变化），属于创新策源地类别城市（在 15 个该类别城市中排名第 10 位）。从创新能力构成看，青岛创新驱动力、创新治理力有待提升；从具体指标看，青岛在城乡协调发展、高新区发展等方面存在明显的短板。

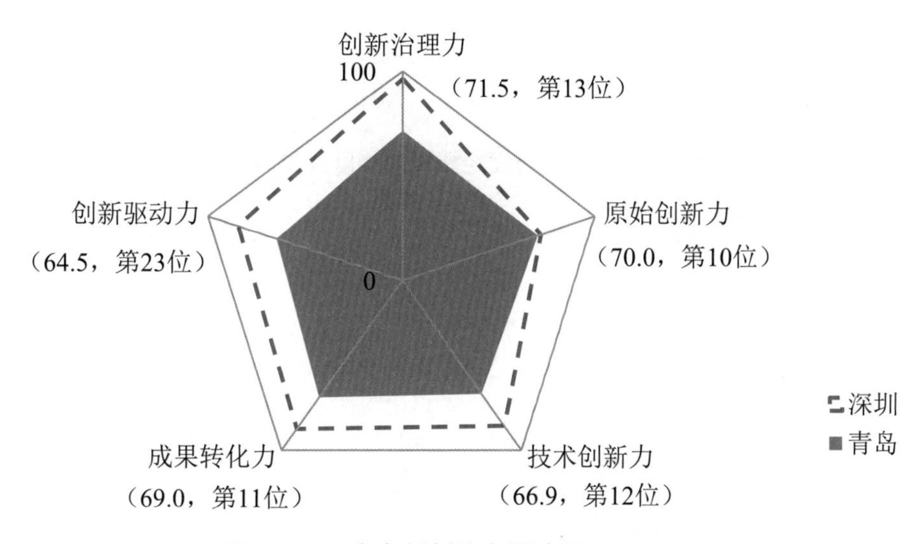


图 2-151　青岛创新能力雷达图

从经济发展阶段来看，近年来青岛固定资产投资与地区生产总值之比呈上升趋势，近 3 年平均值为 75.8%，高于全国平均水平（68.8%），公共财政收入占地区生产总值比重呈下降趋势，总体上青岛已经跨越投资驱动，进入创新驱动发展阶段，高质量发展势头有待进一步稳固。

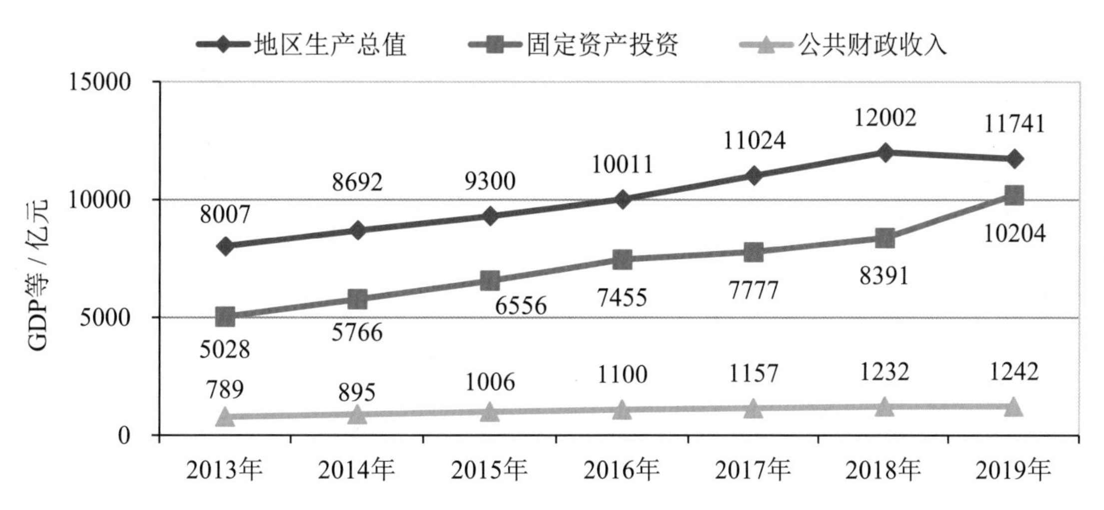


图 2-152　青岛地区生产总值、固定资产投资和公共财政收入

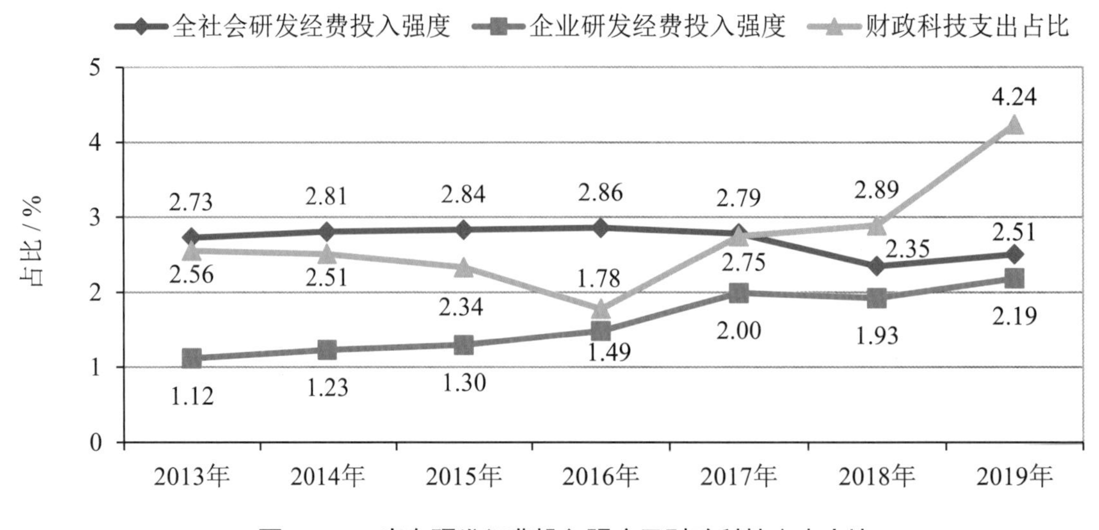


图 2-153 青岛研发经费投入强度及财政科技支出占比

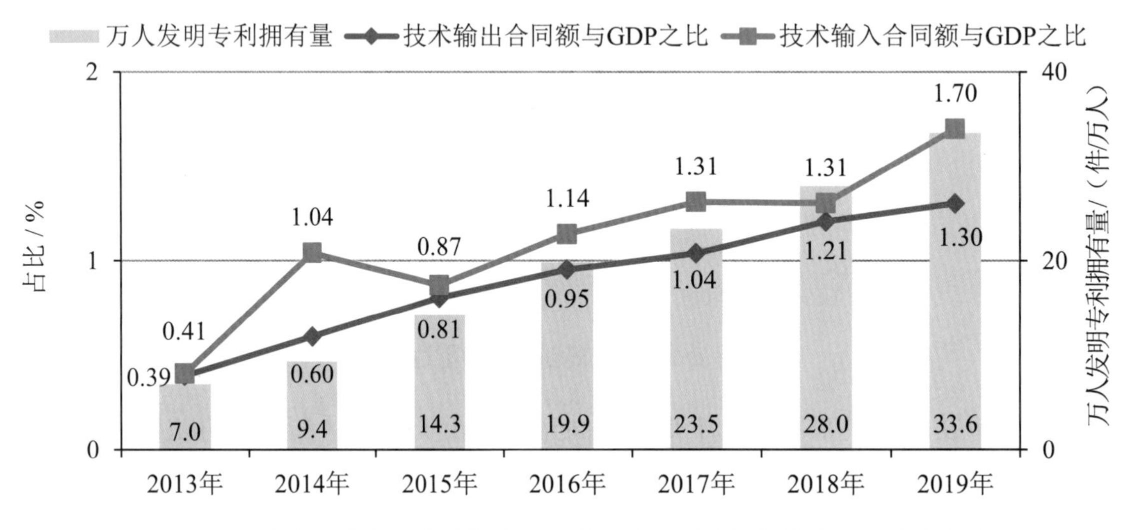


图 2-154 青岛万人发明专利拥有量及技术合同成交额与地区生产总值之比

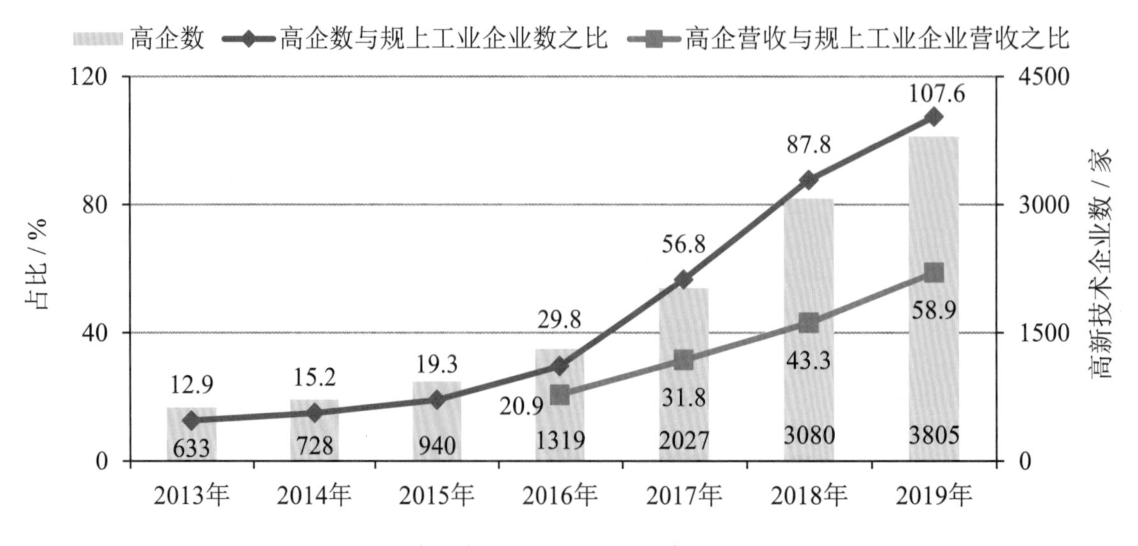


图 2-155 青岛高新技术企业及其与规上工业企业之比

| 排名 | 指标 | 分项 |
|---|---|---|
| 10 | 创新能力指数 68.37 | |
| 17 | 财政科技支出占公共财政支出比重 4.24% | 创新治理力 |
| 20 | 常住人口增长率 1.12% | 创新治理力 |
| 28 | 万名就业人员中研发人员 102.42人年/万人 | 创新治理力 |
| 17 | 万人专利申请量 70.41件/万人 | 创新治理力 |
| 17 | 人均地区生产总值 12.36万元/人 | 创新治理力 |
| 28 | 全社会研发经费支出与地区生产总值之比 2.51% | 原始创新力 |
| 30 | 基础研究经费占研发经费比重 5.34% | 原始创新力 |
| 12 | “双一流”建设学科数 4个 | 原始创新力 |
| 9 | 国家级科技成果奖数 75.47项当量 | 原始创新力 |
| 12 | 规上工业企业研发经费支出与营业收入之比 2.19% | 技术创新力 |
| 10 | 高新技术企业数 3805家 | 技术创新力 |
| 43 | 国家高新区营业收入与地区生产总值之比 30.64% | 技术创新力 |
| 14 | 万人发明专利拥有量 33.61件/万人 | 技术创新力 |
| 34 | 技术输出合同成交额与地区生产总值之比 1.30% | 技术创新力 |
| 32 | 技术输入合同成交额与地区生产总值之比 1.70% | 成果转化力 |
| 14 | 科创板上市企业数 4家 | 成果转化力 |
| 2 | 国家级科技企业孵化器、大学科技园、双创示范基地数 101个 | 成果转化力 |
| 19 | 国家级科技企业孵化器、大学科技园新增在孵企业数 332家 | 成果转化力 |
| 11 | 科技型中小企业数 2498家 | 成果转化力 |
| 27 | 规上工业企业新产品销售收入与营业收入之比 23.14% | 成果转化力 |
| 18 | 高新技术企业营业收入与规上工业企业营业收入之比 58.93% | 创新驱动力 |
| 52 | 城乡居民人均可支配收入之比 2.41 | 创新驱动力 |
| 40 | 单位地区生产总值能耗 0.45吨标准煤/万元 | 创新驱动力 |
| 29 | PM2.5年平均浓度 37微克/立方米 | 创新驱动力 |
| 10 | 人均实际使用外资额 614.95美元/人 | 创新驱动力 |
| 17 | 居民人均可支配收入 5.45万元/人 | 创新驱动力 |

图 2-156　青岛创新能力指标数据及排名

## （二十七）东营

2019 年，东营常住人口 218 万人，地区生产总值 2916 亿元。东营创新能力指数为 43.77，在 72 个创新型城市中排名第 49 位（与上年相比进 5 位），属于创新集聚区类别城市（在 32 个该类别城市中排名第 13 位）。从创新能力构成看，东营创新驱动力、技术创新力有待提升；从具体指标看，东营在新技术应用、高新技术产业发展等方面存在明显的短板。

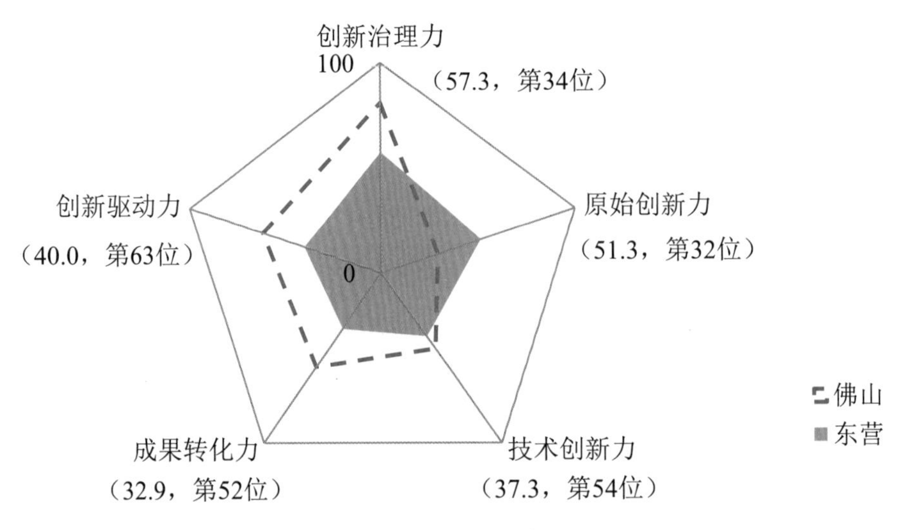


图 2-157　东营创新能力雷达图

从经济发展阶段来看，近年来东营固定资产投资与地区生产总值之比呈下降趋势，近 3 年平均值为 58.6%，低于全国平均水平（68.8%），公共财政收入占地区生产总值比重呈上升趋势，总体上东营处于由投资驱动向创新驱动的过渡阶段，创新发展动能正不断增强。

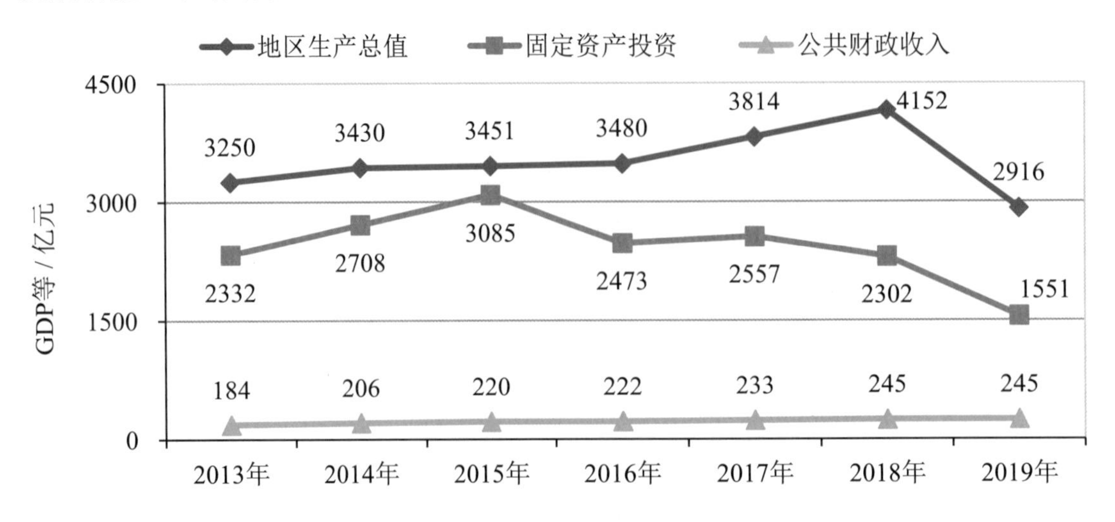


图 2-158　东营地区生产总值、固定资产投资和公共财政收入

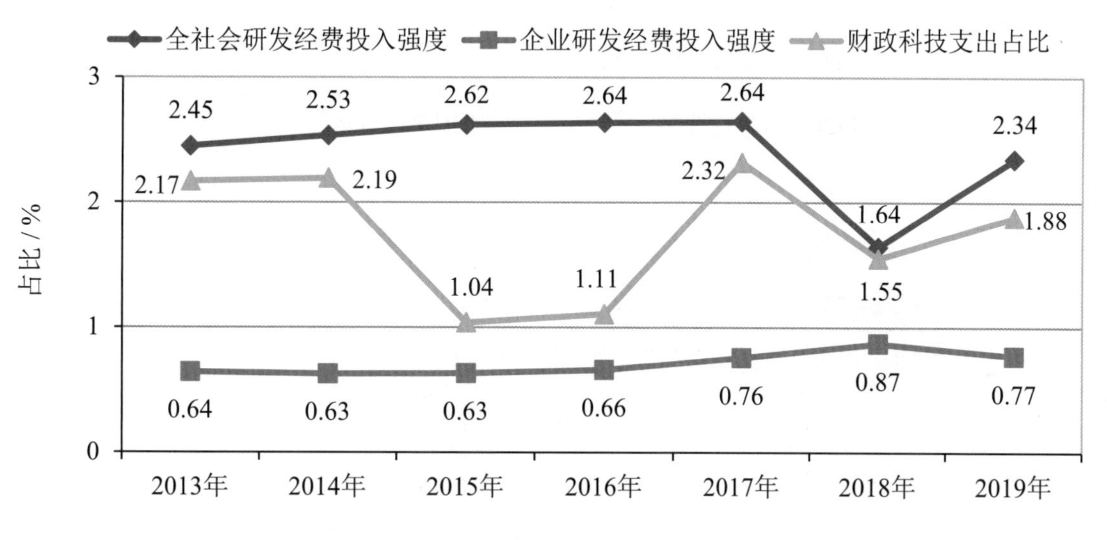


图 2-159 东营研发经费投入强度及财政科技支出占比

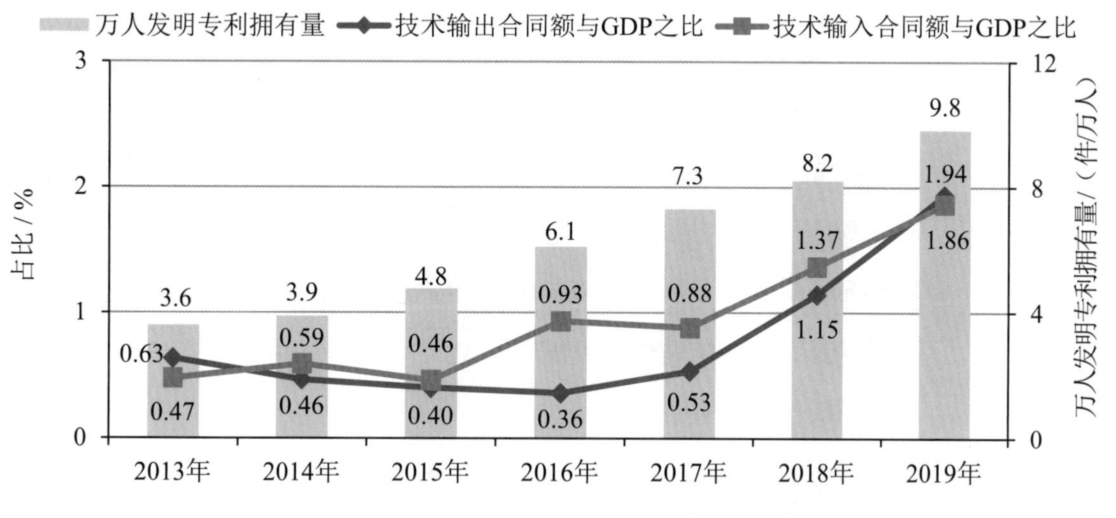


图 2-160 东营万人发明专利拥有量及技术合同成交额与地区生产总值之比

图 2-161 东营高新技术企业及其与规上工业企业之比

| 排名 | 指标 | 分类 |
|---|---|---|
| 49 | 创新能力指数 43.77 | |
| 53 | 财政科技支出占公共财政支出比重 1.88% | 创新治理力 |
| 45 | 常住人口增长率 0.35% | 创新治理力 |
| 42 | 万名就业人员中研发人员 62.66人年/万人 | 创新治理力 |
| 36 | 万人专利申请量 33.09件/万人 | 创新治理力 |
| 12 | 人均地区生产总值 13.38万元/人 | 创新治理力 |
| 32 | 全社会研发经费支出与地区生产总值之比 2.34% | 原始创新力 |
| 6 | 基础研究经费占研发经费比重 14.67% | 原始创新力 |
| 34 | “双一流”建设学科数 0个 | 原始创新力 |
| 21 | 国家级科技成果奖数 24.40项当量 | 原始创新力 |
| 62 | 规上工业企业研发经费支出与营业收入之比 0.77% | 技术创新力 |
| 59 | 高新技术企业数 261家 | 技术创新力 |
| 53 | 国家高新区营业收入与地区生产总值之比 15.97% | 技术创新力 |
| 46 | 万人发明专利拥有量 9.82件/万人 | 技术创新力 |
| 24 | 技术输出合同成交额与地区生产总值之比 1.94% | 技术创新力 |
| 28 | 技术输入合同成交额与地区生产总值之比 1.86% | 成果转化力 |
| 41 | 科创板上市企业数 0家 | 成果转化力 |
| 54 | 国家级科技企业孵化器、大学科技园、双创示范基地数 8个 | 成果转化力 |
| 38 | 国家级科技企业孵化器、大学科技园新增在孵企业数 172家 | 成果转化力 |
| 55 | 科技型中小企业数 221家 | 成果转化力 |
| 69 | 规上工业企业新产品销售收入与营业收入之比 6.88% | 成果转化力 |
| 68 | 高新技术企业营业收入与规上工业企业营业收入之比 13.76% | 创新驱动力 |
| 67 | 城乡居民人均可支配收入之比 2.69 | 创新驱动力 |
| 51 | 单位地区生产总值能耗 0.56吨标准煤/万元 | 创新驱动力 |
| 59 | PM2.5年平均浓度 48微克/立方米 | 创新驱动力 |
| 46 | 人均实际使用外资额 111.87美元/人 | 创新驱动力 |
| 21 | 居民人均可支配收入 5.11万元/人 | 创新驱动力 |

图 2-162　东营创新能力指标数据及排名

## （二十八）烟台

2019 年，烟台常住人口 714 万人，地区生产总值 7653 亿元。烟台创新能力指数为 53.55，在 72 个创新型城市中排名第 34 位（与上年相比退 2 位），属于创新集聚区类别城市（在 32 个该类别城市中排名第 3 位）。从创新能力构成看，烟台技术创新力、创新治理力有待提升；从具体指标看，烟台在高新区发展、高新技术产业发展等方面存在明显的短板。

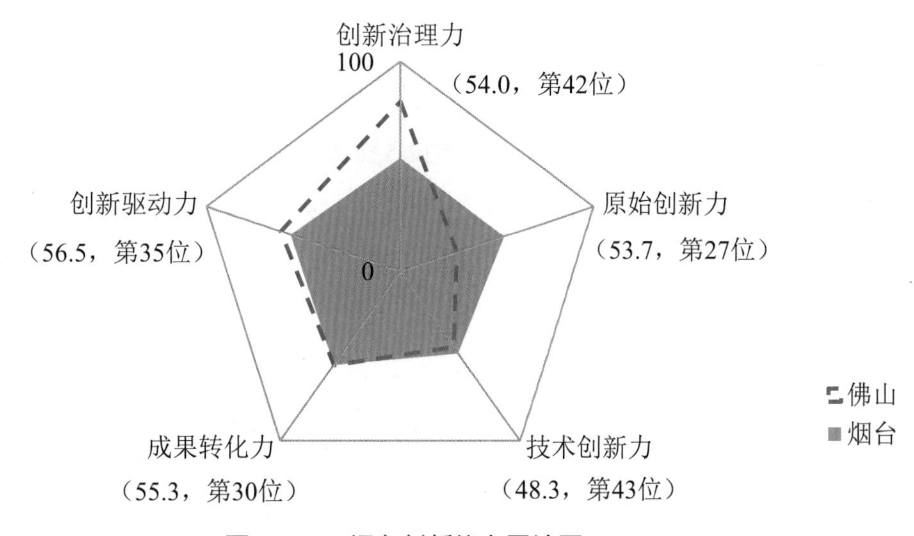


图 2-163　烟台创新能力雷达图

从经济发展阶段来看，近年来烟台固定资产投资与地区生产总值之比呈下降趋势，近 3 年平均值为 67.3%，低于全国平均水平（68.8%），公共财政收入占地区生产总值比重呈下降趋势，总体上烟台已经跨越投资驱动，进入创新驱动发展阶段，高质量发展势头良好。

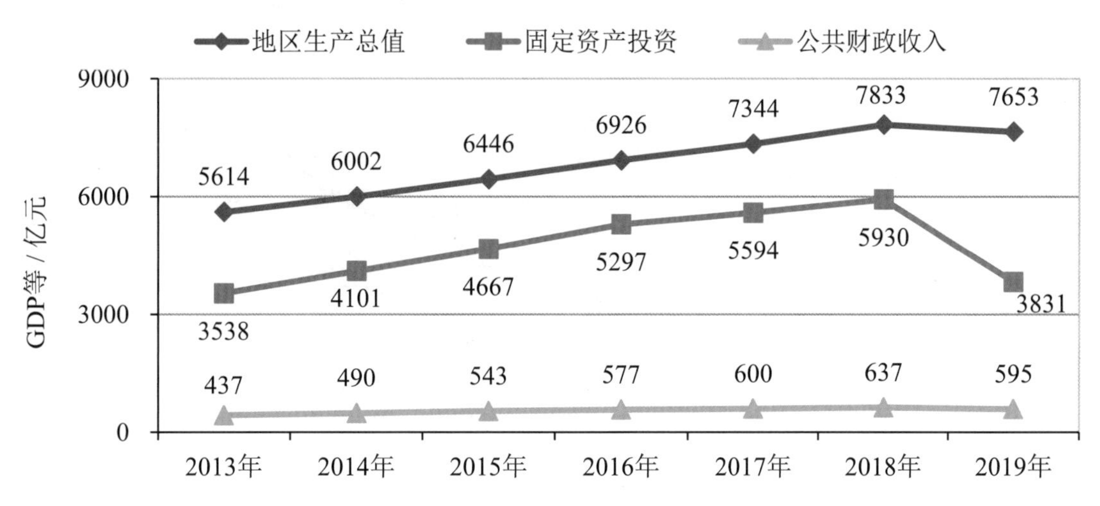


图 2-164　烟台地区生产总值、固定资产投资和公共财政收入

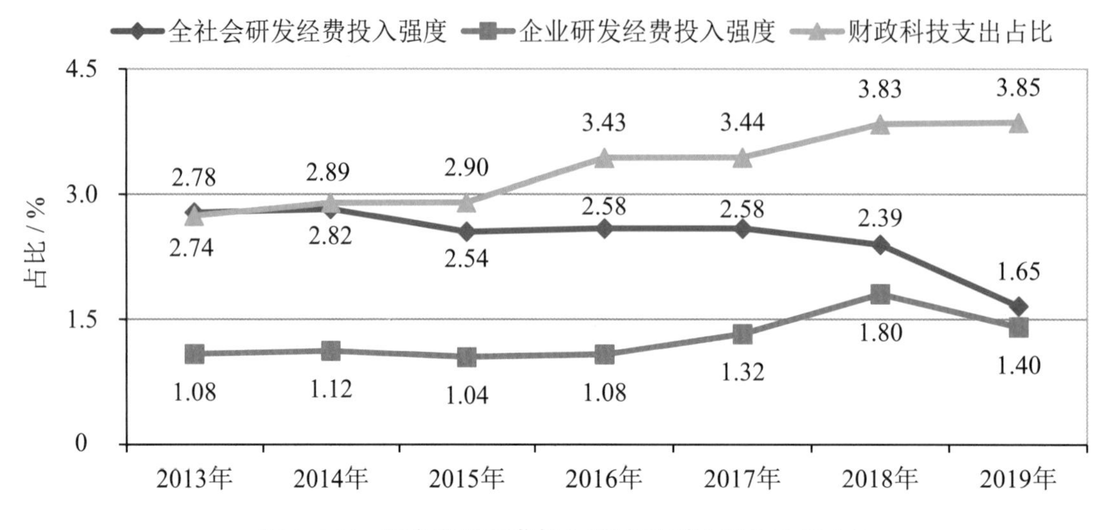


图 2-165　烟台研发经费投入强度及财政科技支出占比

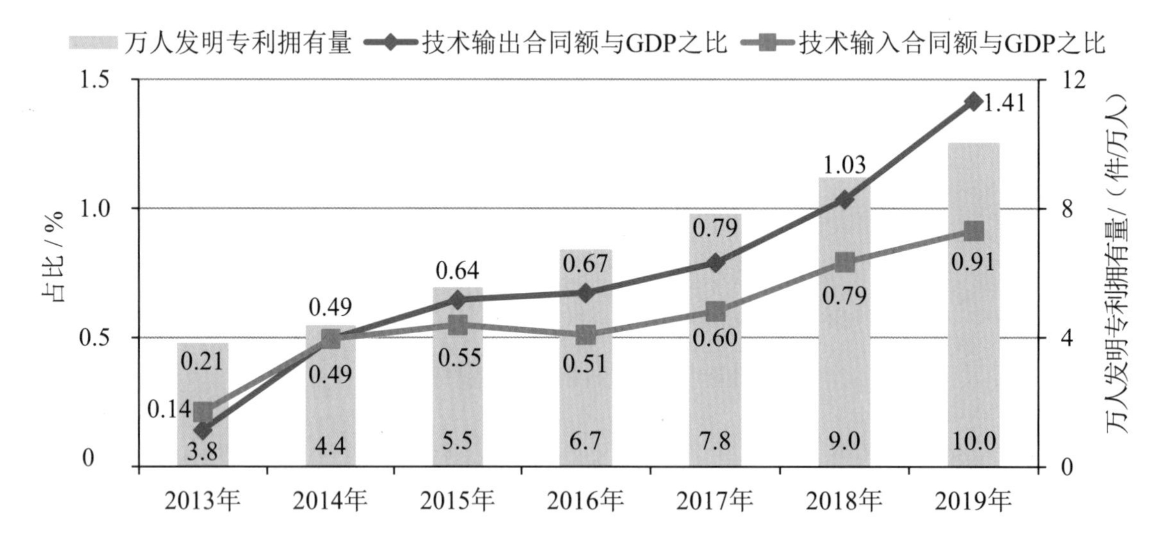


图 2-166　烟台万人发明专利拥有量及技术合同成交额与地区生产总值之比

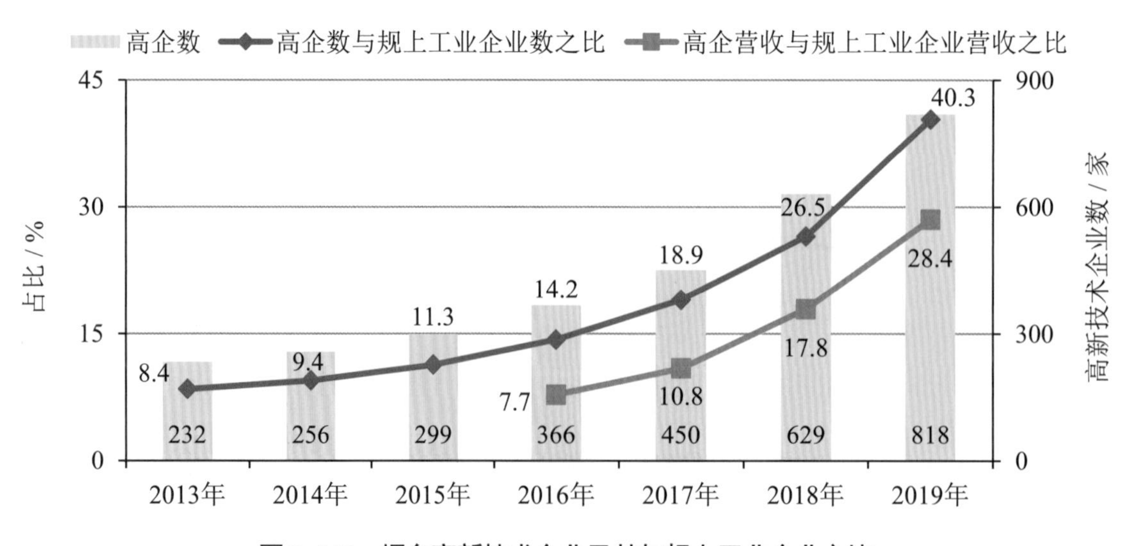


图 2-167　烟台高新技术企业及其与规上工业企业之比

| 排名 | 指标及数据 | 分类 |
| --- | --- | --- |
| 34 | 创新能力指数 53.55 | |
| 26 | 财政科技支出占公共财政支出比重 3.85% | 创新治理力 |
| 52 | 常住人口增长率 0.23% | 创新治理力 |
| 51 | 万名就业人员中研发人员 47.62人年/万人 | 创新治理力 |
| 49 | 万人专利申请量 22.32件/万人 | 创新治理力 |
| 27 | 人均地区生产总值 10.72万元/人 | 创新治理力 |
| 52 | 全社会研发经费支出与地区生产总值之比 1.65% | 原始创新力 |
| 40 | 基础研究经费占研发经费比重 1.87% | 原始创新力 |
| 34 | “双一流”建设学科数 0个 | 原始创新力 |
| 36 | 国家级科技成果奖数 8.17项当量 | 原始创新力 |
| 40 | 规上工业企业研发经费支出与营业收入之比 1.40% | 技术创新力 |
| 41 | 高新技术企业数 818家 | 技术创新力 |
| 59 | 国家高新区营业收入与地区生产总值之比 10.31% | 技术创新力 |
| 44 | 万人发明专利拥有量 10.04件/万人 | 技术创新力 |
| 31 | 技术输出合同成交额与地区生产总值之比 1.41% | 技术创新力 |
| 55 | 技术输入合同成交额与地区生产总值之比 0.91% | 成果转化力 |
| 30 | 科创板上市企业数 1家 | 成果转化力 |
| 36 | 国家级科技企业孵化器、大学科技园、双创示范基地数 20个 | 成果转化力 |
| 27 | 国家级科技企业孵化器、大学科技园新增在孵企业数 252家 | 成果转化力 |
| 17 | 科技型中小企业数 1547家 | 成果转化力 |
| 41 | 规上工业企业新产品销售收入与营业收入之比 17.79% | 成果转化力 |
| 58 | 高新技术企业营业收入与规上工业企业营业收入之比 28.44% | 创新驱动力 |
| 47 | 城乡居民人均可支配收入之比 2.26 | 创新驱动力 |
| 45 | 单位地区生产总值能耗 0.47吨标准煤/万元 | 创新驱动力 |
| 22 | PM2.5年平均浓度 35微克/立方米 | 创新驱动力 |
| 30 | 人均实际使用外资额 271.86美元/人 | 创新驱动力 |
| 27 | 居民人均可支配收入 4.80万元/人 | 创新驱动力 |

图 2-168　烟台创新能力指标数据及排名

## （二十九）潍坊

2019 年，潍坊常住人口 935 万人，地区生产总值 5689 亿元。潍坊创新能力指数为 47.09，在 72 个创新型城市中排名第 43 位（与上年相比退 1 位），属于创新增长极类别城市（在 25 个该类别城市中排名第 23 位）。从创新能力构成看，潍坊创新驱动力、创新治理力有待提升；从具体指标看，潍坊在人才吸引力、综合能耗等方面存在明显的短板。

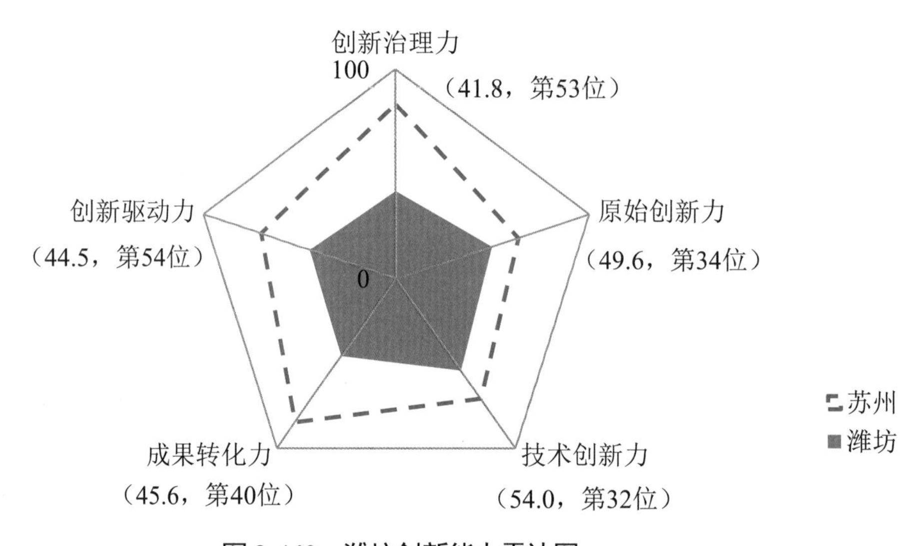


图 2-169　潍坊创新能力雷达图

从经济发展阶段来看，近年来潍坊固定资产投资与地区生产总值之比呈下降趋势，近 3 年平均值为 77.9%，高于全国平均水平（68.8%），公共财政收入占地区生产总值比重呈上升趋势，总体上潍坊仍处于投资驱动发展阶段，创新发展动能有待增强。

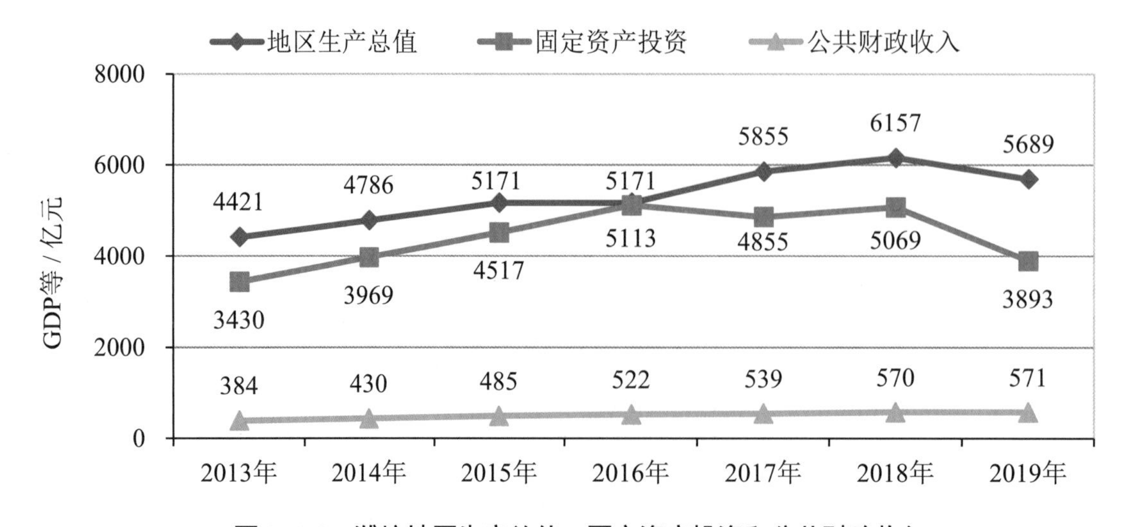


图 2-170　潍坊地区生产总值、固定资产投资和公共财政收入

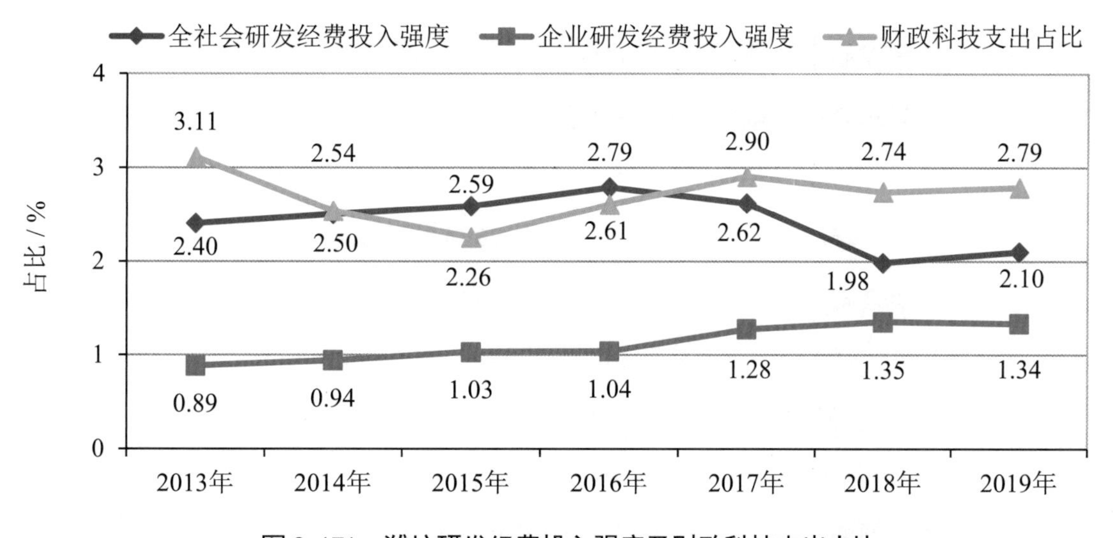


图 2-171　潍坊研发经费投入强度及财政科技支出占比

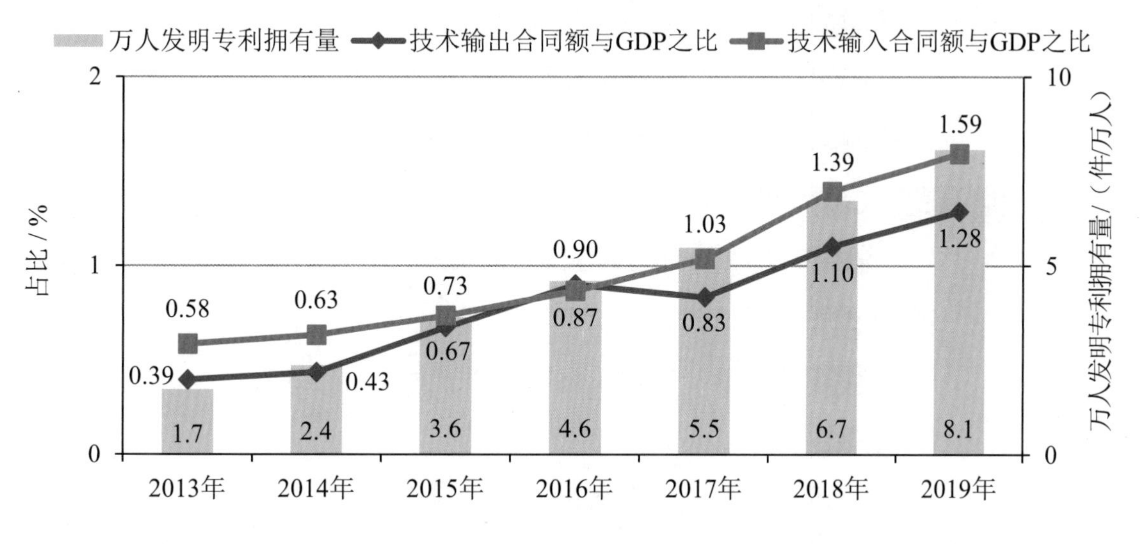


图 2-172　潍坊万人发明专利拥有量及技术合同成交额与地区生产总值之比

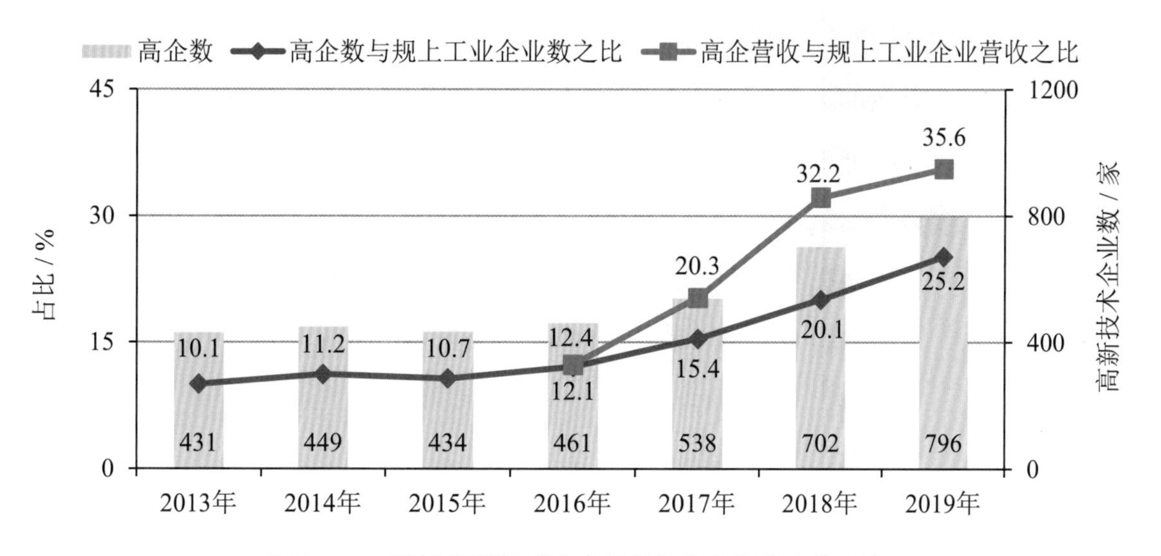


图 2-173　潍坊高新技术企业及其与规上工业企业之比

| 排名 | 指标 | 维度 |
|---|---|---|
| 43 | 创新能力指数 47.09 | |
| 42 | 财政科技支出占公共财政支出比重 2.79% | 创新治理力 |
| 69 | 常住人口增长率 -0.23% | 创新治理力 |
| 58 | 万名就业人员中研发人员 35.28人年/万人 | 创新治理力 |
| 44 | 万人专利申请量 27.05件/万人 | 创新治理力 |
| 59 | 人均地区生产总值 6.08万元/人 | 创新治理力 |
| 39 | 全社会研发经费支出与地区生产总值之比 2.10% | 原始创新力 |
| 57 | 基础研究经费占研发经费比重 0.53% | 原始创新力 |
| 34 | “双一流”建设学科数 0个 | 原始创新力 |
| 37 | 国家级科技成果奖数 7.51项当量 | 原始创新力 |
| 43 | 规上工业企业研发经费支出与营业收入之比 1.34% | 技术创新力 |
| 42 | 高新技术企业数 796家 | 技术创新力 |
| 10 | 国家高新区营业收入与地区生产总值之比 73.48% | 技术创新力 |
| 53 | 万人发明专利拥有量 8.08件/万人 | 技术创新力 |
| 35 | 技术输出合同成交额与地区生产总值之比 1.28% | 技术创新力 |
| 40 | 技术输入合同成交额与地区生产总值之比 1.59% | 成果转化力 |
| 41 | 科创板上市企业数 0家 | 成果转化力 |
| 38 | 国家级科技企业孵化器、大学科技园、双创示范基地数 16个 | 成果转化力 |
| 42 | 国家级科技企业孵化器、大学科技园新增在孵企业数 140家 | 成果转化力 |
| 35 | 科技型中小企业数 681家 | 成果转化力 |
| 40 | 规上工业企业新产品销售收入与营业收入之比 17.89% | 成果转化力 |
| 46 | 高新技术企业营业收入与规上工业企业营业收入之比 35.58% | 创新驱动力 |
| 29 | 城乡居民人均可支配收入之比 2.05 | 创新驱动力 |
| 64 | 单位地区生产总值能耗 0.75吨标准煤/万元 | 创新驱动力 |
| 61 | PM2.5年平均浓度 54微克/立方米 | 创新驱动力 |
| 52 | 人均实际使用外资额 74.79美元/人 | 创新驱动力 |
| 43 | 居民人均可支配收入 4.17万元/人 | 创新驱动力 |

图 2-174　潍坊创新能力指标数据及排名

## （三十）济宁

2019 年，济宁常住人口 836 万人，地区生产总值 4370 亿元。济宁创新能力指数为 42.43，在 72 个创新型城市中排名第 51 位（与上年相比进 7 位），属于创新集聚区类别城市（在 32 个该类别城市中排名第 9 位）。从创新能力构成看，济宁创新驱动力、创新治理力有待提升；从具体指标看，济宁在创新创业人才培育、科技成果产出等方面存在明显的短板。

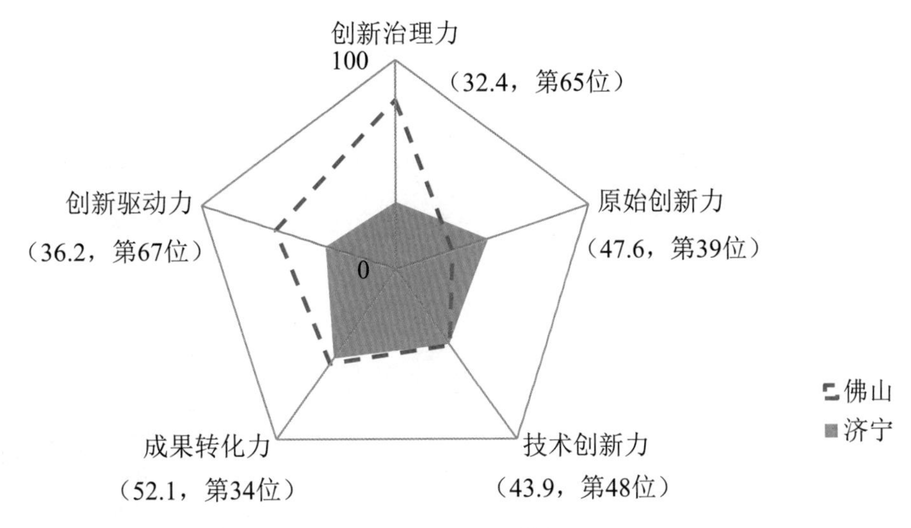


图 2-175　济宁创新能力雷达图

从经济发展阶段来看，近年来济宁固定资产投资与地区生产总值之比呈下降趋势，近 3 年平均值为 68.4%，低于全国平均水平（68.8%），公共财政收入占地区生产总值比重呈下降趋势，总体上济宁处于由投资驱动向创新驱动的过渡阶段，创新发展动能正不断增强。

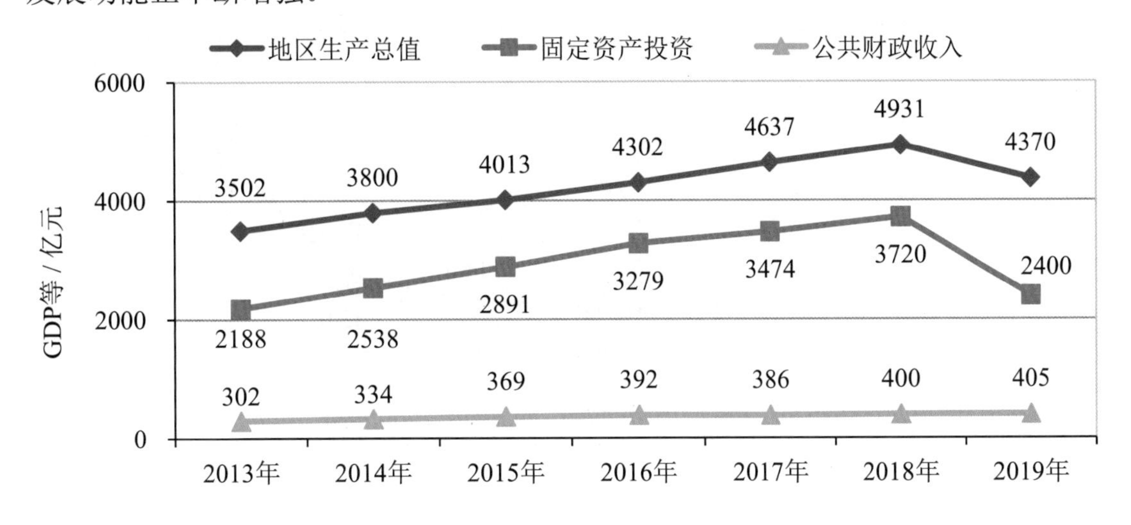


图 2-176　济宁地区生产总值、固定资产投资和公共财政收入

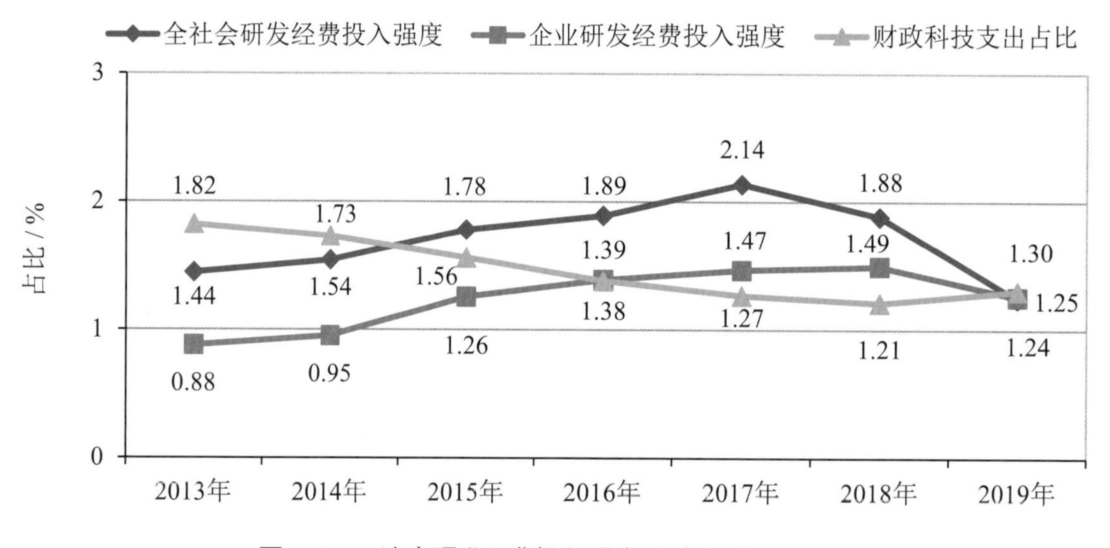


图 2-177　济宁研发经费投入强度及财政科技支出占比

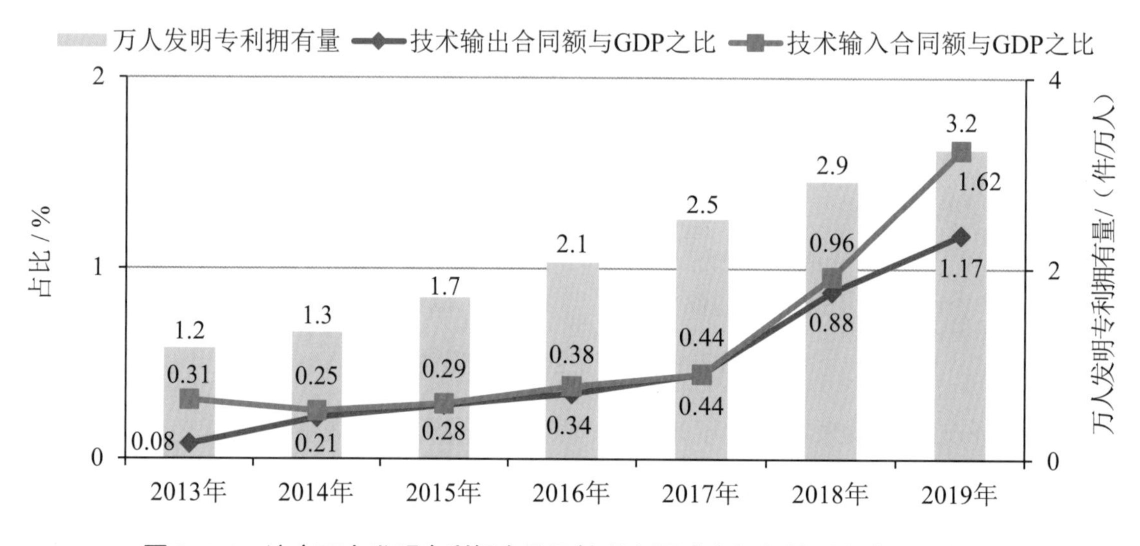


图 2-178　济宁万人发明专利拥有量及技术合同成交额与地区生产总值之比

图 2-179　济宁高新技术企业及其与规上工业企业之比

| 排名 | 指标 | 分类 |
| --- | --- | --- |
| 51 | 创新能力指数 42.43 | |
| 61 | 财政科技支出占公共财政支出比重 1.30% | 创新治理力 |
| 59 | 常住人口增长率 0.12% | 创新治理力 |
| 66 | 万名就业人员中研发人员 25.67人年/万人 | 创新治理力 |
| 60 | 万人专利申请量 16.74件/万人 | 创新治理力 |
| 65 | 人均地区生产总值 5.23万元/人 | 创新治理力 |
| 61 | 全社会研发经费支出与地区生产总值之比 1.24% | 原始创新力 |
| 34 | 基础研究经费占研发经费比重 3.05% | 原始创新力 |
| 34 | “双一流”建设学科数 0个 | 原始创新力 |
| 35 | 国家级科技成果奖数 9.11项当量 | 原始创新力 |
| 48 | 规上工业企业研发经费支出与营业收入之比 1.25% | 技术创新力 |
| 51 | 高新技术企业数 499家 | 技术创新力 |
| 16 | 国家高新区营业收入与地区生产总值之比 63.91% | 技术创新力 |
| 65 | 万人发明专利拥有量 3.25件/万人 | 技术创新力 |
| 36 | 技术输出合同成交额与地区生产总值之比 1.17% | 技术创新力 |
| 37 | 技术输入合同成交额与地区生产总值之比 1.62% | 成果转化力 |
| 30 | 科创板上市企业数 1家 | 成果转化力 |
| 34 | 国家级科技企业孵化器、大学科技园、双创示范基地数 21个 | 成果转化力 |
| 44 | 国家级科技企业孵化器、大学科技园新增在孵企业数 132家 | 成果转化力 |
| 47 | 科技型中小企业数 400家 | 成果转化力 |
| 39 | 规上工业企业新产品销售收入与营业收入之比 18.23% | 成果转化力 |
| 61 | 高新技术企业营业收入与规上工业企业营业收入之比 22.14% | 创新驱动力 |
| 35 | 城乡居民人均可支配收入之比 2.10 | 创新驱动力 |
| 58 | 单位地区生产总值能耗 0.63吨标准煤/万元 | 创新驱动力 |
| 61 | PM2.5年平均浓度 54微克/立方米 | 创新驱动力 |
| 58 | 人均实际使用外资额 54.04美元/人 | 创新驱动力 |
| 61 | 居民人均可支配收入 3.71万元/人 | 创新驱动力 |

图 2-180　济宁创新能力指标数据及排名

## （三十一）广州

2019 年，广州常住人口 1531 万人，地区生产总值 23629 亿元。广州创新能力指数为 78.02，在 72 个创新型城市中排名第 3 位（与上年相比退 1 位），属于创新策源地类别城市（在 15 个该类别城市中排名第 4 位）。从创新能力构成看，广州技术创新力、原始创新力有待提升；从具体指标看，广州在城乡协调发展、企业研发投入等方面存在明显的短板。

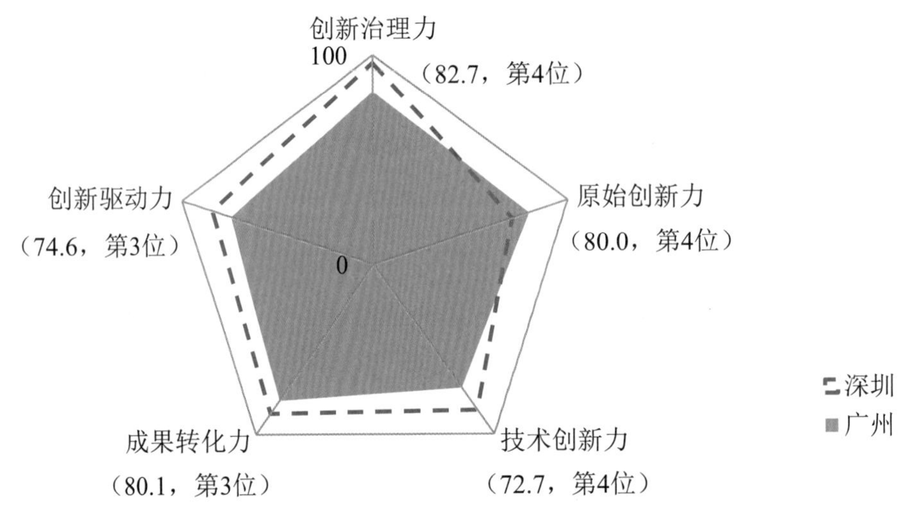


图 2-181　广州创新能力雷达图

从经济发展阶段来看，近年来广州固定资产投资与地区生产总值之比呈下降趋势，近 3 年平均值为 28.3%，低于全国平均水平（68.8%），公共财政收入占地区生产总值比重呈下降趋势，总体上广州已经跨越投资驱动，进入创新驱动发展阶段，高质量发展势头良好。

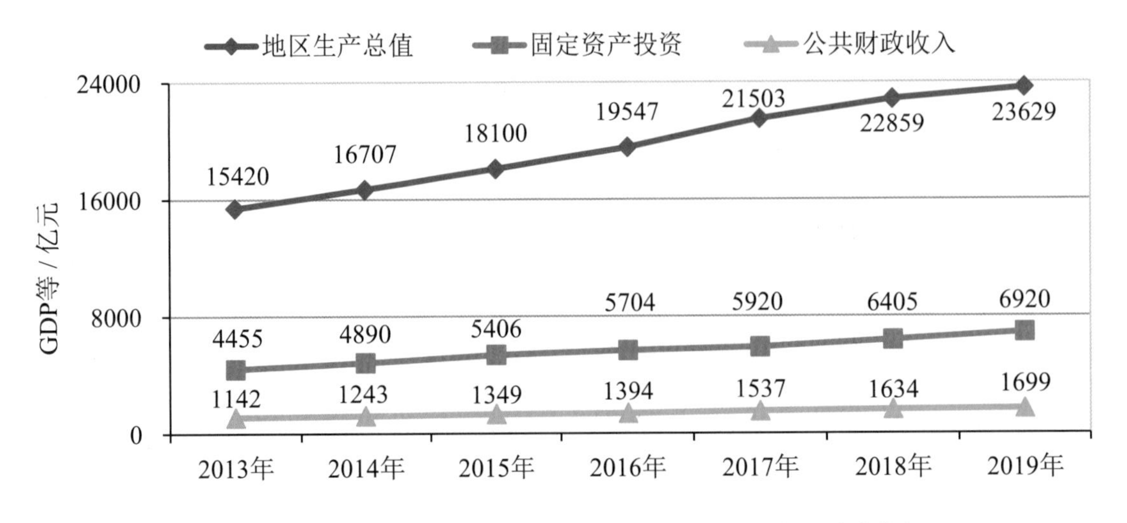


图 2-182　广州地区生产总值、固定资产投资和公共财政收入

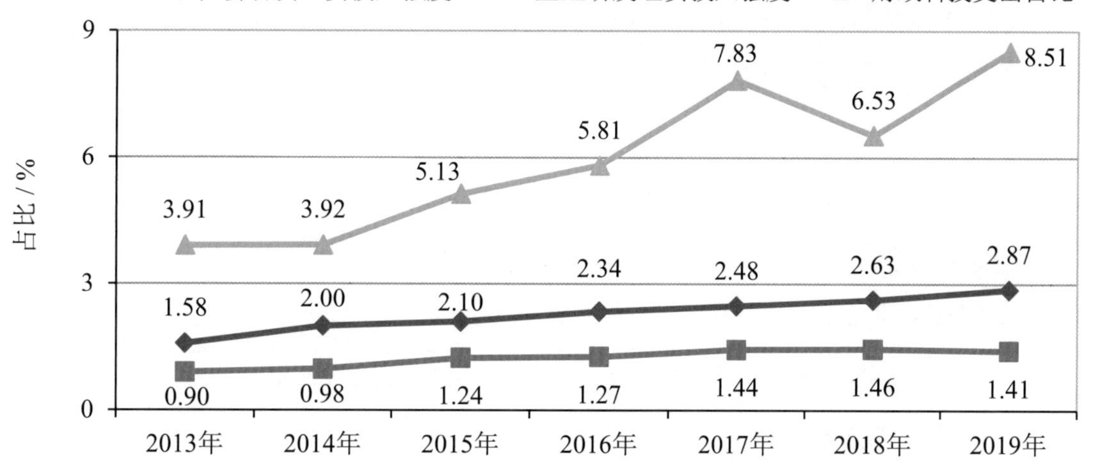


图 2-183 广州研发经费投入强度及财政科技支出占比

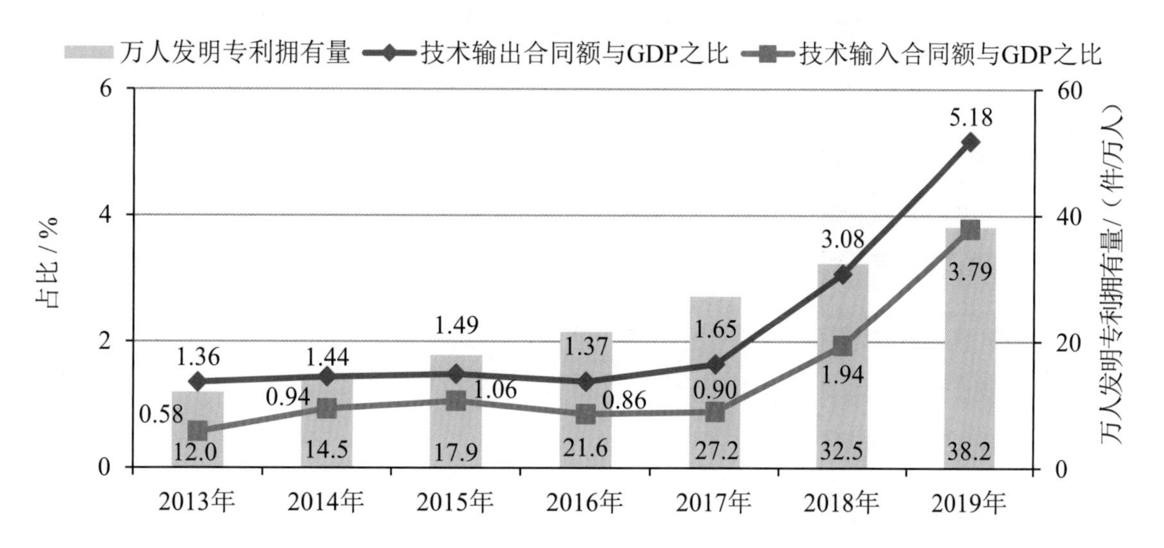


图 2-184 广州万人发明专利拥有量及技术合同成交额与地区生产总值之比

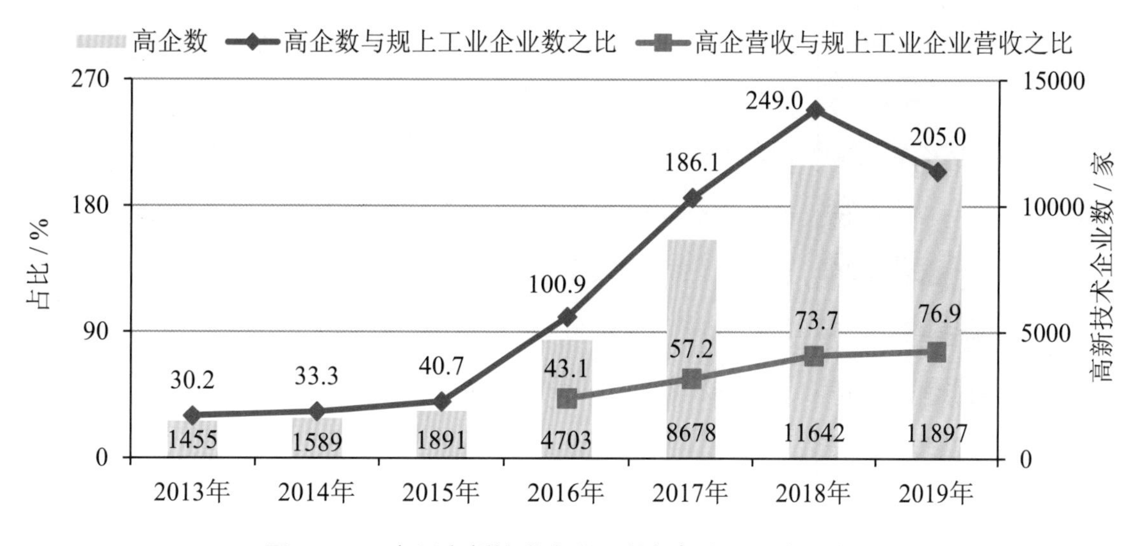


图 2-185 广州高新技术企业及其与规上工业企业之比

| 排名 | 指标 | 分类 |
|---|---|---|
| 3 | 创新能力指数 78.02 | |
| 5 | 财政科技支出占公共财政支出比重 8.51% | 创新治理力 |
| 7 | 常住人口增长率 2.69% | 创新治理力 |
| 16 | 万名就业人员中研发人员 133.76人年/万人 | 创新治理力 |
| 4 | 万人专利申请量 113.55件/万人 | 创新治理力 |
| 6 | 人均地区生产总值 15.44万元/人 | 创新治理力 |
| 16 | 全社会研发经费支出与地区生产总值之比 2.87% | 原始创新力 |
| 10 | 基础研究经费占研发经费比重 13.68% | 原始创新力 |
| 4 | “双一流”建设学科数 18个 | 原始创新力 |
| 6 | 国家级科技成果奖数 119.20项当量 | 原始创新力 |
| 39 | 规上工业企业研发经费支出与营业收入之比 1.41% | 技术创新力 |
| 2 | 高新技术企业数 11897家 | 技术创新力 |
| 29 | 国家高新区营业收入与地区生产总值之比 49.62% | 技术创新力 |
| 9 | 万人发明专利拥有量 38.22件/万人 | 技术创新力 |
| 4 | 技术输出合同成交额与地区生产总值之比 5.18% | 技术创新力 |
| 11 | 技术输入合同成交额与地区生产总值之比 3.79% | 成果转化力 |
| 6 | 科创板上市企业数 10家 | 成果转化力 |
| 6 | 国家级科技企业孵化器、大学科技园、双创示范基地数 84个 | 成果转化力 |
| 6 | 国家级科技企业孵化器、大学科技园新增在孵企业数 661家 | 成果转化力 |
| 1 | 科技型中小企业数 9267家 | 成果转化力 |
| 20 | 规上工业企业新产品销售收入与营业收入之比 27.87% | 成果转化力 |
| 11 | 高新技术企业营业收入与规上工业企业营业收入之比 76.92% | 创新驱动力 |
| 46 | 城乡居民人均可支配收入之比 2.25 | 创新驱动力 |
| 24 | 单位地区生产总值能耗 0.37吨标准煤/万元 | 创新驱动力 |
| 14 | PM2.5年平均浓度 30微克/立方米 | 创新驱动力 |
| 16 | 人均实际使用外资额 466.71美元/人 | 创新驱动力 |
| 3 | 居民人均可支配收入 6.51万元/人 | 创新驱动力 |

图 2-186 广州创新能力指标数据及排名

## （三十二）深圳

2019 年，深圳常住人口 1344 万人，地区生产总值 26927 亿元。深圳创新能力指数为 85.17，在 72 个创新型城市中排名第 1 位（与上年相比无变化），属于创新策源地类别城市（在 15 个该类别城市中排名第 1 位）。从创新能力构成看，深圳原始创新力、创新驱动力有待提升；从具体指标看，深圳在基础研究投入、研发人员等方面存在明显的短板。

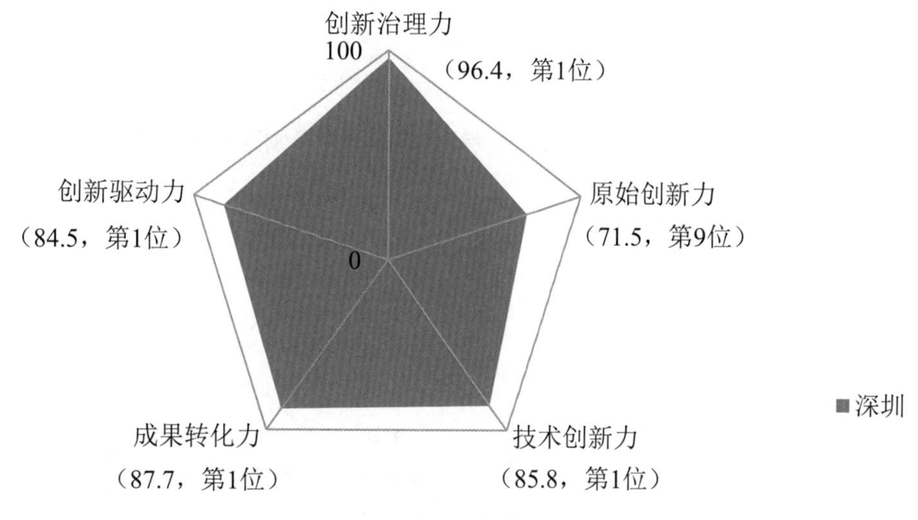


图 2-187　深圳创新能力雷达图

从经济发展阶段来看，近年来深圳固定资产投资与地区生产总值之比呈上升趋势，近 3 年平均值为 25.3%，低于全国平均水平（68.8%），公共财政收入占地区生产总值比重呈下降趋势，总体上深圳已经跨越投资驱动，进入创新驱动发展阶段，高质量发展势头有待进一步稳固。

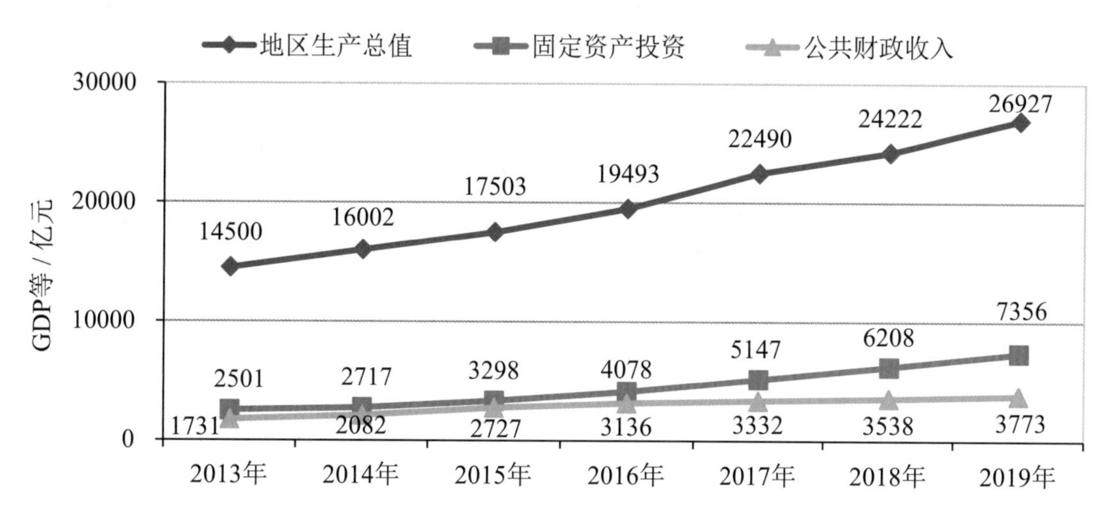


图 2-188　深圳地区生产总值、固定资产投资和公共财政收入

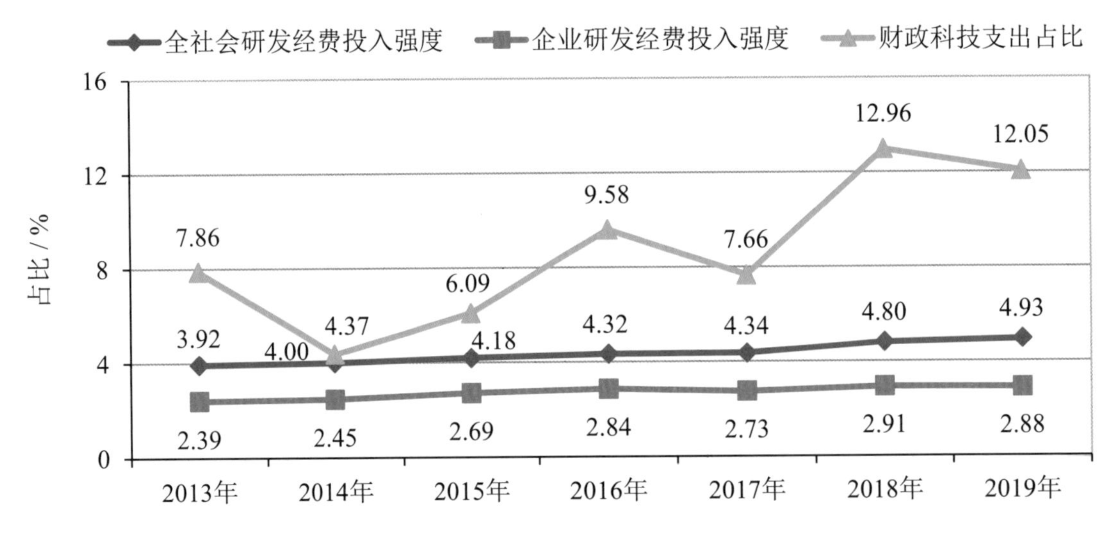


图 2-189　深圳研发经费投入强度及财政科技支出占比

图 2-190　深圳万人发明专利拥有量及技术合同成交额与地区生产总值之比

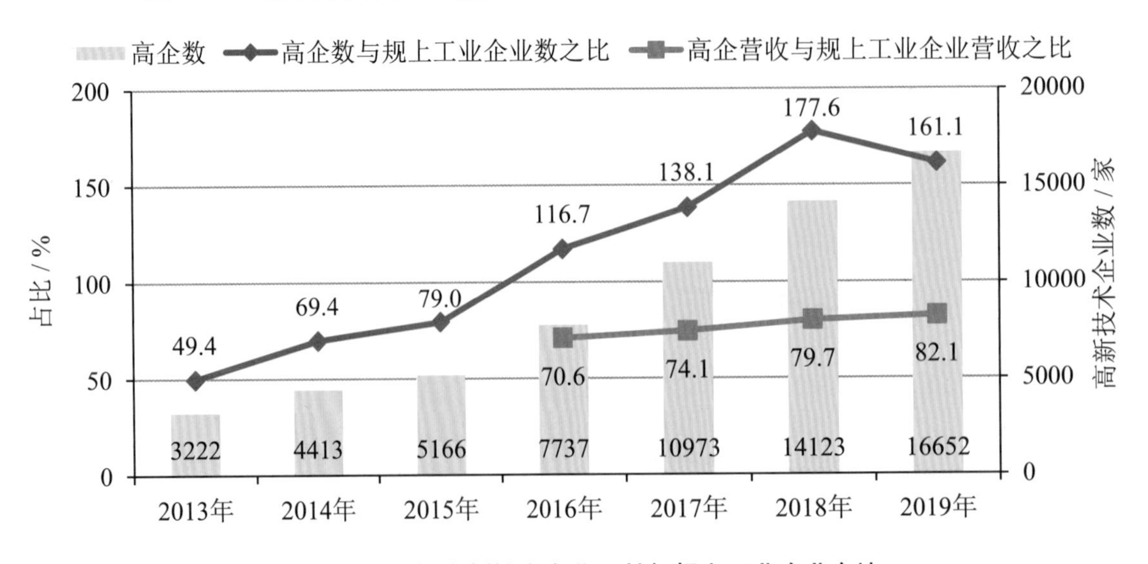


图 2-191　深圳高新技术企业及其与规上工业企业之比

| 排名 | 指标 | 分项 |
| --- | --- | --- |
| 1 | 创新能力指数 85.17 | |
| 1 | 财政科技支出占公共财政支出比重 12.05% | 创新治理力 |
| 5 | 常住人口增长率 3.16% | 创新治理力 |
| 1 | 万名就业人员中研发人员 262.69人年/万人 | 创新治理力 |
| 1 | 万人专利申请量 189.23件/万人 | 创新治理力 |
| 1 | 人均地区生产总值 20.04万元/人 | 创新治理力 |
| 2 | 全社会研发经费支出与地区生产总值之比 4.93% | 原始创新力 |
| 41 | 基础研究经费占研发经费比重 1.82% | 原始创新力 |
| 34 | “双一流”建设学科数 0个 | 原始创新力 |
| 11 | 国家级科技成果奖数 63.81项当量 | 原始创新力 |
| 1 | 规上工业企业研发经费支出与营业收入之比 2.88% | 技术创新力 |
| 1 | 高新技术企业数 16652家 | 技术创新力 |
| 18 | 国家高新区营业收入与地区生产总值之比 63.28% | 技术创新力 |
| 1 | 万人发明专利拥有量 103.18件/万人 | 技术创新力 |
| 17 | 技术输出合同成交额与地区生产总值之比 2.69% | 技术创新力 |
| 4 | 技术输入合同成交额与地区生产总值之比 5.59% | 成果转化力 |
| 2 | 科创板上市企业数 27家 | 成果转化力 |
| 1 | 国家级科技企业孵化器、大学科技园、双创示范基地数 123个 | 成果转化力 |
| 7 | 国家级科技企业孵化器、大学科技园新增在孵企业数 619家 | 成果转化力 |
| 2 | 科技型中小企业数 8808家 | 成果转化力 |
| 4 | 规上工业企业新产品销售收入与营业收入之比 39.08% | 成果转化力 |
| 6 | 高新技术企业营业收入与规上工业企业营业收入之比 82.10% | 创新驱动力 |
| 1 | 城乡居民人均可支配收入之比 1.00 | 创新驱动力 |
| 18 | 单位地区生产总值能耗 0.34吨标准煤/万元 | 创新驱动力 |
| 6 | PM2.5年平均浓度 24微克/立方米 | 创新驱动力 |
| 12 | 人均实际使用外资额 581.11美元/人 | 创新驱动力 |
| 7 | 居民人均可支配收入 6.25万元/人 | 创新驱动力 |

图 2-192　深圳创新能力指标数据及排名

## （三十三）佛山

2019 年，佛山常住人口 816 万人，地区生产总值 10751 亿元。佛山创新能力指数为 54.33，在 72 个创新型城市中排名第 33 位（与上年相比退 6 位），属于创新集聚区类别城市（在 32 个该类别城市中排名第 1 位）。从创新能力构成看，佛山技术创新力、成果转化力有待提升；从具体指标看，佛山在市场导向的科技成果产出、科技成果转移转化等方面存在明显的短板。

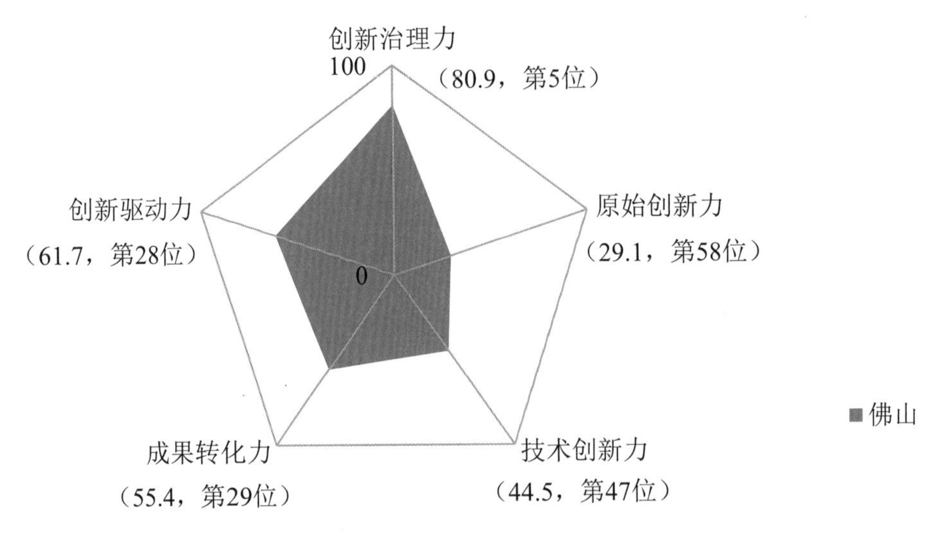


图 2-193　佛山创新能力雷达图

从经济发展阶段来看，近年来佛山固定资产投资与地区生产总值之比呈上升趋势，近 3 年平均值为 42.5%，低于全国平均水平（68.8%），公共财政收入占地区生产总值比重呈上升趋势，总体上佛山已经跨越投资驱动，进入创新驱动发展阶段，高质量发展势头有待进一步稳固。

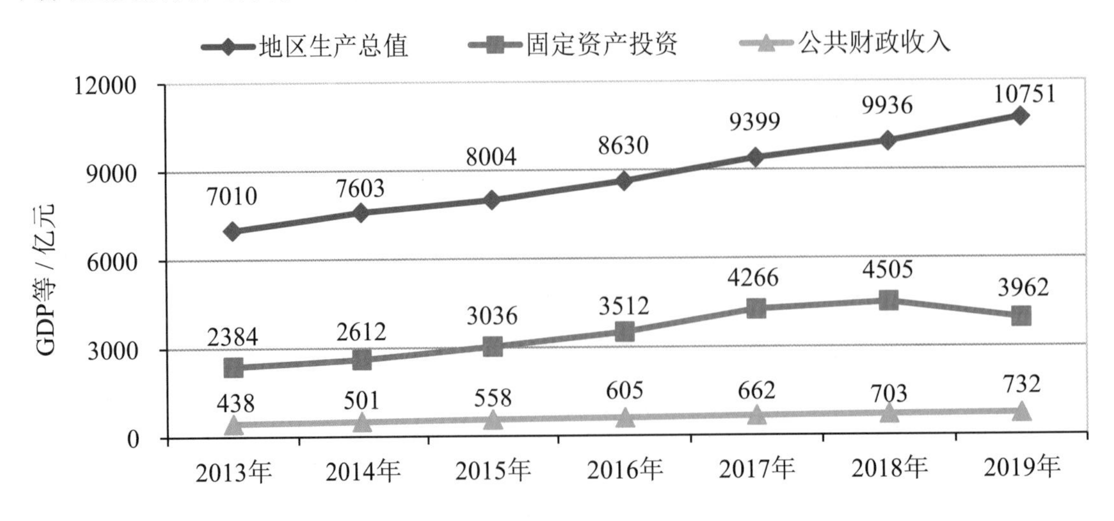


图 2-194　佛山地区生产总值、固定资产投资和公共财政收入

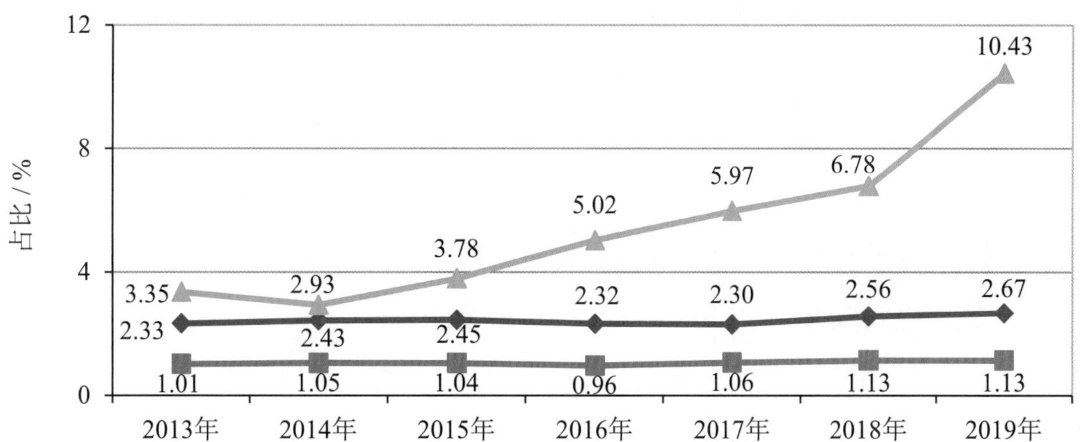


图 2-195　佛山研发经费投入强度及财政科技支出占比

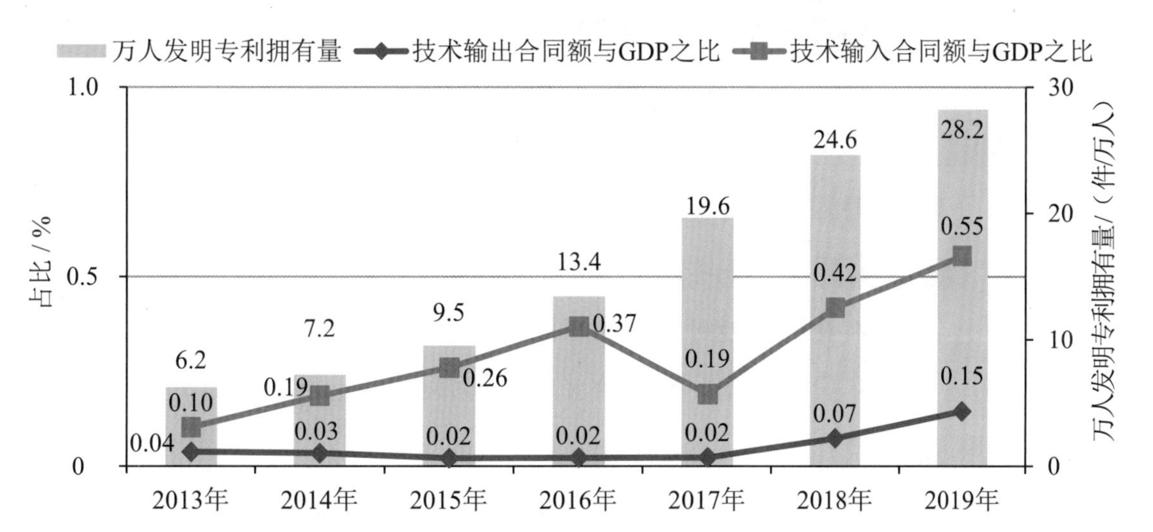


图 2-196　佛山万人发明专利拥有量及技术合同成交额与地区生产总值之比

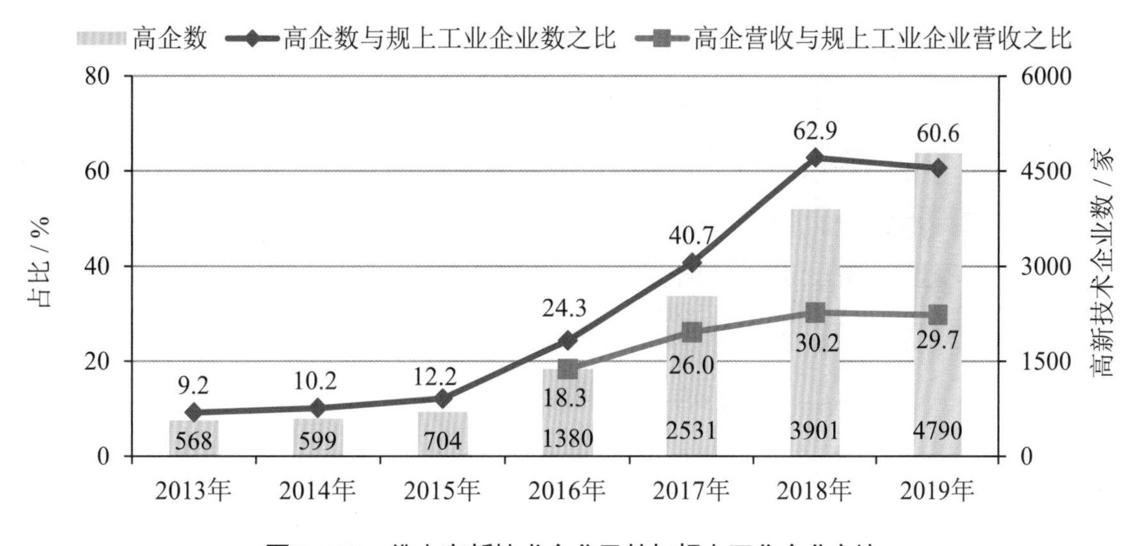


图 2-197　佛山高新技术企业及其与规上工业企业之比

| 排名 | 指标数据 | 分类 |
|---|---|---|
| 33 | 创新能力指数 54.33 | |
| 3 | 财政科技支出占公共财政支出比重 10.43% | 创新治理力 |
| 4 | 常住人口增长率 3.20% | 创新治理力 |
| 17 | 万名就业人员中研发人员 131.71人年/万人 | 创新治理力 |
| 8 | 万人专利申请量 96.11件/万人 | 创新治理力 |
| 13 | 人均地区生产总值 13.18万元/人 | 创新治理力 |
| 21 | 全社会研发经费支出与地区生产总值之比 2.67% | 原始创新力 |
| 65 | 基础研究经费占研发经费比重 0.30% | 原始创新力 |
| 34 | “双一流”建设学科数 0个 | 原始创新力 |
| 50 | 国家级科技成果奖数 2.35项当量 | 原始创新力 |
| 55 | 规上工业企业研发经费支出与营业收入之比 1.13% | 技术创新力 |
| 6 | 高新技术企业数 4790家 | 技术创新力 |
| 31 | 国家高新区营业收入与地区生产总值之比 41.41% | 技术创新力 |
| 22 | 万人发明专利拥有量 28.22件/万人 | 技术创新力 |
| 68 | 技术输出合同成交额与地区生产总值之比 0.15% | 技术创新力 |
| 65 | 技术输入合同成交额与地区生产总值之比 0.55% | 成果转化力 |
| 16 | 科创板上市企业数 3家 | 成果转化力 |
| 11 | 国家级科技企业孵化器、大学科技园、双创示范基地数 42个 | 成果转化力 |
| 14 | 国家级科技企业孵化器、大学科技园新增在孵企业数 364家 | 成果转化力 |
| 19 | 科技型中小企业数 1353家 | 成果转化力 |
| 35 | 规上工业企业新产品销售收入与营业收入之比 19.56% | 成果转化力 |
| 56 | 高新技术企业营业收入与规上工业企业营业收入之比 29.69% | 创新驱动力 |
| 8 | 城乡居民人均可支配收入之比 1.75 | 创新驱动力 |
| 26 | 单位地区生产总值能耗 0.38吨标准煤/万元 | 创新驱动力 |
| 14 | PM2.5年平均浓度 30微克/立方米 | 创新驱动力 |
| 49 | 人均实际使用外资额 89.83美元/人 | 创新驱动力 |
| 14 | 居民人均可支配收入 5.52万元/人 | 创新驱动力 |

图 2-198 佛山创新能力指标数据及排名

## （三十四）东莞

2019 年，东莞常住人口 846 万人，地区生产总值 9483 亿元。东莞创新能力指数为 60.94，在 72 个创新型城市中排名第 19 位（与上年相比进 3 位），属于创新增长极类别城市（在 25 个该类别城市中排名第 6 位）。从创新能力构成看，东莞创新治理力、技术创新力有待提升；从具体指标看，东莞在营造良好的创新创业环境、重大科技成果产出等方面存在明显的短板。

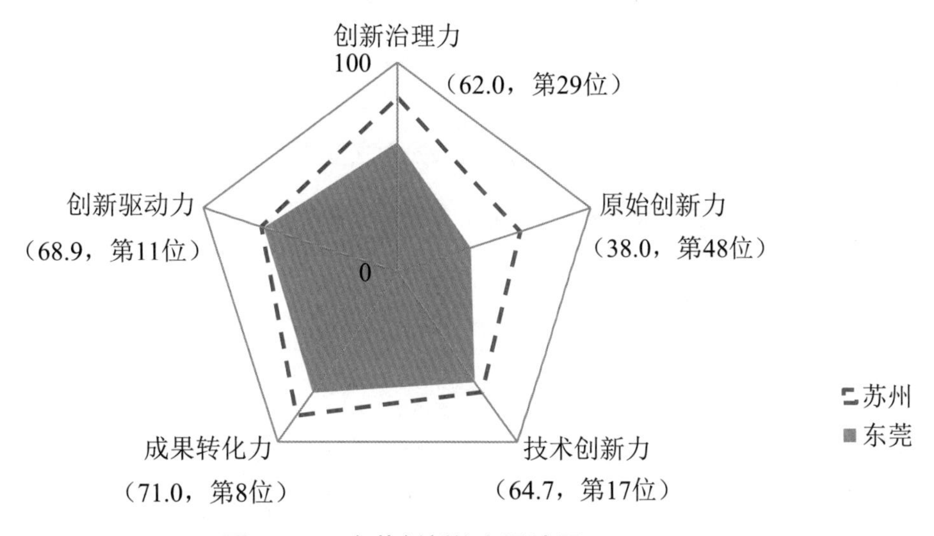


图 2-199　东莞创新能力雷达图

从经济发展阶段来看，近年来东莞固定资产投资与地区生产总值之比呈下降趋势，近 3 年平均值为 22.3%，低于全国平均水平（68.8%），公共财政收入占地区生产总值比重呈下降趋势，总体上东莞已经跨越投资驱动，进入创新驱动发展阶段，高质量发展势头良好。

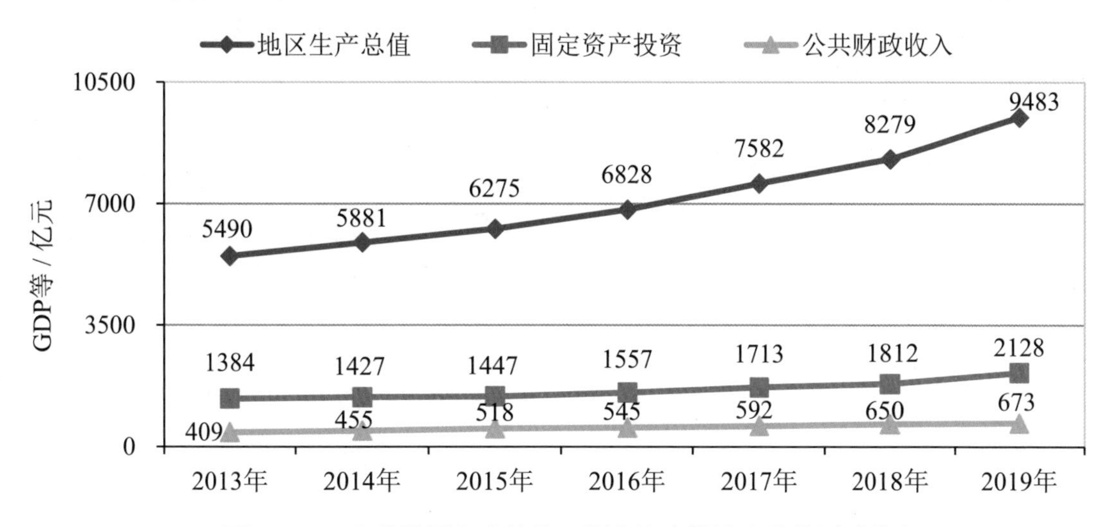


图 2-200　东莞地区生产总值、固定资产投资和公共财政收入

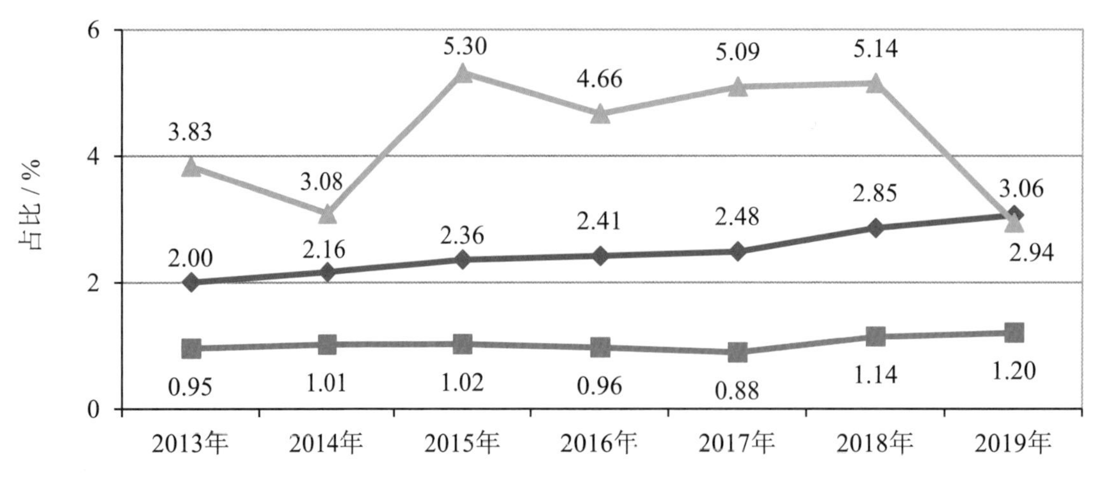


图 2-201　东莞研发经费投入强度及财政科技支出占比

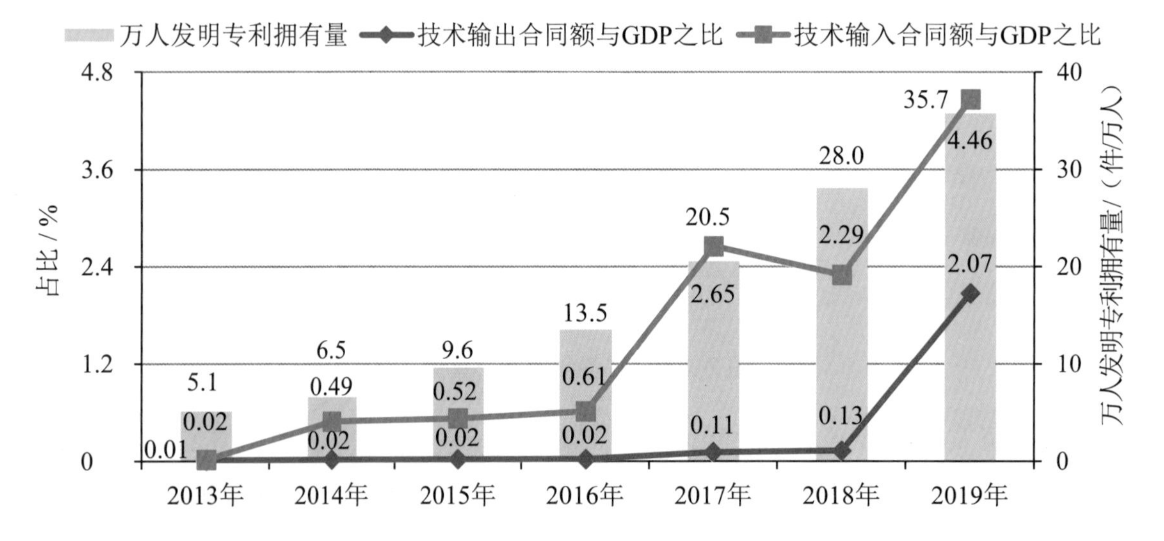


图 2-202　东莞万人发明专利拥有量及技术合同成交额与地区生产总值之比

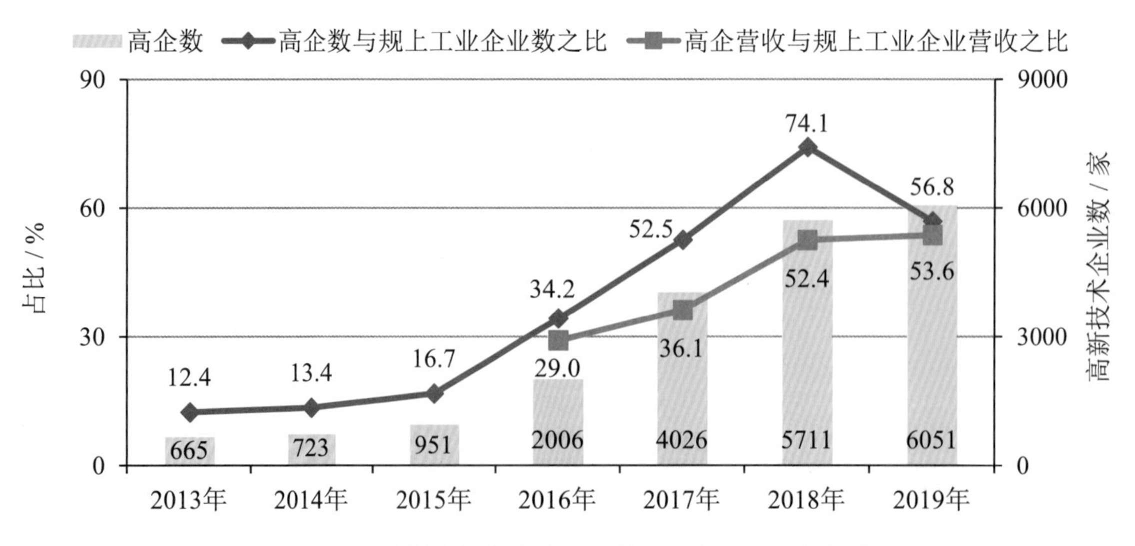


图 2-203　东莞高新技术企业及其与规上工业企业之比

| 排名 | 指标 | 分类 |
|---|---|---|
| 19 | 创新能力指数 60.94 | |
| 38 | 财政科技支出占公共财政支出比重 2.94% | 创新治理力 |
| 27 | 常住人口增长率 0.86% | 创新治理力 |
| 14 | 万名就业人员中研发人员 139.38人年/万人 | 创新治理力 |
| 72 | 万人专利申请量 5.66件/万人 | 创新治理力 |
| 22 | 人均地区生产总值 11.20万元/人 | 创新治理力 |
| 11 | 全社会研发经费支出与地区生产总值之比 3.06% | 原始创新力 |
| 50 | 基础研究经费占研发经费比重 0.83% | 原始创新力 |
| 34 | “双一流”建设学科数 0个 | 原始创新力 |
| 51 | 国家级科技成果奖数 2.28项当量 | 原始创新力 |
| 50 | 规上工业企业研发经费支出与营业收入之比 1.20% | 技术创新力 |
| 4 | 高新技术企业数 6051家 | 技术创新力 |
| 24 | 国家高新区营业收入与地区生产总值之比 59.95% | 技术创新力 |
| 11 | 万人发明专利拥有量 35.71件/万人 | 技术创新力 |
| 21 | 技术输出合同成交额与地区生产总值之比 2.07% | 技术创新力 |
| 7 | 技术输入合同成交额与地区生产总值之比 4.46% | 成果转化力 |
| 10 | 科创板上市企业数 6家 | 成果转化力 |
| 11 | 国家级科技企业孵化器、大学科技园、双创示范基地数 42个 | 成果转化力 |
| 11 | 国家级科技企业孵化器、大学科技园新增在孵企业数 428家 | 成果转化力 |
| 13 | 科技型中小企业数 1950家 | 成果转化力 |
| 2 | 规上工业企业新产品销售收入与营业收入之比 42.23% | 成果转化力 |
| 21 | 高新技术企业营业收入与规上工业企业营业收入之比 53.58% | 创新驱动力 |
| 2 | 城乡居民人均可支配收入之比 1.54 | 创新驱动力 |
| 33 | 单位地区生产总值能耗 0.41吨标准煤/万元 | 创新驱动力 |
| 19 | PM2.5年平均浓度 32微克/立方米 | 创新驱动力 |
| 39 | 人均实际使用外资额 152.51美元/人 | 创新驱动力 |
| 16 | 居民人均可支配收入 5.52万元/人 | 创新驱动力 |

图 2-204　东莞创新能力指标数据及排名

## （三十五）海口

2019 年，海口常住人口 233 万人，地区生产总值 1672 亿元。海口创新能力指数为 44.85，在 72 个创新型城市中排名第 47 位（与上年相比进 2 位），属于创新集聚区类别城市（在 32 个该类别城市中排名第 10 位）。从创新能力构成看，海口创新治理力、技术创新力有待提升；从具体指标看，海口在研发投入、财政科技投入等方面存在明显的短板。

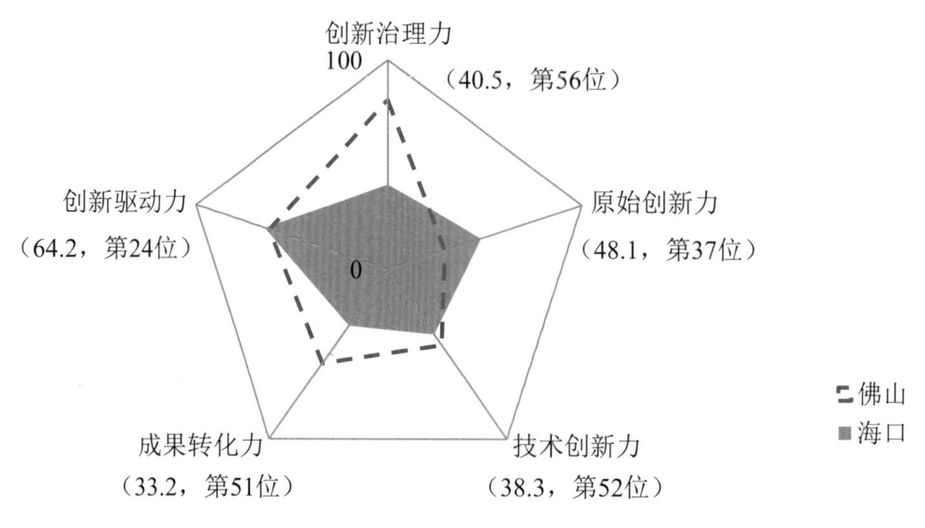


图 2-205　海口创新能力雷达图

从经济发展阶段来看，近年来海口固定资产投资与地区生产总值之比呈下降趋势，近 3 年平均值为 85.3%，高于全国平均水平（68.8%），公共财政收入占地区生产总值比重呈上升趋势，总体上海口仍处于投资驱动发展阶段，创新发展动能有待增强。

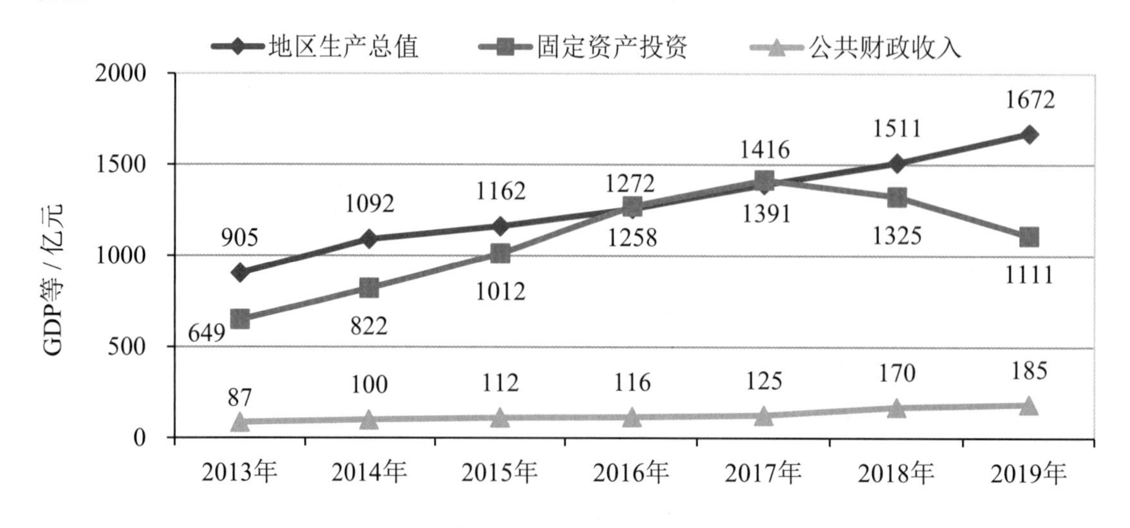


图 2-206　海口地区生产总值、固定资产投资和公共财政收入

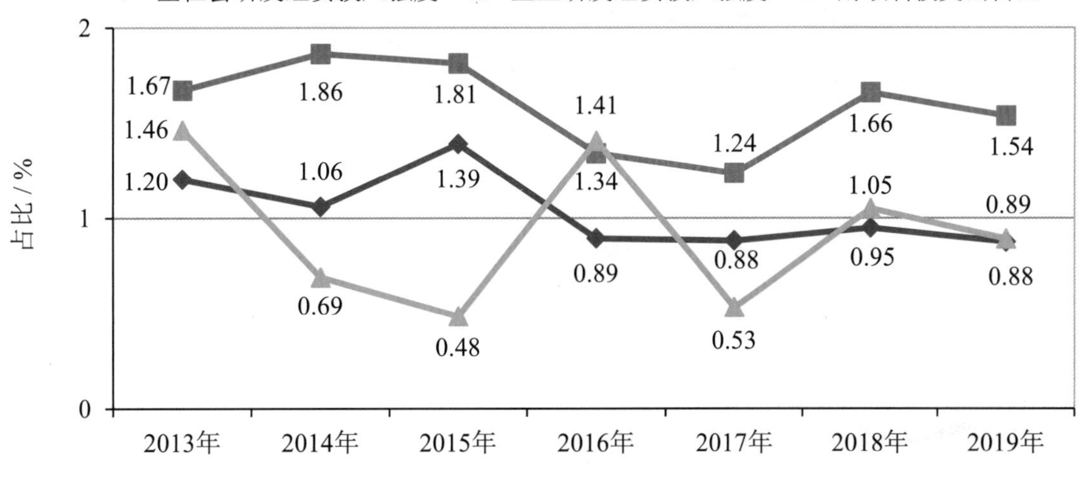


图 2-207 海口研发经费投入强度及财政科技支出占比

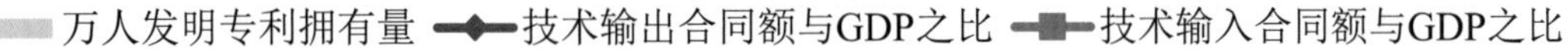


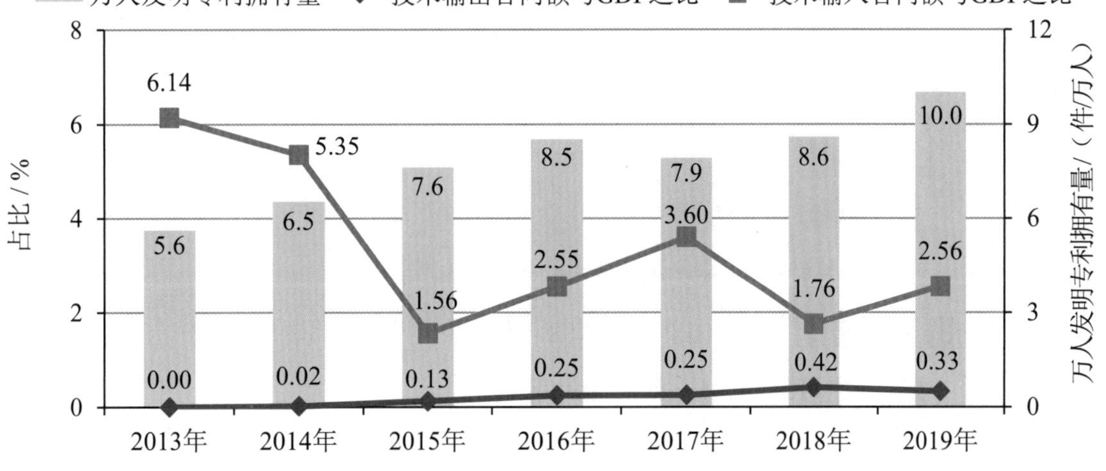


图 2-208 海口万人发明专利拥有量及技术合同成交额与地区生产总值之比

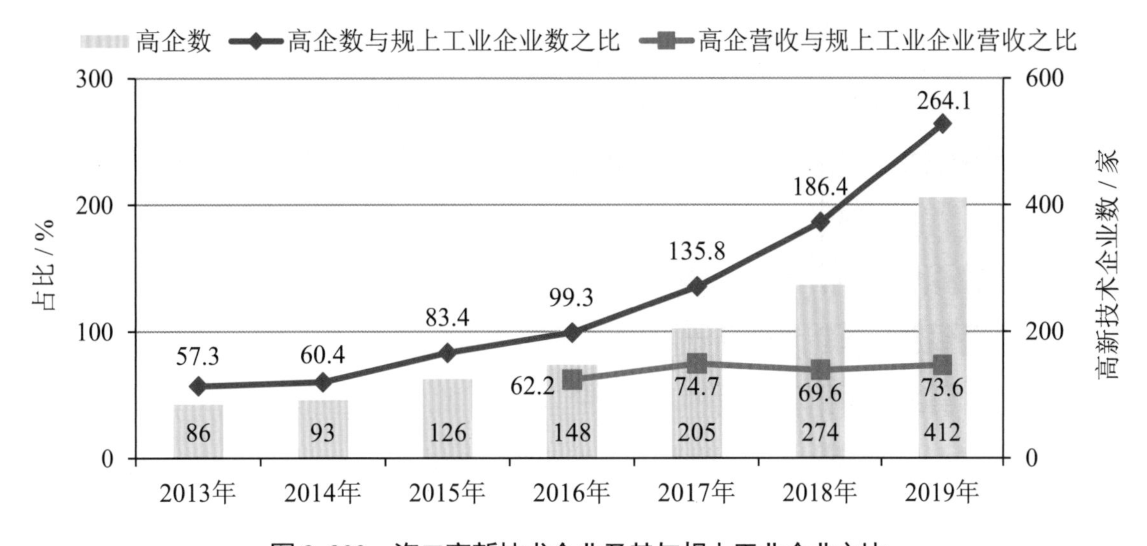


图 2-209 海口高新技术企业及其与规上工业企业之比

| 排名 | 指标 | 类别 |
| --- | --- | --- |
| 47 | 创新能力指数 44.85 | |
| 68 | 财政科技支出占公共财政支出比重 0.89% | 创新治理力 |
| 21 | 常住人口增长率 1.11% | 创新治理力 |
| 59 | 万名就业人员中研发人员 35.24人年/万人 | 创新治理力 |
| 40 | 万人专利申请量 30.75件/万人 | 创新治理力 |
| 56 | 人均地区生产总值 7.18万元/人 | 创新治理力 |
| 69 | 全社会研发经费支出与地区生产总值之比 0.88% | 原始创新力 |
| 5 | 基础研究经费占研发经费比重 19.78% | 原始创新力 |
| 22 | “双一流”建设学科数 1个 | 原始创新力 |
| 41 | 国家级科技成果奖数 4.95项当量 | 原始创新力 |
| 35 | 规上工业企业研发经费支出与营业收入之比 1.54% | 技术创新力 |
| 53 | 高新技术企业数 412家 | 技术创新力 |
| 45 | 国家高新区营业收入与地区生产总值之比 26.54% | 技术创新力 |
| 45 | 万人发明专利拥有量 10.03件/万人 | 技术创新力 |
| 62 | 技术输出合同成交额与地区生产总值之比 0.33% | 技术创新力 |
| 20 | 技术输入合同成交额与地区生产总值之比 2.56% | 成果转化力 |
| 30 | 科创板上市企业数 1家 | 成果转化力 |
| 57 | 国家级科技企业孵化器、大学科技园、双创示范基地数 6个 | 成果转化力 |
| 62 | 国家级科技企业孵化器、大学科技园新增在孵企业数 25家 | 成果转化力 |
| 59 | 科技型中小企业数 180家 | 成果转化力 |
| 51 | 规上工业企业新产品销售收入与营业收入之比 14.43% | 成果转化力 |
| 12 | 高新技术企业营业收入与规上工业企业营业收入之比 73.61% | 创新驱动力 |
| 53 | 城乡居民人均可支配收入之比 2.42 | 创新驱动力 |
| 16 | 单位地区生产总值能耗 0.33吨标准煤/万元 | 创新驱动力 |
| 2 | PM2.5年平均浓度 17微克/立方米 | 创新驱动力 |
| 28 | 人均实际使用外资额 288.47美元/人 | 创新驱动力 |
| 48 | 居民人均可支配收入 3.90万元/人 | 创新驱动力 |

图 2-210　海口创新能力指标数据及排名

## 二、中部地区

### （一）太原

2019年，太原常住人口446万人，地区生产总值4016亿元。太原创新能力指数为55.23，在72个创新型城市中排名第29位（与上年相比进2位），属于创新增长极类别城市（在25个该类别城市中排名第17位）。从创新能力构成看，太原创新驱动力、成果转化力有待提升；从具体指标看，太原在外资利用、空气质量等方面存在明显的短板。

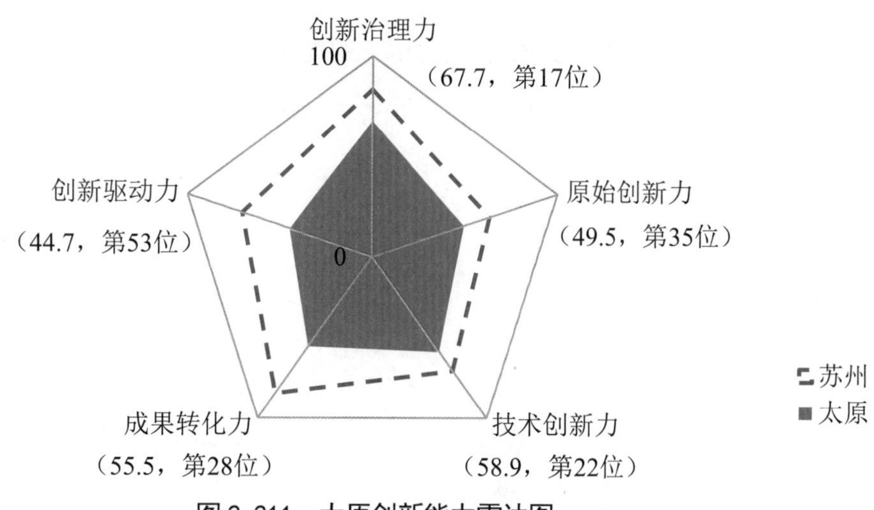


图2-211　太原创新能力雷达图

从经济发展阶段来看，近年来太原固定资产投资与地区生产总值之比呈下降趋势，近3年平均值为31.1%，低于全国平均水平（68.8%），公共财政收入占地区生产总值比重呈下降趋势，总体上太原已经跨越投资驱动，进入创新驱动发展阶段，高质量发展势头良好。

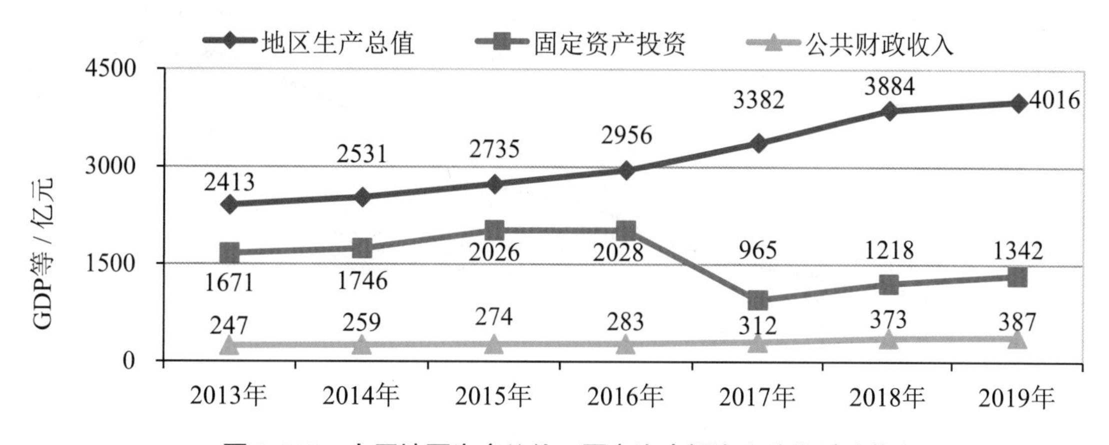


图2-212　太原地区生产总值、固定资产投资和公共财政收入

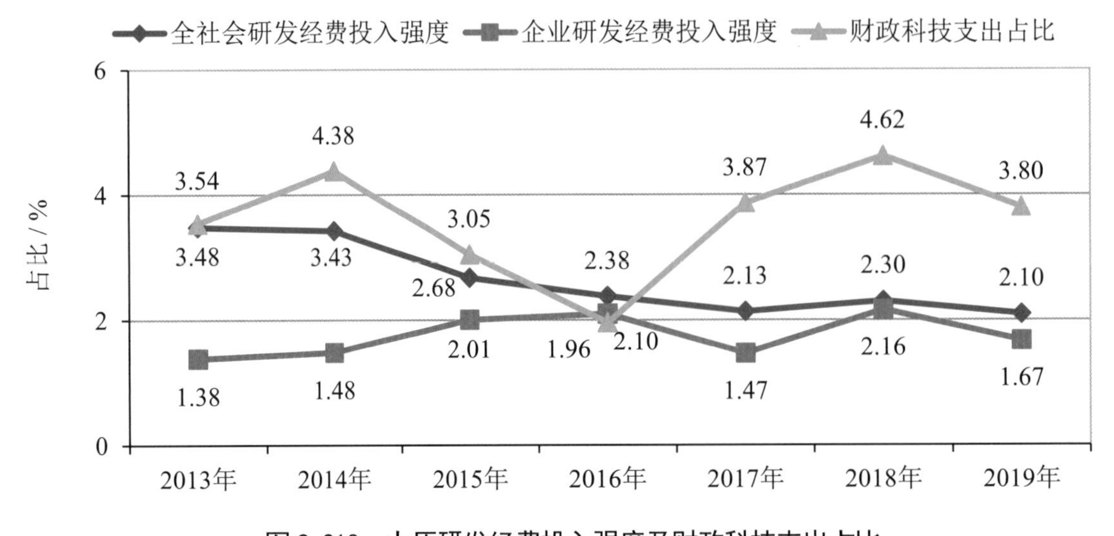


图 2-213　太原研发经费投入强度及财政科技支出占比

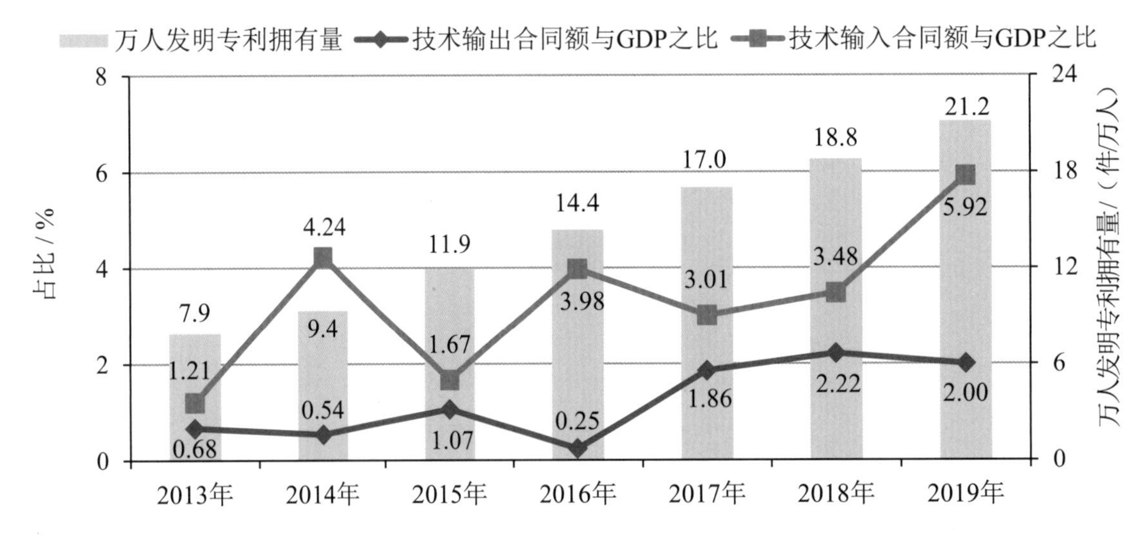


图 2-214　太原万人发明专利拥有量及技术合同成交额与地区生产总值之比

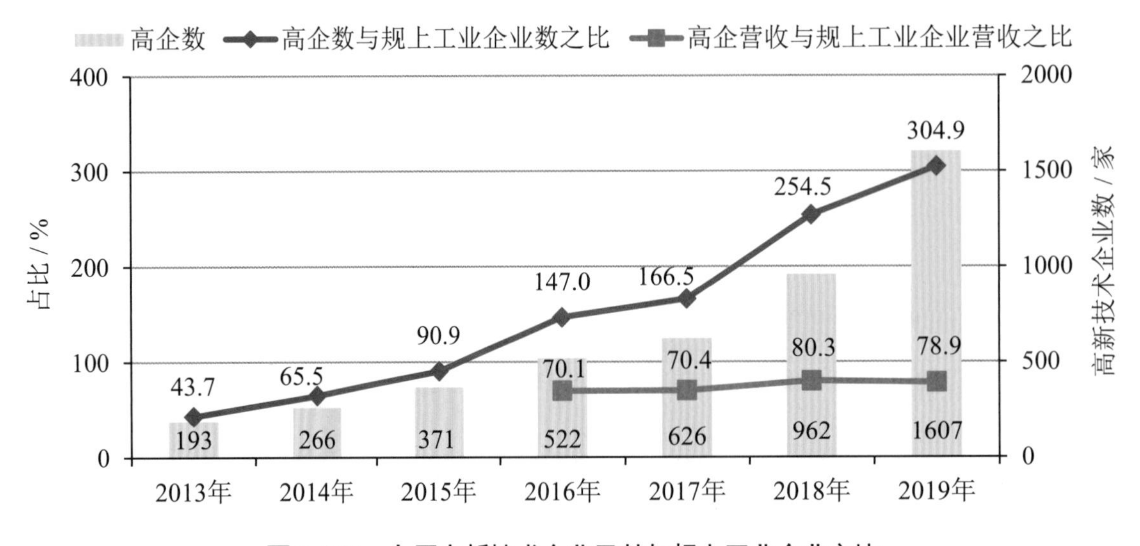


图 2-215　太原高新技术企业及其与规上工业企业之比

| 排名 | 指标 | 类别 |
| --- | --- | --- |
| 29 | 创新能力指数 55.23 | |
| 27 | 财政科技支出占公共财政支出比重 3.80% | 创新治理力 |
| 26 | 常住人口增长率 0.91% | 创新治理力 |
| 27 | 万名就业人员中研发人员 102.51人年/万人 | 创新治理力 |
| 39 | 万人专利申请量 31.68件/万人 | 创新治理力 |
| 39 | 人均地区生产总值 9.00万元/人 | 创新治理力 |
| 38 | 全社会研发经费支出与地区生产总值之比 2.10% | 原始创新力 |
| 17 | 基础研究经费占研发经费比重 9.26% | 原始创新力 |
| 22 | “双一流”建设学科数 1个 | 原始创新力 |
| 48 | 国家级科技成果奖数 2.43项当量 | 原始创新力 |
| 30 | 规上工业企业研发经费支出与营业收入之比 1.67% | 技术创新力 |
| 25 | 高新技术企业数 1607家 | 技术创新力 |
| 8 | 国家高新区营业收入与地区生产总值之比 74.92% | 技术创新力 |
| 27 | 万人发明专利拥有量 21.15件/万人 | 技术创新力 |
| 23 | 技术输出合同成交额与地区生产总值之比 2.00% | 技术创新力 |
| 3 | 技术输入合同成交额与地区生产总值之比 5.92% | 成果转化力 |
| 41 | 科创板上市企业数 0家 | 成果转化力 |
| 28 | 国家级科技企业孵化器、大学科技园、双创示范基地数 27个 | 成果转化力 |
| 40 | 国家级科技企业孵化器、大学科技园新增在孵企业数 160家 | 成果转化力 |
| 9 | 科技型中小企业数 3573家 | 成果转化力 |
| 31 | 规上工业企业新产品销售收入与营业收入之比 21.44% | 成果转化力 |
| 8 | 高新技术企业营业收入与规上工业企业营业收入之比 78.89% | 创新驱动力 |
| 24 | 城乡居民人均可支配收入之比 1.98 | 创新驱动力 |
| 65 | 单位地区生产总值能耗 0.75吨标准煤/万元 | 创新驱动力 |
| 65 | PM2.5年平均浓度 56微克/立方米 | 创新驱动力 |
| 65 | 人均实际使用外资额 21.78美元/人 | 创新驱动力 |
| 62 | 居民人均可支配收入 3.64万元/人 | 创新驱动力 |

图 2-216　太原创新能力指标数据及排名

## （二）合肥

2019 年，合肥常住人口 819 万人，地区生产总值 9409 亿元。合肥创新能力指数为 69.47，在 72 个创新型城市中排名第 9 位（与上年相比进 4 位），属于创新策源地类别城市（在 15 个该类别城市中排名第 8 位）。从创新能力构成看，合肥创新治理力、创新驱动力有待提升；从具体指标看，合肥在空气质量、居民收入等方面存在明显的短板。

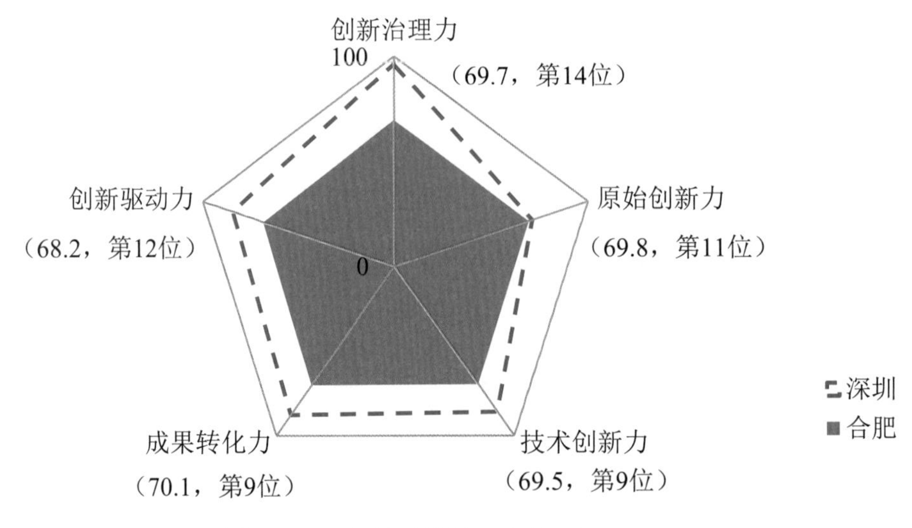


图 2-217　合肥创新能力雷达图

从经济发展阶段来看，近年来合肥固定资产投资与地区生产总值之比呈下降趋势，近 3 年平均值为 85.5%，高于全国平均水平（68.8%），公共财政收入占地区生产总值比重呈下降趋势，总体上合肥处于由投资驱动向创新驱动的过渡阶段，创新发展动能正不断增强。

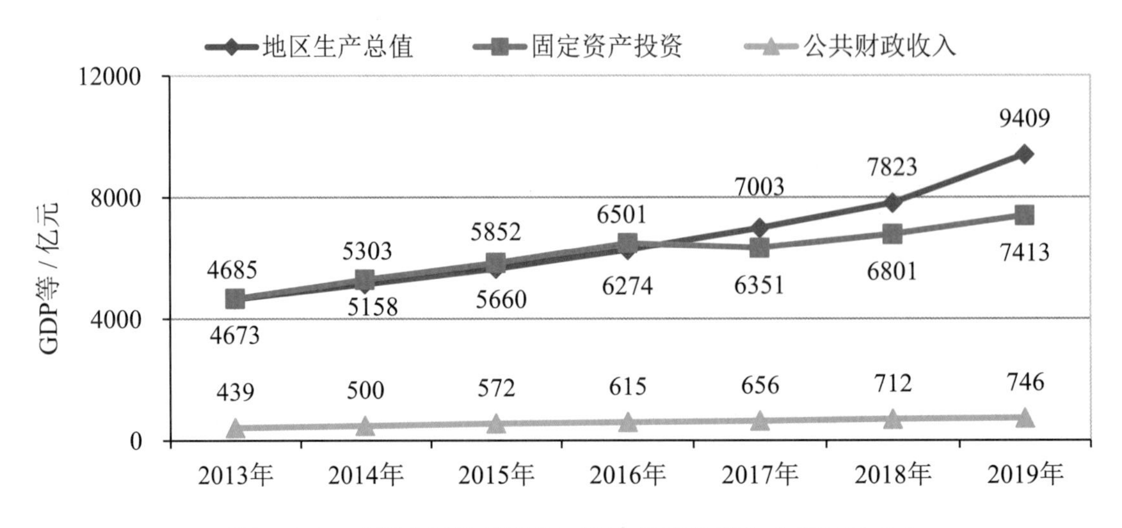


图 2-218　合肥地区生产总值、固定资产投资和公共财政收入

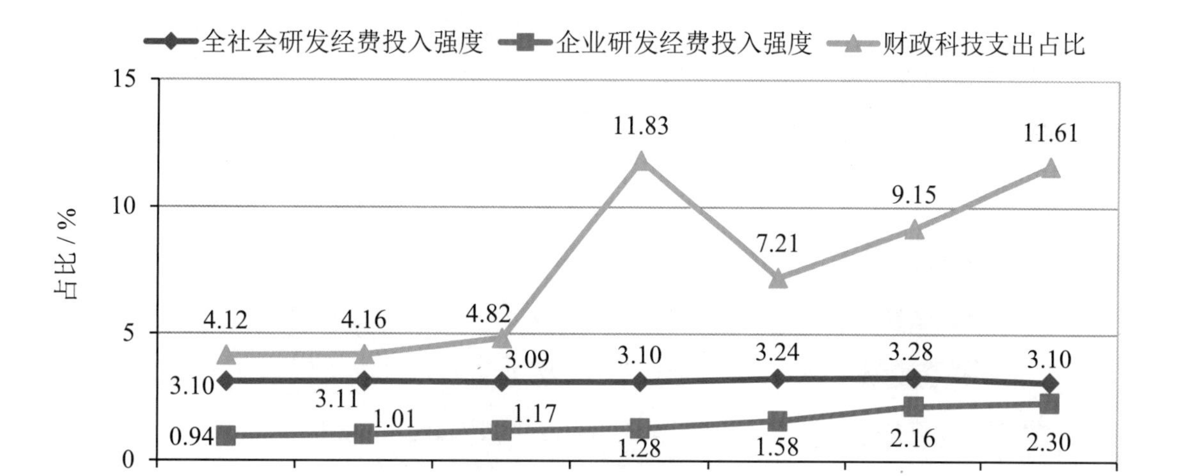


图 2-219　合肥研发经费投入强度及财政科技支出占比

图 2-220　合肥万人发明专利拥有量及技术合同成交额与地区生产总值之比

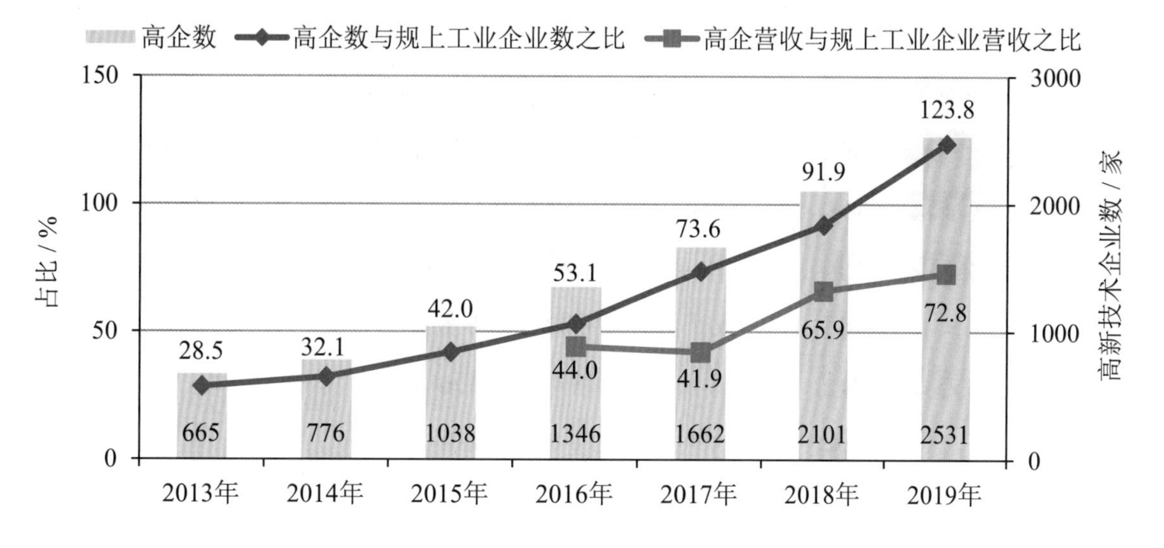


图 2-221　合肥高新技术企业及其与规上工业企业之比

| | | |
|---|---|---|
| 9 | 创新能力指数 69.47 | |
| 2 | 财政科技支出占公共财政支出比重 11.61% | 创新治理力 |
| 17 | 常住人口增长率 1.26% | 创新治理力 |
| 18 | 万名就业人员中研发人员 121.89人年/万人 | 创新治理力 |
| 15 | 万人专利申请量 71.47件/万人 | 创新治理力 |
| 19 | 人均地区生产总值 11.49万元/人 | 创新治理力 |
| 8 | 全社会研发经费支出与地区生产总值之比 3.10% | 原始创新力 |
| 12 | 基础研究经费占研发经费比重 11.34% | 原始创新力 |
| 6 | “双一流”建设学科数 13个 | 原始创新力 |
| 14 | 国家级科技成果奖数 47.41项当量 | 原始创新力 |
| 7 | 规上工业企业研发经费支出与营业收入之比 2.30% | 技术创新力 |
| 14 | 高新技术企业数 2531家 | 技术创新力 |
| 13 | 国家高新区营业收入与地区生产总值之比 66.13% | 技术创新力 |
| 17 | 万人发明专利拥有量 32.18件/万人 | 技术创新力 |
| 18 | 技术输出合同成交额与地区生产总值之比 2.33% | 技术创新力 |
| 19 | 技术输入合同成交额与地区生产总值之比 2.68% | 成果转化力 |
| 4 | 科创板上市企业数 12家 | 成果转化力 |
| 17 | 国家级科技企业孵化器、大学科技园、双创示范基地数 38个 | 成果转化力 |
| 13 | 国家级科技企业孵化器、大学科技园新增在孵企业数 367家 | 成果转化力 |
| 16 | 科技型中小企业数 1576家 | 成果转化力 |
| 1 | 规上工业企业新产品销售收入与营业收入之比 42.79% | 成果转化力 |
| 13 | 高新技术企业营业收入与规上工业企业营业收入之比 72.84% | 创新驱动力 |
| 26 | 城乡居民人均可支配收入之比 2.02 | 创新驱动力 |
| 5 | 单位地区生产总值能耗 0.26吨标准煤/万元 | 创新驱动力 |
| 49 | PM2.5年平均浓度 44微克/立方米 | 创新驱动力 |
| 21 | 人均实际使用外资额 414.15美元/人 | 创新驱动力 |
| 36 | 居民人均可支配收入 4.54万元/人 | 创新驱动力 |

图 2-222　合肥创新能力指标数据及排名

## （三）芜湖

2019 年，芜湖常住人口 378 万人，地区生产总值 3618 亿元。芜湖创新能力指数为 54.41，在 72 个创新型城市中排名第 32 位（与上年相比退 7 位），属于创新增长极类别城市（在 25 个该类别城市中排名第 11 位）。从创新能力构成看，芜湖成果转化力、创新驱动力有待提升；从具体指标看，芜湖在重大科技成果产出、高水平科技企业孵化基地等方面存在明显的短板。

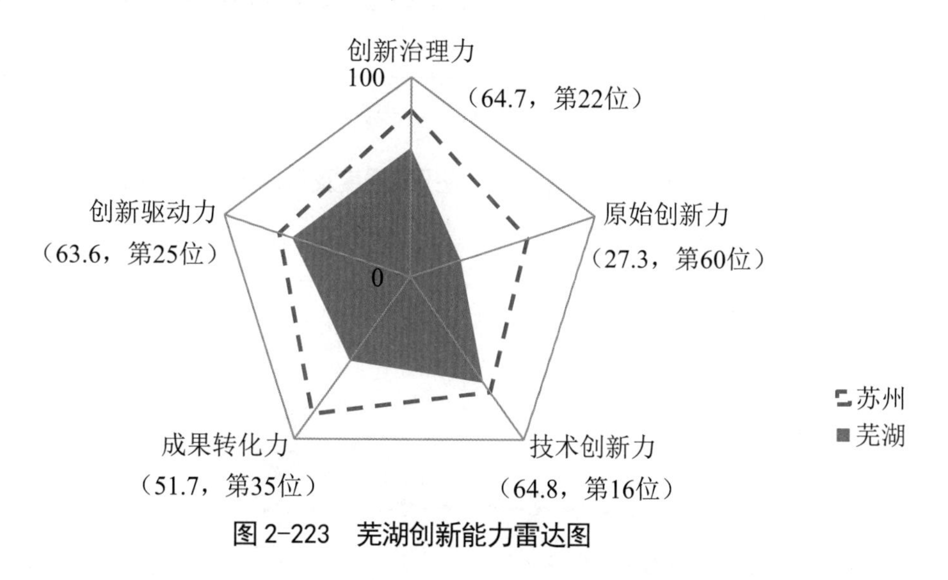


图 2-223　芜湖创新能力雷达图

从经济发展阶段来看，近年来芜湖固定资产投资与地区生产总值之比呈上升趋势，近 3 年平均值为 111.9%，高于全国平均水平（68.8%），公共财政收入占地区生产总值比重呈下降趋势，总体上芜湖仍处于投资驱动发展阶段，创新发展动能有待增强。

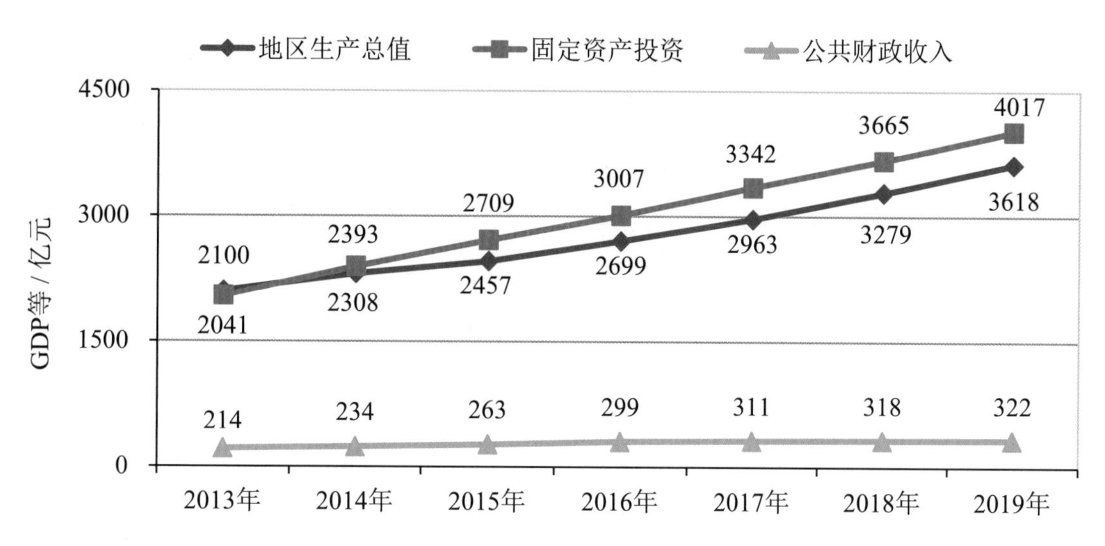


图 2-224　芜湖地区生产总值、固定资产投资和公共财政收入

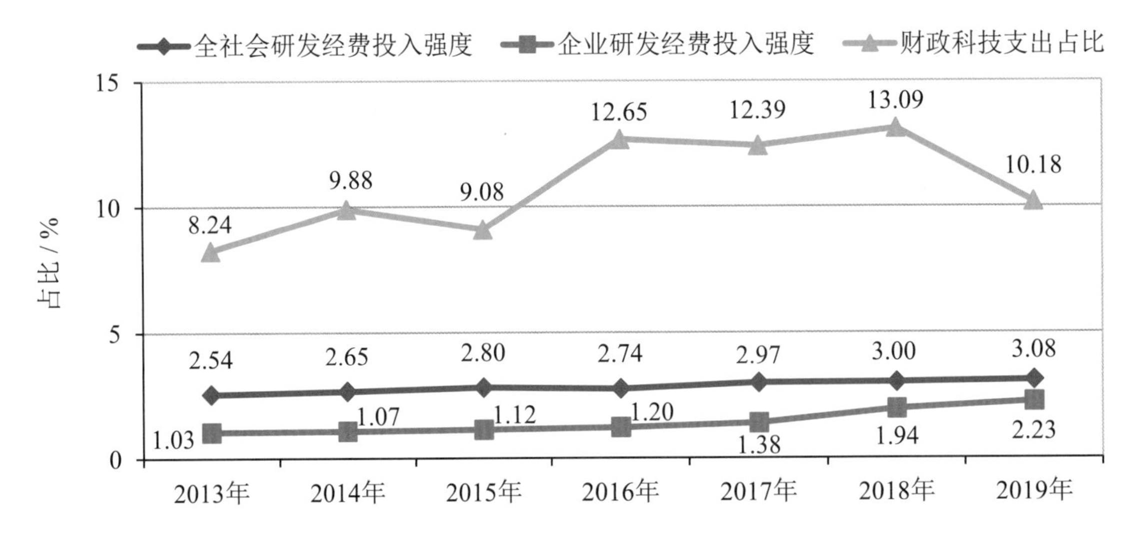


图 2-225　芜湖研发经费投入强度及财政科技支出占比

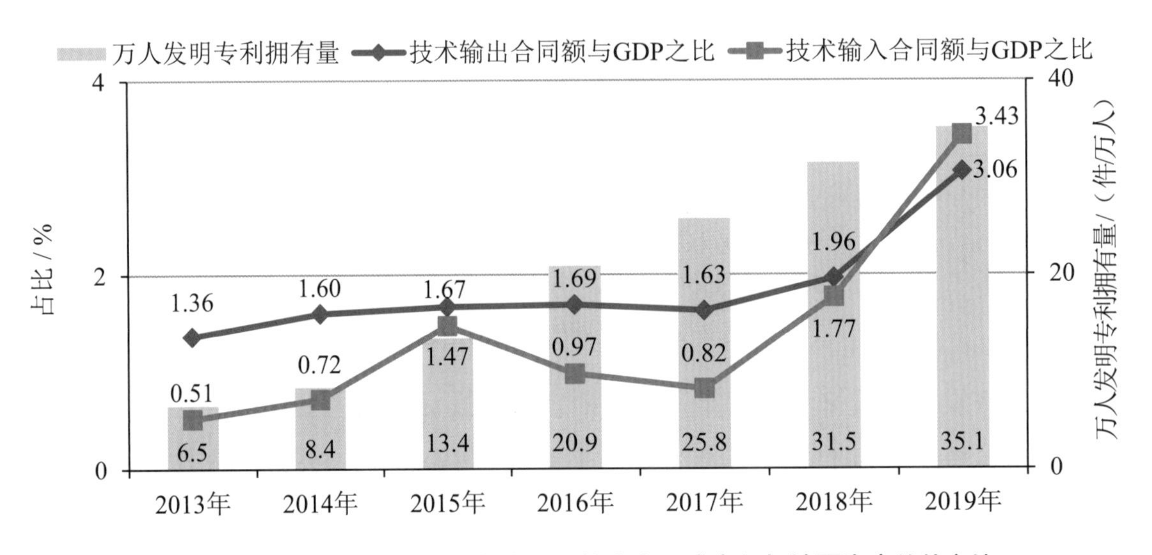


图 2-226　芜湖万人发明专利拥有量及技术合同成交额与地区生产总值之比

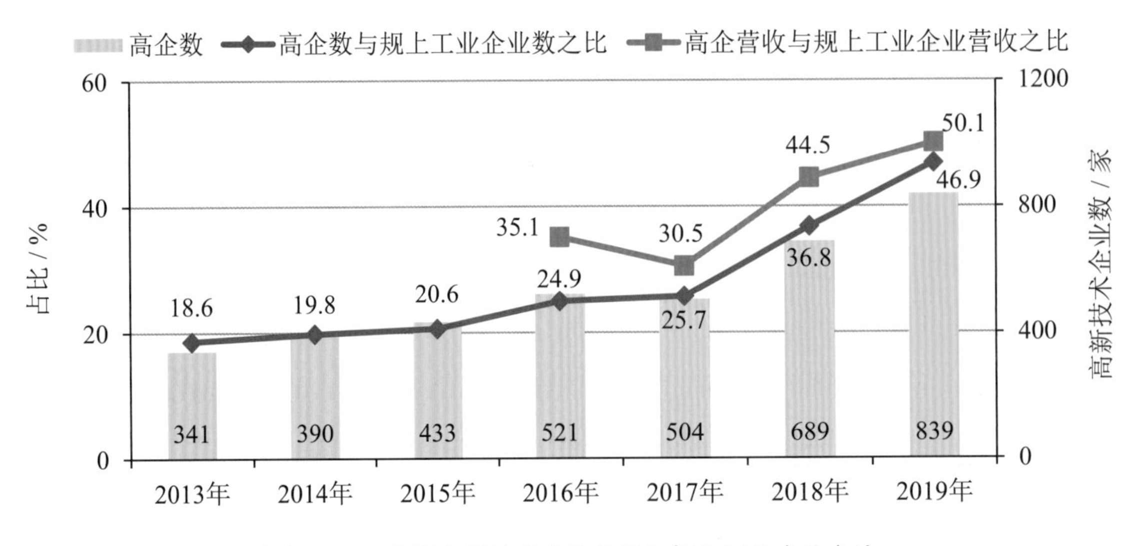


图 2-227　芜湖高新技术企业及其与规上工业企业之比

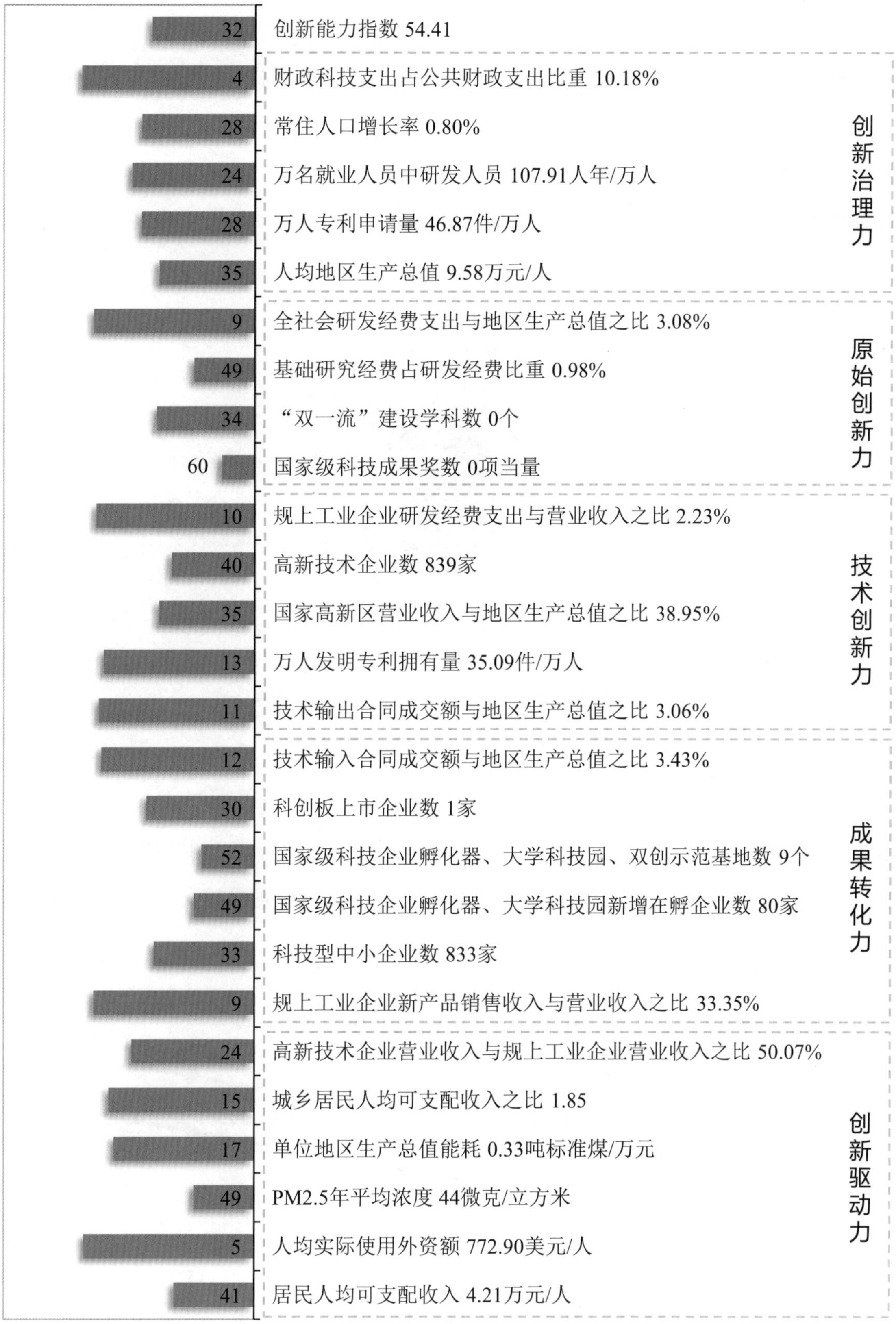

32 创新能力指数 54.41

创新治理力

4 财政科技支出占公共财政支出比重 10.18%
28 常住人口增长率 0.80%
24 万名就业人员中研发人员 107.91人年/万人
28 万人专利申请量 46.87件/万人
35 人均地区生产总值 9.58万元/人

原始创新力

9 全社会研发经费支出与地区生产总值之比 3.08%
49 基础研究经费占研发经费比重 0.98%
34 “双一流”建设学科数 0个
60 国家级科技成果奖数 0项当量

技术创新力

10 规上工业企业研发经费支出与营业收入之比 2.23%
40 高新技术企业数 839家
35 国家高新区营业收入与地区生产总值之比 38.95%
13 万人发明专利拥有量 35.09件/万人
11 技术输出合同成交额与地区生产总值之比 3.06%

成果转化力

12 技术输入合同成交额与地区生产总值之比 3.43%
30 科创板上市企业数 1家
52 国家级科技企业孵化器、大学科技园、双创示范基地数 9个
49 国家级科技企业孵化器、大学科技园新增在孵企业数 80家
33 科技型中小企业数 833家
9 规上工业企业新产品销售收入与营业收入之比 33.35%

创新驱动力

24 高新技术企业营业收入与规上工业企业营业收入之比 50.07%
15 城乡居民人均可支配收入之比 1.85
17 单位地区生产总值能耗 0.33吨标准煤/万元
49 PM2.5年平均浓度 44微克/立方米
5 人均实际使用外资额 772.90美元/人
41 居民人均可支配收入 4.21万元/人

图 2-228 芜湖创新能力指标数据及排名

## （四）马鞍山

2019 年，马鞍山常住人口 236 万人，地区生产总值 2111 亿元。马鞍山创新能力指数为 44.80，在 72 个创新型城市中排名第 48 位（与上年相比退 10 位），属于创新增长极类别城市（在 25 个该类别城市中排名第 22 位）。从创新能力构成看，马鞍山成果转化力、创新治理力有待提升；从具体指标看，马鞍山在综合能耗、科技成果转移转化等方面存在明显的短板。

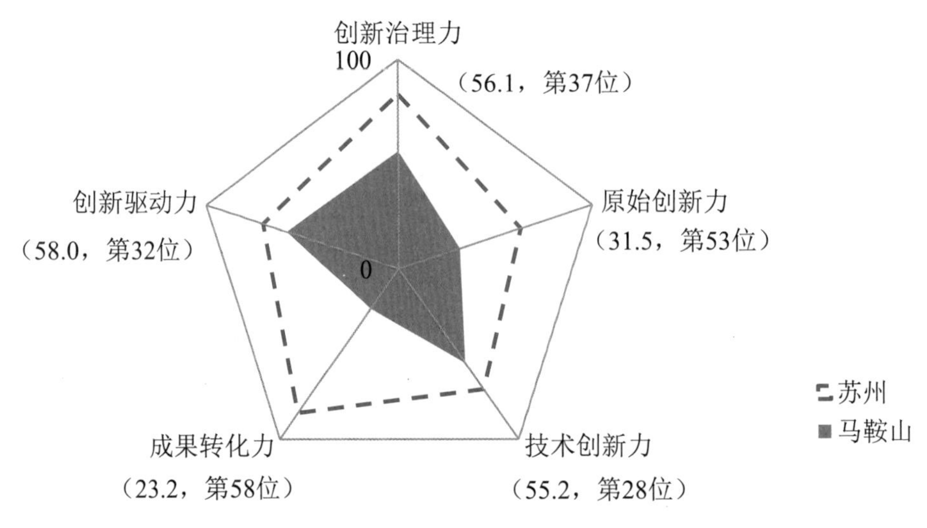


图 2-229　马鞍山创新能力雷达图

从经济发展阶段来看，近年来马鞍山固定资产投资与地区生产总值之比呈下降趋势，近 3 年平均值为 128.7%，高于全国平均水平（68.8%），公共财政收入占地区生产总值比重呈下降趋势，总体上马鞍山仍处于投资驱动发展阶段，创新发展动能有待增强。

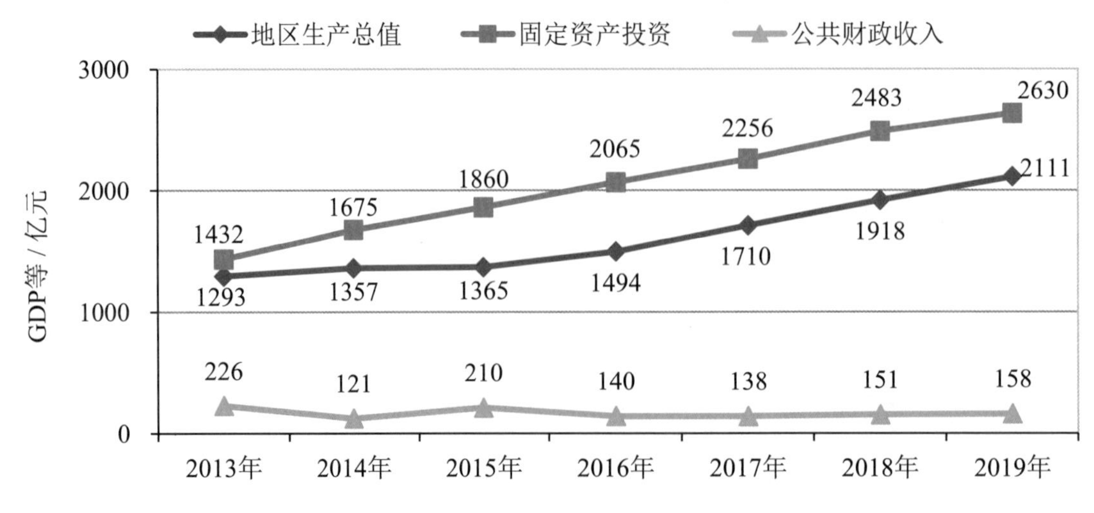


图 2-230　马鞍山地区生产总值、固定资产投资和公共财政收入

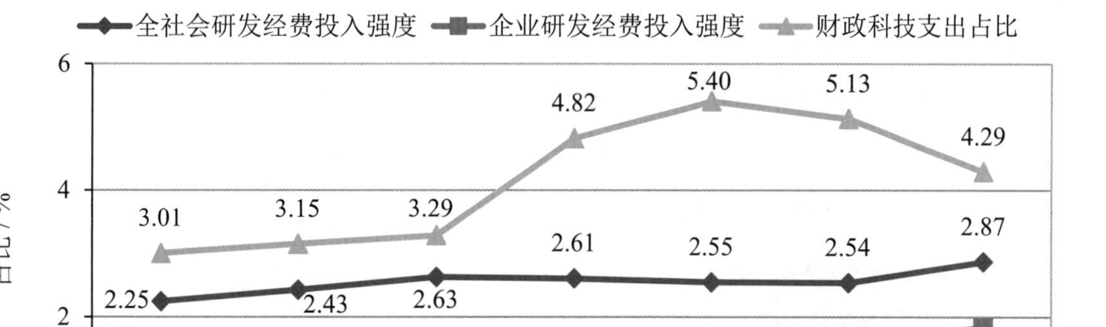


图 2-231 马鞍山研发经费投入强度及财政科技支出占比

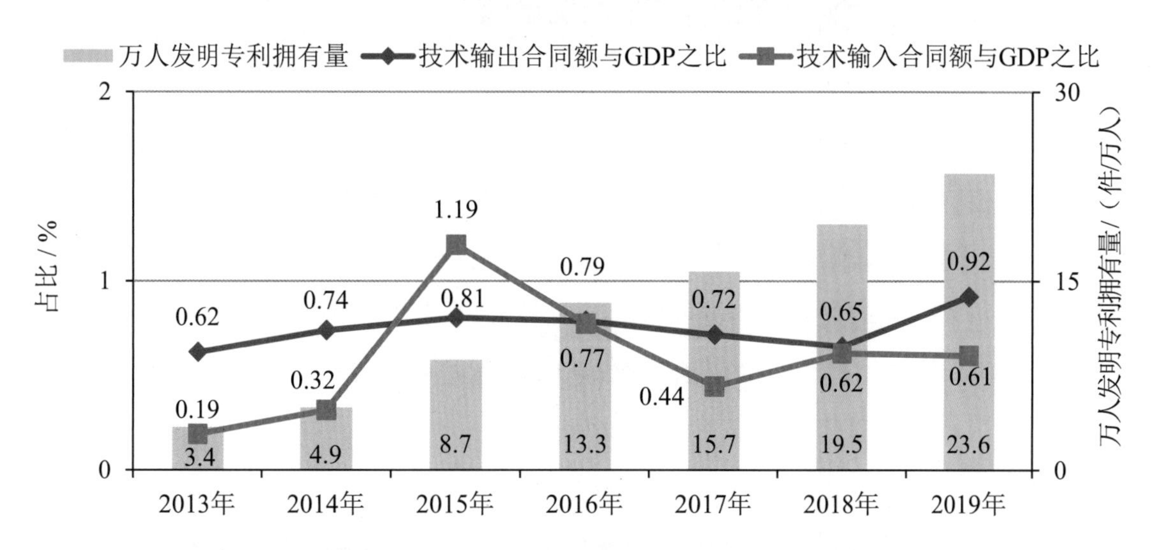


图 2-232 马鞍山万人发明专利拥有量及技术合同成交额与地区生产总值之比

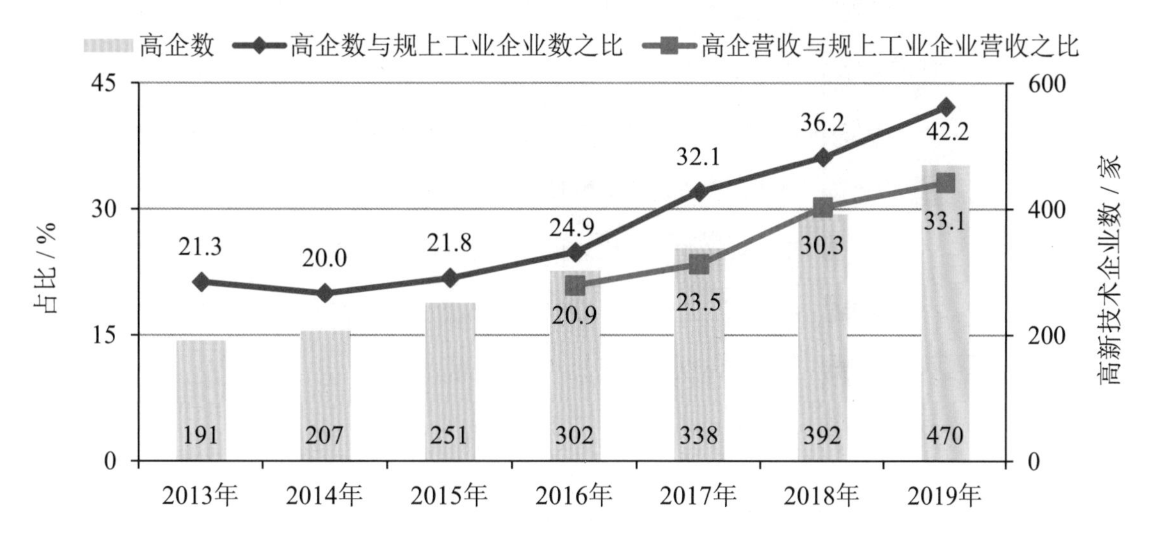


图 2-233 马鞍山高新技术企业及其与规上工业企业之比

| 排名 | 指标 | 分类 |
| --- | --- | --- |
| 48 | 创新能力指数 44.80 | |
| 16 | 财政科技支出占公共财政支出比重 4.29% | 创新治理力 |
| 23 | 常住人口增长率 1.02% | 创新治理力 |
| 35 | 万名就业人员中研发人员 75.28人年/万人 | 创新治理力 |
| 29 | 万人专利申请量 44.38件/万人 | 创新治理力 |
| 40 | 人均地区生产总值 8.94万元/人 | 创新治理力 |
| 15 | 全社会研发经费支出与地区生产总值之比 2.87% | 原始创新力 |
| 54 | 基础研究经费占研发经费比重 0.64% | 原始创新力 |
| 34 | “双一流”建设学科数 0个 | 原始创新力 |
| 60 | 国家级科技成果奖数 0项当量 | 原始创新力 |
| 21 | 规上工业企业研发经费支出与营业收入之比 1.84% | 技术创新力 |
| 52 | 高新技术企业数 470家 | 技术创新力 |
| 20 | 国家高新区营业收入与地区生产总值之比 62.62% | 技术创新力 |
| 24 | 万人发明专利拥有量 23.57件/万人 | 技术创新力 |
| 44 | 技术输出合同成交额与地区生产总值之比 0.92% | 技术创新力 |
| 63 | 技术输入合同成交额与地区生产总值之比 0.61% | 成果转化力 |
| 41 | 科创板上市企业数 0家 | 成果转化力 |
| 60 | 国家级科技企业孵化器、大学科技园、双创示范基地数 5个 | 成果转化力 |
| 50 | 国家级科技企业孵化器、大学科技园新增在孵企业数 74家 | 成果转化力 |
| 50 | 科技型中小企业数 345家 | 成果转化力 |
| 36 | 规上工业企业新产品销售收入与营业收入之比 19.24% | 成果转化力 |
| 53 | 高新技术企业营业收入与规上工业企业营业收入之比 33.15% | 创新驱动力 |
| 34 | 城乡居民人均可支配收入之比 2.09 | 创新驱动力 |
| 68 | 单位地区生产总值能耗 0.94吨标准煤/万元 | 创新驱动力 |
| 45 | PM2.5年平均浓度 43微克/立方米 | 创新驱动力 |
| 1 | 人均实际使用外资额 1126.15美元/人 | 创新驱动力 |
| 26 | 居民人均可支配收入 4.90万元/人 | 创新驱动力 |

图 2-234　马鞍山创新能力指标数据及排名

## （五）南昌

2019 年，南昌常住人口 560 万人，地区生产总值 5596 亿元。南昌创新能力指数为 61.31，在 72 个创新型城市中排名第 18 位（与上年相比无变化），属于创新增长极类别城市（在 25 个该类别城市中排名第 9 位）。从创新能力构成看，南昌技术创新力、创新治理力有待提升；从具体指标看，南昌在企业研发投入、城乡协调发展等方面存在明显的短板。

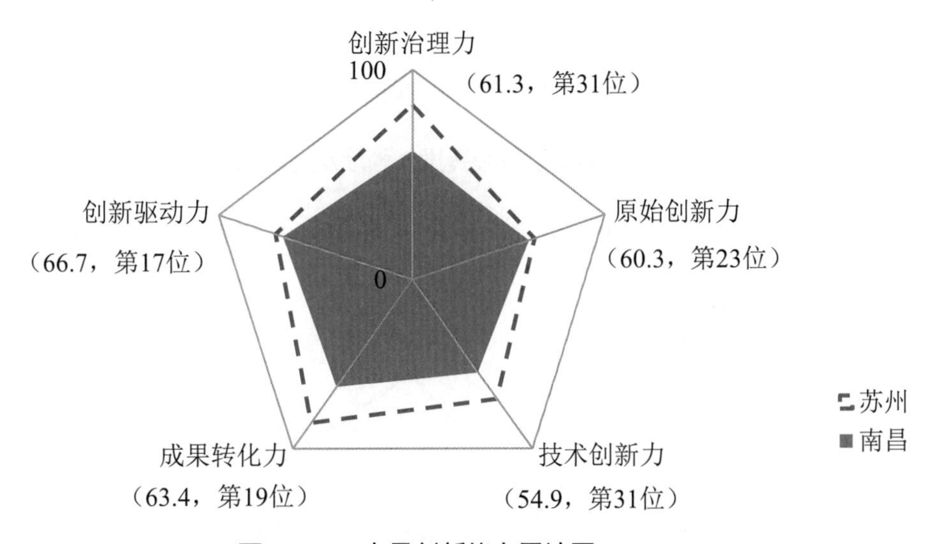


图 2-235 南昌创新能力雷达图

从经济发展阶段来看，近年来南昌固定资产投资与地区生产总值之比呈上升趋势，近 3 年平均值为 107.2%，高于全国平均水平（68.8%），公共财政收入占地区生产总值比重呈下降趋势，总体上南昌仍处于投资驱动发展阶段，创新发展动能有待增强。

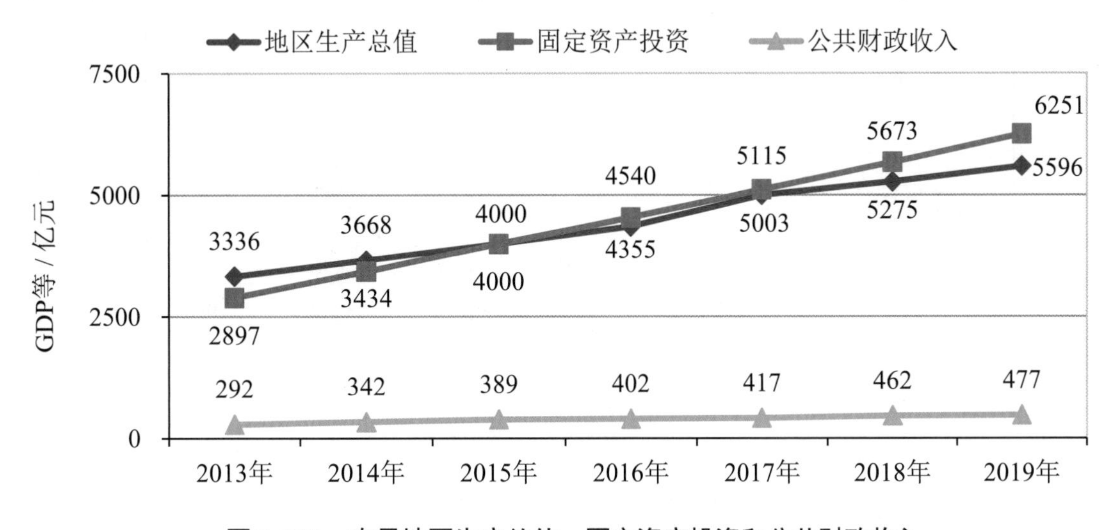


图 2-236 南昌地区生产总值、固定资产投资和公共财政收入

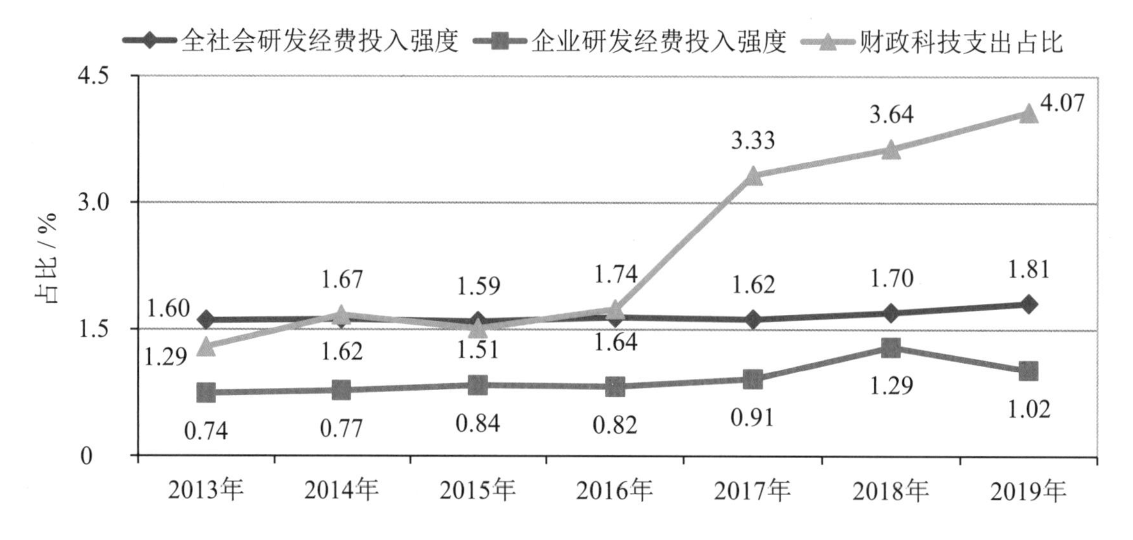


图 2-237 南昌研发经费投入强度及财政科技支出占比

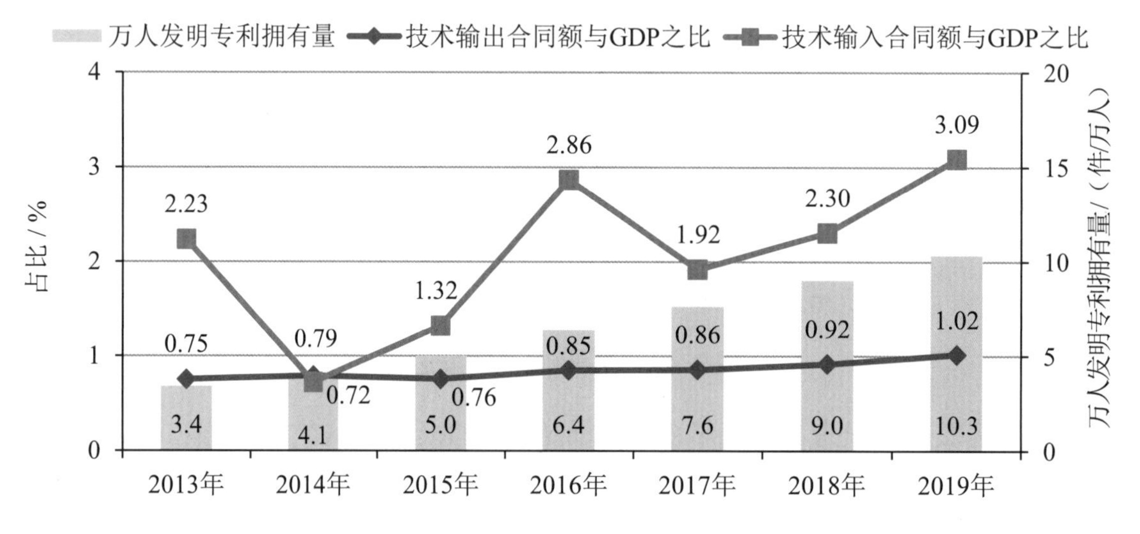


图 2-238 南昌万人发明专利拥有量及技术合同成交额与地区生产总值之比

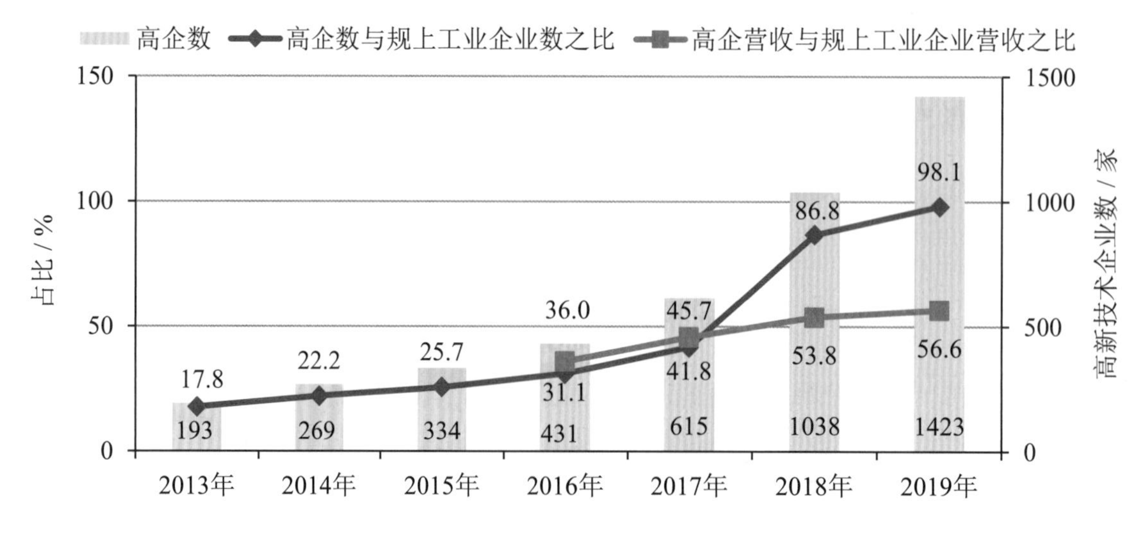


图 2-239 南昌高新技术企业及其与规上工业企业之比

| 排名 | 指标 | 类别 |
|---|---|---|
| 18 | 创新能力指数 61.31 | |
| 21 | 财政科技支出占公共财政支出比重 4.07% | 创新治理力 |
| 25 | 常住人口增长率 0.99% | 创新治理力 |
| 9 | 万名就业人员中研发人员 150.62人年/万人 | 创新治理力 |
| 32 | 万人专利申请量 38.46件/万人 | 创新治理力 |
| 33 | 人均地区生产总值 9.99万元/人 | 创新治理力 |
| 46 | 全社会研发经费支出与地区生产总值之比 1.81% | 原始创新力 |
| 21 | 基础研究经费占研发经费比重 7.87% | 原始创新力 |
| 22 | “双一流”建设学科数 1个 | 原始创新力 |
| 19 | 国家级科技成果奖数 29.24项当量 | 原始创新力 |
| 59 | 规上工业企业研发经费支出与营业收入之比 1.02% | 技术创新力 |
| 26 | 高新技术企业数 1423家 | 技术创新力 |
| 17 | 国家高新区营业收入与地区生产总值之比 63.62% | 技术创新力 |
| 43 | 万人发明专利拥有量 10.34件/万人 | 技术创新力 |
| 41 | 技术输出合同成交额与地区生产总值之比 1.02% | 技术创新力 |
| 15 | 技术输入合同成交额与地区生产总值之比 3.09% | 成果转化力 |
| 30 | 科创板上市企业数 1家 | 成果转化力 |
| 22 | 国家级科技企业孵化器、大学科技园、双创示范基地数 36个 | 成果转化力 |
| 21 | 国家级科技企业孵化器、大学科技园新增在孵企业数 292家 | 成果转化力 |
| 24 | 科技型中小企业数 1101家 | 成果转化力 |
| 33 | 规上工业企业新产品销售收入与营业收入之比 21.04% | 成果转化力 |
| 19 | 高新技术企业营业收入与规上工业企业营业收入之比 56.60% | 创新驱动力 |
| 48 | 城乡居民人均可支配收入之比 2.26 | 创新驱动力 |
| 11 | 单位地区生产总值能耗 0.29吨标准煤/万元 | 创新驱动力 |
| 22 | PM2.5年平均浓度 35微克/立方米 | 创新驱动力 |
| 8 | 人均实际使用外资额 673.42美元/人 | 创新驱动力 |
| 37 | 居民人均可支配收入 4.41万元/人 | 创新驱动力 |

图 2-240　南昌创新能力指标数据及排名

## （六）景德镇

2019 年，景德镇常住人口 168 万人，地区生产总值 926 亿元。景德镇创新能力指数为 37.93，在 72 个创新型城市中排名第 55 位（与上年相比进 1 位），属于创新集聚区类别城市（在 32 个该类别城市中排名第 17 位）。从创新能力构成看，景德镇成果转化力、创新治理力有待提升；从具体指标看，景德镇在科技型企业孵化、高新技术企业培育等方面存在明显的短板。

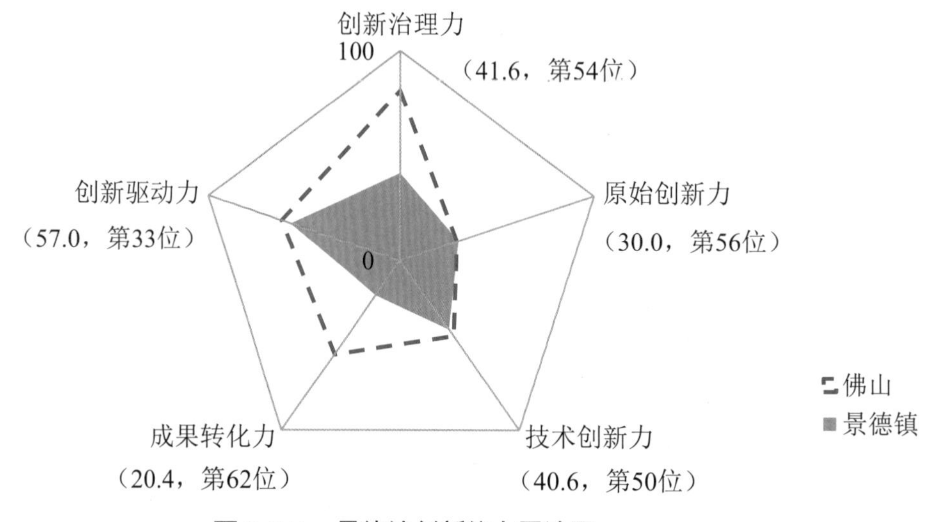


图 2-241　景德镇创新能力雷达图

从经济发展阶段来看，近年来景德镇固定资产投资与地区生产总值之比呈上升趋势，近 3 年平均值为 112%，高于全国平均水平（68.8%），公共财政收入占地区生产总值比重呈下降趋势，总体上景德镇仍处于投资驱动发展阶段，创新发展动能有待增强。

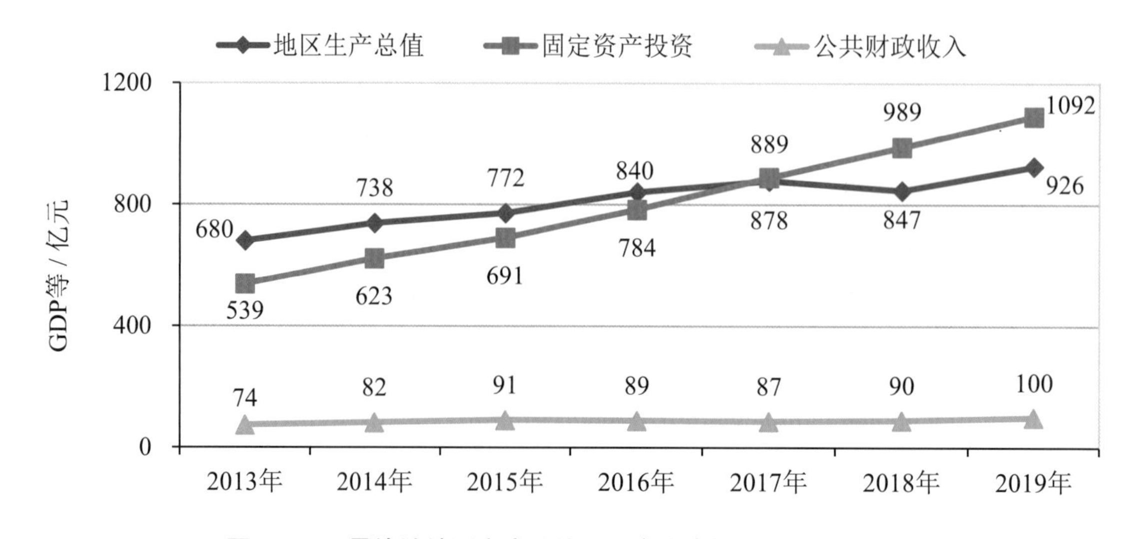


图 2-242　景德镇地区生产总值、固定资产投资和公共财政收入

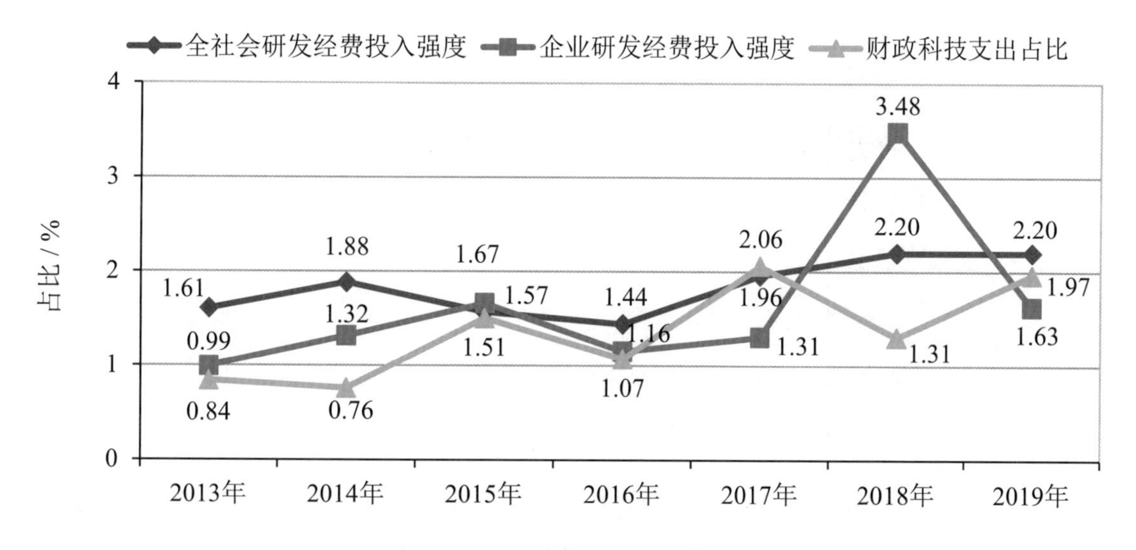


图 2-243 景德镇研发经费投入强度及财政科技支出占比

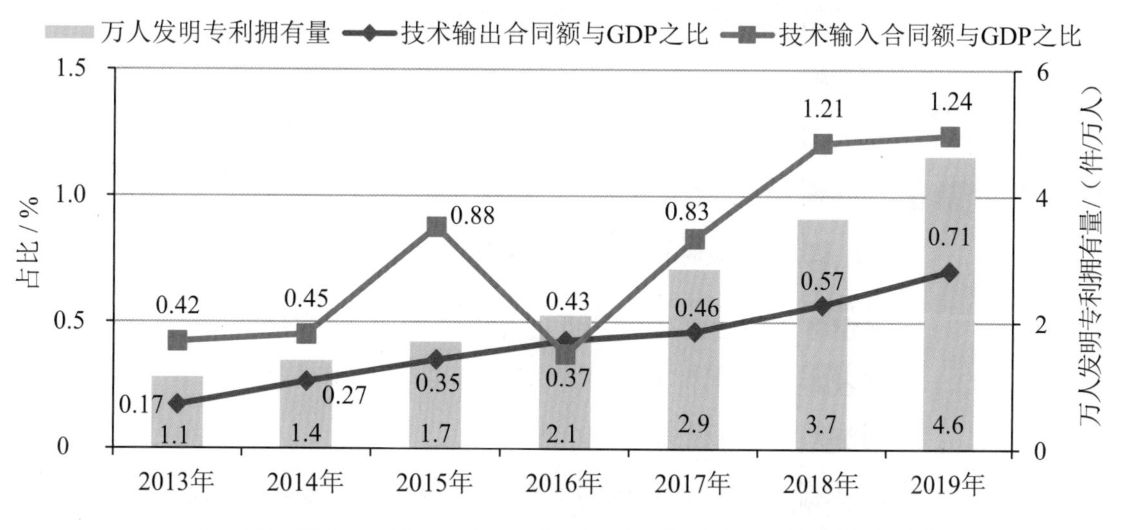


图 2-244 景德镇万人发明专利拥有量及技术合同成交额与地区生产总值之比

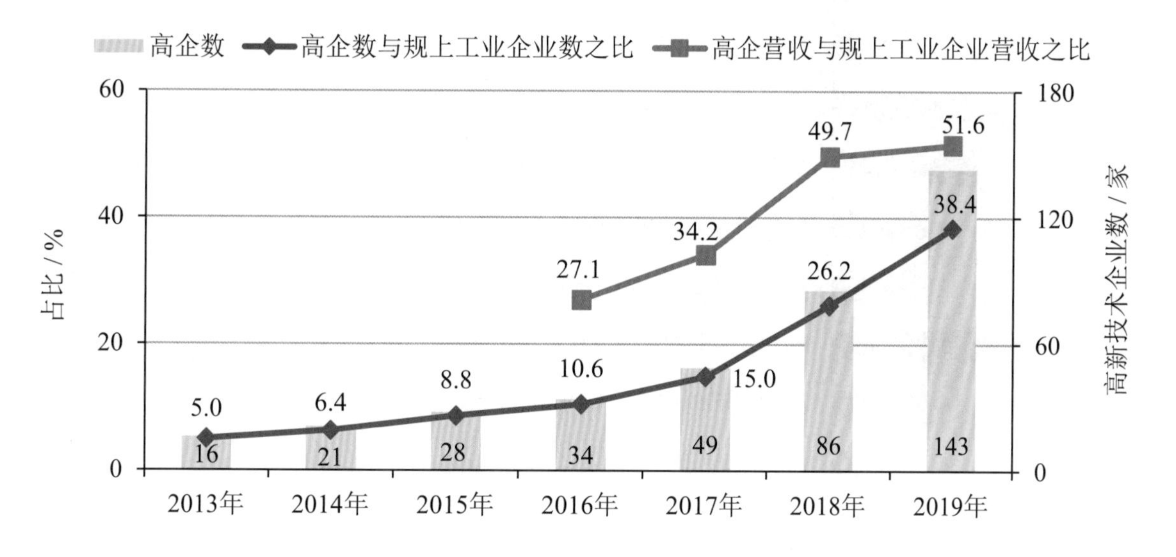


图 2-245 景德镇高新技术企业及其与规上工业企业之比

| 排名 | 指标 | 分类 |
|---|---|---|
| 55 | 创新能力指数 37.93 | |
| 51 | 财政科技支出占公共财政支出比重 1.97% | 创新治理力 |
| 39 | 常住人口增长率 0.44% | 创新治理力 |
| 19 | 万名就业人员中研发人员 119.11人年/万人 | 创新治理力 |
| 58 | 万人专利申请量 17.44件/万人 | 创新治理力 |
| 63 | 人均地区生产总值 5.51万元/人 | 创新治理力 |
| 35 | 全社会研发经费支出与地区生产总值之比 2.20% | 原始创新力 |
| 45 | 基础研究经费占研发经费比重 1.47% | 原始创新力 |
| 34 | “双一流”建设学科数 0个 | 原始创新力 |
| 60 | 国家级科技成果奖数 0项当量 | 原始创新力 |
| 32 | 规上工业企业研发经费支出与营业收入之比 1.63% | 技术创新力 |
| 67 | 高新技术企业数 143家 | 技术创新力 |
| 3 | 国家高新区营业收入与地区生产总值之比 99.03% | 技术创新力 |
| 63 | 万人发明专利拥有量 4.64件/万人 | 技术创新力 |
| 48 | 技术输出合同成交额与地区生产总值之比 0.71% | 技术创新力 |
| 50 | 技术输入合同成交额与地区生产总值之比 1.24% | 成果转化力 |
| 41 | 科创板上市企业数 0家 | 成果转化力 |
| 60 | 国家级科技企业孵化器、大学科技园、双创示范基地数 5个 | 成果转化力 |
| 68 | 国家级科技企业孵化器、大学科技园新增在孵企业数 0家 | 成果转化力 |
| 65 | 科技型中小企业数 128家 | 成果转化力 |
| 19 | 规上工业企业新产品销售收入与营业收入之比 28.97% | 成果转化力 |
| 23 | 高新技术企业营业收入与规上工业企业营业收入之比 51.59% | 创新驱动力 |
| 43 | 城乡居民人均可支配收入之比 2.23 | 创新驱动力 |
| 46 | 单位地区生产总值能耗 0.47吨标准煤/万元 | 创新驱动力 |
| 11 | PM2.5年平均浓度 27微克/立方米 | 创新驱动力 |
| 41 | 人均实际使用外资额 140.88美元/人 | 创新驱动力 |
| 45 | 居民人均可支配收入 4.01万元/人 | 创新驱动力 |

图 2-246　景德镇创新能力指标数据及排名

## （七）萍乡

2019 年，萍乡常住人口 194 万人，地区生产总值 930 亿元。萍乡创新能力指数为 25.70，在 72 个创新型城市中排名第 67 位（与上年相比无变化），属于创新集聚区类别城市（在 32 个该类别城市中排名第 28 位）。从创新能力构成看，萍乡成果转化力、技术创新力有待提升；从具体指标看，萍乡在高新技术产业发展、高水平科技企业孵化基地等方面存在明显的短板。

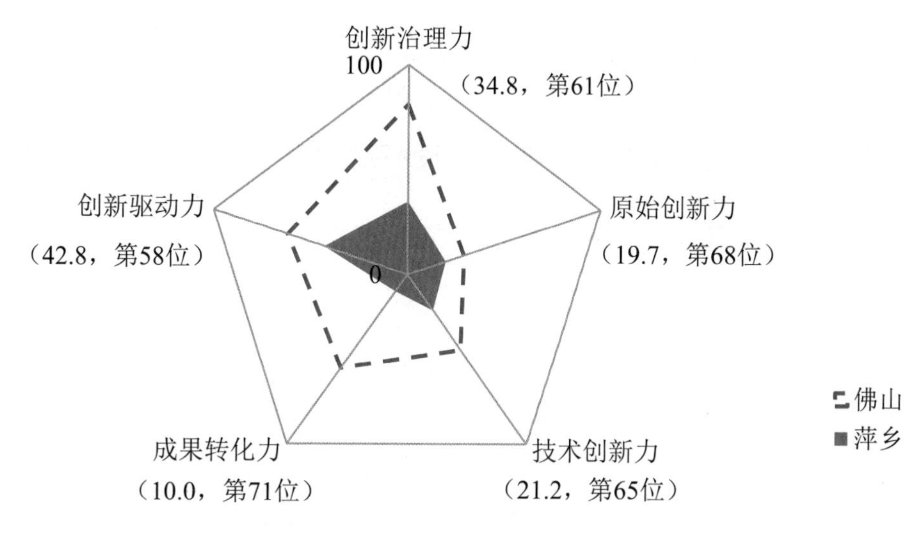


图 2-247　萍乡创新能力雷达图

从经济发展阶段来看，近年来萍乡固定资产投资与地区生产总值之比呈下降趋势，近 3 年平均值为 110.4%，高于全国平均水平（68.8%），公共财政收入占地区生产总值比重呈下降趋势，总体上萍乡仍处于投资驱动发展阶段，创新发展动能有待增强。

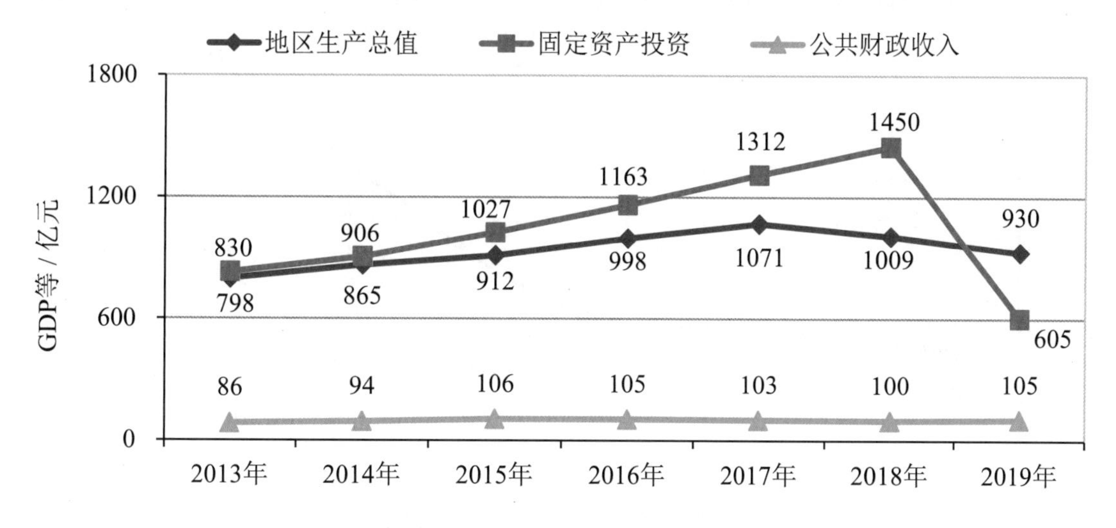


图 2-248　萍乡地区生产总值、固定资产投资和公共财政收入

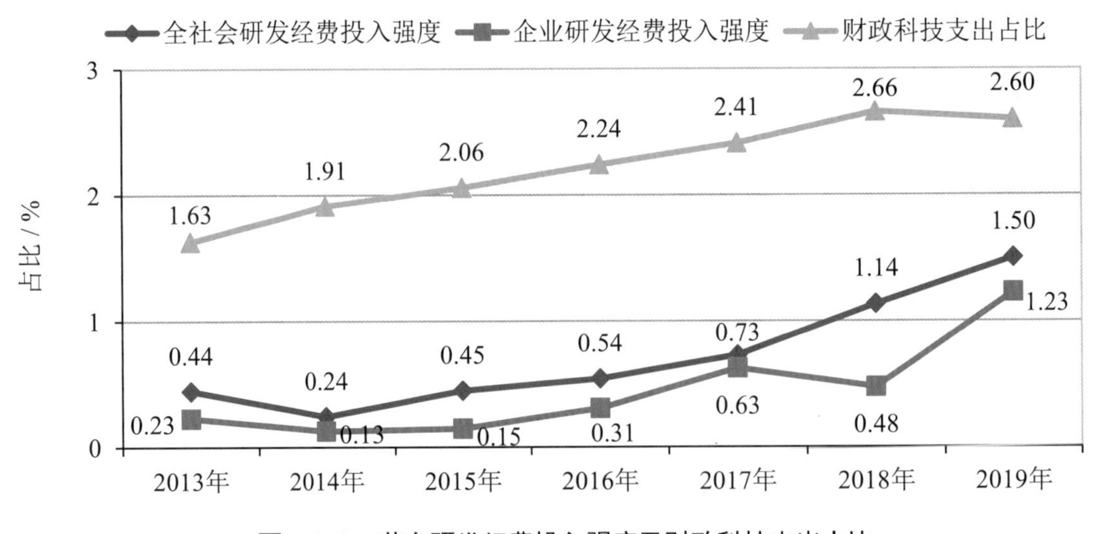


图 2-249　萍乡研发经费投入强度及财政科技支出占比

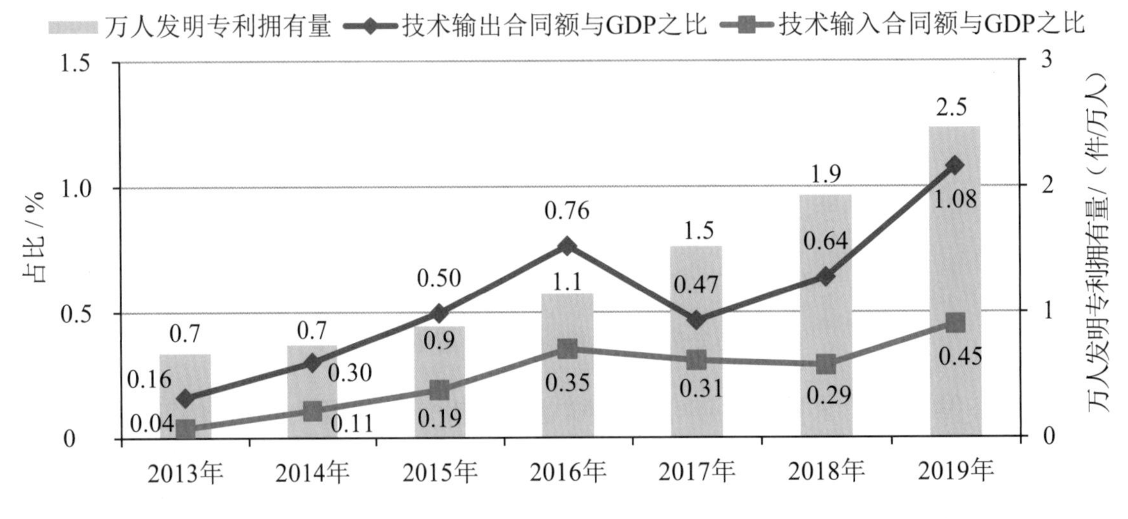


图 2-250　萍乡万人发明专利拥有量及技术合同成交额与地区生产总值之比

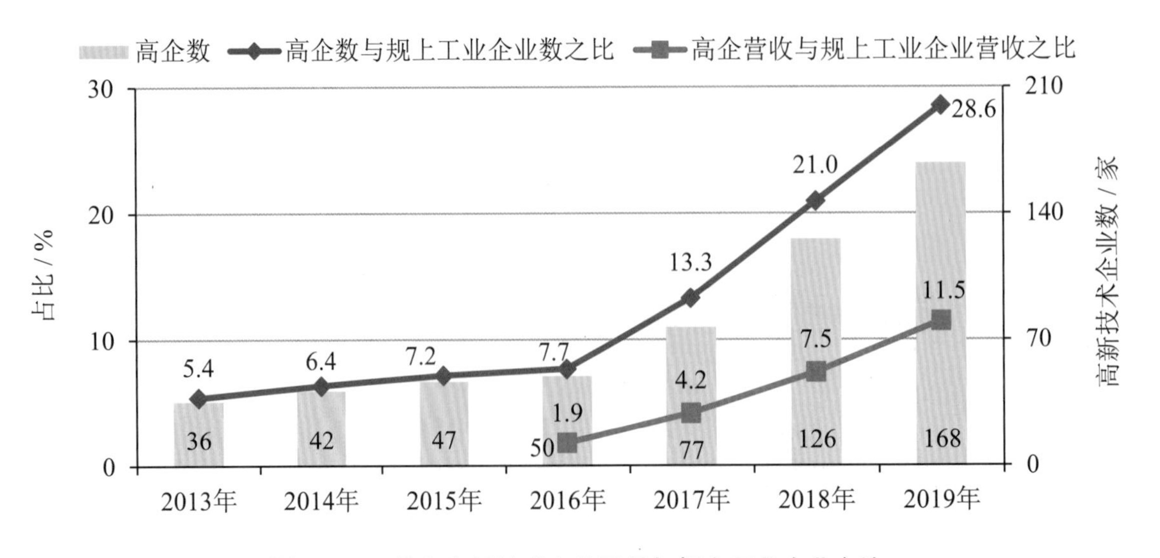


图 2-251　萍乡高新技术企业及其与规上工业企业之比

| 排名 | 指标 | 类别 |
|---|---|---|
| 67 | 创新能力指数 25.70 | |
| 45 | 财政科技支出占公共财政支出比重 2.60% | 创新治理力 |
| 40 | 常住人口增长率 0.42% | 创新治理力 |
| 64 | 万名就业人员中研发人员 28.29人年/万人 | 创新治理力 |
| 63 | 万人专利申请量 14.57件/万人 | 创新治理力 |
| 68 | 人均地区生产总值 4.79万元/人 | 创新治理力 |
| 57 | 全社会研发经费支出与地区生产总值之比 1.50% | 原始创新力 |
| 48 | 基础研究经费占研发经费比重 1.00% | 原始创新力 |
| 34 | “双一流”建设学科数 0个 | 原始创新力 |
| 60 | 国家级科技成果奖数 0项当量 | 原始创新力 |
| 49 | 规上工业企业研发经费支出与营业收入之比 1.23% | 技术创新力 |
| 65 | 高新技术企业数 168家 | 技术创新力 |
| 67 | 国家高新区营业收入与地区生产总值之比 0 | 技术创新力 |
| 69 | 万人发明专利拥有量 2.47件/万人 | 技术创新力 |
| 38 | 技术输出合同成交额与地区生产总值之比 1.08% | 技术创新力 |
| 67 | 技术输入合同成交额与地区生产总值之比 0.45% | 成果转化力 |
| 41 | 科创板上市企业数 0家 | 成果转化力 |
| 69 | 国家级科技企业孵化器、大学科技园、双创示范基地数 1个 | 成果转化力 |
| 68 | 国家级科技企业孵化器、大学科技园新增在孵企业数 0家 | 成果转化力 |
| 63 | 科技型中小企业数 150家 | 成果转化力 |
| 47 | 规上工业企业新产品销售收入与营业收入之比 15.61% | 成果转化力 |
| 71 | 高新技术企业营业收入与规上工业企业营业收入之比 11.49% | 创新驱动力 |
| 23 | 城乡居民人均可支配收入之比 1.97 | 创新驱动力 |
| 66 | 单位地区生产总值能耗 0.82吨标准煤/万元 | 创新驱动力 |
| 38 | PM2.5年平均浓度 40微克/立方米 | 创新驱动力 |
| 34 | 人均实际使用外资额 219.45美元/人 | 创新驱动力 |
| 53 | 居民人均可支配收入 3.85万元/人 | 创新驱动力 |

图 2-252　萍乡创新能力指标数据及排名

## （八）郑州

2019 年，郑州常住人口 1035 万人，地区生产总值 11590 亿元。郑州创新能力指数为 58.92，在 72 个创新型城市中排名第 21 位（与上年相比退 2 位），属于创新增长极类别城市（在 25 个该类别城市中排名第 13 位）。从创新能力构成看，郑州创新驱动力、成果转化力有待提升；从具体指标看，郑州在空气质量、高新技术产业发展等方面存在明显的短板。

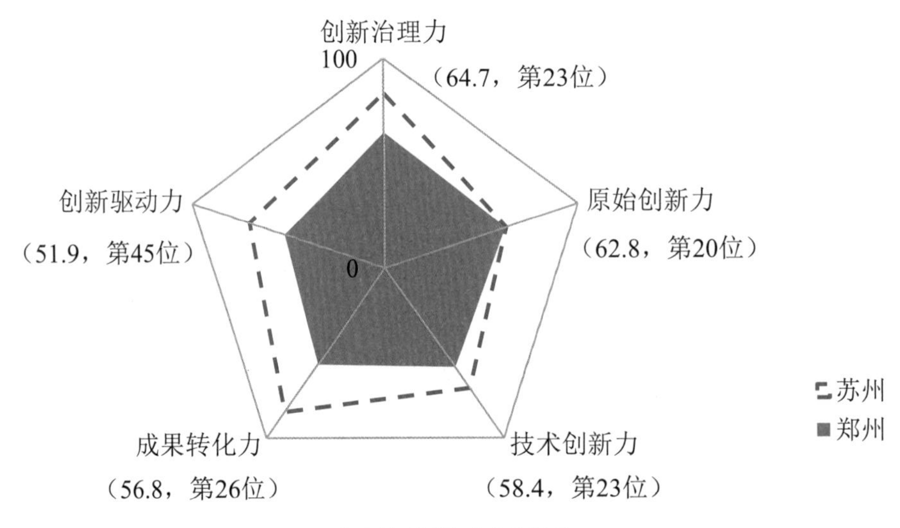


图 2-253　郑州创新能力雷达图

从经济发展阶段来看，近年来郑州固定资产投资与地区生产总值之比呈下降趋势，近 3 年平均值为 79.9%，高于全国平均水平（68.8%），公共财政收入占地区生产总值比重呈下降趋势，总体上郑州处于由投资驱动向创新驱动的过渡阶段，创新发展动能正不断增强。

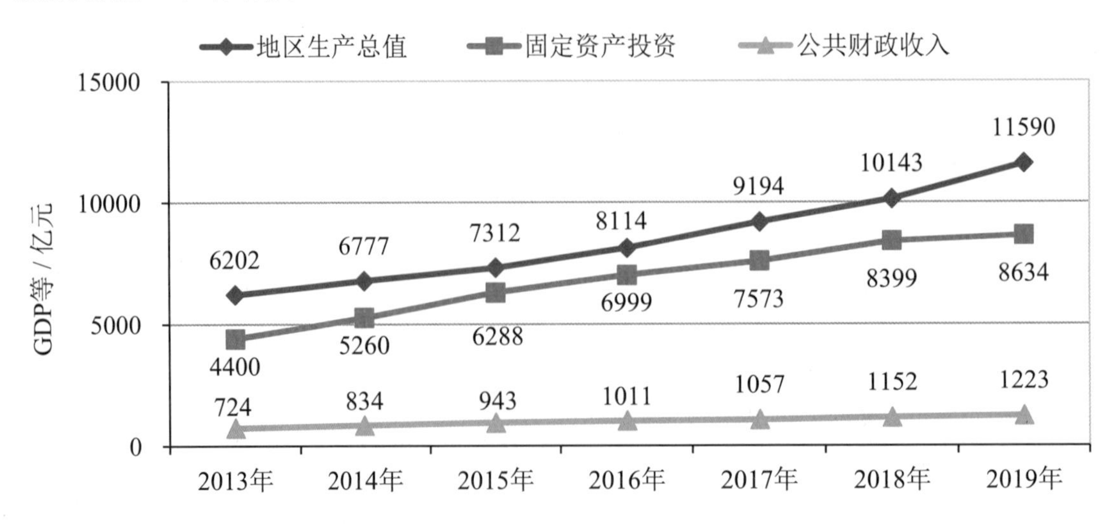


图 2-254　郑州地区生产总值、固定资产投资和公共财政收入

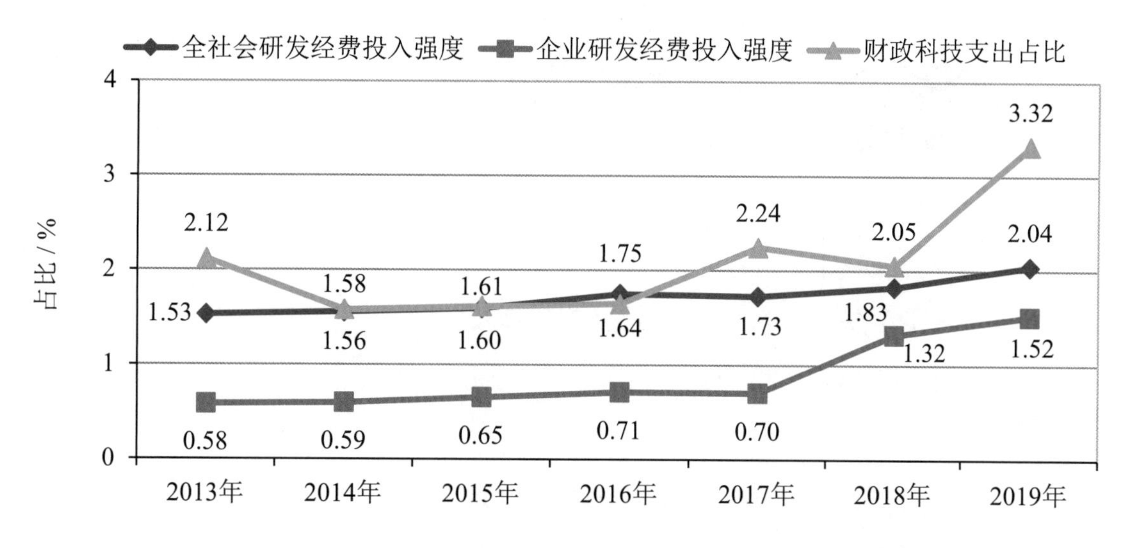


图 2-255　郑州研发经费投入强度及财政科技支出占比

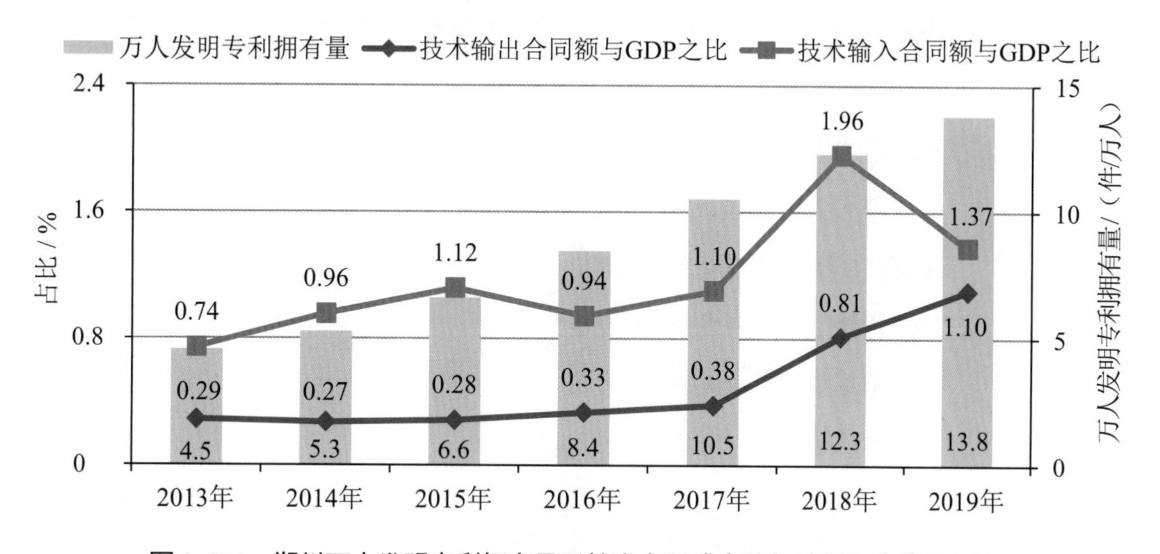


图 2-256　郑州万人发明专利拥有量及技术合同成交额与地区生产总值之比

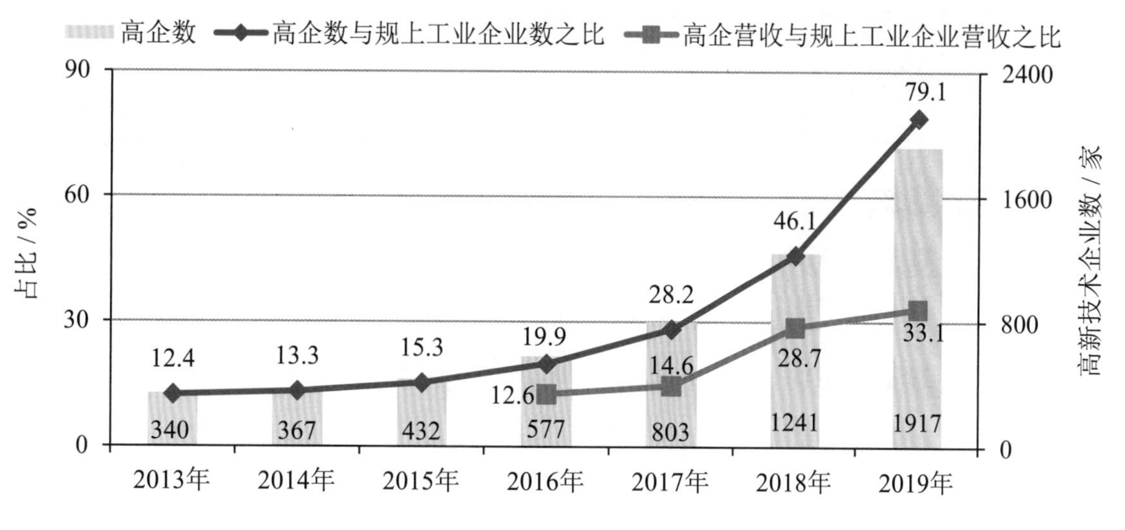


图 2-257　郑州高新技术企业及其与规上工业企业之比

| 排名 | 指标 | 分类 |
| --- | --- | --- |
| 21 | 创新能力指数 58.92 | |
| 33 | 财政科技支出占公共财政支出比重 3.32% | 创新治理力 |
| 9 | 常住人口增长率 2.13% | 创新治理力 |
| 26 | 万名就业人员中研发人员 105.15人年/万人 | 创新治理力 |
| 22 | 万人专利申请量 56.24件/万人 | 创新治理力 |
| 23 | 人均地区生产总值 11.20万元/人 | 创新治理力 |
| 41 | 全社会研发经费支出与地区生产总值之比 2.04% | 原始创新力 |
| 33 | 基础研究经费占研发经费比重 3.63% | 原始创新力 |
| 14 | “双一流”建设学科数 3个 | 原始创新力 |
| 25 | 国家级科技成果奖数 19.43项当量 | 原始创新力 |
| 36 | 规上工业企业研发经费支出与营业收入之比 1.52% | 技术创新力 |
| 18 | 高新技术企业数 1917家 | 技术创新力 |
| 46 | 国家高新区营业收入与地区生产总值之比 25.38% | 技术创新力 |
| 36 | 万人发明专利拥有量 13.80件/万人 | 技术创新力 |
| 37 | 技术输出合同成交额与地区生产总值之比 1.10% | 技术创新力 |
| 46 | 技术输入合同成交额与地区生产总值之比 1.37% | 成果转化力 |
| 41 | 科创板上市企业数 0家 | 成果转化力 |
| 20 | 国家级科技企业孵化器、大学科技园、双创示范基地数 37个 | 成果转化力 |
| 12 | 国家级科技企业孵化器、大学科技园新增在孵企业数 400家 | 成果转化力 |
| 7 | 科技型中小企业数 3777家 | 成果转化力 |
| 11 | 规上工业企业新产品销售收入与营业收入之比 32.11% | 成果转化力 |
| 54 | 高新技术企业营业收入与规上工业企业营业收入之比 33.07% | 创新驱动力 |
| 11 | 城乡居民人均可支配收入之比 1.79 | 创新驱动力 |
| 29 | 单位地区生产总值能耗 0.39吨标准煤/万元 | 创新驱动力 |
| 68 | PM2.5年平均浓度 58微克/立方米 | 创新驱动力 |
| 19 | 人均实际使用外资额 425.56美元/人 | 创新驱动力 |
| 40 | 居民人均可支配收入 4.21万元/人 | 创新驱动力 |

图 2-258 郑州创新能力指标数据及排名

## （九）洛阳

2019 年，洛阳常住人口 692 万人，地区生产总值 5035 亿元。洛阳创新能力指数为 46.22，在 72 个创新型城市中排名第 46 位（与上年相比退 9 位），属于创新增长极类别城市（在 25 个该类别城市中排名第 24 位）。从创新能力构成看，洛阳创新驱动力、创新治理力有待提升；从具体指标看，洛阳在空气质量、城乡协调发展等方面存在明显的短板。

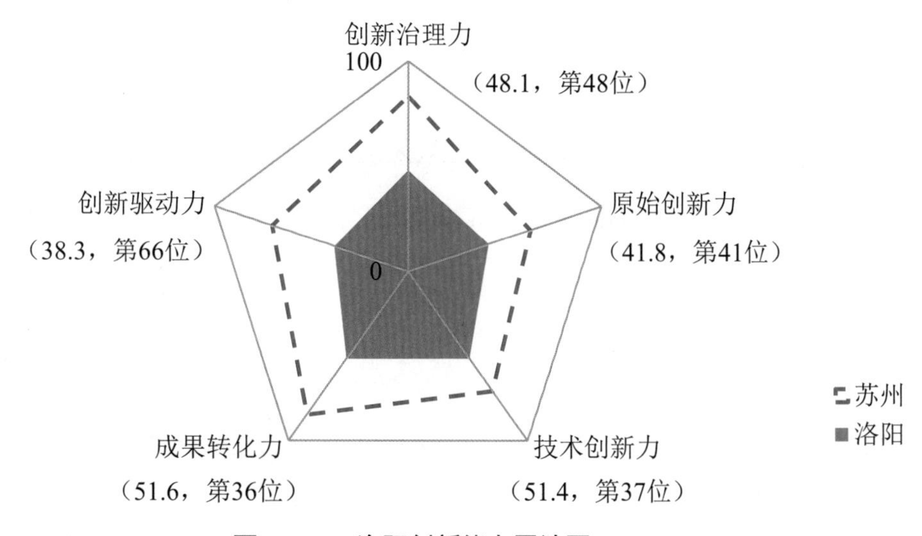


图 2-259　洛阳创新能力雷达图

从经济发展阶段来看，近年来洛阳固定资产投资与地区生产总值之比呈上升趋势，近 3 年平均值为 108.2%，高于全国平均水平（68.8%），公共财政收入占地区生产总值比重呈下降趋势，总体上洛阳仍处于投资驱动发展阶段，创新发展动能有待增强。

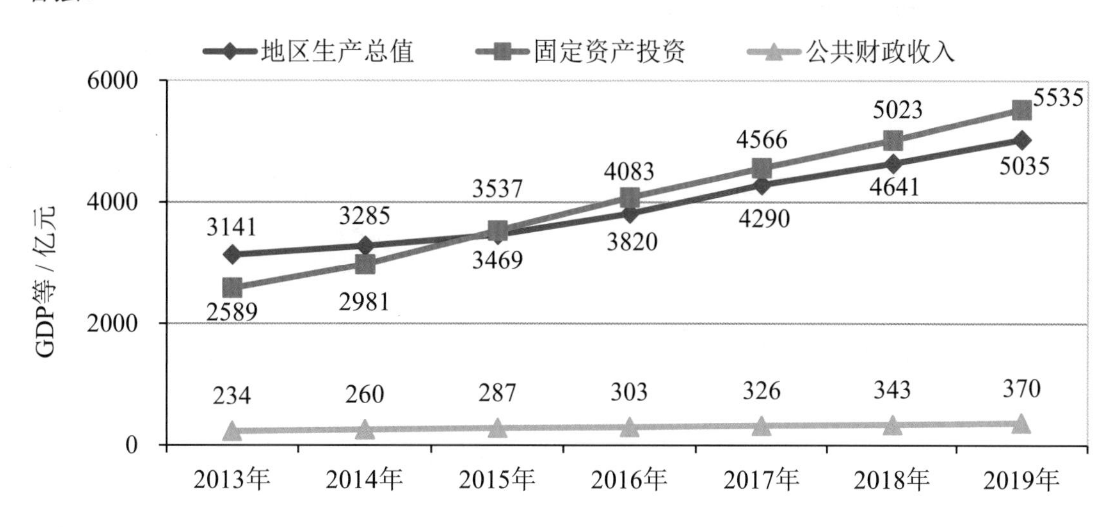


图 2-260　洛阳地区生产总值、固定资产投资和公共财政收入

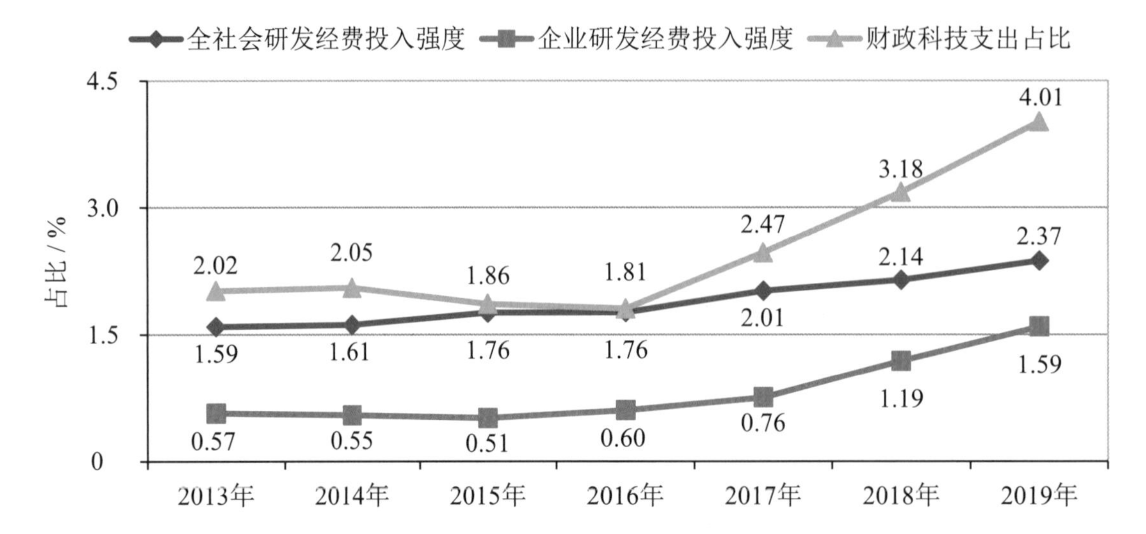


图 2-261　洛阳研发经费投入强度及财政科技支出占比

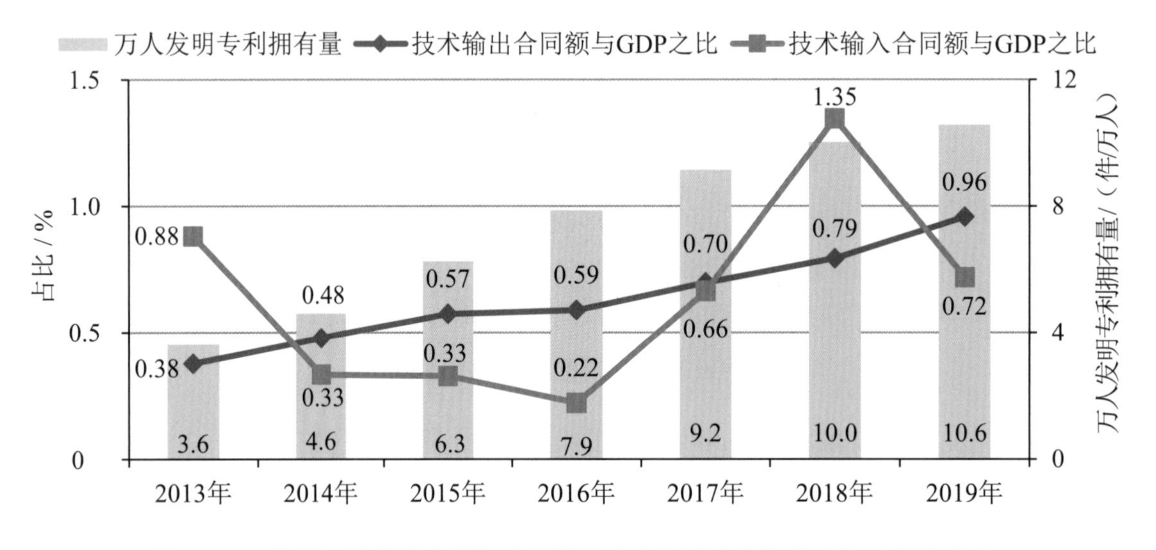


图 2-262　洛阳万人发明专利拥有量及技术合同成交额与地区生产总值之比

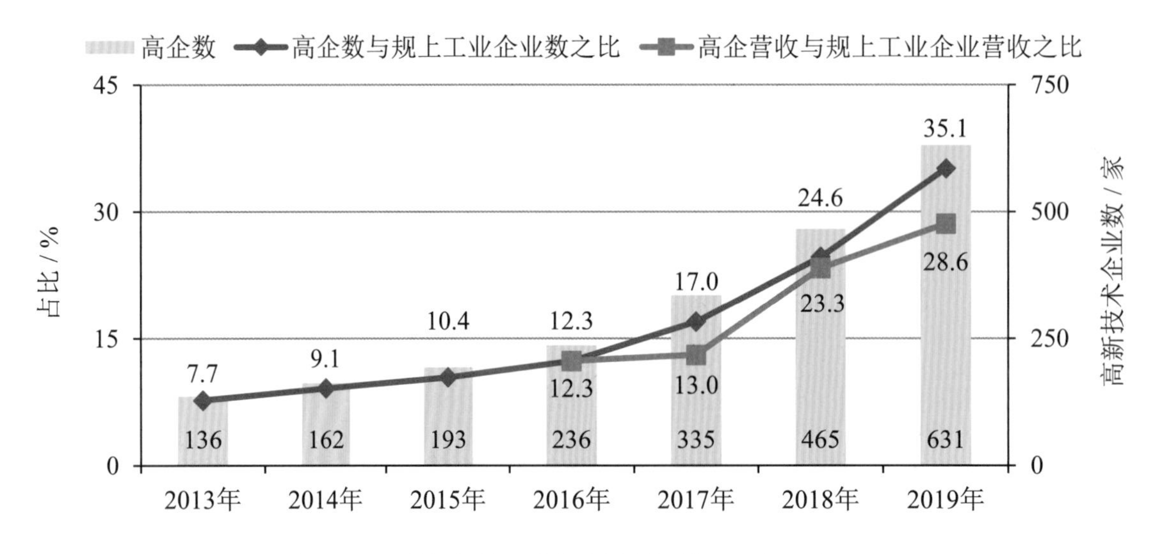


图 2-263　洛阳高新技术企业及其与规上工业企业之比

| 排名 | 指标 | 类别 |
| --- | --- | --- |
| 46 | 创新能力指数 46.22 | |
| 22 | 财政科技支出占公共财政支出比重 4.01% | 创新治理力 |
| 36 | 常住人口增长率 0.49% | 创新治理力 |
| 45 | 万名就业人员中研发人员 60.87人年/万人 | 创新治理力 |
| 55 | 万人专利申请量 19.01件/万人 | 创新治理力 |
| 55 | 人均地区生产总值 7.27万元/人 | 创新治理力 |
| 31 | 全社会研发经费支出与地区生产总值之比 2.37% | 原始创新力 |
| 39 | 基础研究经费占研发经费比重 2.14% | 原始创新力 |
| 34 | “双一流”建设学科数 0个 | 原始创新力 |
| 46 | 国家级科技成果奖数 2.80项当量 | 原始创新力 |
| 33 | 规上工业企业研发经费支出与营业收入之比 1.59% | 技术创新力 |
| 46 | 高新技术企业数 631家 | 技术创新力 |
| 34 | 国家高新区营业收入与地区生产总值之比 39.97% | 技术创新力 |
| 42 | 万人发明专利拥有量 10.58件/万人 | 技术创新力 |
| 43 | 技术输出合同成交额与地区生产总值之比 0.96% | 技术创新力 |
| 59 | 技术输入合同成交额与地区生产总值之比 0.72% | 成果转化力 |
| 30 | 科创板上市企业数 1家 | 成果转化力 |
| 38 | 国家级科技企业孵化器、大学科技园、双创示范基地数 16个 | 成果转化力 |
| 24 | 国家级科技企业孵化器、大学科技园新增在孵企业数 282家 | 成果转化力 |
| 14 | 科技型中小企业数 1649家 | 成果转化力 |
| 46 | 规上工业企业新产品销售收入与营业收入之比 15.82% | 成果转化力 |
| 57 | 高新技术企业营业收入与规上工业企业营业收入之比 28.56% | 创新驱动力 |
| 59 | 城乡居民人均可支配收入之比 2.58 | 创新驱动力 |
| 38 | 单位地区生产总值能耗 0.44吨标准煤/万元 | 创新驱动力 |
| 71 | PM2.5年平均浓度 62微克/立方米 | 创新驱动力 |
| 20 | 人均实际使用外资额 420.14美元/人 | 创新驱动力 |
| 51 | 居民人均可支配收入 3.86万元/人 | 创新驱动力 |

图 2-264　洛阳创新能力指标数据及排名

## （十）南阳

2019 年，南阳常住人口 1003 万人，地区生产总值 3815 亿元。南阳创新能力指数为 23.54，在 72 个创新型城市中排名第 71 位（与上年相比退 1 位），属于创新集聚区类别城市（在 32 个该类别城市中排名第 29 位）。从创新能力构成看，南阳创新治理力、创新驱动力有待提升；从具体指标看，南阳在科技成果产出、经济发展水平等方面存在明显的短板。

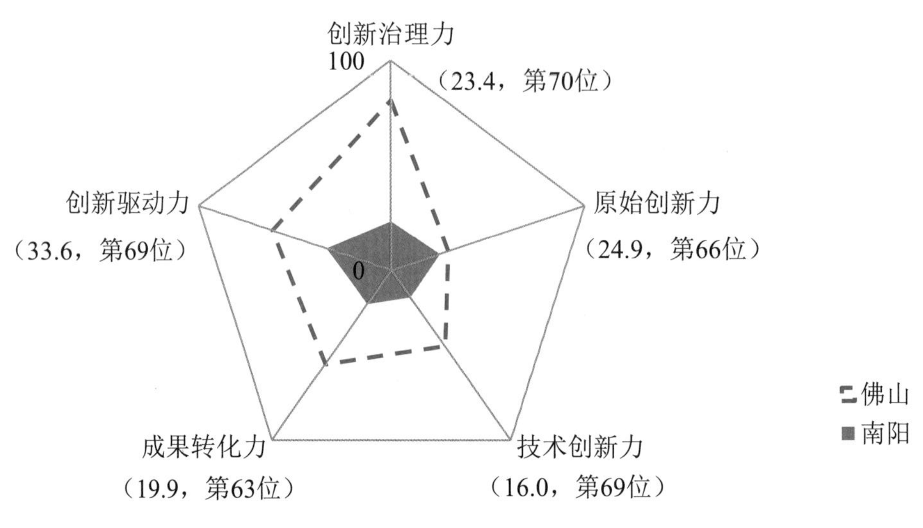


图 2-265　南阳创新能力雷达图

从经济发展阶段来看，近年来南阳固定资产投资与地区生产总值之比呈上升趋势，近 3 年平均值为 114.9%，高于全国平均水平（68.8%），公共财政收入占地区生产总值比重呈下降趋势，总体上南阳仍处于投资驱动发展阶段，创新发展动能有待增强。

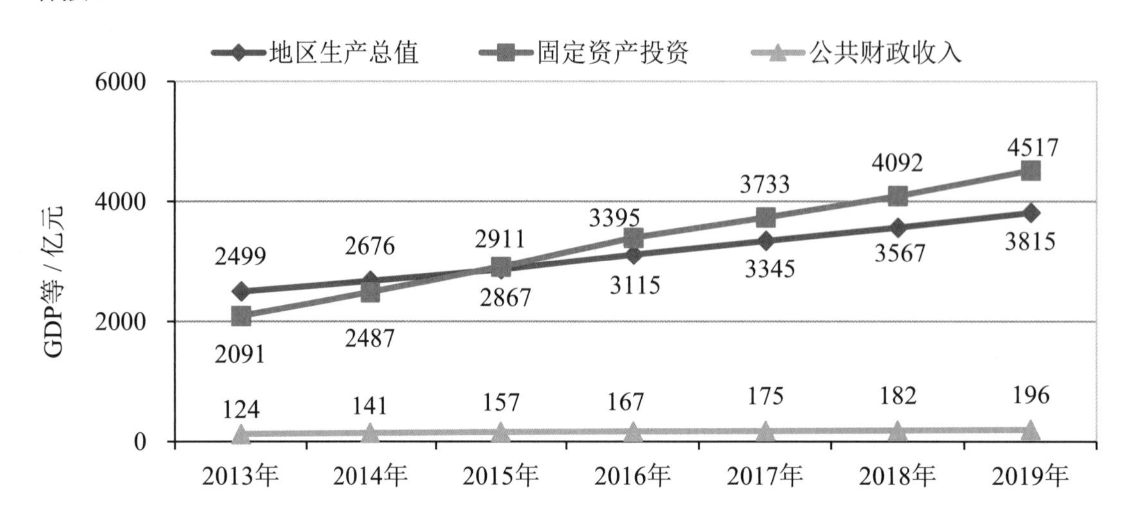


图 2-266　南阳地区生产总值、固定资产投资和公共财政收入

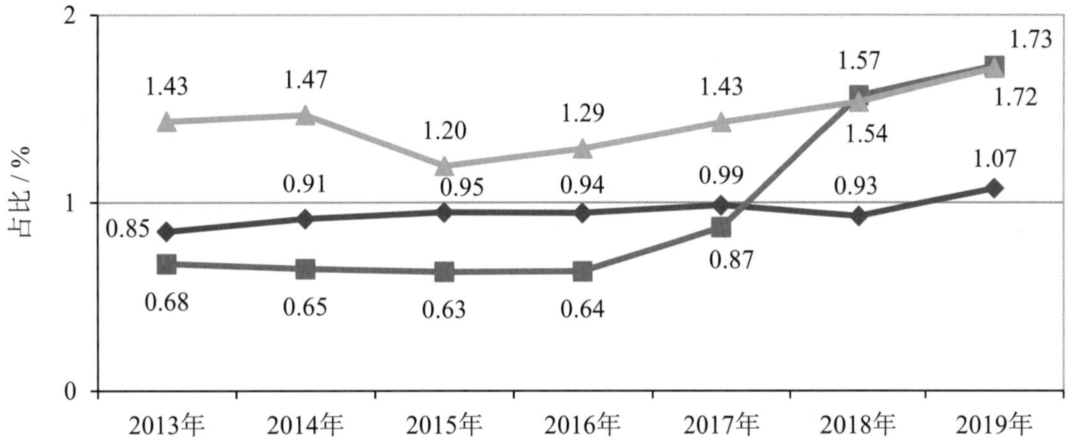


图 2-267　南阳研发经费投入强度及财政科技支出占比

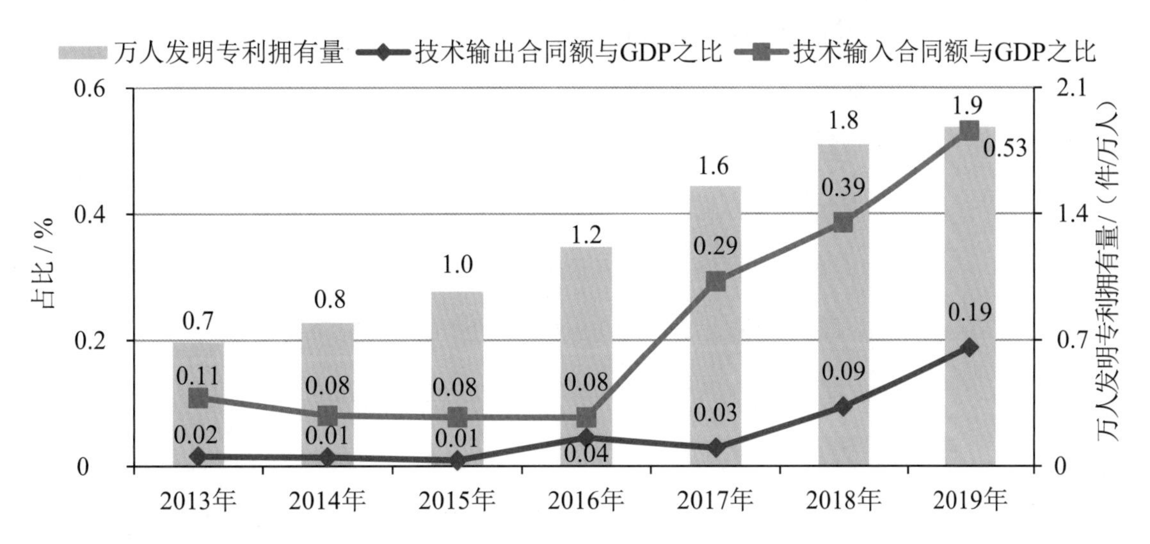


图 2-268　南阳万人发明专利拥有量及技术合同成交额与地区生产总值之比

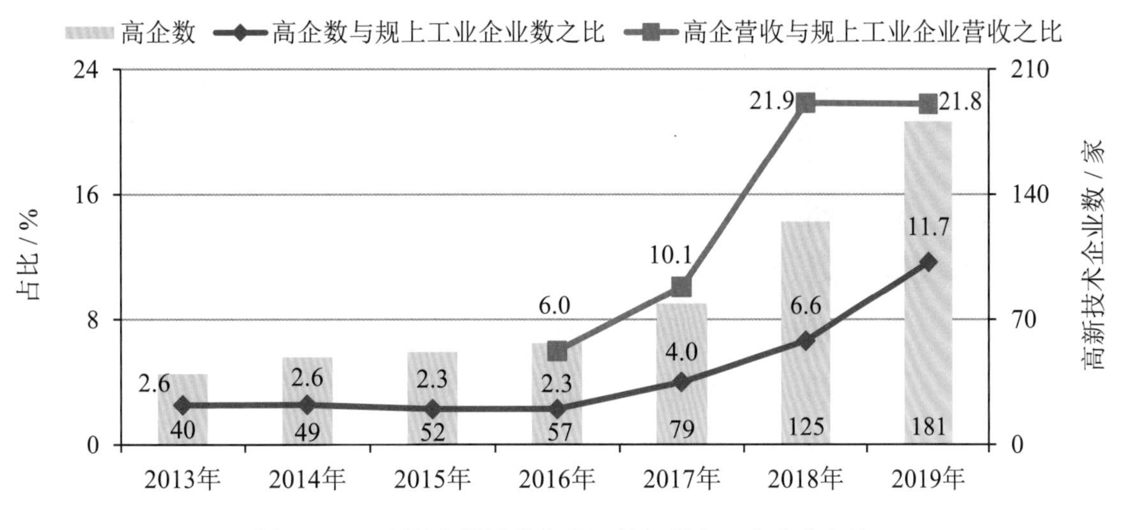


图 2-269　南阳高新技术企业及其与规上工业企业之比

| 排名 | 指标 | 分类 |
|---|---|---|
| 71 | 创新能力指数 23.54 | |
| 56 | 财政科技支出占公共财政支出比重 1.72% | 创新治理力 |
| 56 | 常住人口增长率 0.18% | 创新治理力 |
| 70 | 万名就业人员中研发人员 17.62人年/万人 | 创新治理力 |
| 68 | 万人专利申请量 8.06件/万人 | 创新治理力 |
| 71 | 人均地区生产总值 3.80万元/人 | 创新治理力 |
| 65 | 全社会研发经费支出与地区生产总值之比 1.07% | 原始创新力 |
| 56 | 基础研究经费占研发经费比重 0.60% | 原始创新力 |
| 34 | “双一流”建设学科数 0个 | 原始创新力 |
| 53 | 国家级科技成果奖数 1.58项当量 | 原始创新力 |
| 28 | 规上工业企业研发经费支出与营业收入之比 1.73% | 技术创新力 |
| 64 | 高新技术企业数 181家 | 技术创新力 |
| 60 | 国家高新区营业收入与地区生产总值之比 7.96% | 技术创新力 |
| 71 | 万人发明专利拥有量 1.88件/万人 | 技术创新力 |
| 66 | 技术输出合同成交额与地区生产总值之比 0.19% | 技术创新力 |
| 66 | 技术输入合同成交额与地区生产总值之比 0.53% | 成果转化力 |
| 30 | 科创板上市企业数 1家 | 成果转化力 |
| 63 | 国家级科技企业孵化器、大学科技园、双创示范基地数 4个 | 成果转化力 |
| 66 | 国家级科技企业孵化器、大学科技园新增在孵企业数 7家 | 成果转化力 |
| 48 | 科技型中小企业数 358家 | 成果转化力 |
| 49 | 规上工业企业新产品销售收入与营业收入之比 15.55% | 成果转化力 |
| 62 | 高新技术企业营业收入与规上工业企业营业收入之比 21.79% | 创新驱动力 |
| 40 | 城乡居民人均可支配收入之比 2.20 | 创新驱动力 |
| 21 | 单位地区生产总值能耗 0.36吨标准煤/万元 | 创新驱动力 |
| 69 | PM2.5年平均浓度 60微克/立方米 | 创新驱动力 |
| 56 | 人均实际使用外资额 68.94美元/人 | 创新驱动力 |
| 69 | 居民人均可支配收入 3.34万元/人 | 创新驱动力 |

2-270 南阳创新能力指标数据及排名

## （十一）武汉

2019年，武汉常住人口1121万人，地区生产总值16223亿元。武汉创新能力指数为73.75，在72个创新型城市中排名第6位（与上年相比退1位），属于创新策源地类别城市（在15个该类别城市中排名第5位）。从创新能力构成看，武汉创新驱动力、成果转化力有待提升；从具体指标看，武汉在空气质量、综合能耗等方面存在明显的短板。

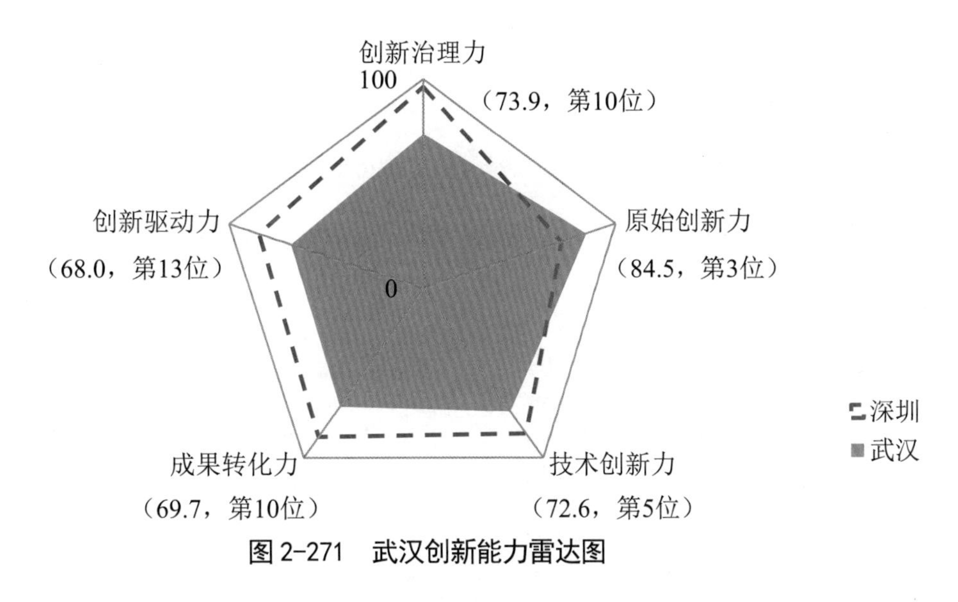


图2-271　武汉创新能力雷达图

从经济发展阶段来看，近年来武汉固定资产投资与地区生产总值之比呈下降趋势，近3年平均值为58.3%，低于全国平均水平（68.8%），公共财政收入占地区生产总值比重呈下降趋势，总体上武汉已经跨越投资驱动，进入创新驱动发展阶段，高质量发展势头良好。

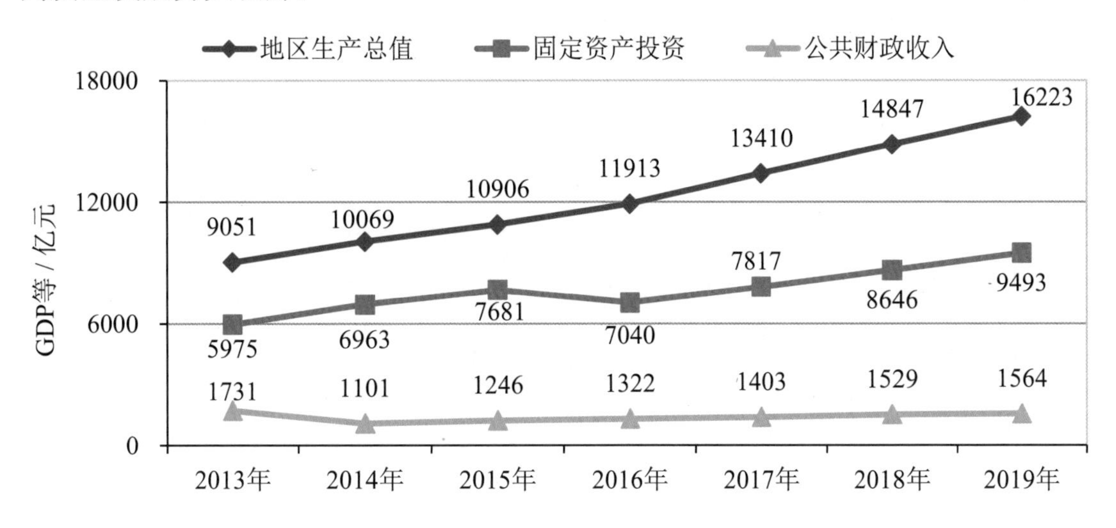


图2-272　武汉地区生产总值、固定资产投资和公共财政收入

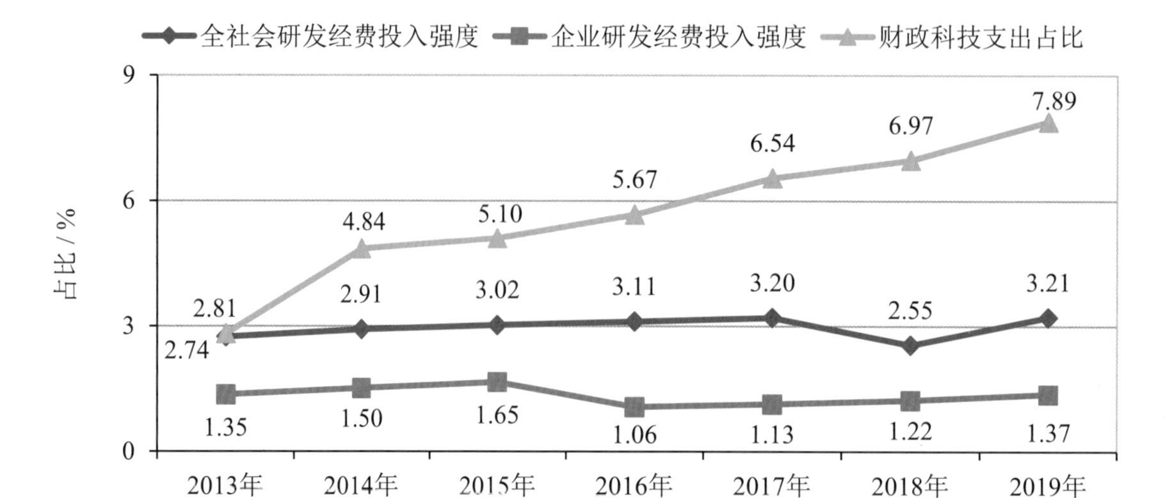


图 2-273　武汉研发经费投入强度及财政科技支出占比

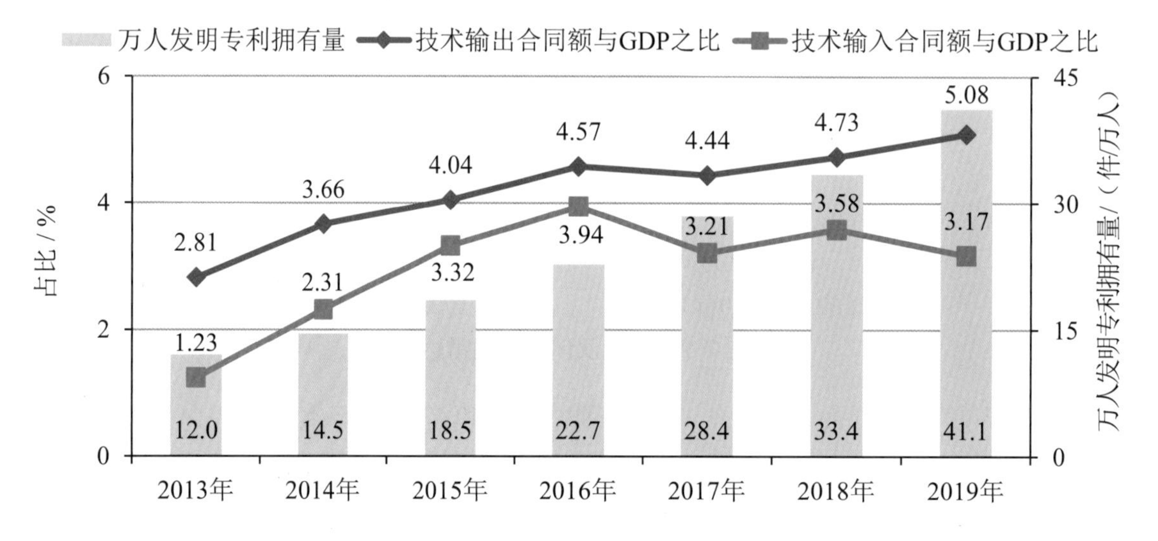


图 2-274　武汉万人发明专利拥有量及技术合同成交额与地区生产总值之比

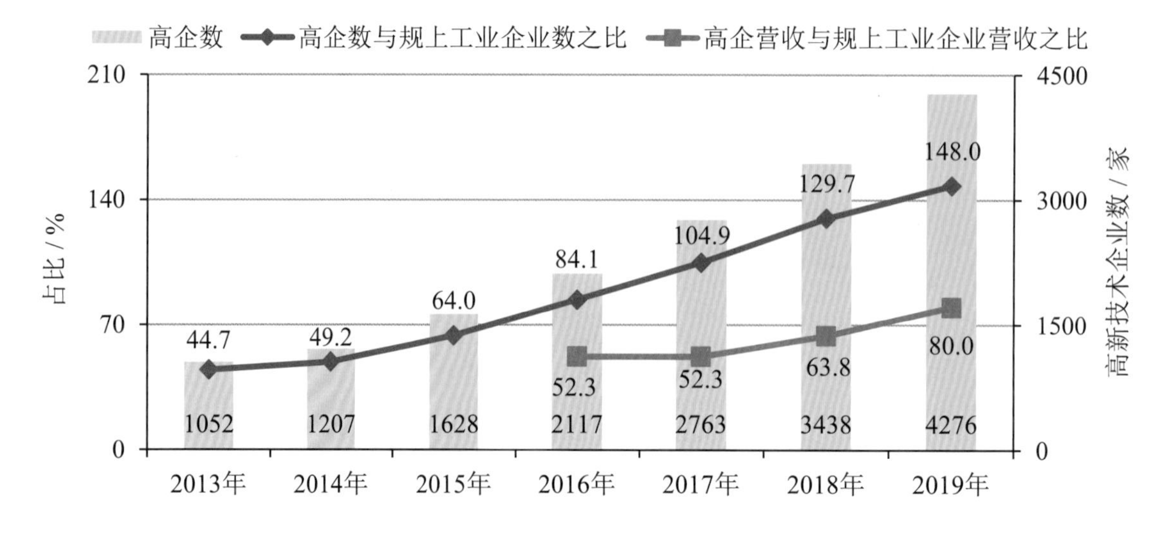


图 2-275　武汉高新技术企业及其与规上工业企业之比

| 排名 | 指标 | 分项 |
| --- | --- | --- |
| 6 | 创新能力指数 73.75 | |
| 7 | 财政科技支出占公共财政支出比重 7.89% | 创新治理力 |
| 19 | 常住人口增长率 1.18% | 创新治理力 |
| 15 | 万名就业人员中研发人员 137.34人年/万人 | 创新治理力 |
| 19 | 万人专利申请量 67.59件/万人 | 创新治理力 |
| 8 | 人均地区生产总值 14.47万元/人 | 创新治理力 |
| 6 | 全社会研发经费支出与地区生产总值之比 3.21% | 原始创新力 |
| 29 | 基础研究经费占研发经费比重 5.42% | 原始创新力 |
| 2 | “双一流”建设学科数 29个 | 原始创新力 |
| 2 | 国家级科技成果奖数 163.39项当量 | 原始创新力 |
| 42 | 规上工业企业研发经费支出与营业收入之比 1.37% | 技术创新力 |
| 8 | 高新技术企业数 4276家 | 技术创新力 |
| 7 | 国家高新区营业收入与地区生产总值之比 80.46% | 技术创新力 |
| 6 | 万人发明专利拥有量 41.12件/万人 | 技术创新力 |
| 5 | 技术输出合同成交额与地区生产总值之比 5.08% | 技术创新力 |
| 14 | 技术输入合同成交额与地区生产总值之比 3.17% | 成果转化力 |
| 9 | 科创板上市企业数 7家 | 成果转化力 |
| 8 | 国家级科技企业孵化器、大学科技园、双创示范基地数 80个 | 成果转化力 |
| 4 | 国家级科技企业孵化器、大学科技园新增在孵企业数 765家 | 成果转化力 |
| 18 | 科技型中小企业数 1540家 | 成果转化力 |
| 50 | 规上工业企业新产品销售收入与营业收入之比 14.49% | 成果转化力 |
| 7 | 高新技术企业营业收入与规上工业企业营业收入之比 80.02% | 创新驱动力 |
| 33 | 城乡居民人均可支配收入之比 2.09 | 创新驱动力 |
| 53 | 单位地区生产总值能耗 0.58吨标准煤/万元 | 创新驱动力 |
| 54 | PM2.5年平均浓度 45微克/立方米 | 创新驱动力 |
| 2 | 人均实际使用外资额 1097.84美元/人 | 创新驱动力 |
| 20 | 居民人均可支配收入 5.17万元/人 | 创新驱动力 |

图 2-276　武汉创新能力指标数据及排名

## （十二）宜昌

2019 年，宜昌常住人口 414 万人，地区生产总值 4461 亿元。宜昌创新能力指数为 46.45，在 72 个创新型城市中排名第 45 位（与上年相比进 8 位），属于创新集聚区类别城市（在 32 个该类别城市中排名第 7 位）。从创新能力构成看，宜昌创新驱动力、成果转化力有待提升；从具体指标看，宜昌在综合能耗、人才吸引力等方面存在明显的短板。

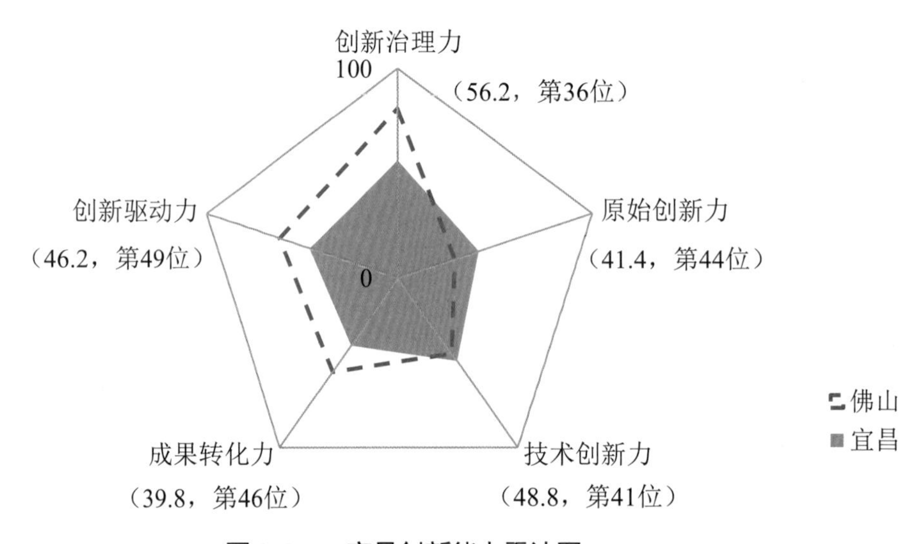


图 2-277　宜昌创新能力雷达图

从经济发展阶段来看，近年来宜昌固定资产投资与地区生产总值之比呈下降趋势，近 3 年平均值为 64.4%，低于全国平均水平（68.8%），公共财政收入占地区生产总值比重呈下降趋势，总体上宜昌处于由投资驱动向创新驱动的过渡阶段，创新发展动能正不断增强。

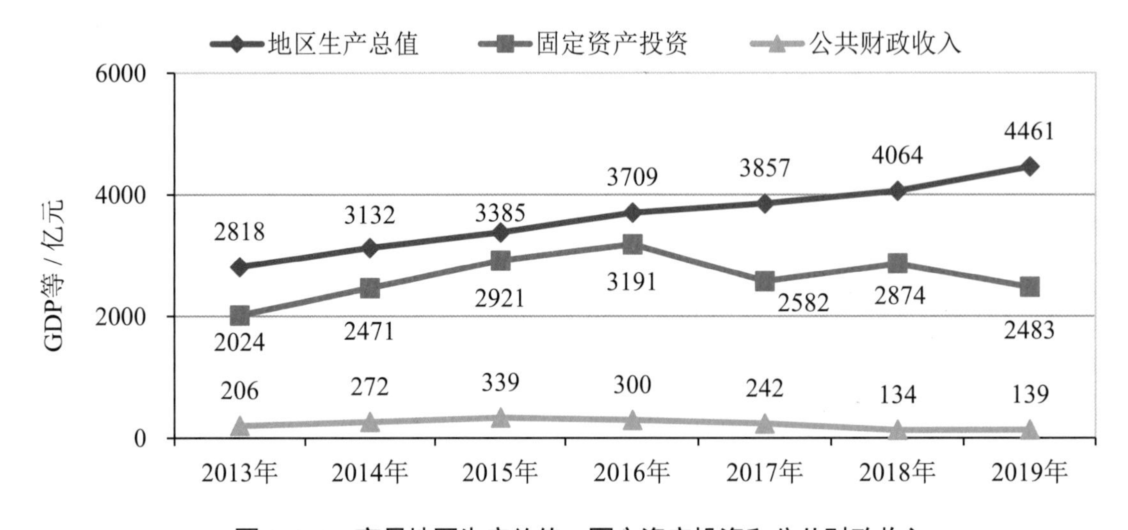


图 2-278　宜昌地区生产总值、固定资产投资和公共财政收入

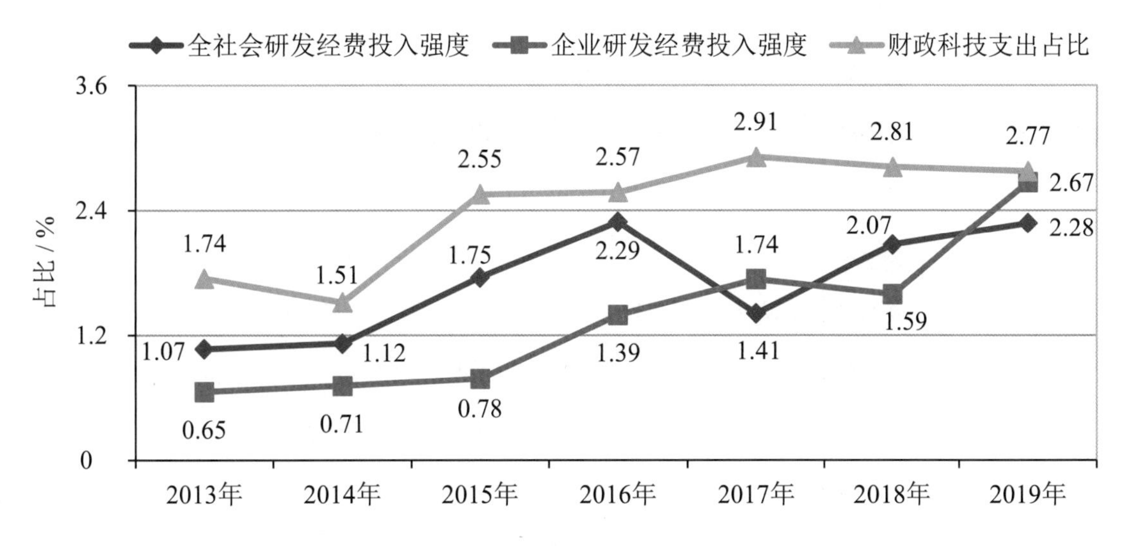


图 2-279 宜昌研发经费投入强度及财政科技支出占比

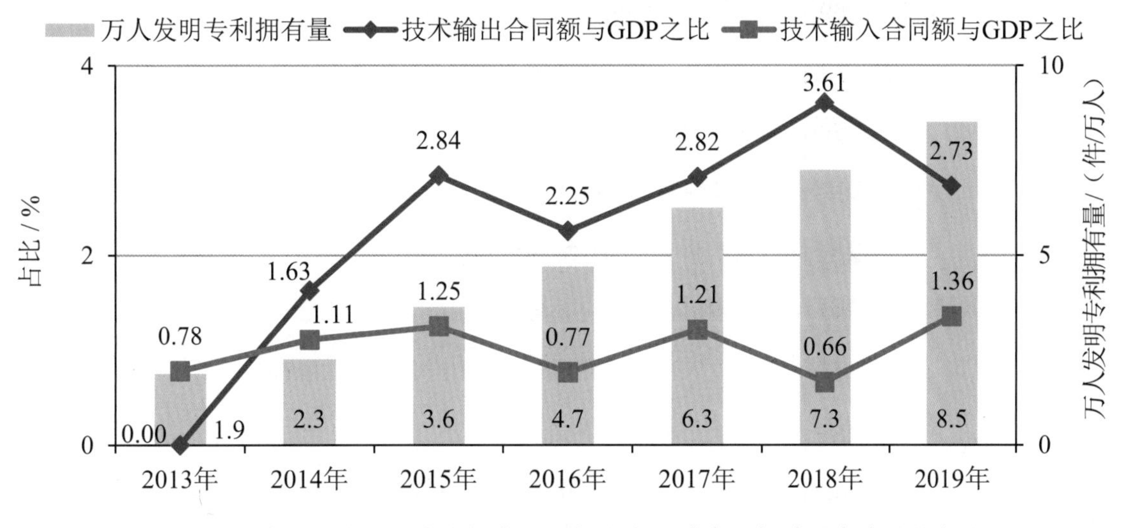


图 2-280 宜昌万人发明专利拥有量及技术合同成交额与地区生产总值之比

图 2-281 宜昌高新技术企业及其与规上工业企业之比

| 排名 | 指标及数据 | 分类 |
| --- | --- | --- |
| 45 | 创新能力指数 46.45 | |
| 43 | 财政科技支出占公共财政支出比重 2.77% | 创新治理力 |
| 64 | 常住人口增长率 0.05% | 创新治理力 |
| 32 | 万名就业人员中研发人员 95.02人年/万人 | 创新治理力 |
| 47 | 万人专利申请量 23.84件/万人 | 创新治理力 |
| 26 | 人均地区生产总值 10.78万元/人 | 创新治理力 |
| 33 | 全社会研发经费支出与地区生产总值之比 2.28% | 原始创新力 |
| 59 | 基础研究经费占研发经费比重 0.44% | 原始创新力 |
| 34 | “双一流”建设学科数 0个 | 原始创新力 |
| 30 | 国家级科技成果奖数 15.41项当量 | 原始创新力 |
| 2 | 规上工业企业研发经费支出与营业收入之比 2.67% | 技术创新力 |
| 50 | 高新技术企业数 512家 | 技术创新力 |
| 37 | 国家高新区营业收入与地区生产总值之比 37.02% | 技术创新力 |
| 51 | 万人发明专利拥有量 8.52件/万人 | 技术创新力 |
| 15 | 技术输出合同成交额与地区生产总值之比 2.73% | 技术创新力 |
| 47 | 技术输入合同成交额与地区生产总值之比 1.36% | 成果转化力 |
| 41 | 科创板上市企业数 0家 | 成果转化力 |
| 48 | 国家级科技企业孵化器、大学科技园、双创示范基地数 12个 | 成果转化力 |
| 45 | 国家级科技企业孵化器、大学科技园新增在孵企业数 130家 | 成果转化力 |
| 43 | 科技型中小企业数 499家 | 成果转化力 |
| 32 | 规上工业企业新产品销售收入与营业收入之比 21.38% | 成果转化力 |
| 29 | 高新技术企业营业收入与规上工业企业营业收入之比 44.82% | 创新驱动力 |
| 36 | 城乡居民人均可支配收入之比 2.12 | 创新驱动力 |
| 67 | 单位地区生产总值能耗 0.87吨标准煤/万元 | 创新驱动力 |
| 54 | PM2.5年平均浓度 45微克/立方米 | 创新驱动力 |
| 54 | 人均实际使用外资额 72.96美元/人 | 创新驱动力 |
| 54 | 居民人均可支配收入 3.85万元/人 | 创新驱动力 |

图 2-282　宜昌创新能力指标数据及排名

## （十三）襄阳

2019 年，襄阳常住人口 568 万人，地区生产总值 4813 亿元。襄阳创新能力指数为 37.44，在 72 个创新型城市中排名第 56 位（与上年相比退 1 位），属于创新集聚区类别城市（在 32 个该类别城市中排名第 15 位）。从创新能力构成看，襄阳创新驱动力、成果转化力有待提升；从具体指标看，襄阳在空气质量、综合能耗等方面存在明显的短板。

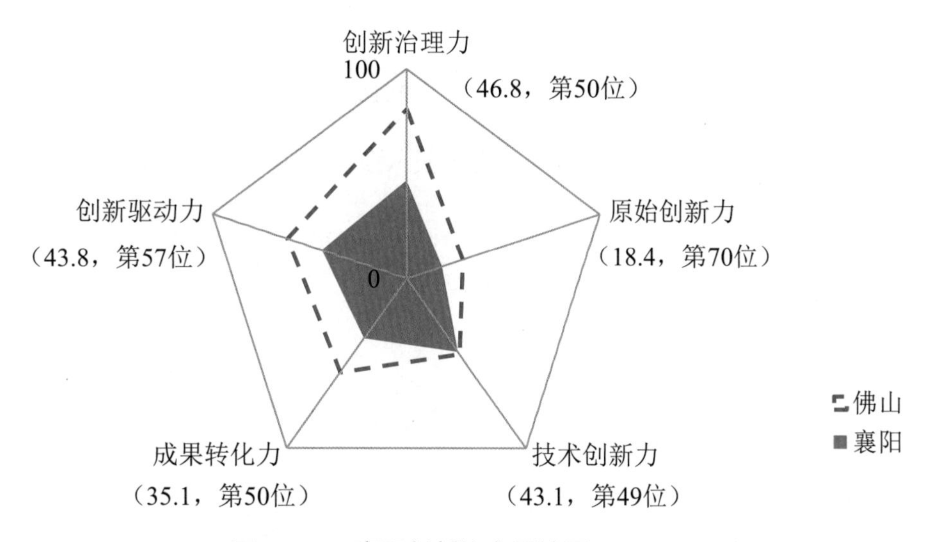


图 2-283　襄阳创新能力雷达图

从经济发展阶段来看，近年来襄阳固定资产投资与地区生产总值之比呈上升趋势，近 3 年平均值为 93.7%，高于全国平均水平（68.8%），公共财政收入占地区生产总值比重呈下降趋势，总体上襄阳仍处于投资驱动发展阶段，创新发展动能有待增强。

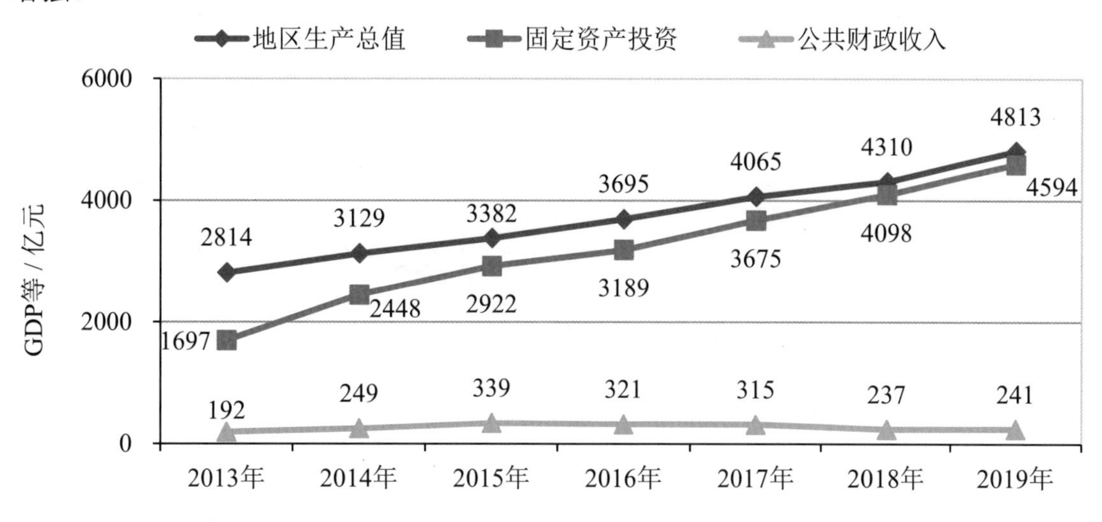


图 2-284　襄阳地区生产总值、固定资产投资和公共财政收入

图 2-285　襄阳研发经费投入强度及财政科技支出占比

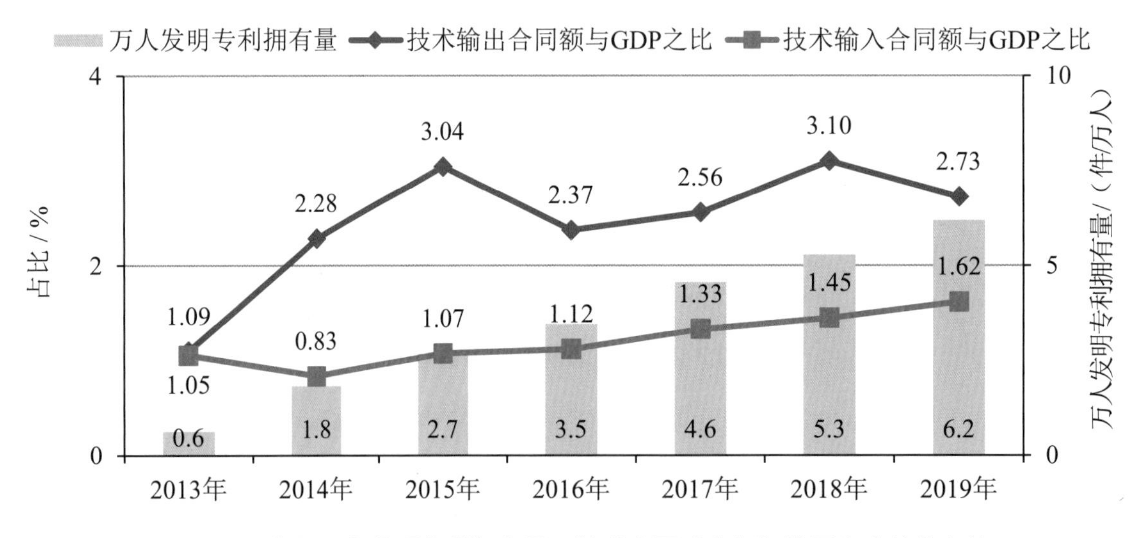


图 2-286　襄阳万人发明专利拥有量及技术合同成交额与地区生产总值之比

图 2-287　襄阳高新技术企业及其与规上工业企业之比

| 分类 | 排名 | 指标 |
|---|---|---|
| | 56 | 创新能力指数 37.44 |
| 创新治理力 | 29 | 财政科技支出占公共财政支出比重 3.71% |
| 创新治理力 | 54 | 常住人口增长率 0.19% |
| 创新治理力 | 49 | 万名就业人员中研发人员 48.44人年/万人 |
| 创新治理力 | 59 | 万人专利申请量 16.89件/万人 |
| 创新治理力 | 44 | 人均地区生产总值 8.47万元/人 |
| 原始创新力 | 51 | 全社会研发经费支出与地区生产总值之比 1.71% |
| 原始创新力 | 71 | 基础研究经费占研发经费比重 0.16% |
| 原始创新力 | 34 | “双一流”建设学科数 0个 |
| 原始创新力 | 60 | 国家级科技成果奖数 0项当量 |
| 技术创新力 | 45 | 规上工业企业研发经费支出与营业收入之比 1.30% |
| 技术创新力 | 49 | 高新技术企业数 529家 |
| 技术创新力 | 9 | 国家高新区营业收入与地区生产总值之比 74.80% |
| 技术创新力 | 58 | 万人发明专利拥有量 6.20件/万人 |
| 技术创新力 | 16 | 技术输出合同成交额与地区生产总值之比 2.73% |
| 成果转化力 | 38 | 技术输入合同成交额与地区生产总值之比 1.62% |
| 成果转化力 | 41 | 科创板上市企业数 0家 |
| 成果转化力 | 54 | 国家级科技企业孵化器、大学科技园、双创示范基地数 8个 |
| 成果转化力 | 48 | 国家级科技企业孵化器、大学科技园新增在孵企业数 82家 |
| 成果转化力 | 49 | 科技型中小企业数 348家 |
| 成果转化力 | 15 | 规上工业企业新产品销售收入与营业收入之比 30.51% |
| 创新驱动力 | 34 | 高新技术企业营业收入与规上工业企业营业收入之比 41.18% |
| 创新驱动力 | 22 | 城乡居民人均可支配收入之比 1.97 |
| 创新驱动力 | 63 | 单位地区生产总值能耗 0.73吨标准煤/万元 |
| 创新驱动力 | 69 | PM2.5年平均浓度 60微克/立方米 |
| 创新驱动力 | 38 | 人均实际使用外资额 168.66美元/人 |
| 创新驱动力 | 60 | 居民人均可支配收入 3.73万元/人 |

图 2-288　襄阳创新能力指标数据及排名

## （十四）长沙

2019 年，长沙常住人口 839 万人，地区生产总值 11574 亿元。长沙创新能力指数为 69.75，在 72 个创新型城市中排名第 8 位（与上年相比无变化），属于创新策源地类别城市（在 15 个该类别城市中排名第 7 位）。从创新能力构成看，长沙创新治理力、成果转化力有待提升；从具体指标看，长沙在空气质量、科技成果转移转化等方面存在明显的短板。

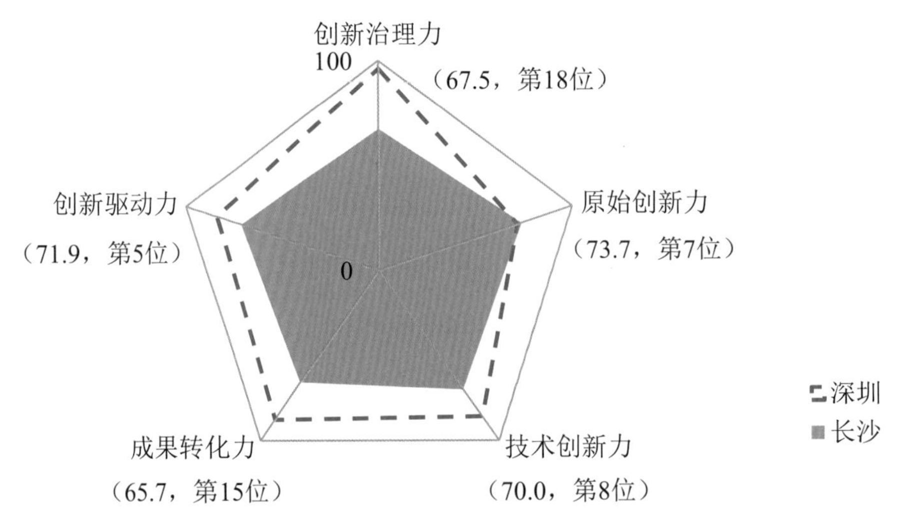


图 2-289　长沙创新能力雷达图

从经济发展阶段来看，近年来长沙固定资产投资与地区生产总值之比呈上升趋势，近 3 年平均值为 77.0%，高于全国平均水平（68.8%），公共财政收入占地区生产总值比重呈下降趋势，总体上长沙处于由投资驱动向创新驱动的过渡阶段，创新发展动能有待增强。

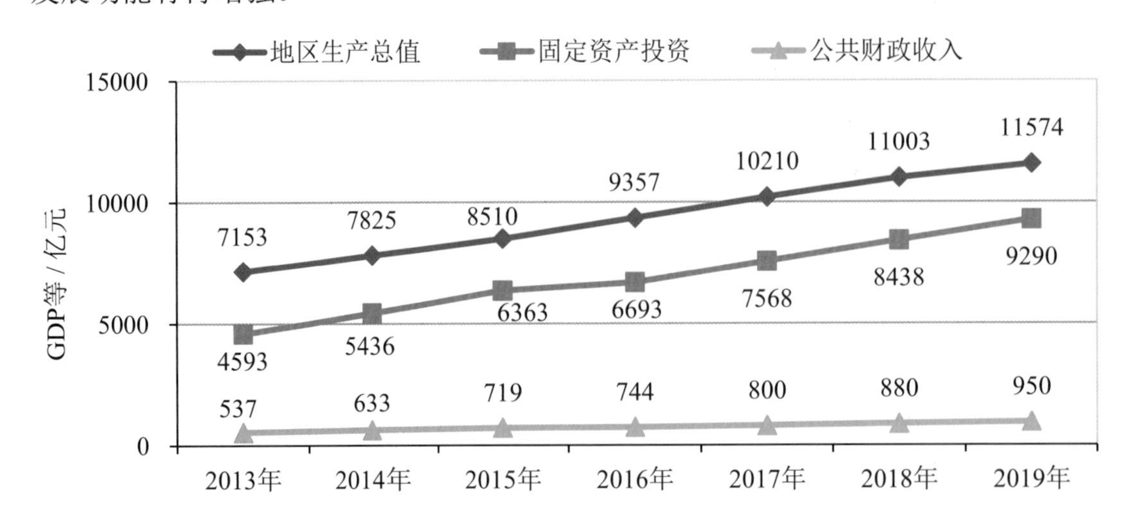


图 2-290　长沙地区生产总值、固定资产投资和公共财政收入

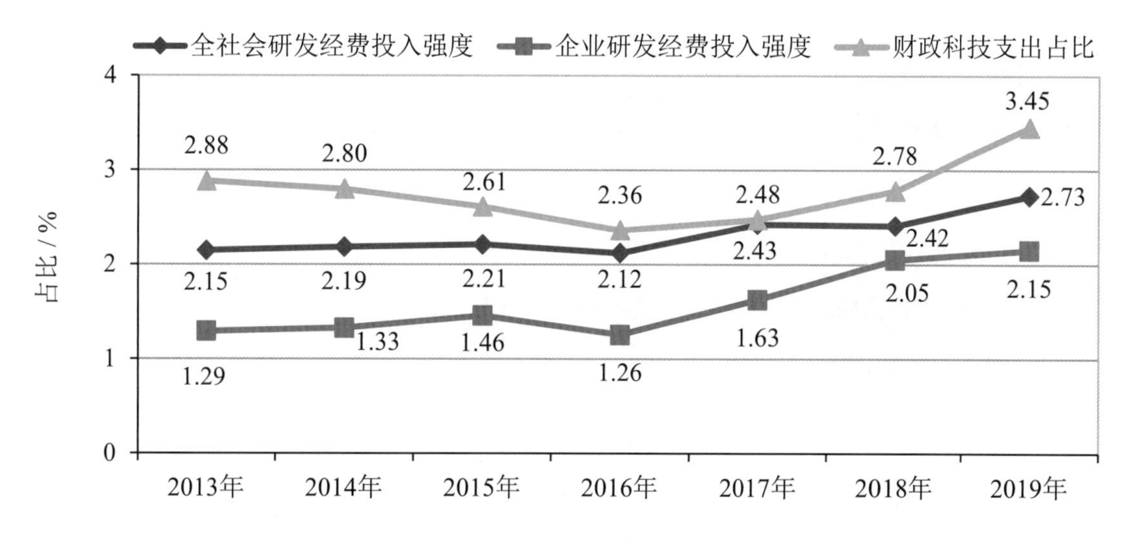


图 2-291　长沙研发经费投入强度及财政科技支出占比

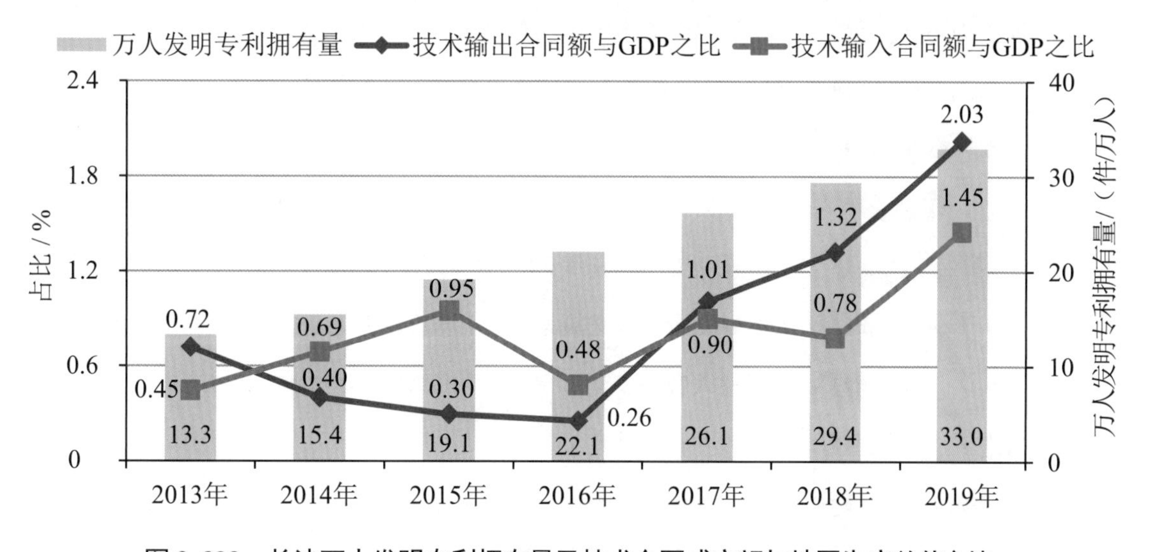


图 2-292　长沙万人发明专利拥有量及技术合同成交额与地区生产总值之比

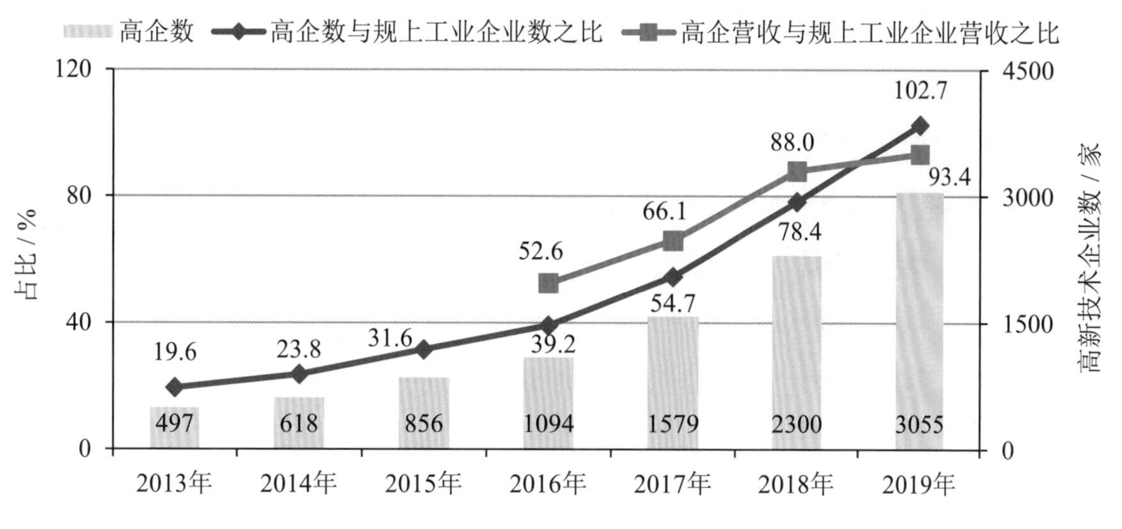


图 2-293　长沙高新技术企业及其与规上工业企业之比

| 排名 | 指标 | 维度 |
|---|---|---|
| 8 | 创新能力指数 69.75 | |
| 31 | 财政科技支出占公共财政支出比重 3.45% | 创新治理力 |
| 6 | 常住人口增长率 2.94% | 创新治理力 |
| 22 | 万名就业人员中研发人员 113.30人年/万人 | 创新治理力 |
| 25 | 万人专利申请量 49.91件/万人 | 创新治理力 |
| 11 | 人均地区生产总值 13.79万元/人 | 创新治理力 |
| 19 | 全社会研发经费支出与地区生产总值之比 2.73% | 原始创新力 |
| 28 | 基础研究经费占研发经费比重 5.92% | 原始创新力 |
| 8 | “双一流”建设学科数 12个 | 原始创新力 |
| 4 | 国家级科技成果奖数 126.63项当量 | 原始创新力 |
| 14 | 规上工业企业研发经费支出与营业收入之比 2.15% | 技术创新力 |
| 12 | 高新技术企业数 3055家 | 技术创新力 |
| 33 | 国家高新区营业收入与地区生产总值之比 41.32% | 技术创新力 |
| 15 | 万人发明专利拥有量 32.97件/万人 | 技术创新力 |
| 22 | 技术输出合同成交额与地区生产总值之比 2.03% | 技术创新力 |
| 43 | 技术输入合同成交额与地区生产总值之比 1.45% | 成果转化力 |
| 7 | 科创板上市企业数 8家 | 成果转化力 |
| 15 | 国家级科技企业孵化器、大学科技园、双创示范基地数 39个 | 成果转化力 |
| 14 | 国家级科技企业孵化器、大学科技园新增在孵企业数 364家 | 成果转化力 |
| 24 | 科技型中小企业数 1101家 | 成果转化力 |
| 6 | 规上工业企业新产品销售收入与营业收入之比 35.67% | 成果转化力 |
| 3 | 高新技术企业营业收入与规上工业企业营业收入之比 93.40% | 创新驱动力 |
| 5 | 城乡居民人均可支配收入之比 1.71 | 创新驱动力 |
| 35 | 单位地区生产总值能耗 0.42吨标准煤/万元 | 创新驱动力 |
| 57 | PM2.5年平均浓度 47微克/立方米 | 创新驱动力 |
| 6 | 人均实际使用外资额 759.27美元/人 | 创新驱动力 |
| 15 | 居民人均可支配收入 5.52万元/人 | 创新驱动力 |

图 2-294　长沙创新能力指标数据及排名

## （十五）株洲

2019 年，株洲常住人口 403 万人，地区生产总值 3003 亿元。株洲创新能力指数为 51.24，在 72 个创新型城市中排名第 37 位（与上年相比进 4 位），属于创新增长极类别城市（在 25 个该类别城市中排名第 20 位）。从创新能力构成看，株洲成果转化力、创新治理力有待提升；从具体指标看，株洲在科技型企业孵化、空气质量等方面存在明显的短板。

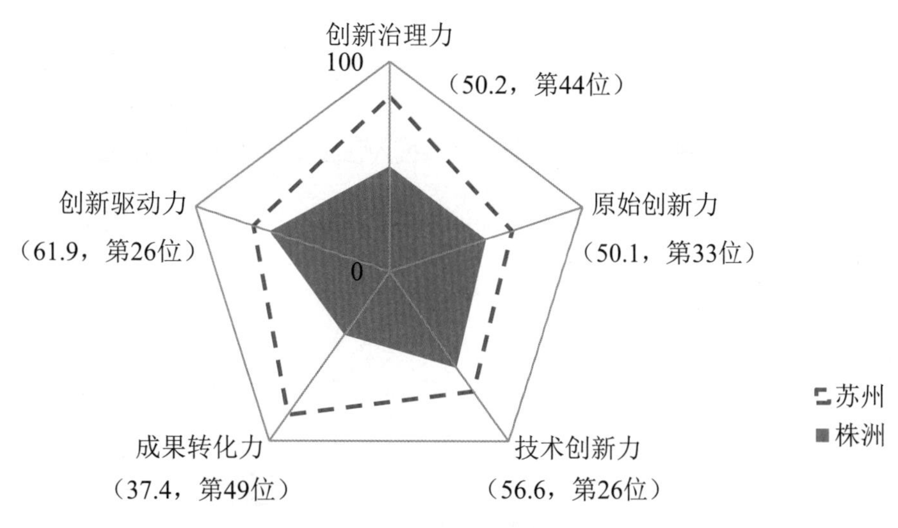


图 2-295　株洲创新能力雷达图

从经济发展阶段来看，近年来株洲固定资产投资与地区生产总值之比呈上升趋势，近 3 年平均值为 92.0%，高于全国平均水平（68.8%），公共财政收入占地区生产总值比重呈下降趋势，总体上株洲仍处于投资驱动发展阶段，创新发展动能有待增强。

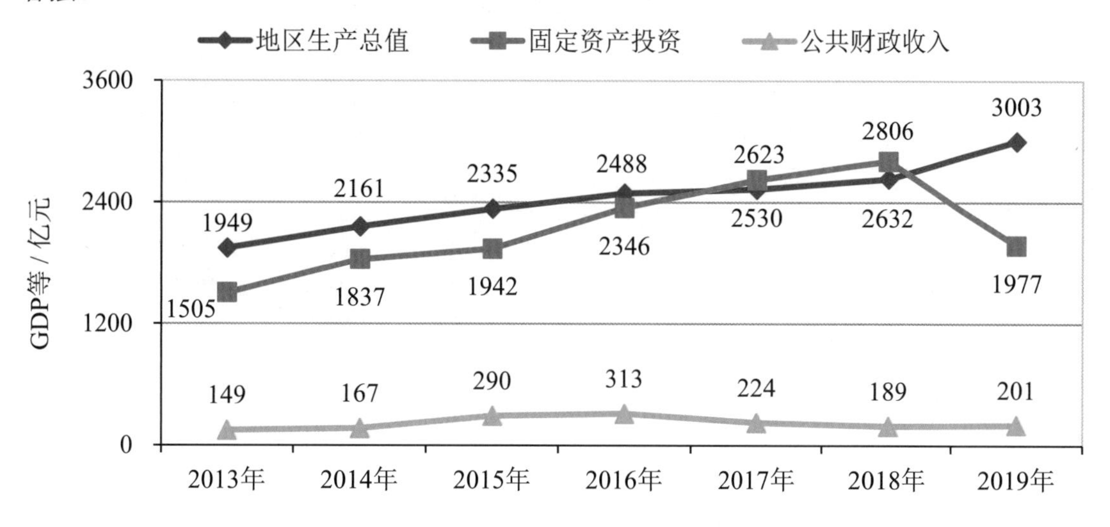


图 2-296　株洲地区生产总值、固定资产投资和公共财政收入

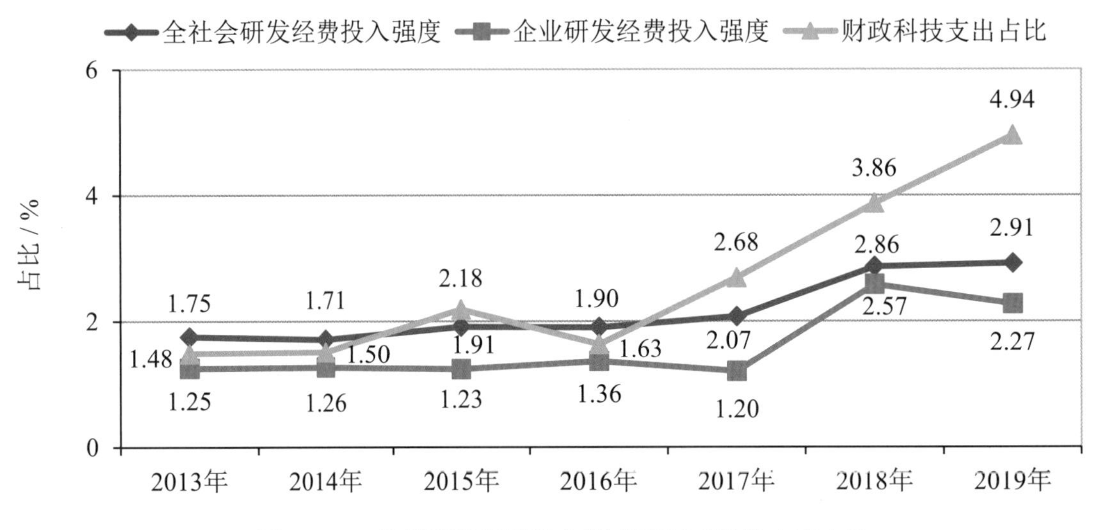


图 2-297　株洲研发经费投入强度及财政科技支出占比

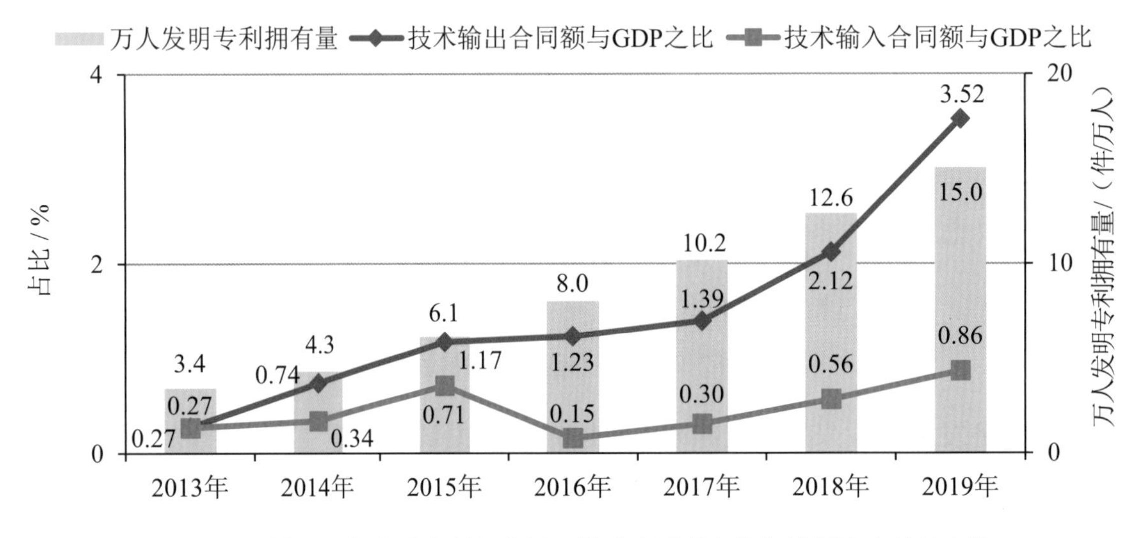


图 2-298　株洲万人发明专利拥有量及技术合同成交额与地区生产总值之比

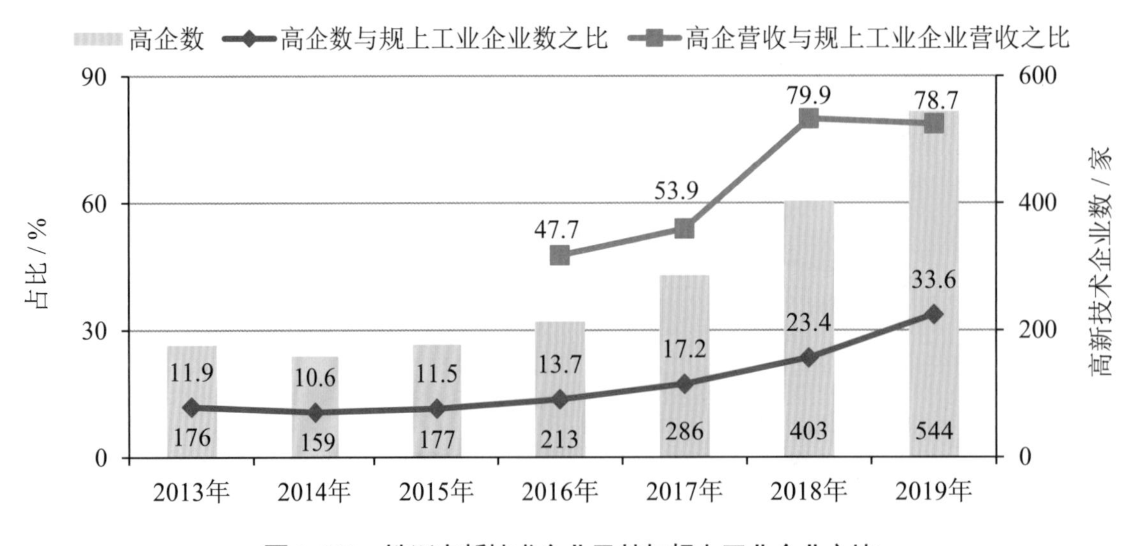


图 2-299　株洲高新技术企业及其与规上工业企业之比

| 排名 | 指标 | 分类 |
| --- | --- | --- |
| 37 | 创新能力指数 51.24 | |
| 13 | 财政科技支出占公共财政支出比重 4.94% | 创新治理力 |
| 55 | 常住人口增长率 0.19% | 创新治理力 |
| 46 | 万名就业人员中研发人员 57.21人年/万人 | 创新治理力 |
| 46 | 万人专利申请量 24.23件/万人 | 创新治理力 |
| 54 | 人均地区生产总值 7.45万元/人 | 创新治理力 |
| 14 | 全社会研发经费支出与地区生产总值之比 2.91% | 原始创新力 |
| 61 | 基础研究经费占研发经费比重 0.42% | 原始创新力 |
| 34 | “双一流”建设学科数 0个 | 原始创新力 |
| 24 | 国家级科技成果奖数 21.22项当量 | 原始创新力 |
| 9 | 规上工业企业研发经费支出与营业收入之比 2.27% | 技术创新力 |
| 48 | 高新技术企业数 544家 | 技术创新力 |
| 6 | 国家高新区营业收入与地区生产总值之比 86.44% | 技术创新力 |
| 34 | 万人发明专利拥有量 15.05件/万人 | 技术创新力 |
| 9 | 技术输出合同成交额与地区生产总值之比 3.52% | 技术创新力 |
| 56 | 技术输入合同成交额与地区生产总值之比 0.86% | 成果转化力 |
| 25 | 科创板上市企业数 2家 | 成果转化力 |
| 50 | 国家级科技企业孵化器、大学科技园、双创示范基地数 10个 | 成果转化力 |
| 58 | 国家级科技企业孵化器、大学科技园新增在孵企业数 38家 | 成果转化力 |
| 46 | 科技型中小企业数 444家 | 成果转化力 |
| 25 | 规上工业企业新产品销售收入与营业收入之比 24.15% | 成果转化力 |
| 9 | 高新技术企业营业收入与规上工业企业营业收入之比 78.70% | 创新驱动力 |
| 37 | 城乡居民人均可支配收入之比 2.15 | 创新驱动力 |
| 52 | 单位地区生产总值能耗 0.58吨标准煤/万元 | 创新驱动力 |
| 57 | PM2.5年平均浓度 47微克/立方米 | 创新驱动力 |
| 23 | 人均实际使用外资额 381.26美元/人 | 创新驱动力 |
| 31 | 居民人均可支配收入 4.66万元/人 | 创新驱动力 |

图 2-300　株洲创新能力指标数据及排名

## （十六）衡阳

2019 年，衡阳常住人口 730 万人，地区生产总值 3373 亿元。衡阳创新能力指数为 30.07，在 72 个创新型城市中排名第 64 位（与上年相比进 2 位），属于创新集聚区类别城市（在 32 个该类别城市中排名第 26 位）。从创新能力构成看，衡阳成果转化力、创新治理力有待提升；从具体指标看，衡阳在科技成果产出、高水平科技企业孵化基地等方面存在明显的短板。

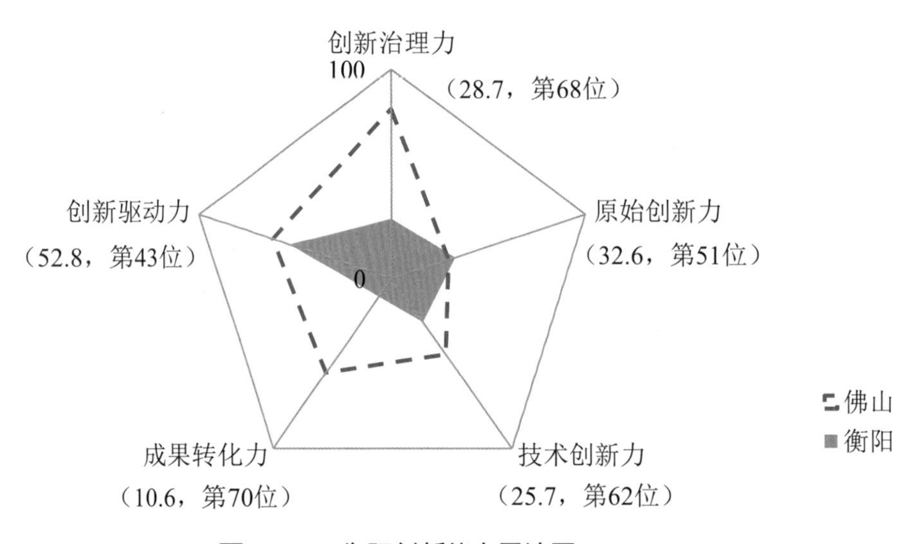


图 2-301　衡阳创新能力雷达图

从经济发展阶段来看，近年来衡阳固定资产投资与地区生产总值之比呈下降趋势，近 3 年平均值为 78.4%，高于全国平均水平（68.8%），公共财政收入占地区生产总值比重呈下降趋势，总体上衡阳仍处于投资驱动发展阶段，创新发展动能有待增强。

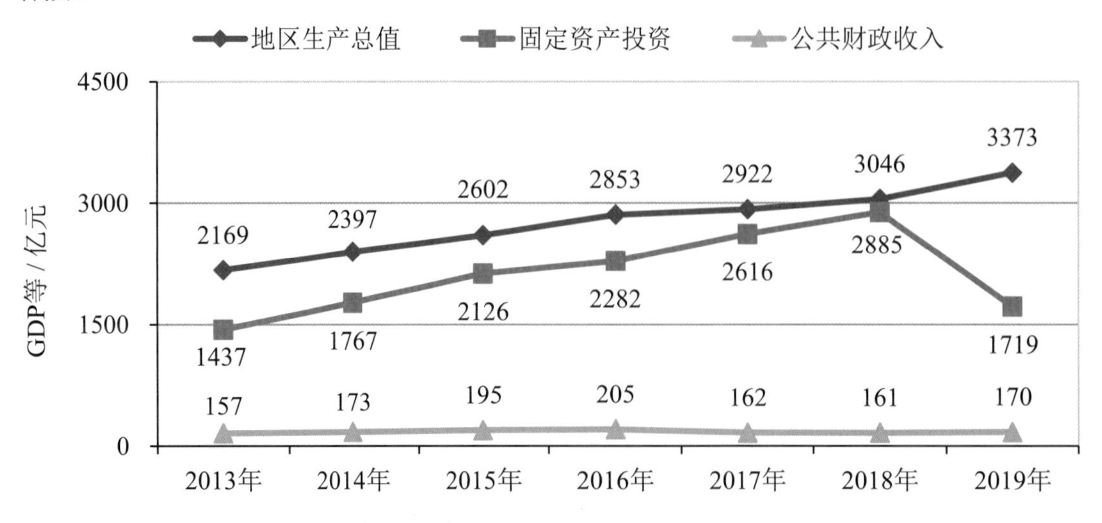


图 2-302　衡阳地区生产总值、固定资产投资和公共财政收入

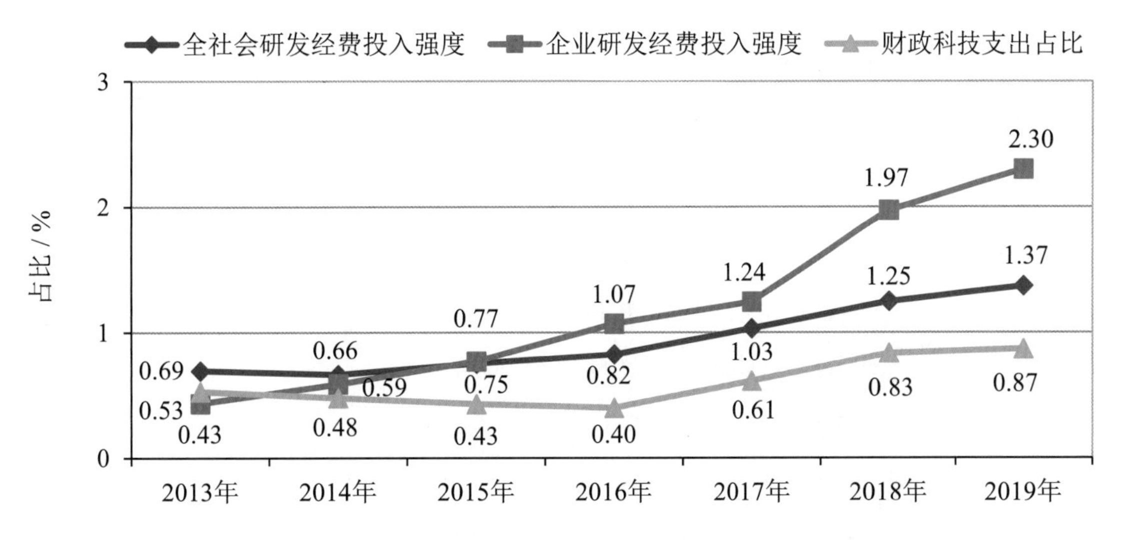


图 2-303　衡阳研发经费投入强度及财政科技支出占比

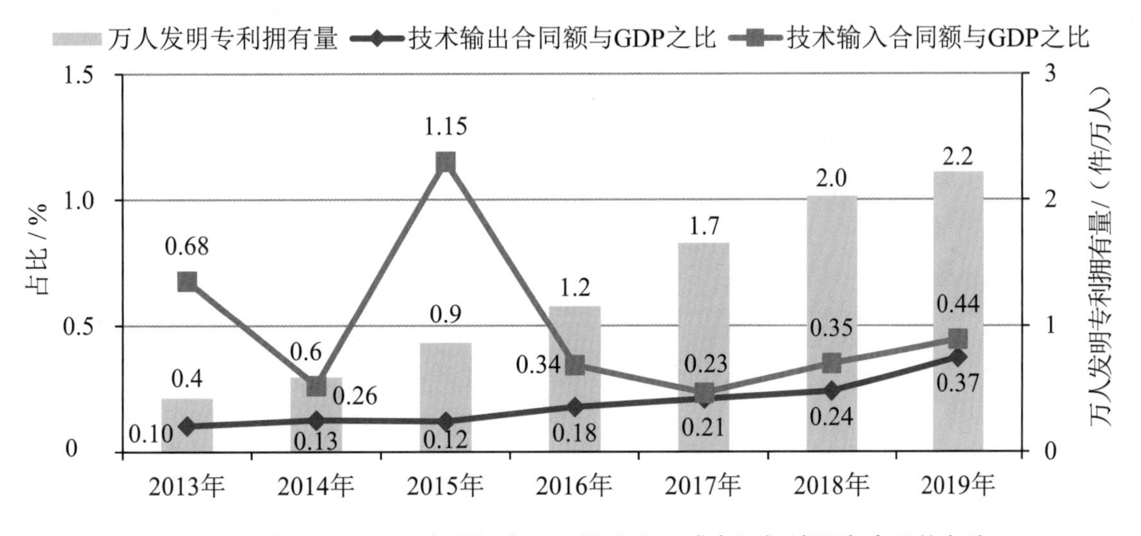


图 2-304　衡阳万人发明专利拥有量及技术合同成交额与地区生产总值之比

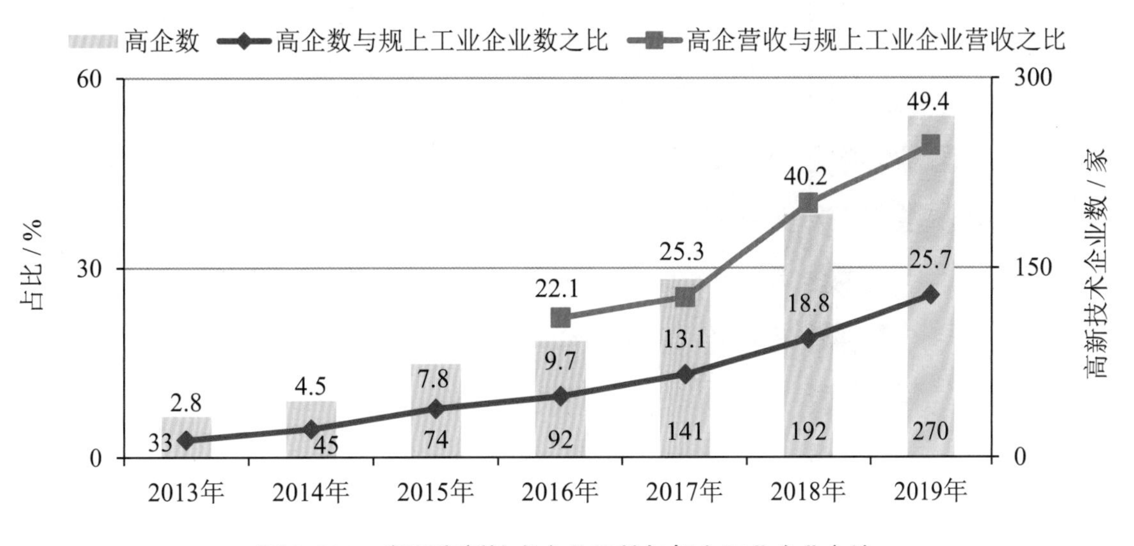


图 2-305　衡阳高新技术企业及其与规上工业企业之比

| 排名 | 指标 | 维度 |
| --- | --- | --- |
| 64 | 创新能力指数 30.07 | |
| 69 | 财政科技支出占公共财政支出比重 0.87% | 创新治理力 |
| 29 | 常住人口增长率 0.79% | 创新治理力 |
| 67 | 万名就业人员中研发人员 24.87人年/万人 | 创新治理力 |
| 66 | 万人专利申请量 10.60件/万人 | 创新治理力 |
| 69 | 人均地区生产总值 4.62万元/人 | 创新治理力 |
| 58 | 全社会研发经费支出与地区生产总值之比 1.37% | 原始创新力 |
| 31 | 基础研究经费占研发经费比重 5.07% | 原始创新力 |
| 34 | “双一流”建设学科数 0个 | 原始创新力 |
| 44 | 国家级科技成果奖数 3.44项当量 | 原始创新力 |
| 8 | 规上工业企业研发经费支出与营业收入之比 2.30% | 技术创新力 |
| 57 | 高新技术企业数 270家 | 技术创新力 |
| 47 | 国家高新区营业收入与地区生产总值之比 23.83% | 技术创新力 |
| 70 | 万人发明专利拥有量 2.22件/万人 | 技术创新力 |
| 60 | 技术输出合同成交额与地区生产总值之比 0.37% | 技术创新力 |
| 68 | 技术输入合同成交额与地区生产总值之比 0.44% | 成果转化力 |
| 41 | 科创板上市企业数 0家 | 成果转化力 |
| 69 | 国家级科技企业孵化器、大学科技园、双创示范基地数 1个 | 成果转化力 |
| 68 | 国家级科技企业孵化器、大学科技园新增在孵企业数 0家 | 成果转化力 |
| 61 | 科技型中小企业数 159家 | 成果转化力 |
| 42 | 规上工业企业新产品销售收入与营业收入之比 17.08% | 成果转化力 |
| 25 | 高新技术企业营业收入与规上工业企业营业收入之比 49.38% | 创新驱动力 |
| 6 | 城乡居民人均可支配收入之比 1.74 | 创新驱动力 |
| 49 | 单位地区生产总值能耗 0.56吨标准煤/万元 | 创新驱动力 |
| 41 | PM2.5年平均浓度 42微克/立方米 | 创新驱动力 |
| 35 | 人均实际使用外资额 216.46美元/人 | 创新驱动力 |
| 67 | 居民人均可支配收入 3.46万元/人 | 创新驱动力 |

图 2-306　衡阳创新能力指标数据及排名

# 三、西部地区

## （一）呼和浩特

2019 年，呼和浩特常住人口 314 万人，地区生产总值 2791 亿元。呼和浩特创新能力指数为 42.19，在 72 个创新型城市中排名第 52 位（与上年相比进 5 位），属于创新集聚区类别城市（在 32 个该类别城市中排名第 14 位）。从创新能力构成看，呼和浩特技术创新力、成果转化力有待提升；从具体指标看，呼和浩特在科技型中小企业培育、城乡协调发展等方面存在明显的短板。

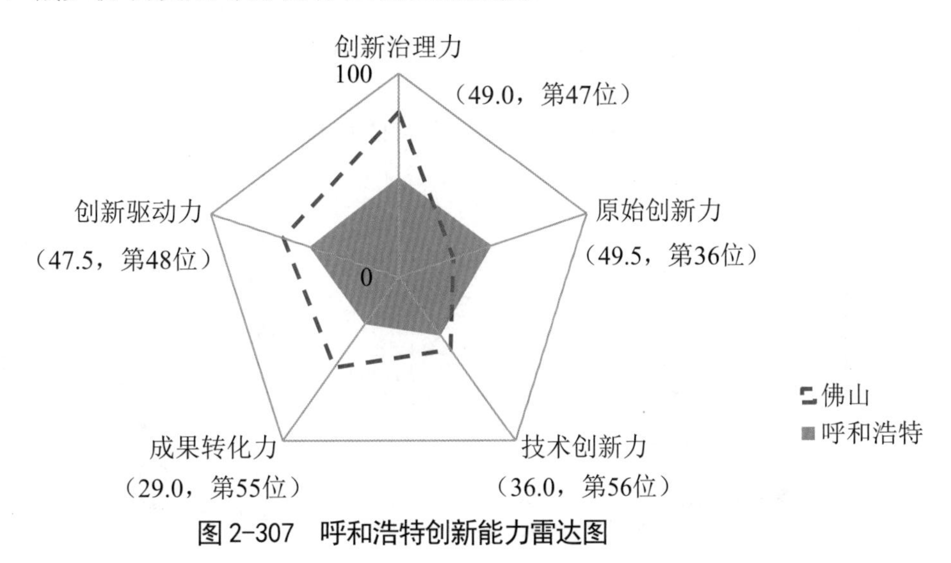


图 2-307　呼和浩特创新能力雷达图

从经济发展阶段来看，近年来呼和浩特固定资产投资与地区生产总值之比呈下降趋势，近 3 年平均值为 41.3%，低于全国平均水平（68.8%），公共财政收入占地区生产总值比重呈下降趋势，总体上呼和浩特处于由投资驱动向创新驱动的过渡阶段，创新发展动能正不断增强。

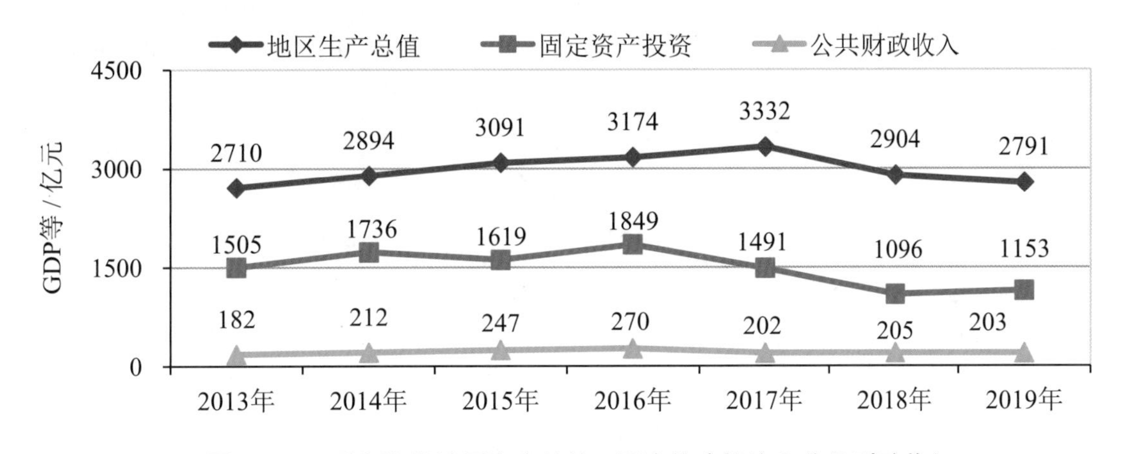


图 2-308　呼和浩特地区生产总值、固定资产投资和公共财政收入

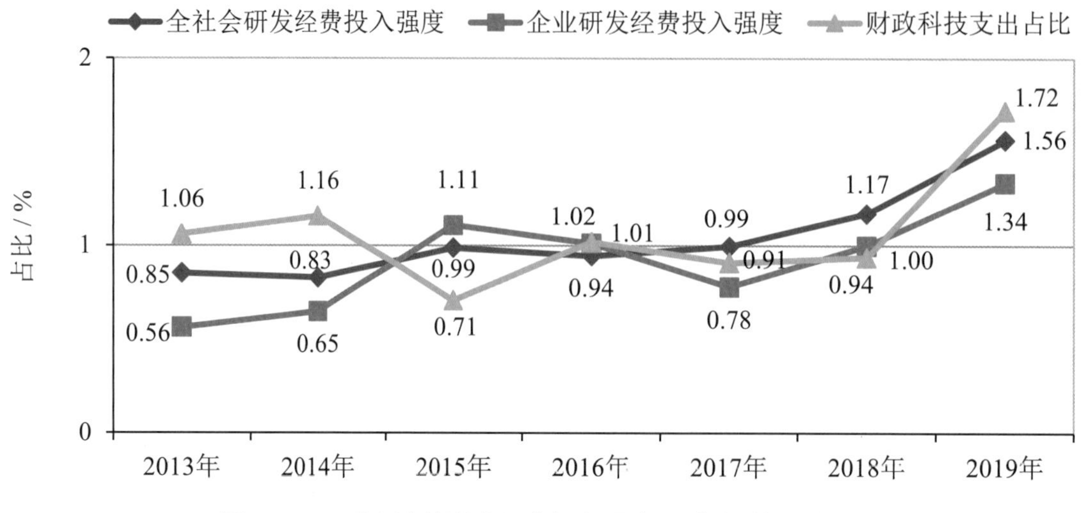


图 2-309 呼和浩特研发经费投入强度及财政科技支出占比

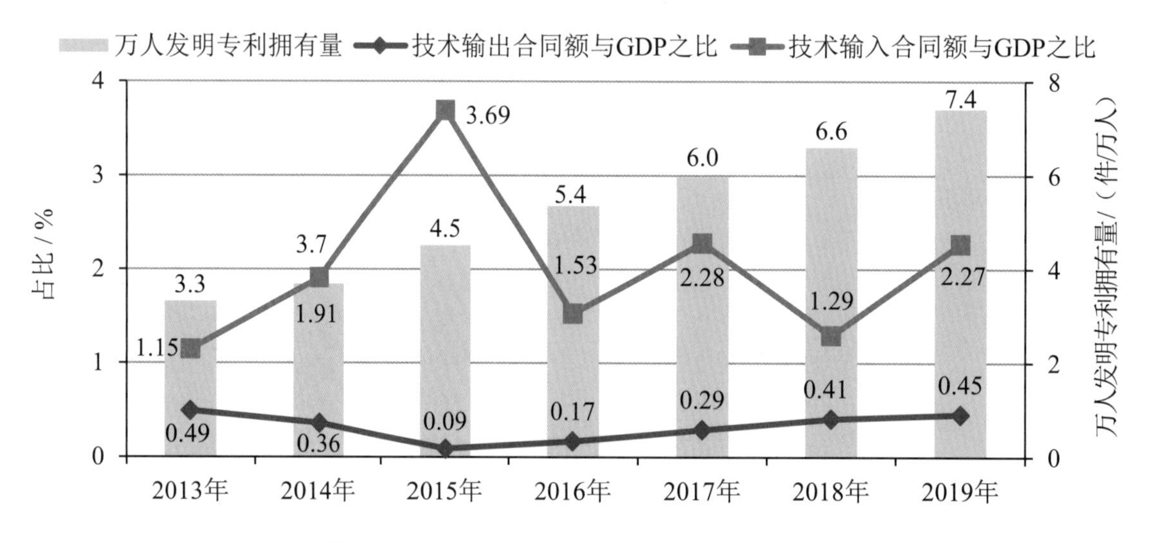


图 2-310 呼和浩特万人发明专利拥有量及技术合同成交额与地区生产总值之比

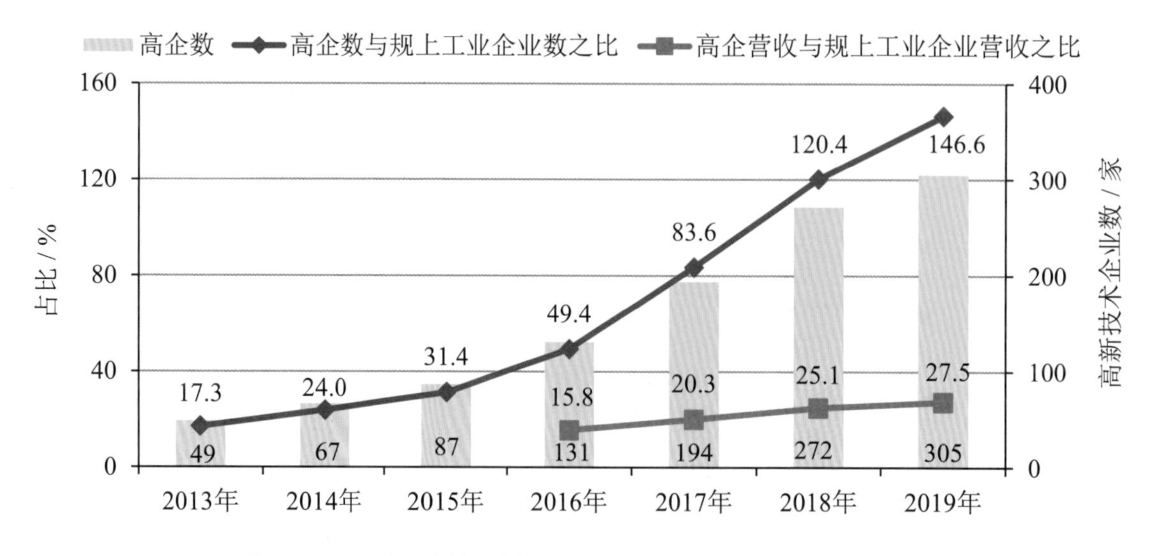


图 2-311 呼和浩特高新技术企业及其与规上工业企业之比

| 排名 | 指标数据 | 类别 |
| --- | --- | --- |
| 52 | 创新能力指数 42.19 | |
| 55 | 财政科技支出占公共财政支出比重 1.72% | 创新治理力 |
| 47 | 常住人口增长率 0.33% | 创新治理力 |
| 54 | 万名就业人员中研发人员 38.74人年/万人 | 创新治理力 |
| 50 | 万人专利申请量 22.11件/万人 | 创新治理力 |
| 41 | 人均地区生产总值 8.90万元/人 | 创新治理力 |
| 56 | 全社会研发经费支出与地区生产总值之比 1.56% | 原始创新力 |
| 24 | 基础研究经费占研发经费比重 6.98% | 原始创新力 |
| 22 | “双一流”建设学科数 1个 | 原始创新力 |
| 43 | 国家级科技成果奖数 4.55项当量 | 原始创新力 |
| 44 | 规上工业企业研发经费支出与营业收入之比 1.34% | 技术创新力 |
| 56 | 高新技术企业数 305家 | 技术创新力 |
| 41 | 国家高新区营业收入与地区生产总值之比 34.43% | 技术创新力 |
| 55 | 万人发明专利拥有量 7.42件/万人 | 技术创新力 |
| 58 | 技术输出合同成交额与地区生产总值之比 0.45% | 技术创新力 |
| 23 | 技术输入合同成交额与地区生产总值之比 2.27% | 成果转化力 |
| 41 | 科创板上市企业数 0家 | 成果转化力 |
| 44 | 国家级科技企业孵化器、大学科技园、双创示范基地数 14个 | 成果转化力 |
| 55 | 国家级科技企业孵化器、大学科技园新增在孵企业数 55家 | 成果转化力 |
| 66 | 科技型中小企业数 117家 | 成果转化力 |
| 43 | 规上工业企业新产品销售收入与营业收入之比 16.32% | 成果转化力 |
| 59 | 高新技术企业营业收入与规上工业企业营业收入之比 27.50% | 创新驱动力 |
| 62 | 城乡居民人均可支配收入之比 2.60 | 创新驱动力 |
| 57 | 单位地区生产总值能耗 0.62吨标准煤/万元 | 创新驱动力 |
| 29 | PM2.5年平均浓度 37微克/立方米 | 创新驱动力 |
| 51 | 人均实际使用外资额 82.04美元/人 | 创新驱动力 |
| 25 | 居民人均可支配收入 4.94万元/人 | 创新驱动力 |

图 2-312　呼和浩特创新能力指标数据及排名

## （二）包头

2019 年，包头常住人口 290 万人，地区生产总值 2714 亿元。包头创新能力指数为 31.83，在 72 个创新型城市中排名第 63 位（与上年相比无变化），属于创新集聚区类别城市（在 32 个该类别城市中排名第 23 位）。从创新能力构成看，包头成果转化力、技术创新力有待提升；从具体指标看，包头在科技型中小企业培育、综合能耗等方面存在明显的短板。

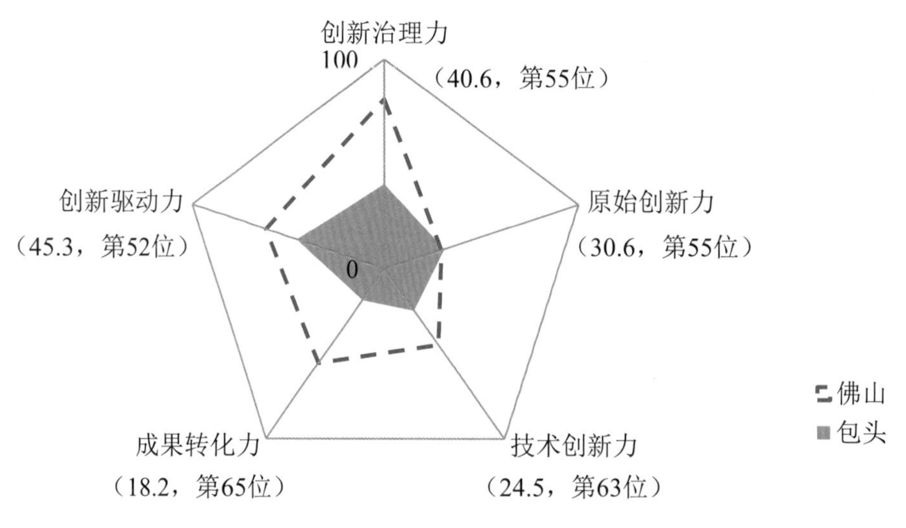


图 2-313 包头创新能力雷达图

从经济发展阶段来看，近年来包头固定资产投资与地区生产总值之比呈下降趋势，近 3 年平均值为 76.3%，高于全国平均水平（68.8%），公共财政收入占地区生产总值比重呈下降趋势，总体上包头仍处于投资驱动发展阶段，创新发展动能有待增强。

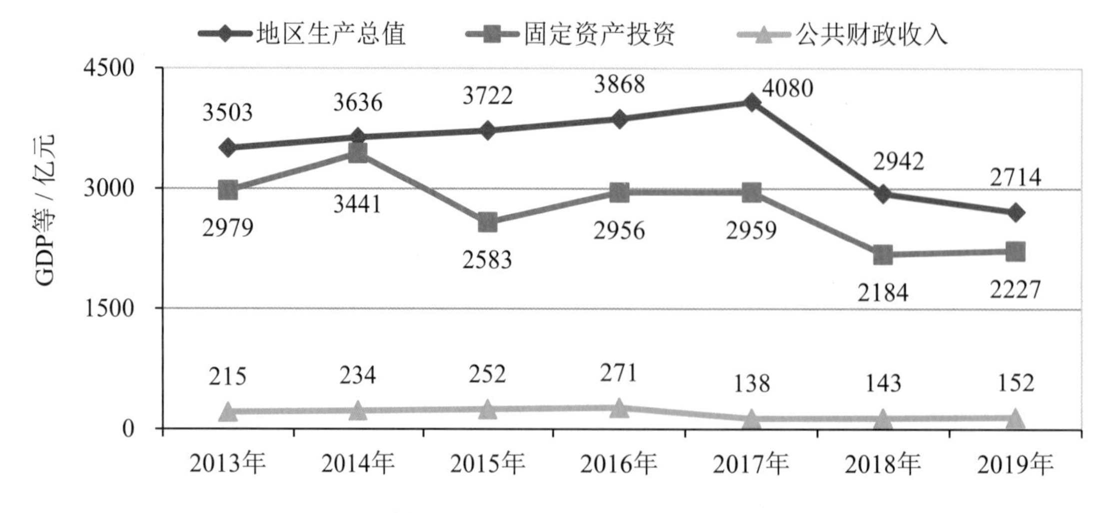


图 2-314 包头地区生产总值、固定资产投资和公共财政收入

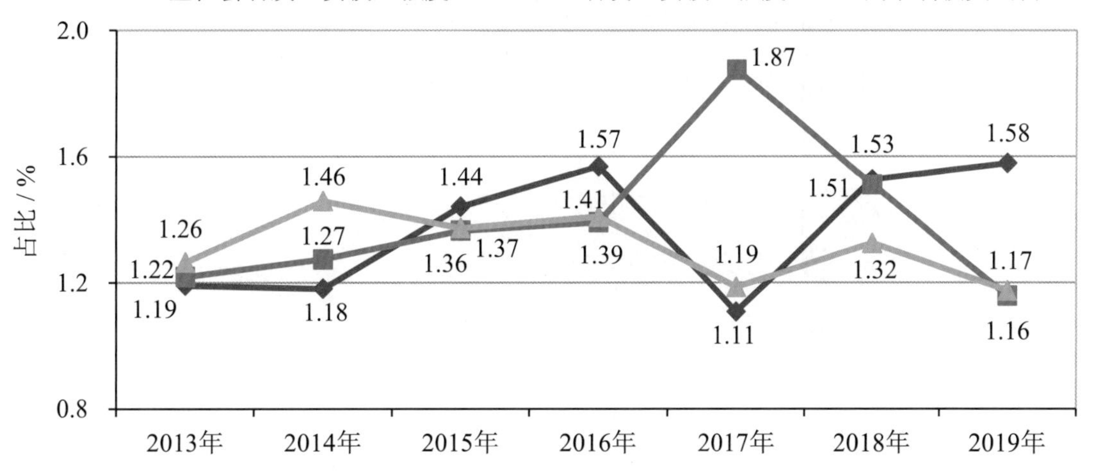


图 2-315　包头研发经费投入强度及财政科技支出占比

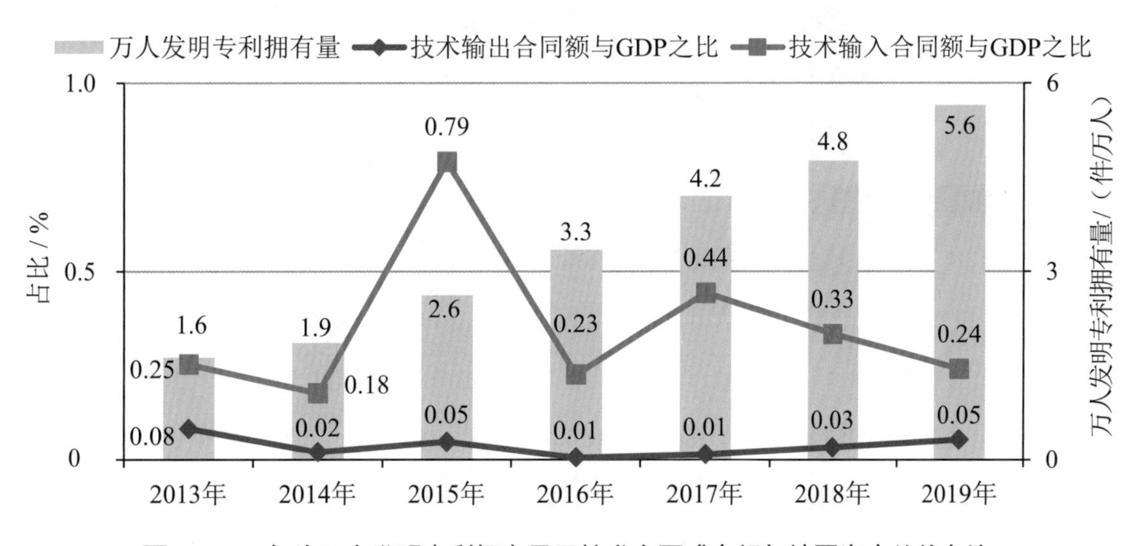


图 2-316　包头万人发明专利拥有量及技术合同成交额与地区生产总值之比

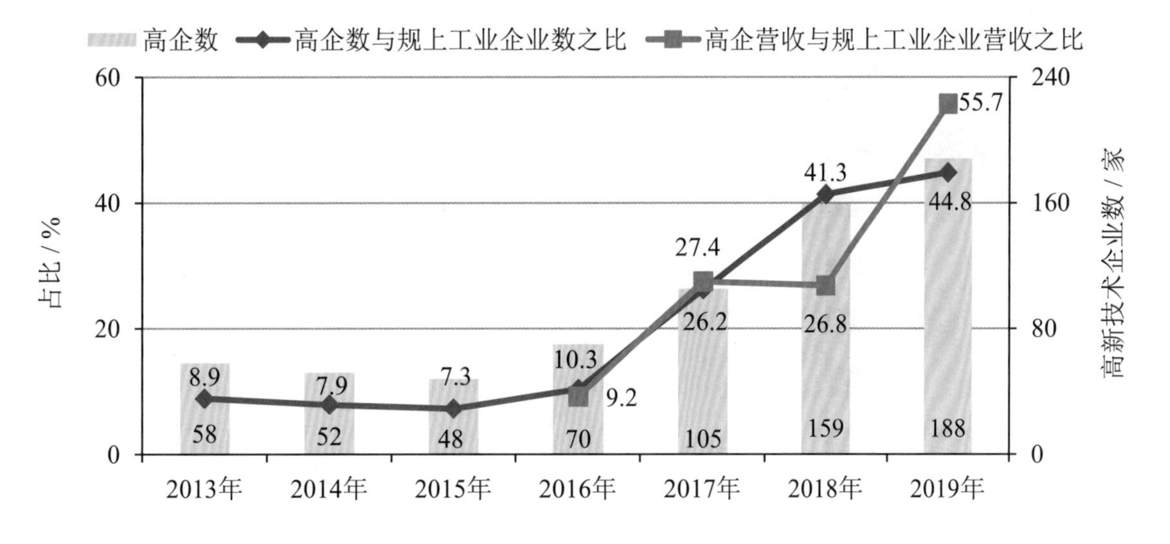


图 2-317　包头高新技术企业及其与规上工业企业之比

| 排名 | 指标 | 类别 |
| --- | --- | --- |
| 63 | 创新能力指数 31.83 | |
| 65 | 财政科技支出占公共财政支出比重 1.17% | 创新治理力 |
| 48 | 常住人口增长率 0.28% | 创新治理力 |
| 47 | 万名就业人员中研发人员 54.01人年/万人 | 创新治理力 |
| 64 | 万人专利申请量 11.88件/万人 | 创新治理力 |
| 36 | 人均地区生产总值 9.37万元/人 | 创新治理力 |
| 55 | 全社会研发经费支出与地区生产总值之比 1.58% | 原始创新力 |
| 38 | 基础研究经费占研发经费比重 2.29% | 原始创新力 |
| 34 | “双一流”建设学科数 0个 | 原始创新力 |
| 60 | 国家级科技成果奖数 0项当量 | 原始创新力 |
| 53 | 规上工业企业研发经费支出与营业收入之比 1.16% | 技术创新力 |
| 62 | 高新技术企业数 188家 | 技术创新力 |
| 11 | 国家高新区营业收入与地区生产总值之比 71.79% | 技术创新力 |
| 60 | 万人发明专利拥有量 5.64件/万人 | 技术创新力 |
| 70 | 技术输出合同成交额与地区生产总值之比 0.05% | 技术创新力 |
| 70 | 技术输入合同成交额与地区生产总值之比 0.24% | 成果转化力 |
| 41 | 科创板上市企业数 0家 | 成果转化力 |
| 44 | 国家级科技企业孵化器、大学科技园、双创示范基地数 14个 | 成果转化力 |
| 47 | 国家级科技企业孵化器、大学科技园新增在孵企业数 95家 | 成果转化力 |
| 72 | 科技型中小企业数 33家 | 成果转化力 |
| 48 | 规上工业企业新产品销售收入与营业收入之比 15.61% | 成果转化力 |
| 20 | 高新技术企业营业收入与规上工业企业营业收入之比 55.70% | 创新驱动力 |
| 64 | 城乡居民人均可支配收入之比 2.63 | 创新驱动力 |
| 71 | 单位地区生产总值能耗 1.72吨标准煤/万元 | 创新驱动力 |
| 32 | PM2.5年平均浓度 38微克/立方米 | 创新驱动力 |
| 57 | 人均实际使用外资额 62.48美元/人 | 创新驱动力 |
| 22 | 居民人均可支配收入 5.04万元/人 | 创新驱动力 |

2-318 包头创新能力指标数据及排名

## （三）南宁

2019年，南宁常住人口734万人，地区生产总值4507亿元。南宁创新能力指数为46.81，在72个创新型城市中排名第44位（与上年相比进1位），属于创新集聚区类别城市（在32个该类别城市中排名第8位）。从创新能力构成看，南宁创新治理力、技术创新力有待提升；从具体指标看，南宁在新技术应用、企业研发投入等方面存在明显的短板。

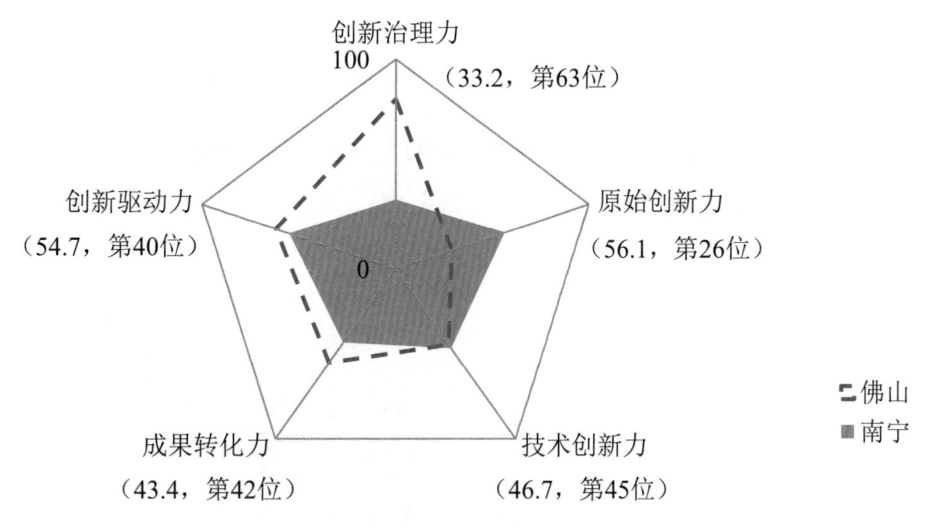


图2-319　南宁创新能力雷达图

从经济发展阶段来看，近年来南宁固定资产投资与地区生产总值之比呈上升趋势，近3年平均值为113.9%，高于全国平均水平（68.8%），公共财政收入占地区生产总值比重呈下降趋势，总体上南宁仍处于投资驱动发展阶段，创新发展动能有待增强。

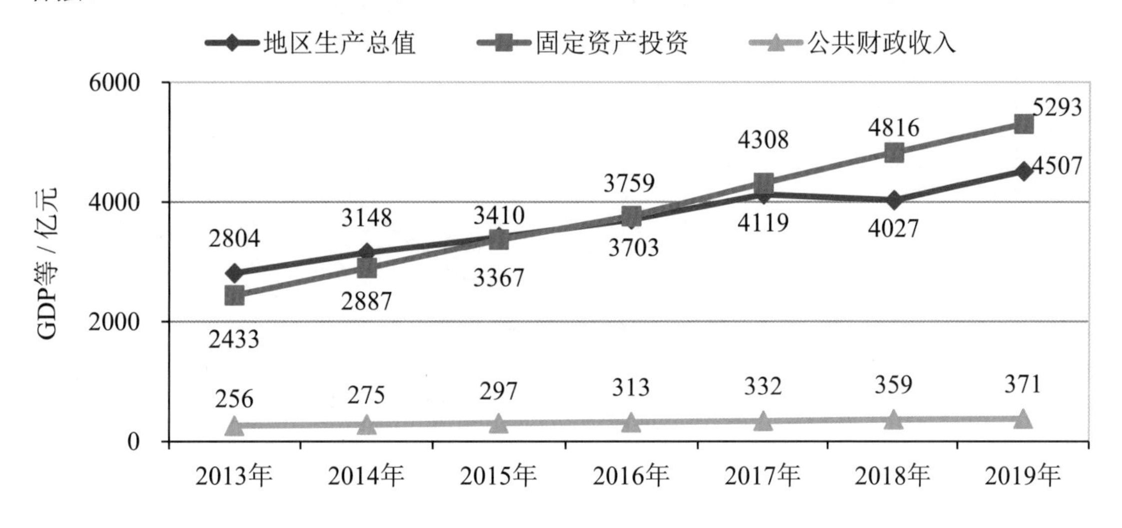


图2-320　南宁地区生产总值、固定资产投资和公共财政收入

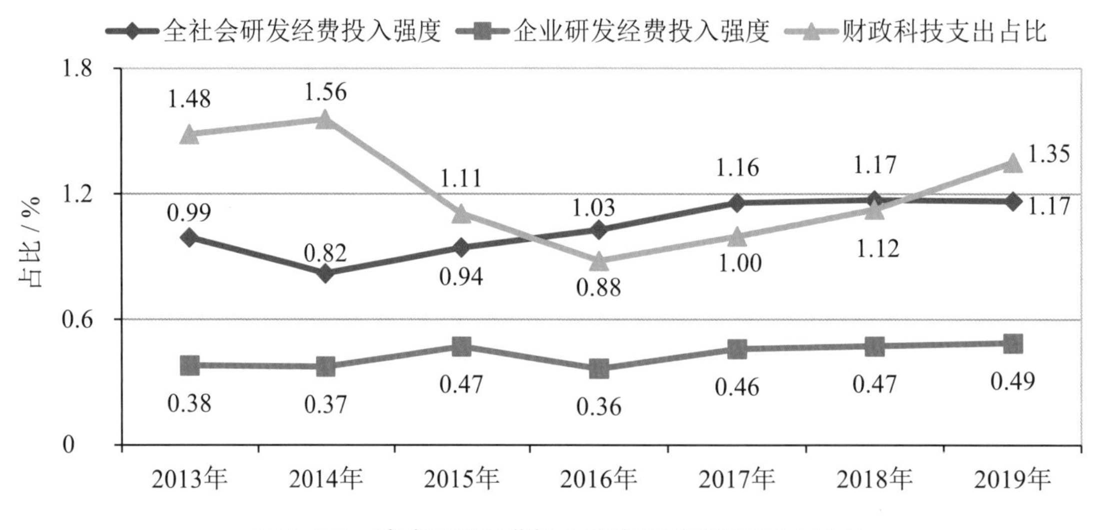


图 2-321 南宁研发经费投入强度及财政科技支出占比

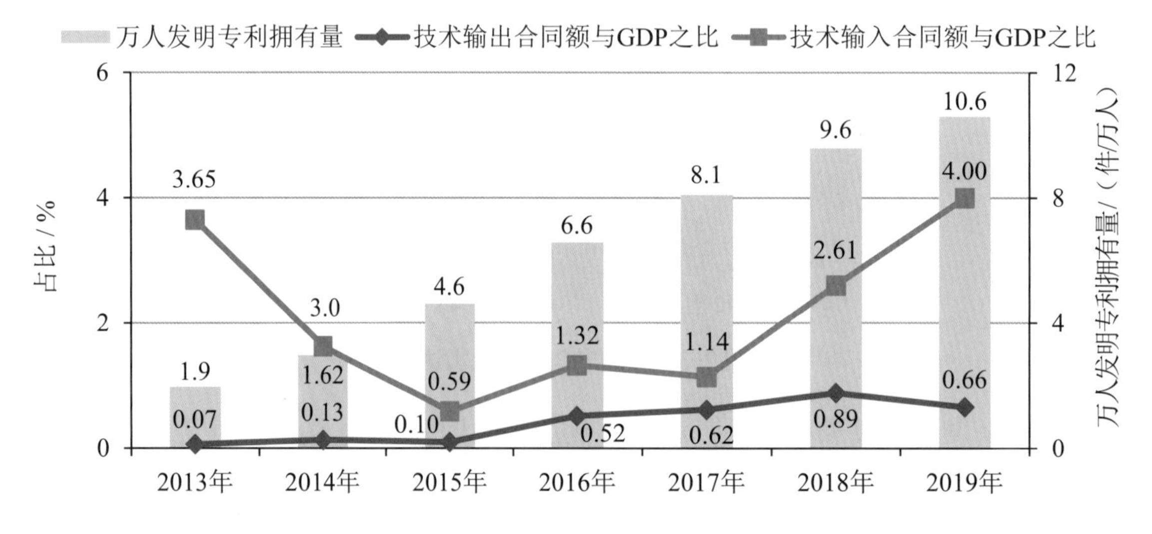


图 2-322 南宁万人发明专利拥有量及技术合同成交额与地区生产总值之比

图 2-323 南宁高新技术企业及其与规上工业企业之比

| 排名 | 指标 | 分类 |
| --- | --- | --- |
| 44 | 创新能力指数 46.81 | |
| 60 | 财政科技支出占公共财政支出比重 1.35% | 创新治理力 |
| 18 | 常住人口增长率 1.25% | 创新治理力 |
| 65 | 万名就业人员中研发人员 25.69人年/万人 | 创新治理力 |
| 53 | 万人专利申请量 19.53件/万人 | 创新治理力 |
| 58 | 人均地区生产总值 6.14万元/人 | 创新治理力 |
| 63 | 全社会研发经费支出与地区生产总值之比 1.17% | 原始创新力 |
| 4 | 基础研究经费占研发经费比重 20.88% | 原始创新力 |
| 22 | “双一流”建设学科数 1个 | 原始创新力 |
| 28 | 国家级科技成果奖数 16.08项当量 | 原始创新力 |
| 69 | 规上工业企业研发经费支出与营业收入之比 0.49% | 技术创新力 |
| 34 | 高新技术企业数 986家 | 技术创新力 |
| 25 | 国家高新区营业收入与地区生产总值之比 59.88% | 技术创新力 |
| 41 | 万人发明专利拥有量 10.60件/万人 | 技术创新力 |
| 52 | 技术输出合同成交额与地区生产总值之比 0.66% | 技术创新力 |
| 10 | 技术输入合同成交额与地区生产总值之比 4.00% | 成果转化力 |
| 41 | 科创板上市企业数 0家 | 成果转化力 |
| 47 | 国家级科技企业孵化器、大学科技园、双创示范基地数 13个 | 成果转化力 |
| 34 | 国家级科技企业孵化器、大学科技园新增在孵企业数 214家 | 成果转化力 |
| 42 | 科技型中小企业数 504家 | 成果转化力 |
| 71 | 规上工业企业新产品销售收入与营业收入之比 6.63% | 成果转化力 |
| 14 | 高新技术企业营业收入与规上工业企业营业收入之比 68.67% | 创新驱动力 |
| 57 | 城乡居民人均可支配收入之比 2.50 | 创新驱动力 |
| 9 | 单位地区生产总值能耗 0.28吨标准煤/万元 | 创新驱动力 |
| 14 | PM2.5年平均浓度 30微克/立方米 | 创新驱动力 |
| 60 | 人均实际使用外资额 42.23美元/人 | 创新驱动力 |
| 59 | 居民人均可支配收入 3.77万元/人 | 创新驱动力 |

图 2-324　南宁创新能力指标数据及排名

## （四）成都

2019 年，成都常住人口 1658 万人，地区生产总值 17013 亿元。成都创新能力指数为 68.21，在 72 个创新型城市中排名第 11 位（与上年相比退 2 位），属于创新策源地类别城市（在 15 个该类别城市中排名第 9 位）。从创新能力构成看，成都创新治理力、创新驱动力有待提升；从具体指标看，成都在新技术应用、企业研发投入等方面存在明显的短板。

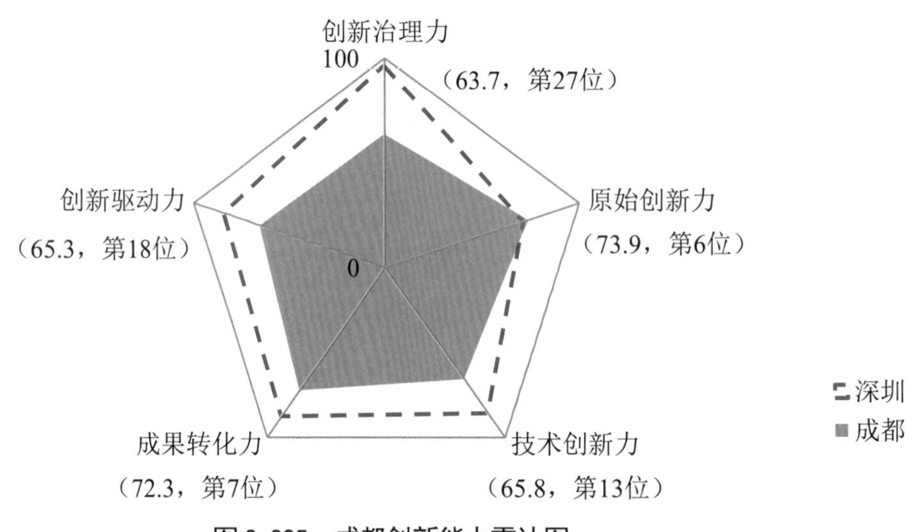


图 2-325　成都创新能力雷达图

从经济发展阶段来看，近年来成都固定资产投资与地区生产总值之比呈下降趋势，近 3 年平均值为 64.8%，低于全国平均水平（68.8%），公共财政收入占地区生产总值比重呈下降趋势，总体上成都已经跨越投资驱动，进入创新驱动发展阶段，高质量发展势头良好。

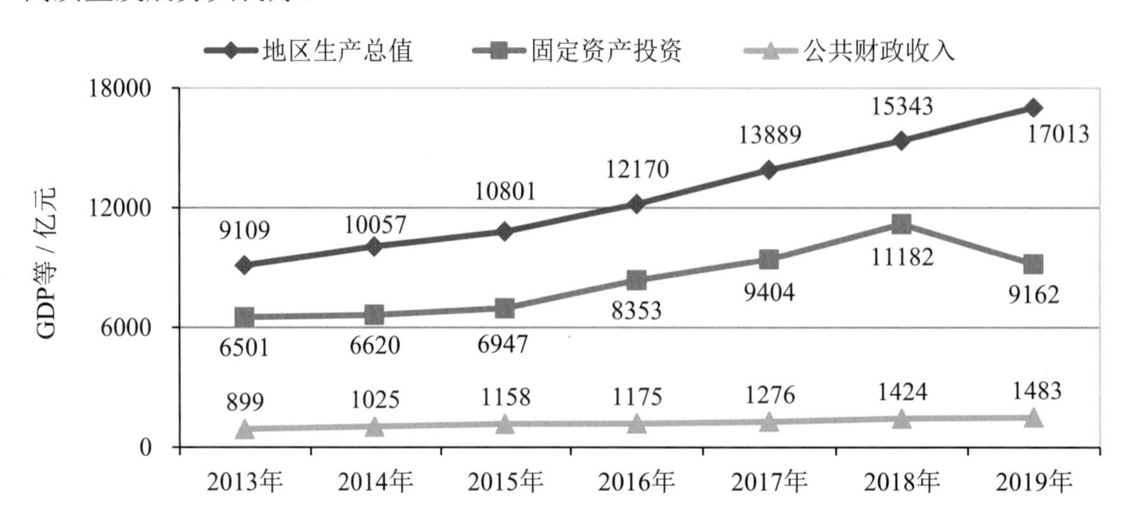


图 2-326　成都地区生产总值、固定资产投资和公共财政收入

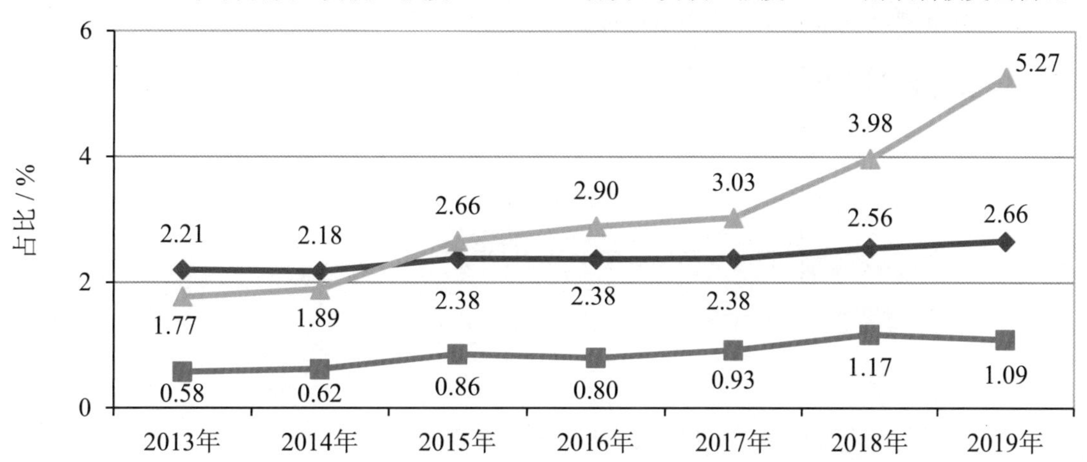


图 2-327　成都研发经费投入强度及财政科技支出占比

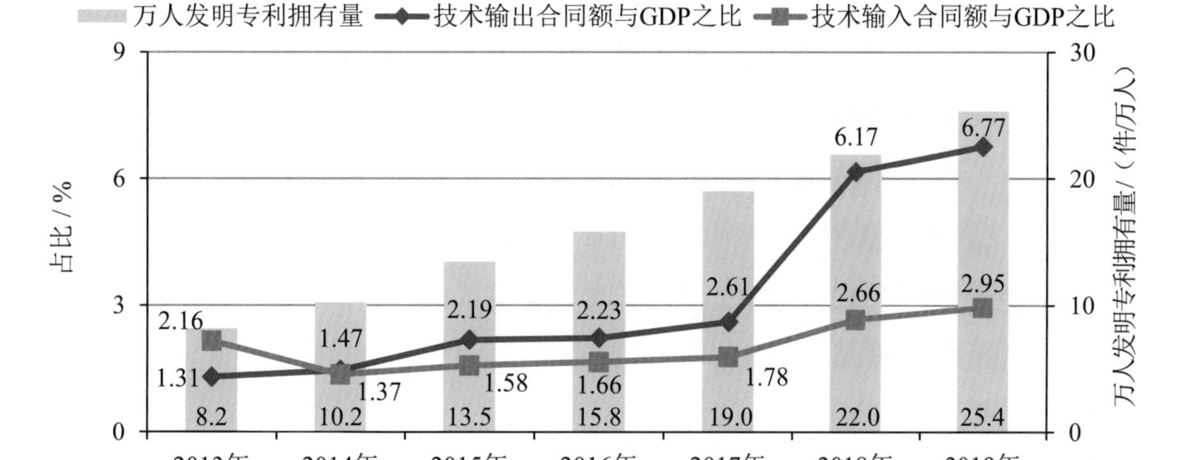


图 2-328　成都万人发明专利拥有量及技术合同成交额与地区生产总值之比

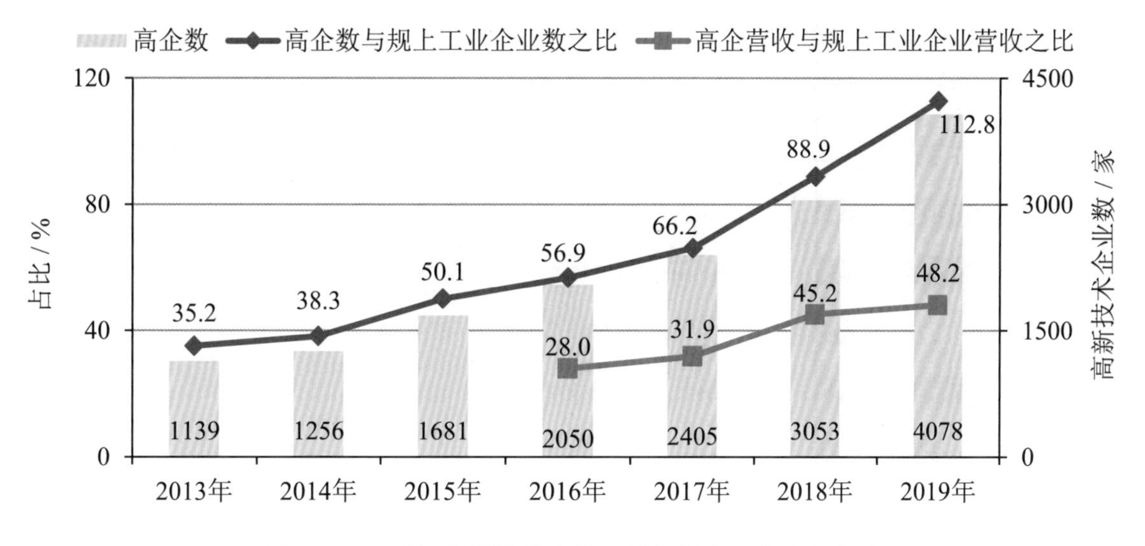


图 2-329　成都高新技术企业及其与规上工业企业之比

| 排名 | 指标 | 类别 |
|---|---|---|
| 11 | 创新能力指数 68.21 | |
| 12 | 财政科技支出占公共财政支出比重 5.27% | 创新治理力 |
| 14 | 常住人口增长率 1.54% | 创新治理力 |
| 29 | 万名就业人员中研发人员 100.02人年/万人 | 创新治理力 |
| 27 | 万人专利申请量 47.09件/万人 | 创新治理力 |
| 29 | 人均地区生产总值 10.26万元/人 | 创新治理力 |
| 22 | 全社会研发经费支出与地区生产总值之比 2.66% | 原始创新力 |
| 23 | 基础研究经费占研发经费比重 7.54% | 原始创新力 |
| 6 | “双一流”建设学科数 13个 | 原始创新力 |
| 7 | 国家级科技成果奖数 111.37项当量 | 原始创新力 |
| 56 | 规上工业企业研发经费支出与营业收入之比 1.09% | 技术创新力 |
| 9 | 高新技术企业数 4078家 | 技术创新力 |
| 32 | 国家高新区营业收入与地区生产总值之比 41.34% | 技术创新力 |
| 23 | 万人发明专利拥有量 25.36件/万人 | 技术创新力 |
| 3 | 技术输出合同成交额与地区生产总值之比 6.77% | 技术创新力 |
| 17 | 技术输入合同成交额与地区生产总值之比 2.95% | 成果转化力 |
| 5 | 科创板上市企业数 11家 | 成果转化力 |
| 9 | 国家级科技企业孵化器、大学科技园、双创示范基地数 67个 | 成果转化力 |
| 3 | 国家级科技企业孵化器、大学科技园新增在孵企业数 806家 | 成果转化力 |
| 4 | 科技型中小企业数 5211家 | 成果转化力 |
| 61 | 规上工业企业新产品销售收入与营业收入之比 11.25% | 成果转化力 |
| 26 | 高新技术企业营业收入与规上工业企业营业收入之比 48.17% | 创新驱动力 |
| 16 | 城乡居民人均可支配收入之比 1.88 | 创新驱动力 |
| 23 | 单位地区生产总值能耗 0.37吨标准煤/万元 | 创新驱动力 |
| 45 | PM2.5年平均浓度 43微克/立方米 | 创新驱动力 |
| 4 | 人均实际使用外资额 794.22美元/人 | 创新驱动力 |
| 34 | 居民人均可支配收入 4.59万元/人 | 创新驱动力 |

图 2-330　成都创新能力指标数据及排名

## （五）贵阳

2019 年，贵阳常住人口 497 万人，地区生产总值 4040 亿元。贵阳创新能力指数为 58.17，在 72 个创新型城市中排名第 24 位（与上年相比无变化），属于创新增长极类别城市（在 25 个该类别城市中排名第 10 位）。从创新能力构成看，贵阳创新治理力、成果转化力有待提升；从具体指标看，贵阳在新技术应用、居民收入等方面存在明显的短板。

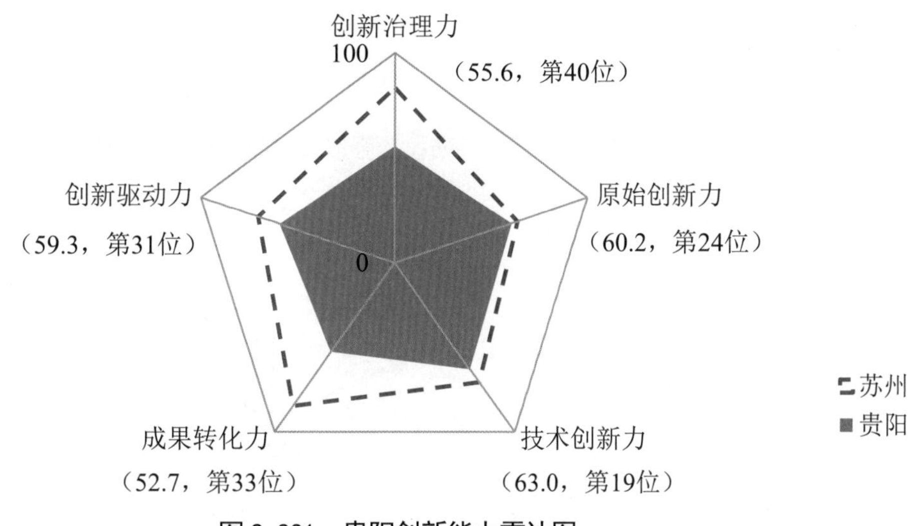


图 2-331　贵阳创新能力雷达图

从经济发展阶段来看，近年来贵阳固定资产投资与地区生产总值之比呈上升趋势，近 3 年平均值为 116.4%，高于全国平均水平（68.8%），公共财政收入占地区生产总值比重呈下降趋势，总体上贵阳仍处于投资驱动发展阶段，创新发展动能有待增强。

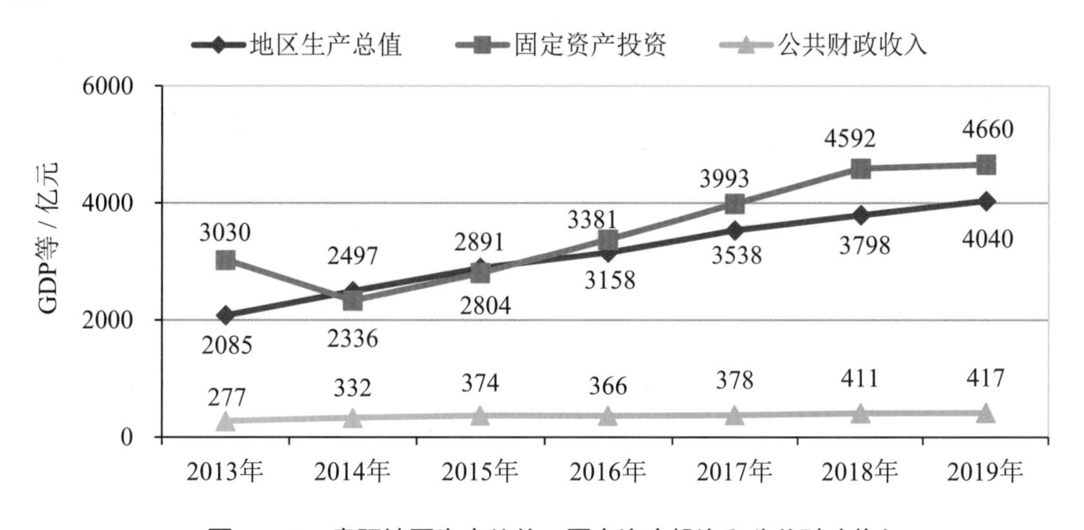


图 2-332　贵阳地区生产总值、固定资产投资和公共财政收入

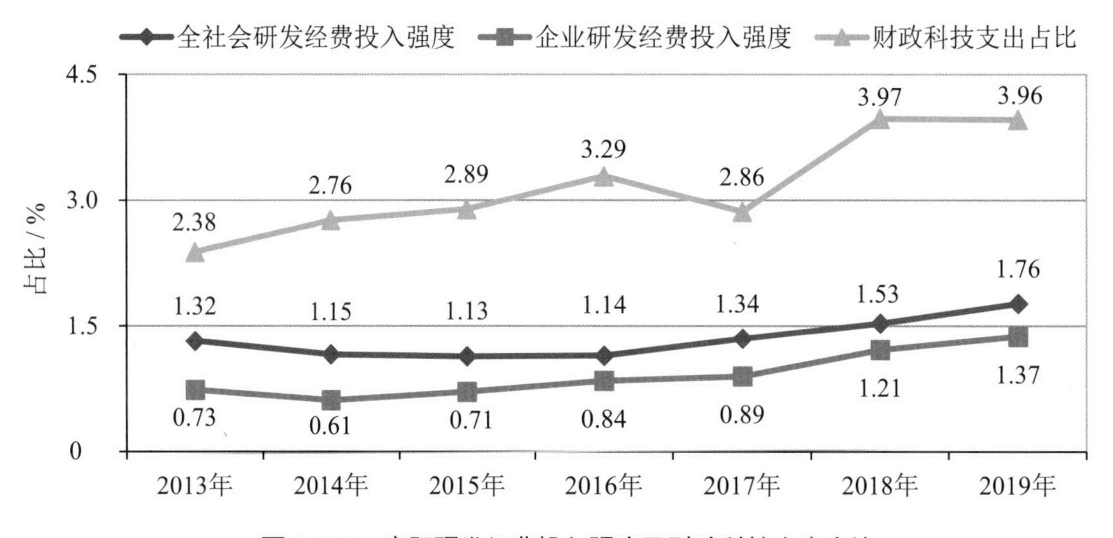


图 2-333　贵阳研发经费投入强度及财政科技支出占比

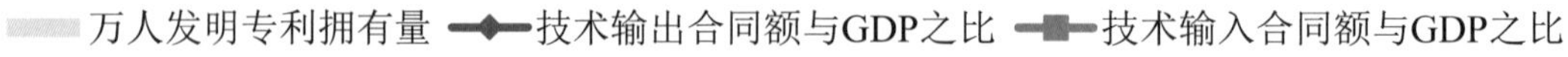


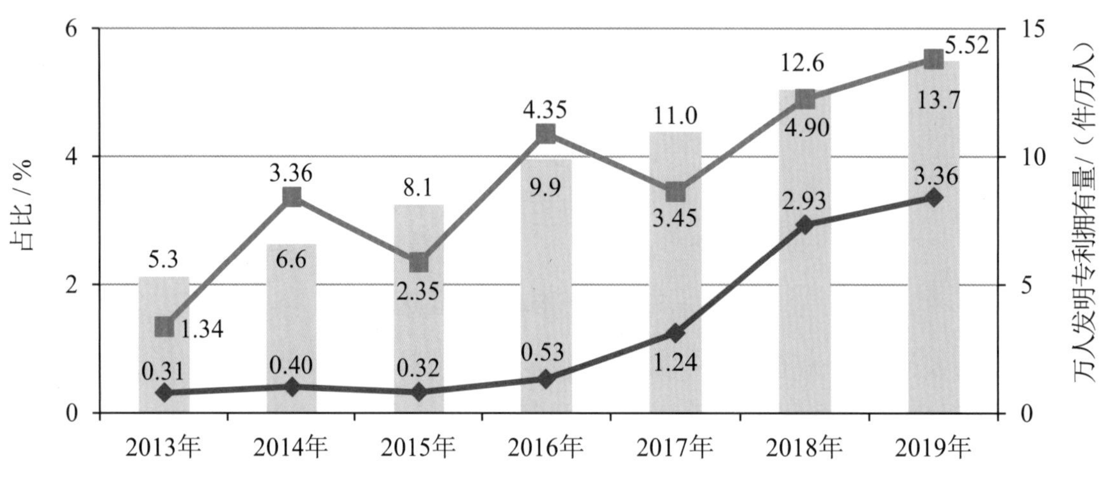


图 2-334　贵阳万人发明专利拥有量及技术合同成交额与地区生产总值之比

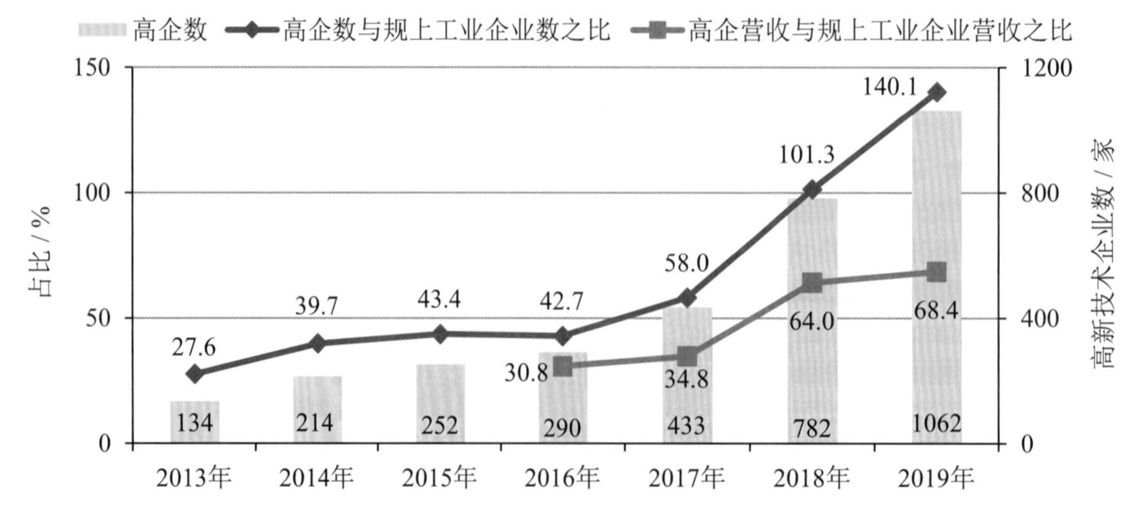


图 2-335　贵阳高新技术企业及其与规上工业企业之比

| 排名 | 指标 | 类别 |
| --- | --- | --- |
| 24 | 创新能力指数 58.17 | |
| 24 | 财政科技支出占公共财政支出比重 3.96% | 创新治理力 |
| 12 | 常住人口增长率 1.83% | 创新治理力 |
| 39 | 万名就业人员中研发人员 65.11人年/万人 | 创新治理力 |
| 30 | 万人专利申请量 40.81件/万人 | 创新治理力 |
| 47 | 人均地区生产总值 8.13万元/人 | 创新治理力 |
| 48 | 全社会研发经费支出与地区生产总值之比 1.76% | 原始创新力 |
| 7 | 基础研究经费占研发经费比重 14.42% | 原始创新力 |
| 22 | “双一流”建设学科数 1个 | 原始创新力 |
| 26 | 国家级科技成果奖数 18.75项当量 | 原始创新力 |
| 41 | 规上工业企业研发经费支出与营业收入之比 1.37% | 技术创新力 |
| 32 | 高新技术企业数 1062家 | 技术创新力 |
| 21 | 国家高新区营业收入与地区生产总值之比 61.11% | 技术创新力 |
| 37 | 万人发明专利拥有量 13.73件/万人 | 技术创新力 |
| 10 | 技术输出合同成交额与地区生产总值之比 3.36% | 技术创新力 |
| 5 | 技术输入合同成交额与地区生产总值之比 5.52% | 成果转化力 |
| 30 | 科创板上市企业数 1家 | 成果转化力 |
| 29 | 国家级科技企业孵化器、大学科技园、双创示范基地数 24个 | 成果转化力 |
| 31 | 国家级科技企业孵化器、大学科技园新增在孵企业数 227家 | 成果转化力 |
| 54 | 科技型中小企业数 235家 | 成果转化力 |
| 58 | 规上工业企业新产品销售收入与营业收入之比 11.56% | 成果转化力 |
| 15 | 高新技术企业营业收入与规上工业企业营业收入之比 68.38% | 创新驱动力 |
| 42 | 城乡居民人均可支配收入之比 2.21 | 创新驱动力 |
| 55 | 单位地区生产总值能耗 0.61吨标准煤/万元 | 创新驱动力 |
| 11 | PM2.5年平均浓度 27微克/立方米 | 创新驱动力 |
| 25 | 人均实际使用外资额 358.05美元/人 | 创新驱动力 |
| 56 | 居民人均可支配收入 3.82万元/人 | 创新驱动力 |

图 2-336　贵阳创新能力指标数据及排名

## （六）遵义

2019 年，遵义常住人口 630 万人，地区生产总值 3483 亿元。遵义创新能力指数为 24.72，在 72 个创新型城市中排名第 68 位（与上年相比进 1 位），属于创新集聚区类别城市（在 32 个该类别城市中排名第 27 位）。从创新能力构成看，遵义技术创新力、成果转化力有待提升；从具体指标看，遵义在创新创业人才培育、科技型中小企业培育等方面存在明显的短板。

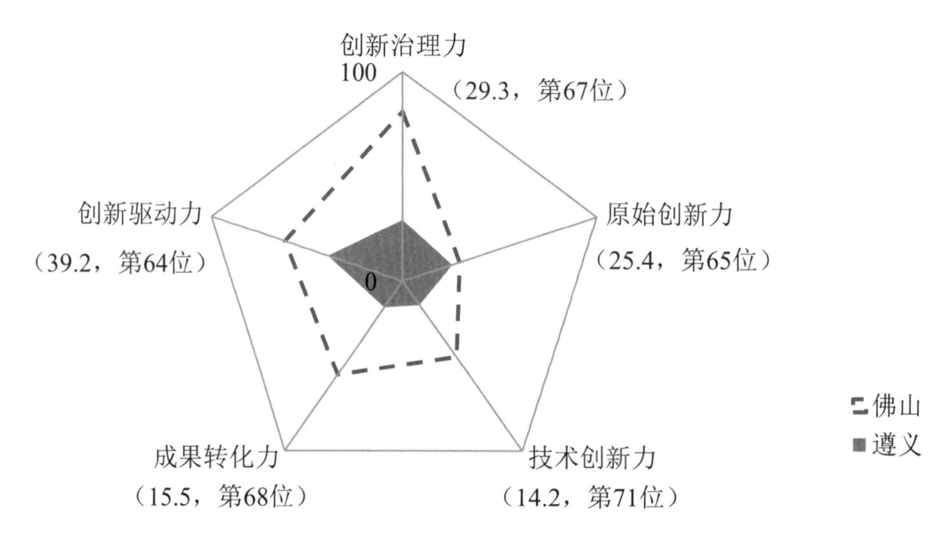


图 2-337　遵义创新能力雷达图

从经济发展阶段来看，近年来遵义固定资产投资与地区生产总值之比呈上升趋势，近 3 年平均值为 92.6%，高于全国平均水平（68.8%），公共财政收入占地区生产总值比重呈下降趋势，总体上遵义仍处于投资驱动发展阶段，创新发展动能有待增强。

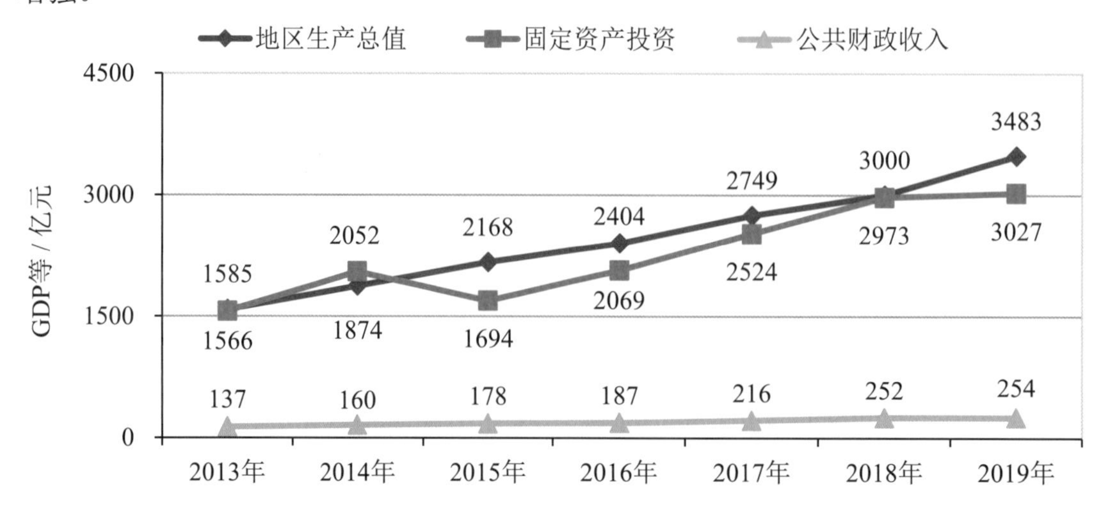


图 2-338　遵义地区生产总值、固定资产投资和公共财政收入

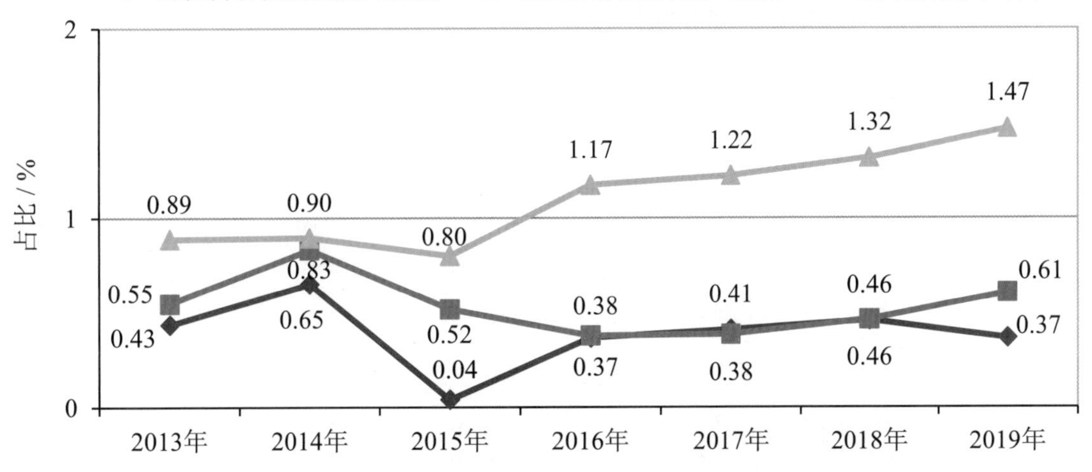


图 2-339　遵义研发经费投入强度及财政科技支出占比

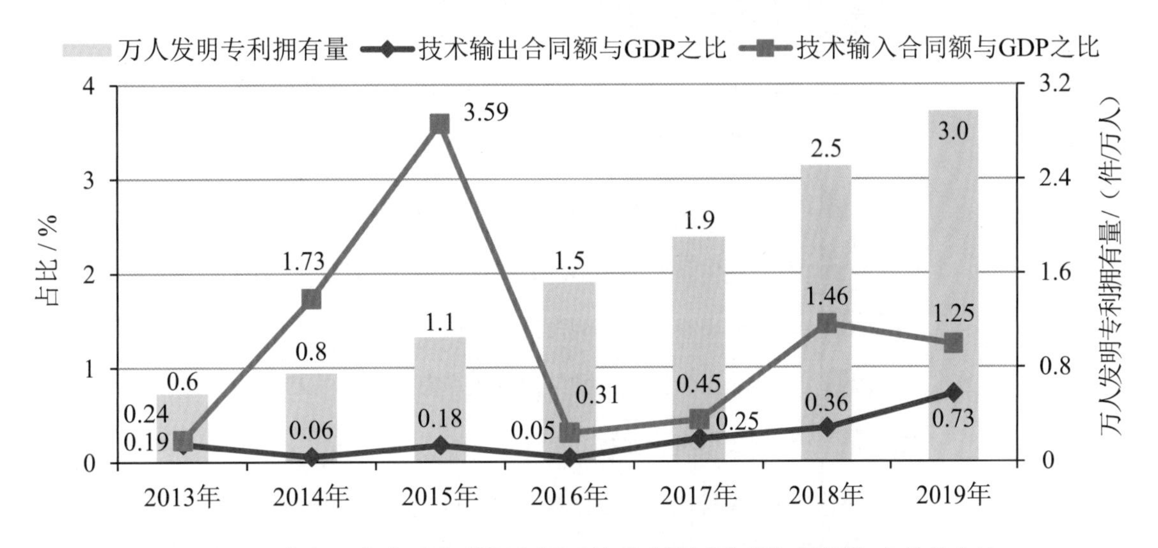


图 2-340　遵义万人发明专利拥有量及技术合同成交额与地区生产总值之比

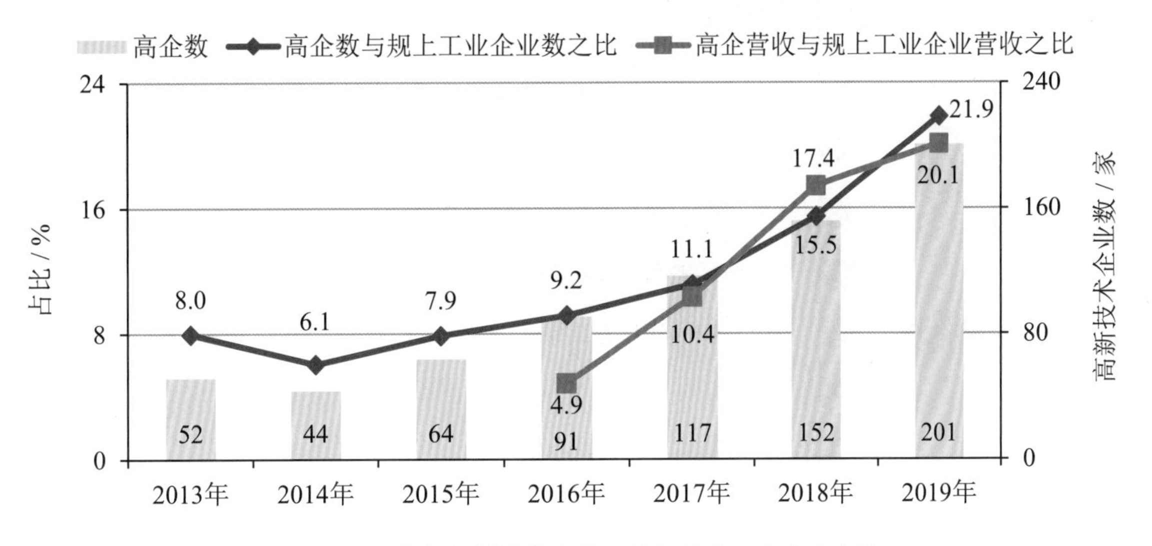


图 2-341　遵义高新技术企业及其与规上工业企业之比

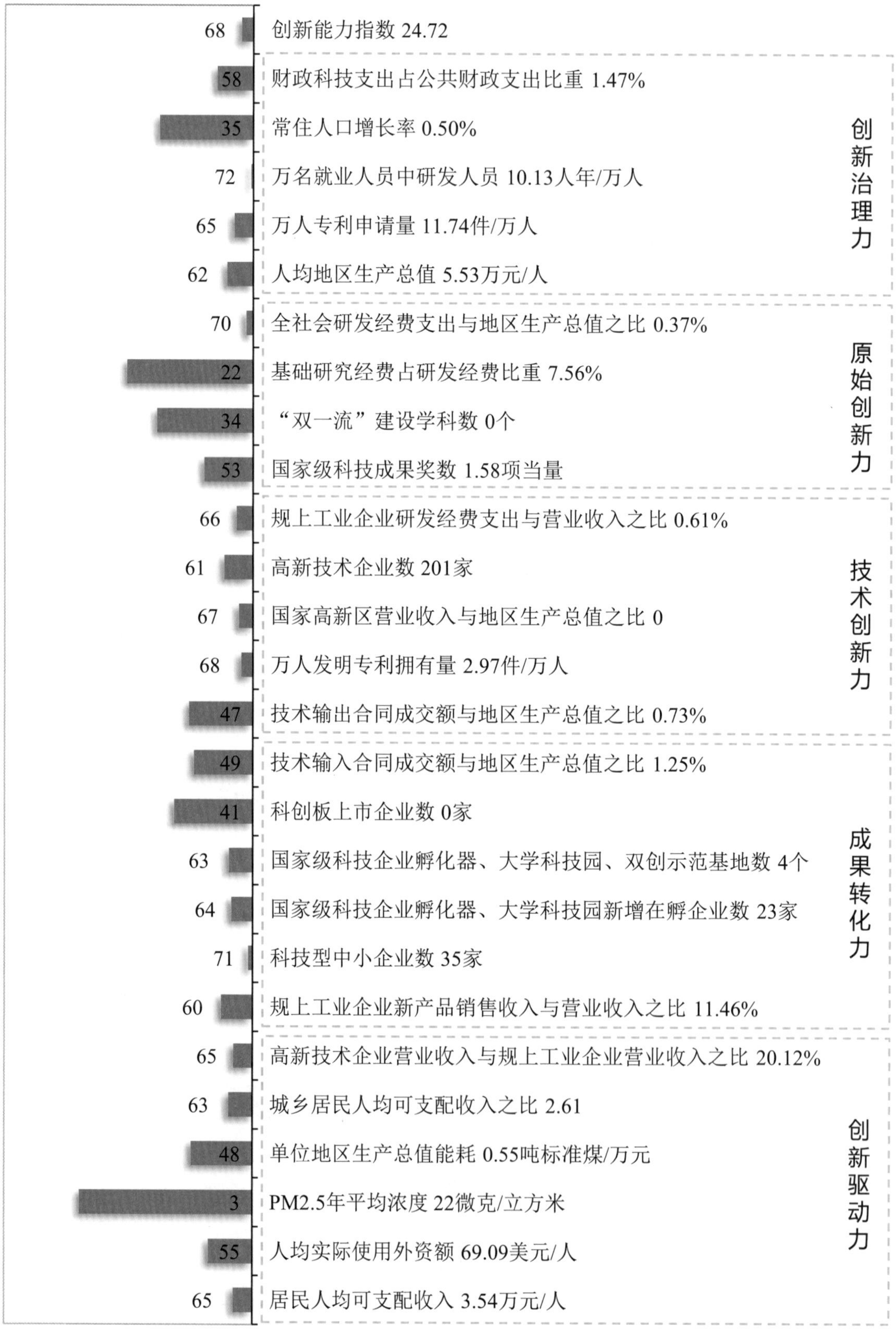

68 创新能力指数 24.72

**创新治理力**

58 财政科技支出占公共财政支出比重 1.47%
35 常住人口增长率 0.50%
72 万名就业人员中研发人员 10.13人年/万人
65 万人专利申请量 11.74件/万人
62 人均地区生产总值 5.53万元/人

**原始创新力**

70 全社会研发经费支出与地区生产总值之比 0.37%
22 基础研究经费占研发经费比重 7.56%
34 “双一流”建设学科数 0个
53 国家级科技成果奖数 1.58项当量

**技术创新力**

66 规上工业企业研发经费支出与营业收入之比 0.61%
61 高新技术企业数 201家
67 国家高新区营业收入与地区生产总值之比 0
68 万人发明专利拥有量 2.97件/万人
47 技术输出合同成交额与地区生产总值之比 0.73%

**成果转化力**

49 技术输入合同成交额与地区生产总值之比 1.25%
41 科创板上市企业数 0家
63 国家级科技企业孵化器、大学科技园、双创示范基地数 4个
64 国家级科技企业孵化器、大学科技园新增在孵企业数 23家
71 科技型中小企业数 35家
60 规上工业企业新产品销售收入与营业收入之比 11.46%

**创新驱动力**

65 高新技术企业营业收入与规上工业企业营业收入之比 20.12%
63 城乡居民人均可支配收入之比 2.61
48 单位地区生产总值能耗 0.55吨标准煤/万元
3 PM2.5年平均浓度 22微克/立方米
55 人均实际使用外资额 69.09美元/人
65 居民人均可支配收入 3.54万元/人

图 2-342 遵义创新能力指标数据及排名

## （七）昆明

2019 年，昆明常住人口 695 万人，地区生产总值 6476 亿元。昆明创新能力指数为 54.65，在 72 个创新型城市中排名第 31 位（与上年相比退 3 位），属于创新增长极类别城市（在 25 个该类别城市中排名第 18 位）。从创新能力构成看，昆明成果转化力、创新治理力有待提升；从具体指标看，昆明在城乡协调发展、新技术应用等方面存在明显的短板。

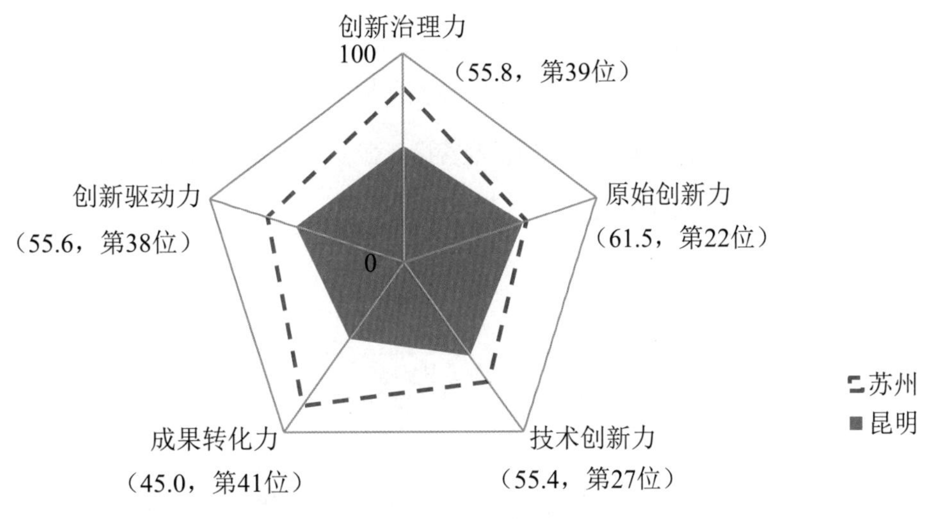


图 2-343　昆明创新能力雷达图

从经济发展阶段来看，近年来昆明固定资产投资与地区生产总值之比呈下降趋势，近 3 年平均值为 81.0%，高于全国平均水平（68.8%），公共财政收入占地区生产总值比重呈下降趋势，总体上昆明处于由投资驱动向创新驱动的过渡阶段，创新发展动能正不断增强。

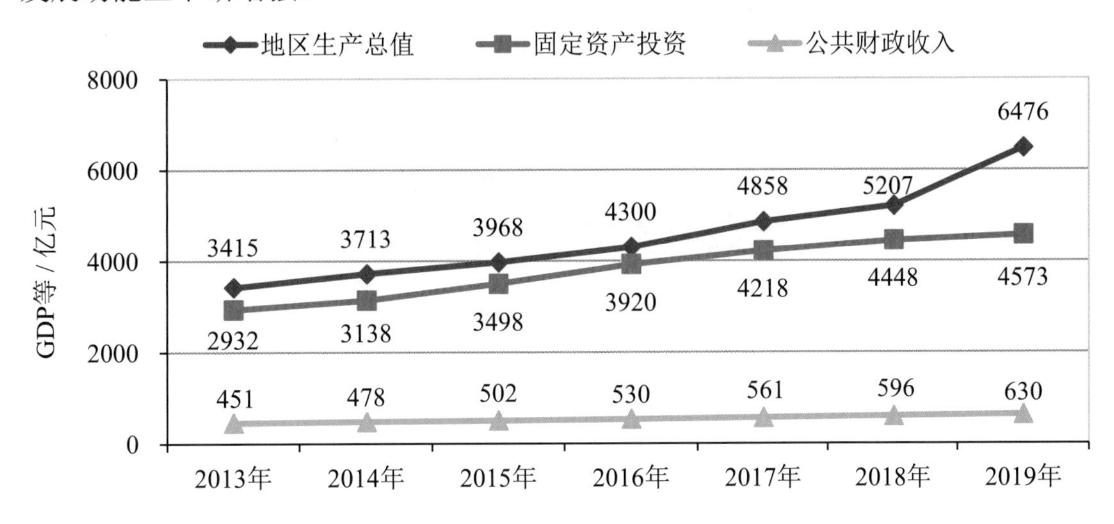


图 2-344　昆明地区生产总值、固定资产投资和公共财政收入

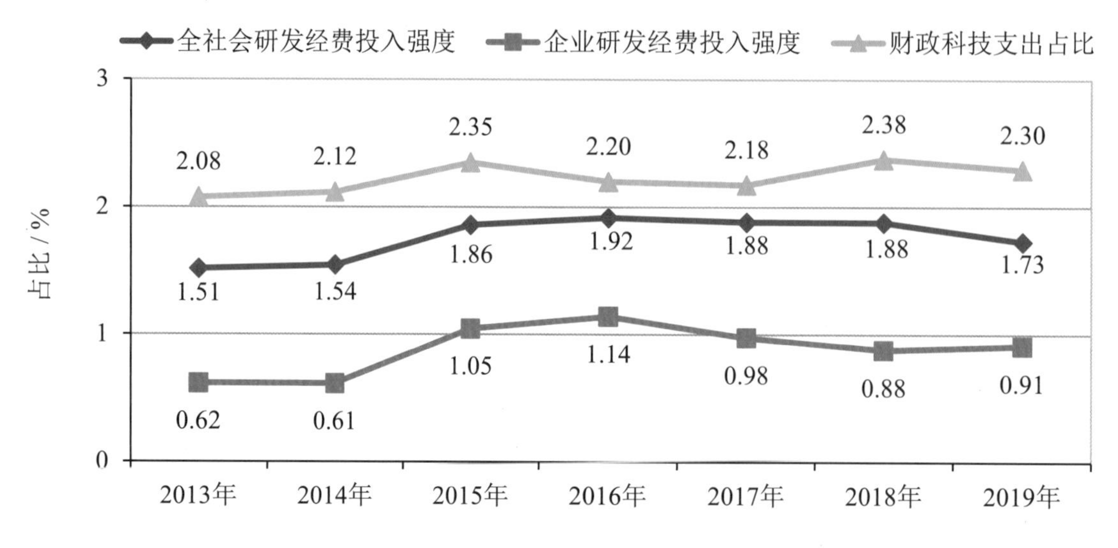


图 2-345 昆明研发经费投入强度及财政科技支出占比

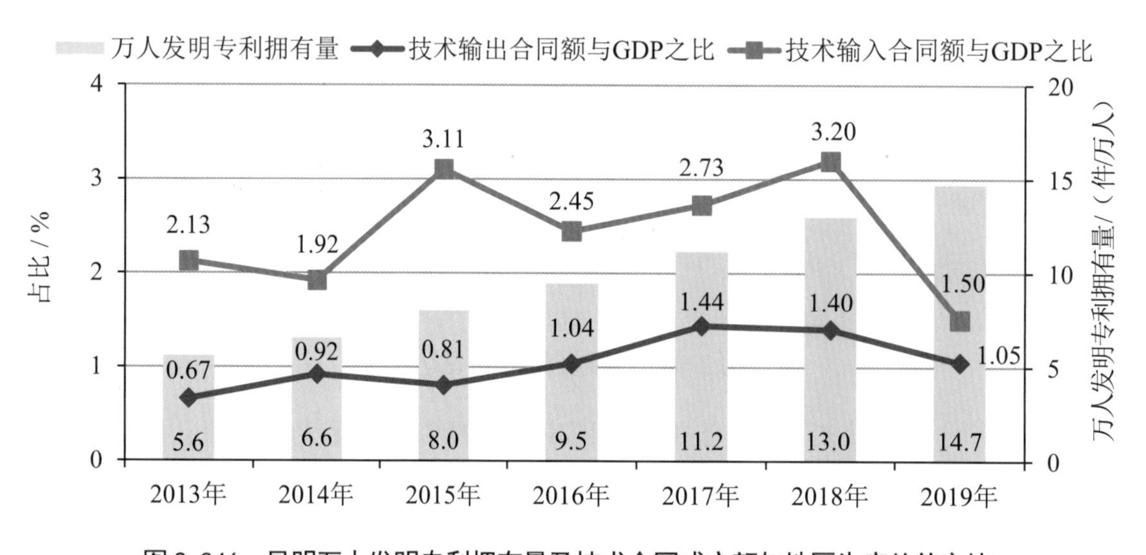


图 2-346 昆明万人发明专利拥有量及技术合同成交额与地区生产总值之比

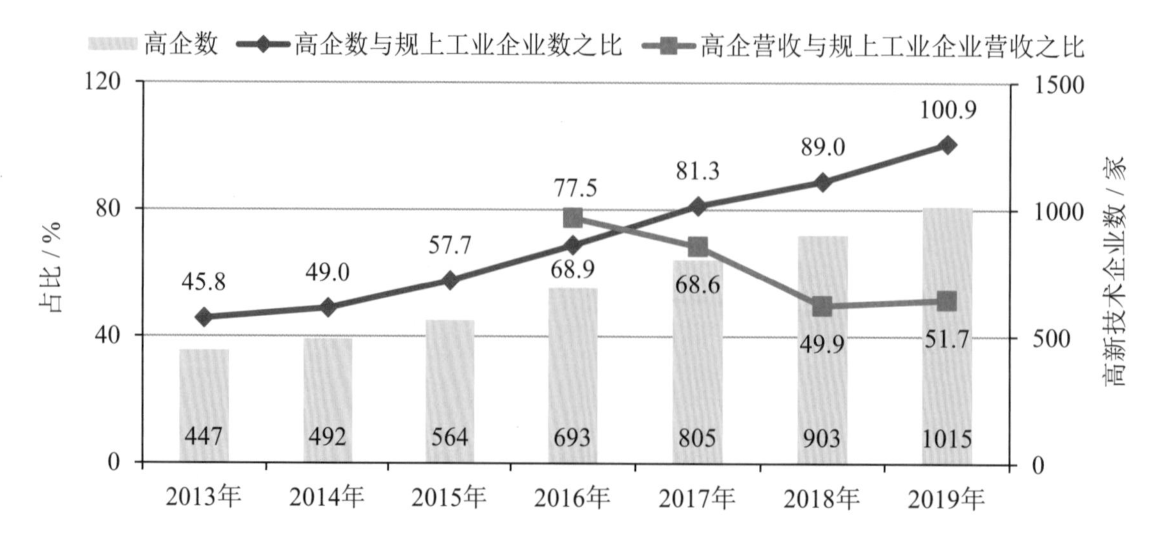


图 2-347 昆明高新技术企业及其与规上工业企业之比

| 排名 | 指标 | 分类 |
| --- | --- | --- |
| 31 | 创新能力指数 54.65 | |
| 50 | 财政科技支出占公共财政支出比重 2.30% | 创新治理力 |
| 15 | 常住人口增长率 1.46% | 创新治理力 |
| 43 | 万名就业人员中研发人员 62.11人年/万人 | 创新治理力 |
| 37 | 万人专利申请量 32.76件/万人 | 创新治理力 |
| 37 | 人均地区生产总值 9.32万元/人 | 创新治理力 |
| 50 | 全社会研发经费支出与地区生产总值之比 1.73% | 原始创新力 |
| 9 | 基础研究经费占研发经费比重 14.27% | 原始创新力 |
| 17 | “双一流”建设学科数 2个 | 原始创新力 |
| 31 | 国家级科技成果奖数 15.05项当量 | 原始创新力 |
| 60 | 规上工业企业研发经费支出与营业收入之比 0.91% | 技术创新力 |
| 33 | 高新技术企业数 1015家 | 技术创新力 |
| 40 | 国家高新区营业收入与地区生产总值之比 35.02% | 技术创新力 |
| 35 | 万人发明专利拥有量 14.73件/万人 | 技术创新力 |
| 40 | 技术输出合同成交额与地区生产总值之比 1.05% | 技术创新力 |
| 41 | 技术输入合同成交额与地区生产总值之比 1.50% | 成果转化力 |
| 41 | 科创板上市企业数 0家 | 成果转化力 |
| 22 | 国家级科技企业孵化器、大学科技园、双创示范基地数 36个 | 成果转化力 |
| 26 | 国家级科技企业孵化器、大学科技园新增在孵企业数 273家 | 成果转化力 |
| 44 | 科技型中小企业数 460家 | 成果转化力 |
| 68 | 规上工业企业新产品销售收入与营业收入之比 7.28% | 成果转化力 |
| 22 | 高新技术企业营业收入与规上工业企业营业收入之比 51.69% | 创新驱动力 |
| 70 | 城乡居民人均可支配收入之比 2.83 | 创新驱动力 |
| 22 | 单位地区生产总值能耗 0.36吨标准煤/万元 | 创新驱动力 |
| 10 | PM2.5年平均浓度 26微克/立方米 | 创新驱动力 |
| 47 | 人均实际使用外资额 93.33美元/人 | 创新驱动力 |
| 33 | 居民人均可支配收入 4.63万元/人 | 创新驱动力 |

图 2-348　昆明创新能力指标数据及排名

## （八）玉溪

2019 年，玉溪常住人口 239 万人，地区生产总值 1950 亿元。玉溪创新能力指数为 24.00，在 72 个创新型城市中排名第 70 位（与上年相比退 2 位），属于创新集聚区类别城市（在 32 个该类别城市中排名第 31 位）。从创新能力构成看，玉溪成果转化力、技术创新力有待提升；从具体指标看，玉溪在科技成果转移转化、外资利用等方面存在明显的短板。

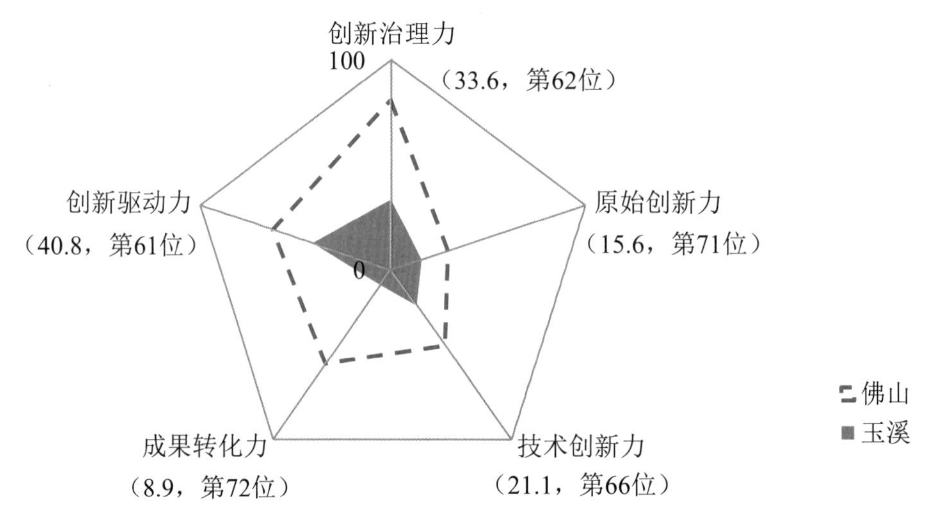


图 2-349　玉溪创新能力雷达图

从经济发展阶段来看，近年来玉溪固定资产投资与地区生产总值之比呈上升趋势，近 3 年平均值为 74.7%，高于全国平均水平（68.8%），公共财政收入占地区生产总值比重呈下降趋势，总体上玉溪仍处于投资驱动发展阶段，创新发展动能有待增强。

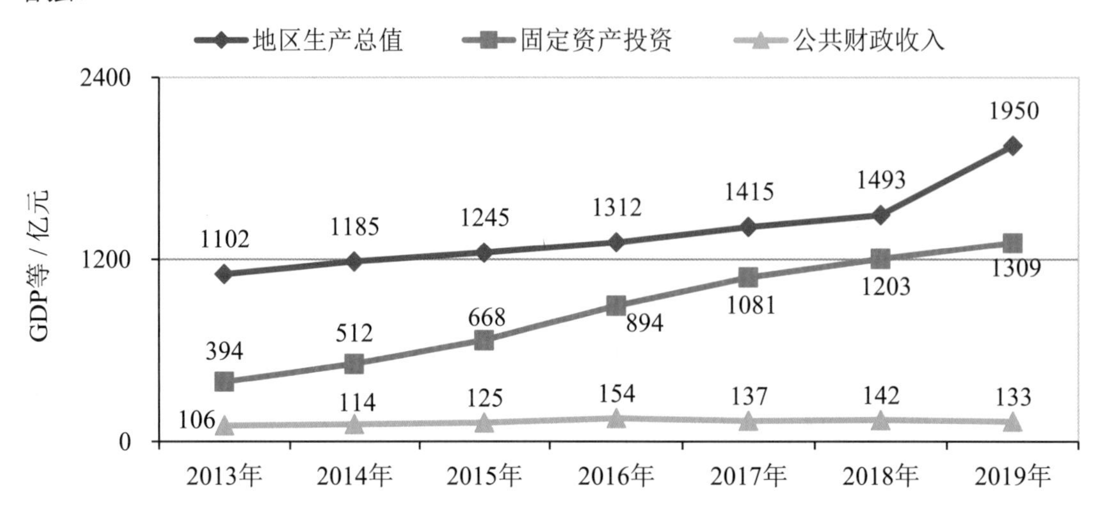


图 2-350　玉溪地区生产总值、固定资产投资和公共财政收入

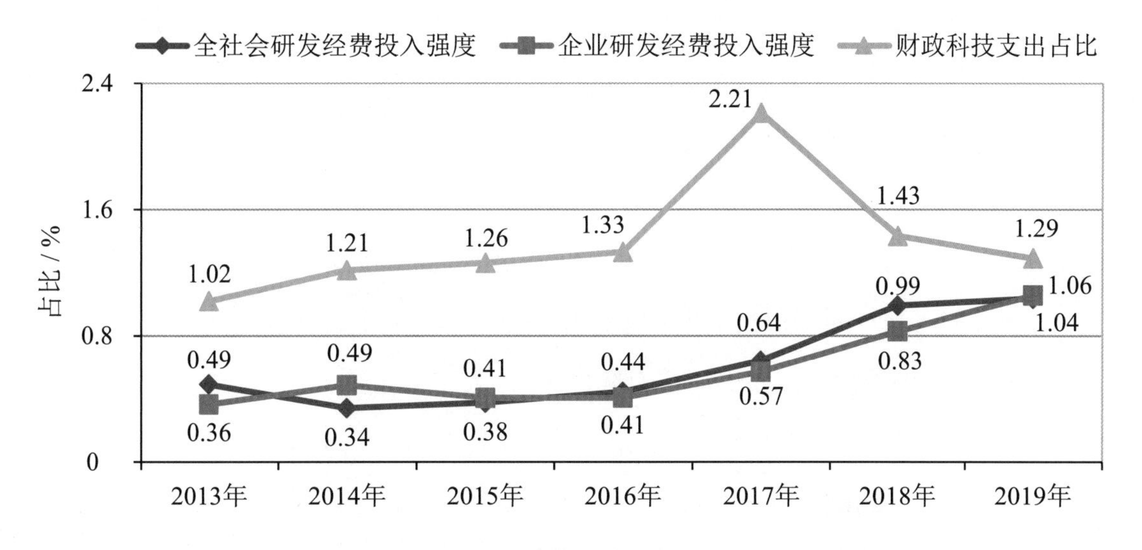


图 2-351 玉溪研发经费投入强度及财政科技支出占比

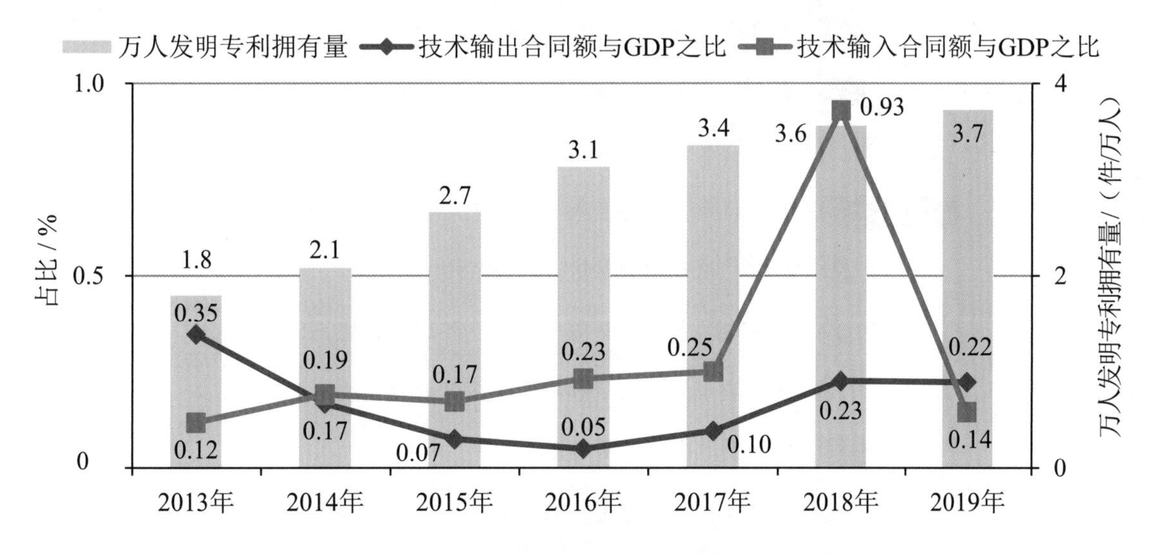


图 2-352 玉溪万人发明专利拥有量及技术合同成交额与地区生产总值之比

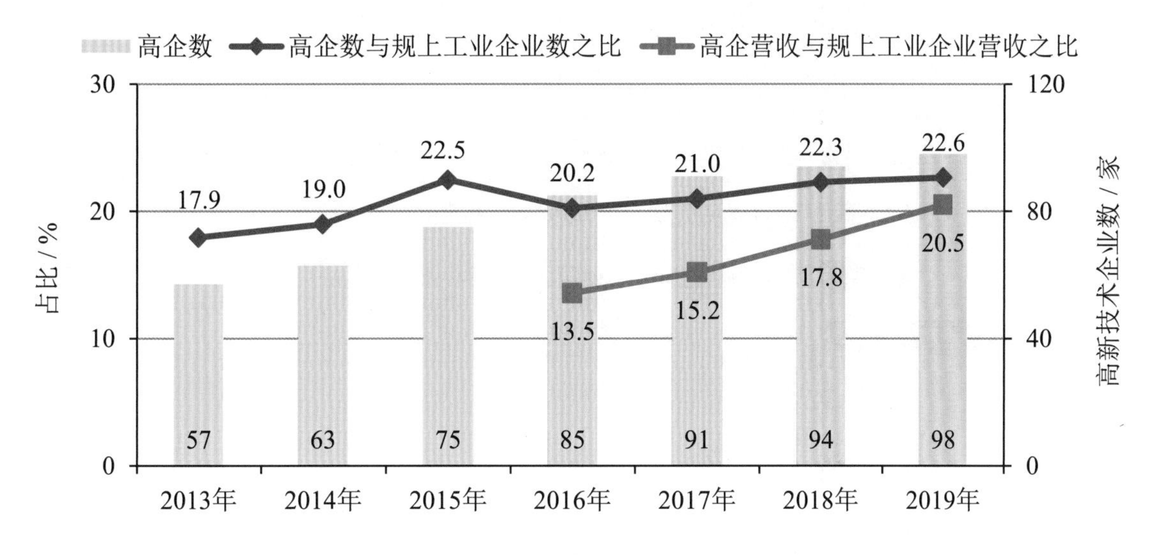


图 2-353 玉溪高新技术企业及其与规上工业企业之比

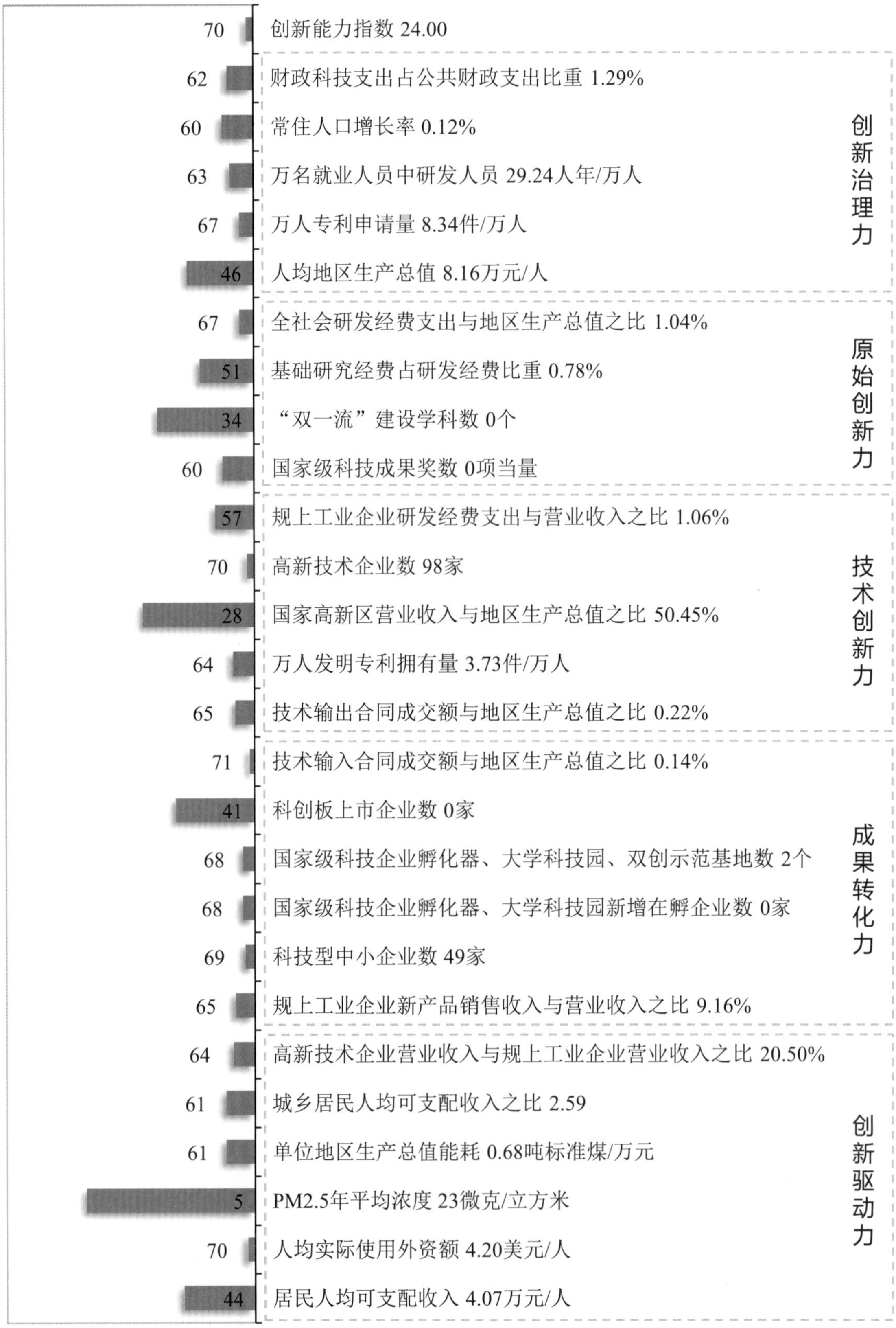

| 排名 | 指标 | 分类 |
|---|---|---|
| 70 | 创新能力指数 24.00 | |
| 62 | 财政科技支出占公共财政支出比重 1.29% | 创新治理力 |
| 60 | 常住人口增长率 0.12% | 创新治理力 |
| 63 | 万名就业人员中研发人员 29.24人年/万人 | 创新治理力 |
| 67 | 万人专利申请量 8.34件/万人 | 创新治理力 |
| 46 | 人均地区生产总值 8.16万元/人 | 创新治理力 |
| 67 | 全社会研发经费支出与地区生产总值之比 1.04% | 原始创新力 |
| 51 | 基础研究经费占研发经费比重 0.78% | 原始创新力 |
| 34 | “双一流”建设学科数 0个 | 原始创新力 |
| 60 | 国家级科技成果奖数 0项当量 | 原始创新力 |
| 57 | 规上工业企业研发经费支出与营业收入之比 1.06% | 技术创新力 |
| 70 | 高新技术企业数 98家 | 技术创新力 |
| 28 | 国家高新区营业收入与地区生产总值之比 50.45% | 技术创新力 |
| 64 | 万人发明专利拥有量 3.73件/万人 | 技术创新力 |
| 65 | 技术输出合同成交额与地区生产总值之比 0.22% | 技术创新力 |
| 71 | 技术输入合同成交额与地区生产总值之比 0.14% | 成果转化力 |
| 41 | 科创板上市企业数 0家 | 成果转化力 |
| 68 | 国家级科技企业孵化器、大学科技园、双创示范基地数 2个 | 成果转化力 |
| 68 | 国家级科技企业孵化器、大学科技园新增在孵企业数 0家 | 成果转化力 |
| 69 | 科技型中小企业数 49家 | 成果转化力 |
| 65 | 规上工业企业新产品销售收入与营业收入之比 9.16% | 成果转化力 |
| 64 | 高新技术企业营业收入与规上工业企业营业收入之比 20.50% | 创新驱动力 |
| 61 | 城乡居民人均可支配收入之比 2.59 | 创新驱动力 |
| 61 | 单位地区生产总值能耗 0.68吨标准煤/万元 | 创新驱动力 |
| 5 | PM2.5年平均浓度 23微克/立方米 | 创新驱动力 |
| 70 | 人均实际使用外资额 4.20美元/人 | 创新驱动力 |
| 44 | 居民人均可支配收入 4.07万元/人 | 创新驱动力 |

图 2-354　玉溪创新能力指标数据及排名

## （九）拉萨

2019 年，拉萨常住人口 72 万人，地区生产总值 618 亿元。拉萨创新能力指数为 33.11，在 72 个创新型城市中排名第 61 位（与上年相比进 4 位），属于创新集聚区类别城市（在 32 个该类别城市中排名第 18 位）。从创新能力构成看，拉萨技术创新力、创新治理力有待提升；从具体指标看，拉萨在新技术应用、企业研发投入等方面存在明显的短板。

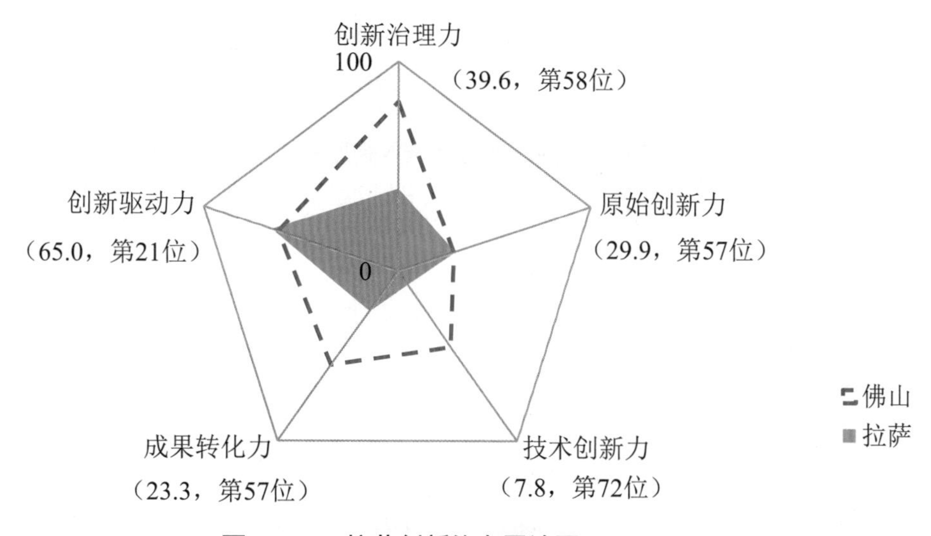


图 2-355　拉萨创新能力雷达图

从经济发展阶段来看，近年来拉萨固定资产投资与地区生产总值之比呈下降趋势，近 3 年平均值为 106.2%，高于全国平均水平（68.8%），公共财政收入占地区生产总值比重呈下降趋势，总体上拉萨仍处于投资驱动发展阶段，创新发展动能有待增强。

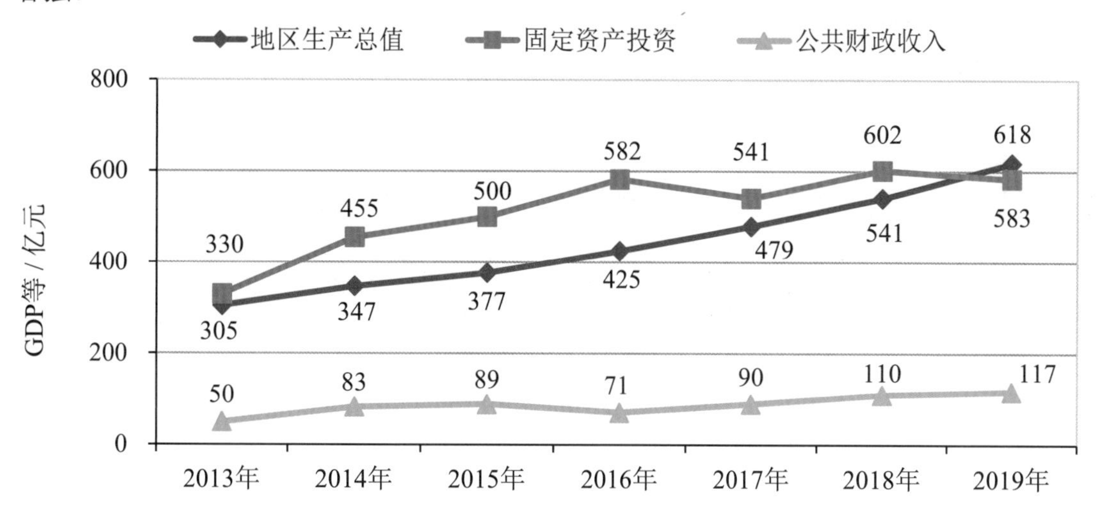


图 2-356　拉萨地区生产总值、固定资产投资和公共财政收入

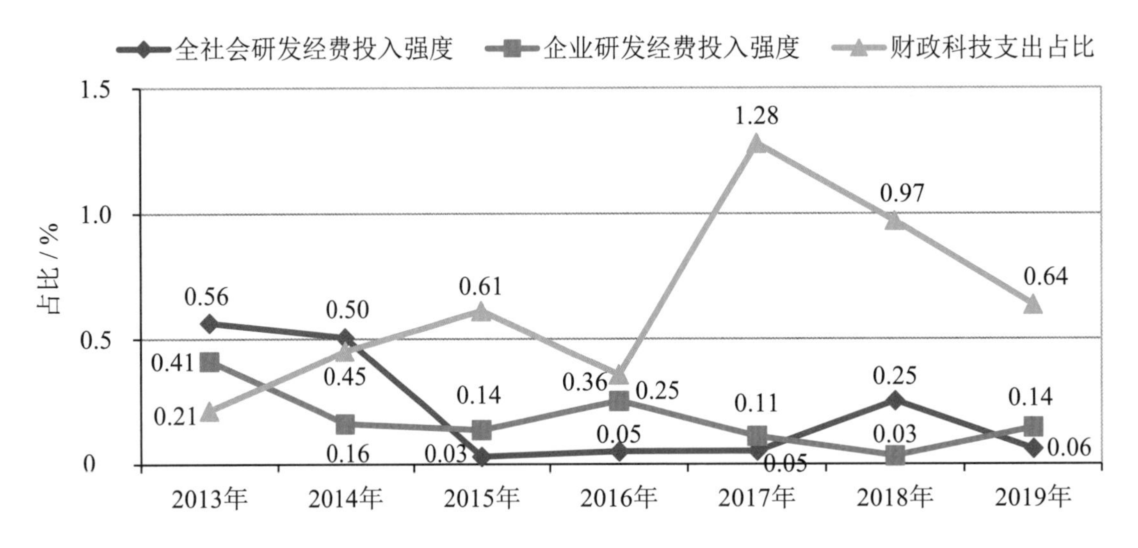


图 2-357 拉萨研发经费投入强度及财政科技支出占比

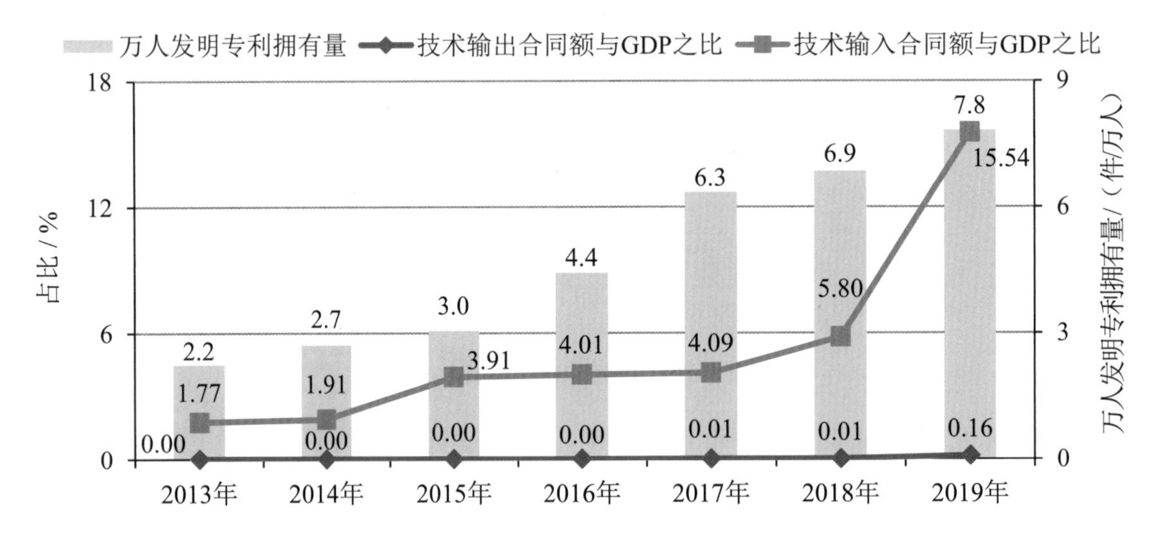


图 2-358 拉萨万人发明专利拥有量及技术合同成交额与地区生产总值之比

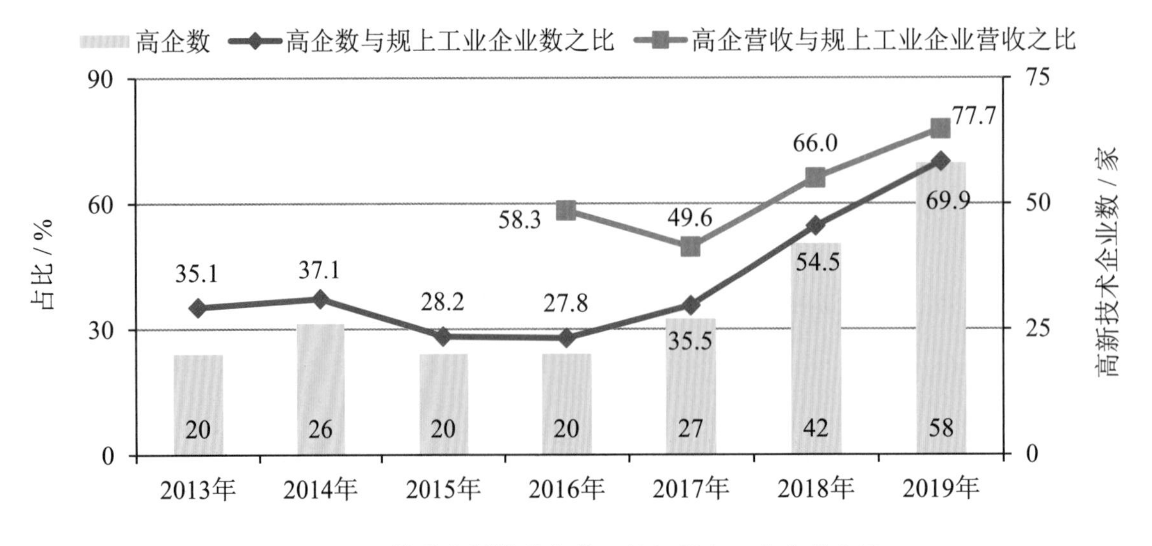


图 2-359 拉萨高新技术企业及其与规上工业企业之比

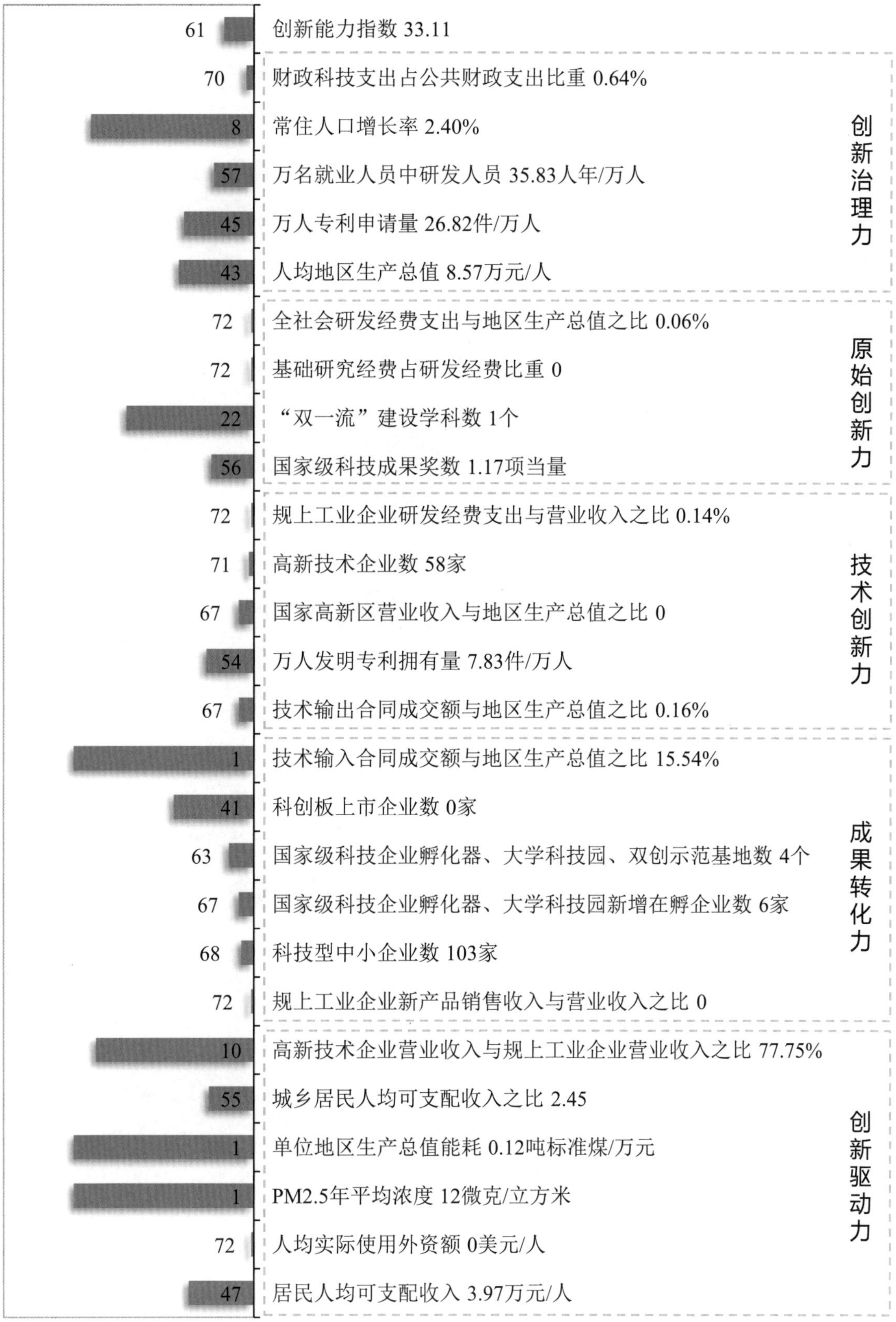

61 创新能力指数 33.11

创新治理力

70 财政科技支出占公共财政支出比重 0.64%
8 常住人口增长率 2.40%
57 万名就业人员中研发人员 35.83人年/万人
45 万人专利申请量 26.82件/万人
43 人均地区生产总值 8.57万元/人

原始创新力

72 全社会研发经费支出与地区生产总值之比 0.06%
72 基础研究经费占研发经费比重 0
22 “双一流”建设学科数 1个
56 国家级科技成果奖数 1.17项当量

技术创新力

72 规上工业企业研发经费支出与营业收入之比 0.14%
71 高新技术企业数 58家
67 国家高新区营业收入与地区生产总值之比 0
54 万人发明专利拥有量 7.83件/万人
67 技术输出合同成交额与地区生产总值之比 0.16%

成果转化力

1 技术输入合同成交额与地区生产总值之比 15.54%
41 科创板上市企业数 0家
63 国家级科技企业孵化器、大学科技园、双创示范基地数 4个
67 国家级科技企业孵化器、大学科技园新增在孵企业数 6家
68 科技型中小企业数 103家
72 规上工业企业新产品销售收入与营业收入之比 0

创新驱动力

10 高新技术企业营业收入与规上工业企业营业收入之比 77.75%
55 城乡居民人均可支配收入之比 2.45
1 单位地区生产总值能耗 0.12吨标准煤/万元
1 PM2.5年平均浓度 12微克/立方米
72 人均实际使用外资额 0美元/人
47 居民人均可支配收入 3.97万元/人

图 2-360 拉萨创新能力指标数据及排名

## （十）西安

2019 年，西安常住人口 1020 万人，地区生产总值 9321 亿元。西安创新能力指数为 71.83，在 72 个创新型城市中排名第 7 位（与上年相比退 1 位），属于创新策源地类别城市（在 15 个该类别城市中排名第 6 位）。从创新能力构成看，西安创新驱动力、创新治理力有待提升；从具体指标看，西安在城乡协调发展、空气质量等方面存在明显的短板。

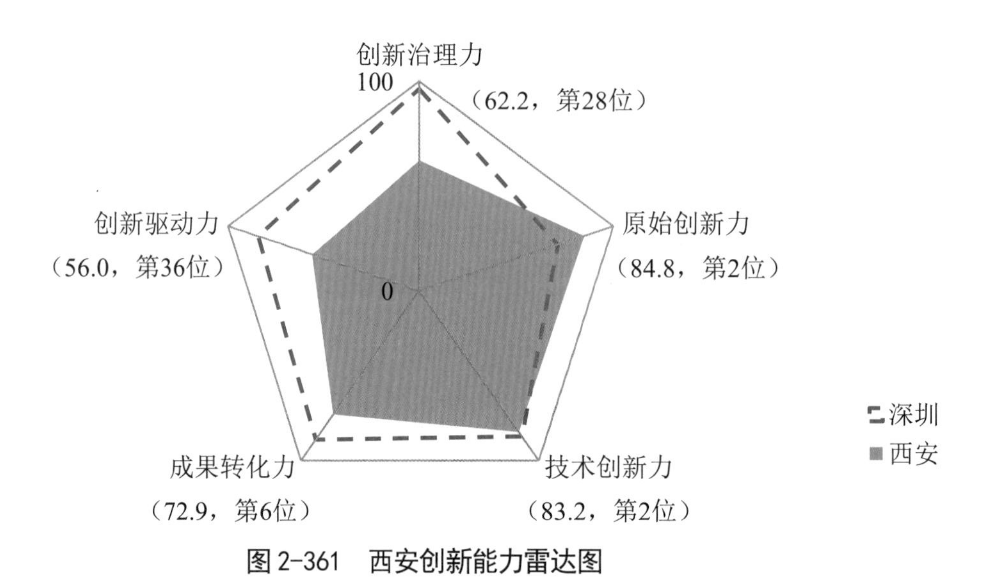


图 2-361　西安创新能力雷达图

从经济发展阶段来看，近年来西安固定资产投资与地区生产总值之比呈下降趋势，近 3 年平均值为 90.6%，高于全国平均水平（68.8%），公共财政收入占地区生产总值比重呈下降趋势，总体上西安处于由投资驱动向创新驱动的过渡阶段，创新发展动能正不断增强。

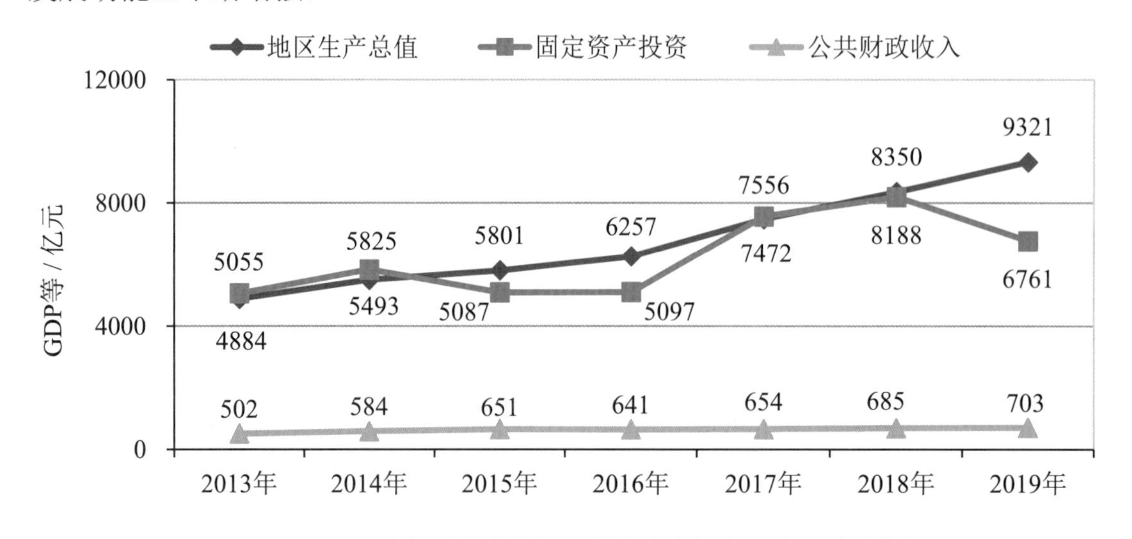


图 2-362　西安地区生产总值、固定资产投资和公共财政收入

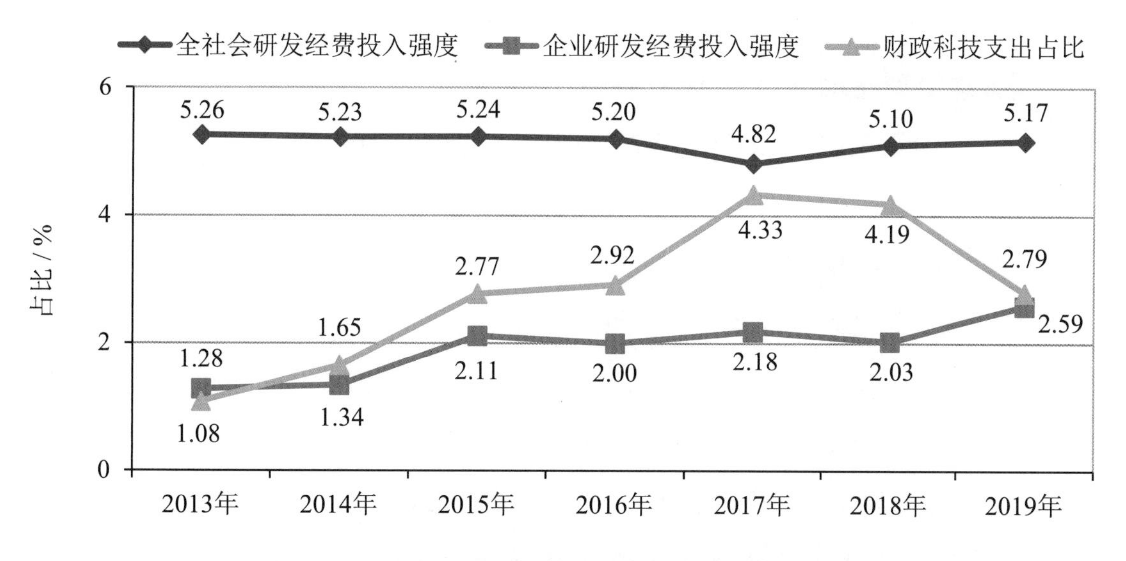


图 2-363　西安研发经费投入强度及财政科技支出占比

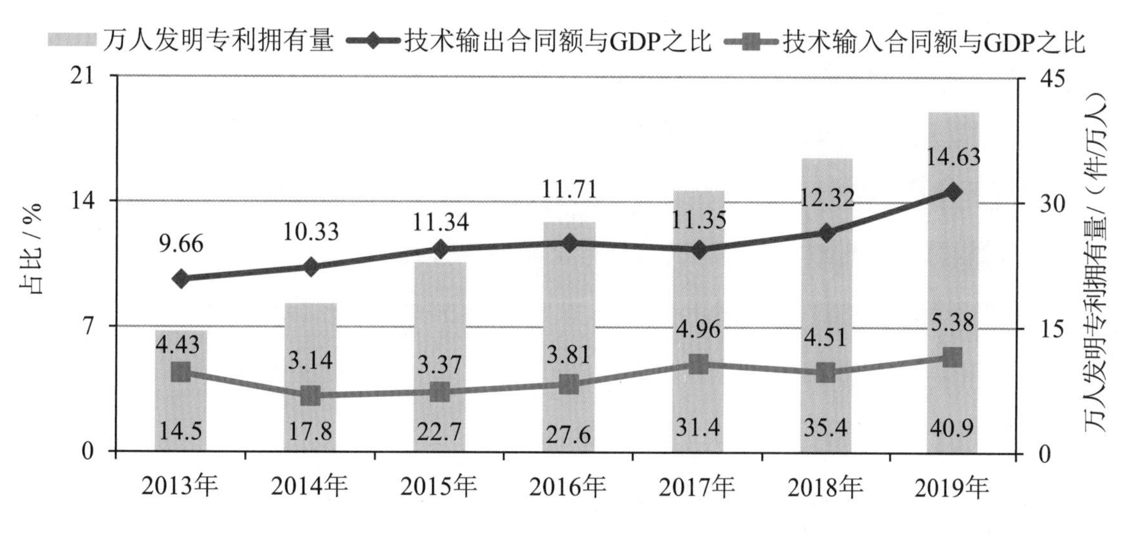


图 2-364　西安万人发明专利拥有量及技术合同成交额与地区生产总值之比

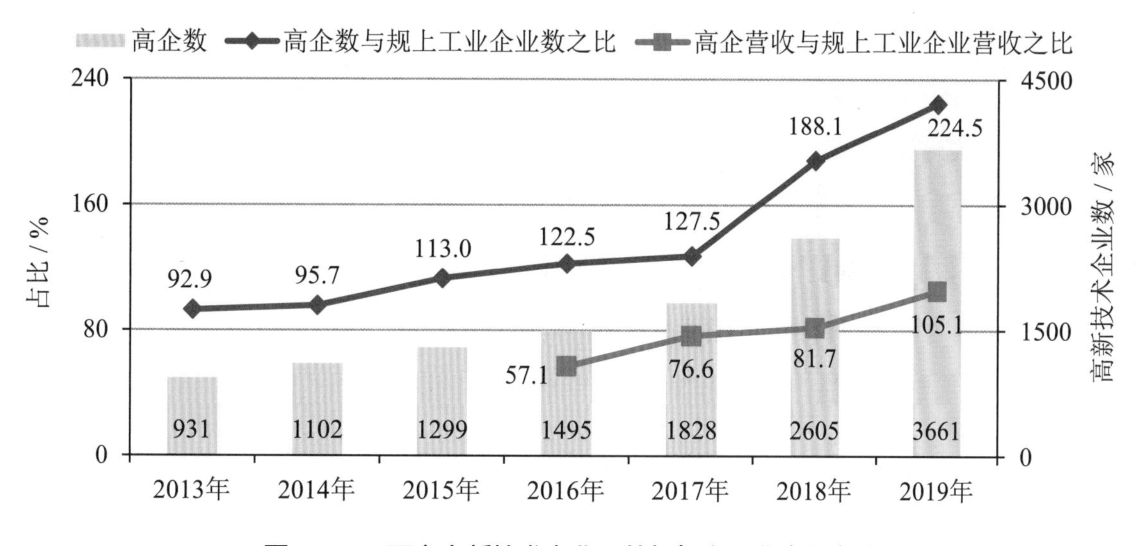


图 2-365　西安高新技术企业及其与规上工业企业之比

| 排名 | 指标 | 类别 |
|---|---|---|
| 7 | 创新能力指数 71.83 | |
| 41 | 财政科技支出占公共财政支出比重 2.79% | 创新治理力 |
| 10 | 常住人口增长率 2.00% | 创新治理力 |
| 11 | 万名就业人员中研发人员 143.16人年/万人 | 创新治理力 |
| 20 | 万人专利申请量 61.11件/万人 | 创新治理力 |
| 38 | 人均地区生产总值 9.14万元/人 | 创新治理力 |
| 1 | 全社会研发经费支出与地区生产总值之比 5.17% | 原始创新力 |
| 26 | 基础研究经费占研发经费比重 6.24% | 原始创新力 |
| 5 | “双一流”建设学科数 16个 | 原始创新力 |
| 5 | 国家级科技成果奖数 125.49项当量 | 原始创新力 |
| 4 | 规上工业企业研发经费支出与营业收入之比 2.59% | 技术创新力 |
| 11 | 高新技术企业数 3661家 | 技术创新力 |
| 1 | 国家高新区营业收入与地区生产总值之比 124.88% | 技术创新力 |
| 7 | 万人发明专利拥有量 40.89件/万人 | 技术创新力 |
| 1 | 技术输出合同成交额与地区生产总值之比 14.63% | 技术创新力 |
| 6 | 技术输入合同成交额与地区生产总值之比 5.38% | 成果转化力 |
| 11 | 科创板上市企业数 5家 | 成果转化力 |
| 7 | 国家级科技企业孵化器、大学科技园、双创示范基地数 81个 | 成果转化力 |
| 10 | 国家级科技企业孵化器、大学科技园新增在孵企业数 446家 | 成果转化力 |
| 6 | 科技型中小企业数 3997家 | 成果转化力 |
| 21 | 规上工业企业新产品销售收入与营业收入之比 26.01% | 成果转化力 |
| 1 | 高新技术企业营业收入与规上工业企业营业收入之比 105.12% | 创新驱动力 |
| 71 | 城乡居民人均可支配收入之比 2.87 | 创新驱动力 |
| 14 | 单位地区生产总值能耗 0.31吨标准煤/万元 | 创新驱动力 |
| 66 | PM2.5年平均浓度 57微克/立方米 | 创新驱动力 |
| 7 | 人均实际使用外资额 691.66美元/人 | 创新驱动力 |
| 42 | 居民人均可支配收入 4.19万元/人 | 创新驱动力 |

图 2-366　西安创新能力指标数据及排名

## （十一）宝鸡

2019 年，宝鸡常住人口 376 万人，地区生产总值 2224 亿元。宝鸡创新能力指数为 28.19，在 72 个创新型城市中排名第 65 位（与上年相比退 1 位），属于创新集聚区类别城市（在 32 个该类别城市中排名第 25 位）。从创新能力构成看，宝鸡创新治理力、创新驱动力有待提升；从具体指标看，宝鸡在人才吸引力、营造良好的创新创业环境等方面存在明显的短板。

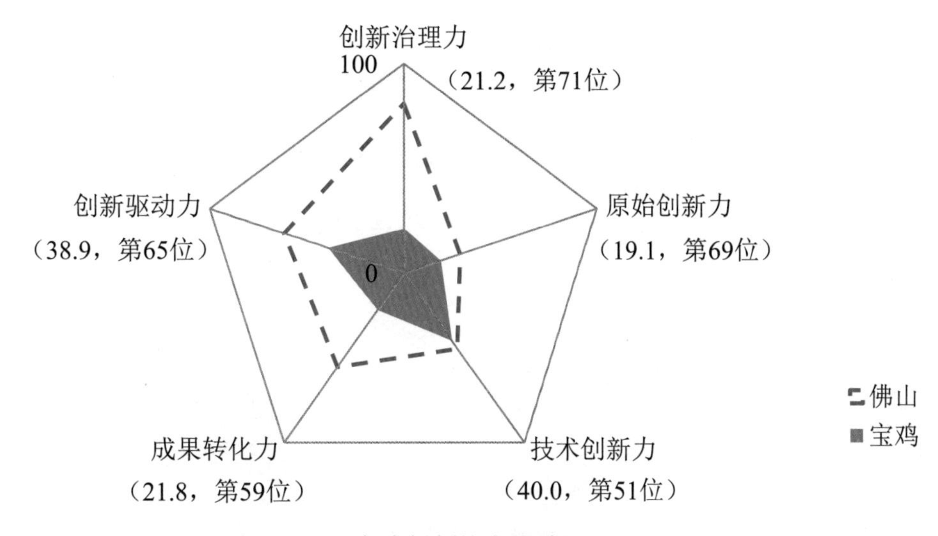


图 2-367　宝鸡创新能力雷达图

从经济发展阶段来看，近年来宝鸡固定资产投资与地区生产总值之比呈上升趋势，近 3 年平均值为 190.3%，高于全国平均水平（68.8%），公共财政收入占地区生产总值比重呈下降趋势，总体上宝鸡仍处于投资驱动发展阶段，创新发展动能有待增强。

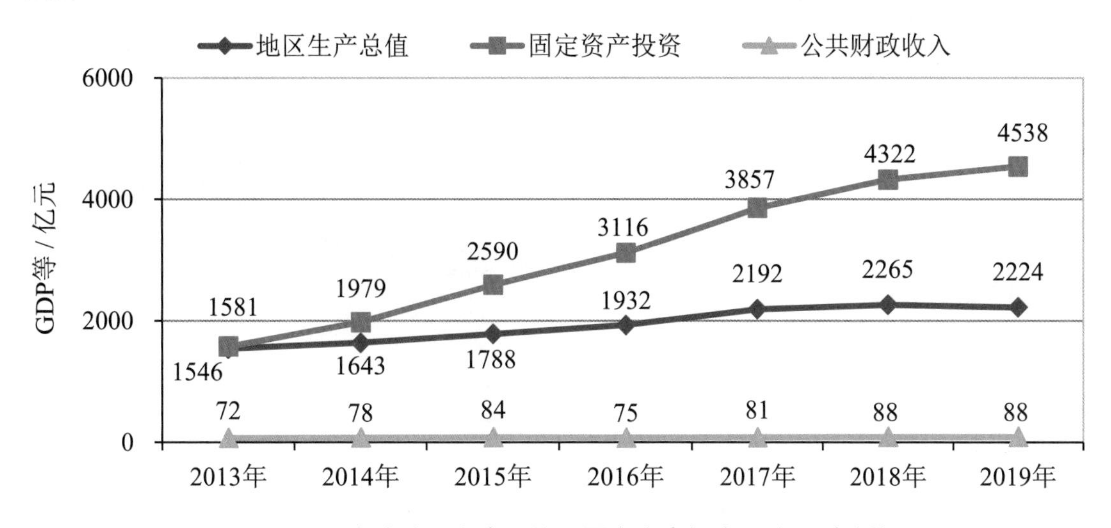


图 2-368　宝鸡地区生产总值、固定资产投资和公共财政收入

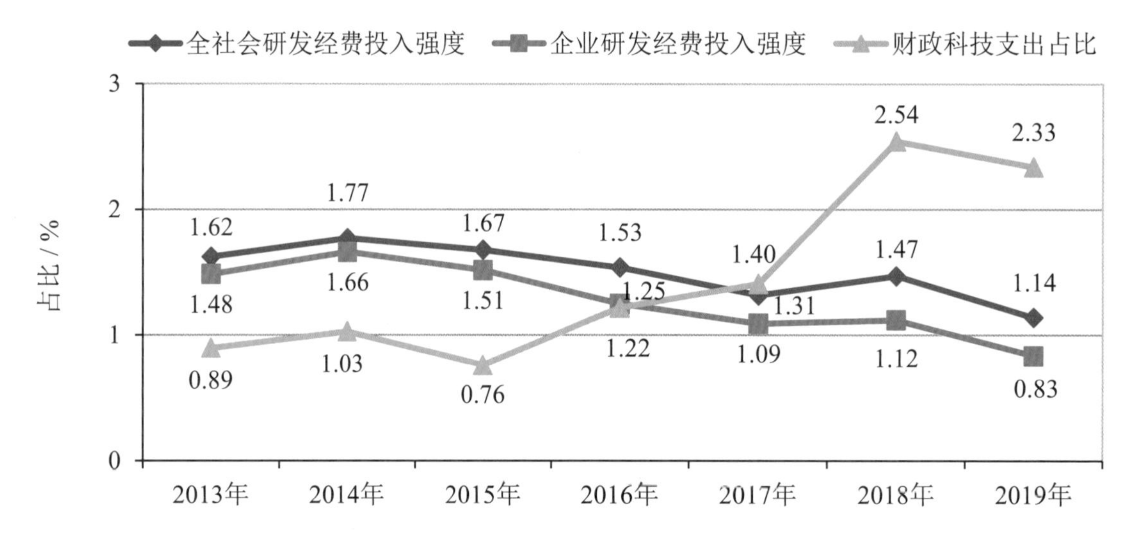


图 2-369　宝鸡研发经费投入强度及财政科技支出占比

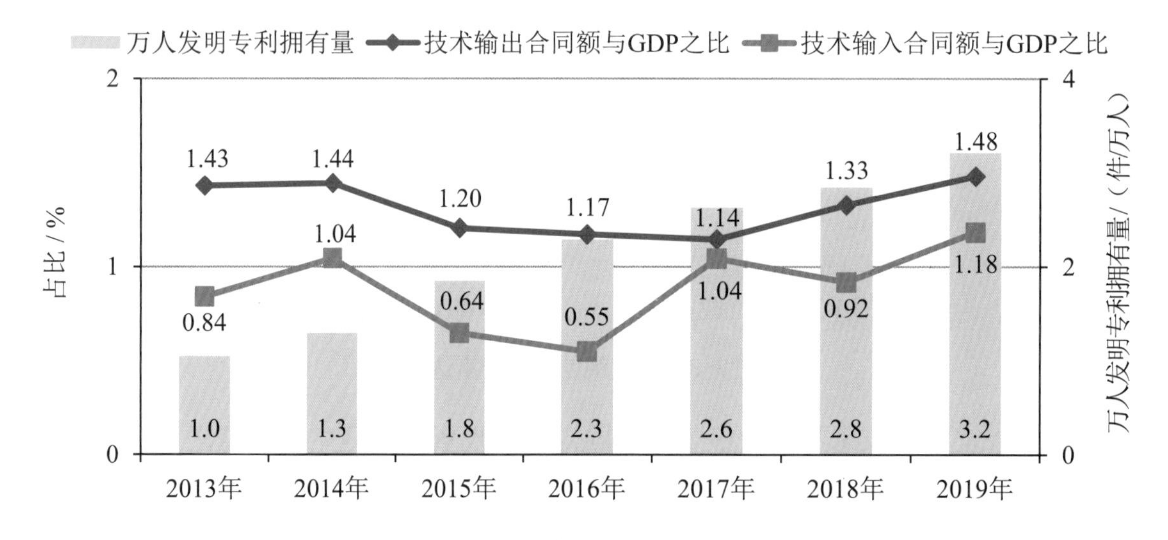


图 2-370　宝鸡万人发明专利拥有量及技术合同成交额与地区生产总值之比

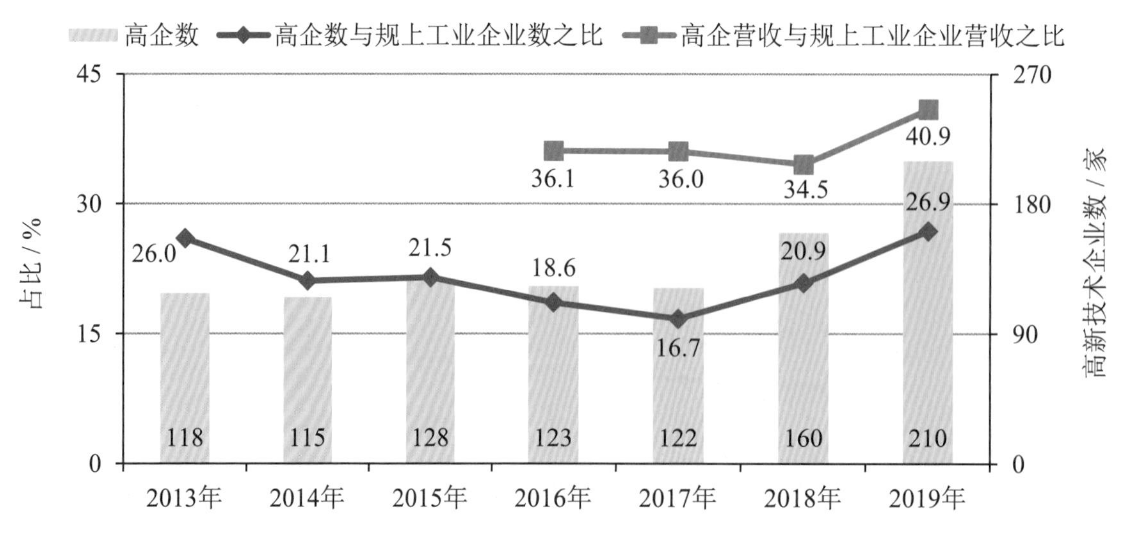


图 2-371　宝鸡高新技术企业及其与规上工业企业之比

| 排名 | 指标 | 类别 |
| --- | --- | --- |
| 65 | 创新能力指数 28.19 | |
| 49 | 财政科技支出占公共财政支出比重 2.33% | 创新治理力 |
| 70 | 常住人口增长率 -0.27% | 创新治理力 |
| 56 | 万名就业人员中研发人员 36.85人年/万人 | 创新治理力 |
| 69 | 万人专利申请量 7.40件/万人 | 创新治理力 |
| 60 | 人均地区生产总值 5.91万元/人 | 创新治理力 |
| 64 | 全社会研发经费支出与地区生产总值之比 1.14% | 原始创新力 |
| 43 | 基础研究经费占研发经费比重 1.62% | 原始创新力 |
| 34 | “双一流”建设学科数 0个 | 原始创新力 |
| 60 | 国家级科技成果奖数 0项当量 | 原始创新力 |
| 61 | 规上工业企业研发经费支出与营业收入之比 0.83% | 技术创新力 |
| 60 | 高新技术企业数 210家 | 技术创新力 |
| 4 | 国家高新区营业收入与地区生产总值之比 97.44% | 技术创新力 |
| 66 | 万人发明专利拥有量 3.21件/万人 | 技术创新力 |
| 29 | 技术输出合同成交额与地区生产总值之比 1.48% | 技术创新力 |
| 52 | 技术输入合同成交额与地区生产总值之比 1.18% | 成果转化力 |
| 41 | 科创板上市企业数 0家 | 成果转化力 |
| 57 | 国家级科技企业孵化器、大学科技园、双创示范基地数 6个 | 成果转化力 |
| 56 | 国家级科技企业孵化器、大学科技园新增在孵企业数 46家 | 成果转化力 |
| 56 | 科技型中小企业数 199家 | 成果转化力 |
| 52 | 规上工业企业新产品销售收入与营业收入之比 14.39% | 成果转化力 |
| 36 | 高新技术企业营业收入与规上工业企业营业收入之比 40.89% | 创新驱动力 |
| 65 | 城乡居民人均可支配收入之比 2.63 | 创新驱动力 |
| 42 | 单位地区生产总值能耗 0.46吨标准煤/万元 | 创新驱动力 |
| 49 | PM2.5年平均浓度 44微克/立方米 | 创新驱动力 |
| 64 | 人均实际使用外资额 29.48美元/人 | 创新驱动力 |
| 68 | 居民人均可支配收入 3.44万元/人 | 创新驱动力 |

图 2-372　宝鸡创新能力指标数据及排名

## （十二）汉中

2019 年，汉中常住人口 344 万人，地区生产总值 1548 亿元。汉中创新能力指数为 24.36，在 72 个创新型城市中排名第 69 位（与上年相比进 3 位），属于创新集聚区类别城市（在 32 个该类别城市中排名第 30 位）。从创新能力构成看，汉中创新驱动力、成果转化力有待提升；从具体指标看，汉中在城乡协调发展、科技成果产出等方面存在明显的短板。

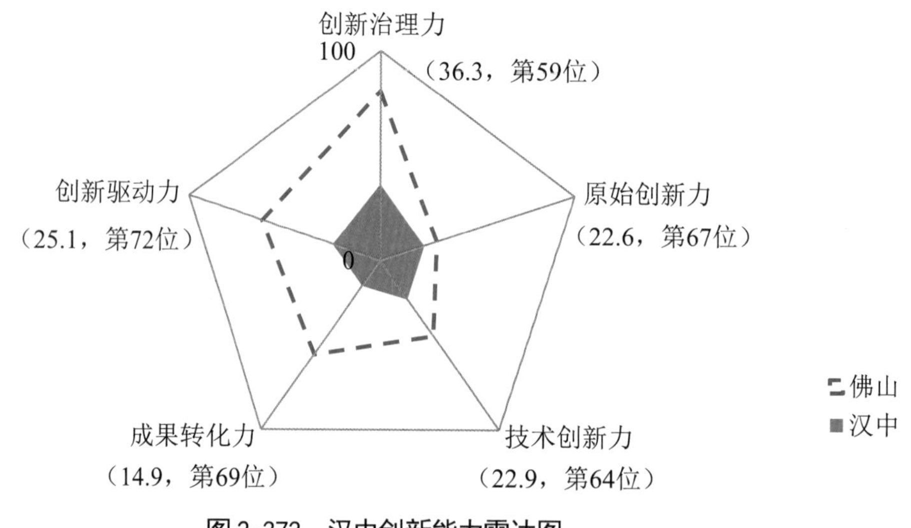


图 2-373　汉中创新能力雷达图

从经济发展阶段来看，近年来汉中固定资产投资与地区生产总值之比呈上升趋势，近 3 年平均值为 107.1%，高于全国平均水平（68.8%），公共财政收入占地区生产总值比重呈下降趋势，总体上汉中仍处于投资驱动发展阶段，创新发展动能有待增强。

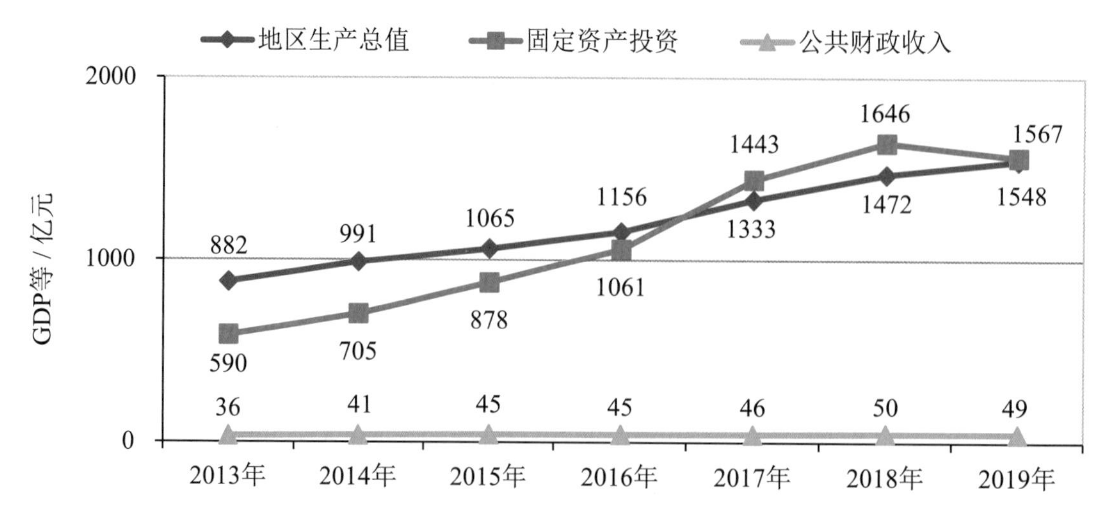


图 2-374　汉中地区生产总值、固定资产投资和公共财政收入

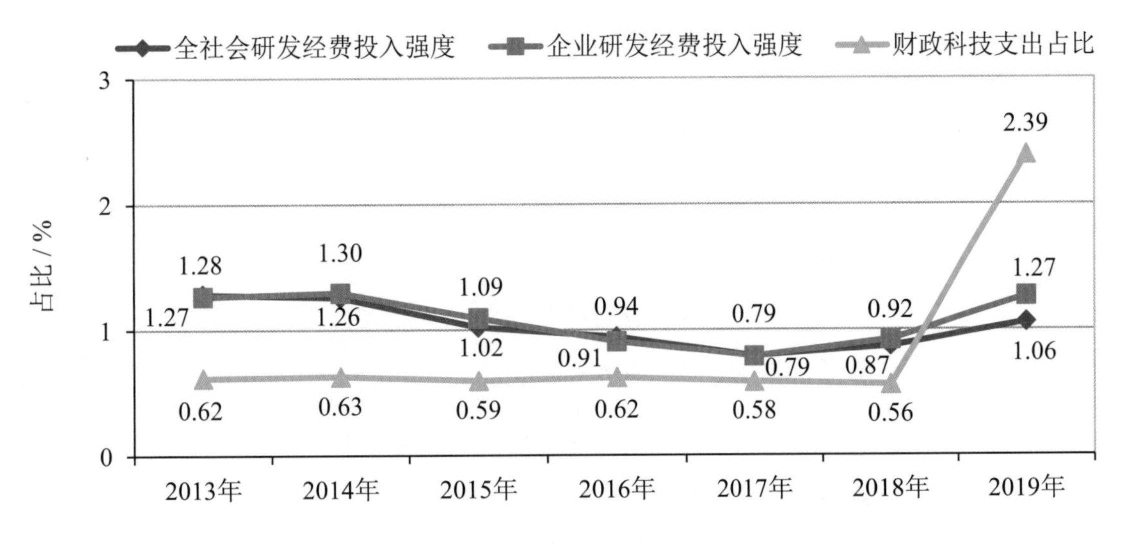


图 2-375　汉中研发经费投入强度及财政科技支出占比

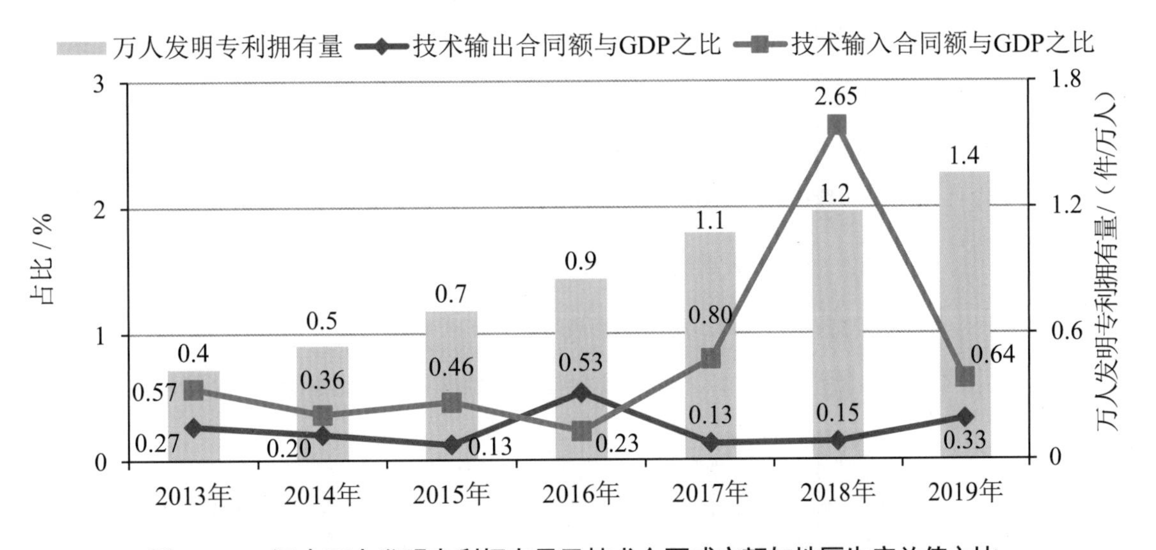


图 2-376　汉中万人发明专利拥有量及技术合同成交额与地区生产总值之比

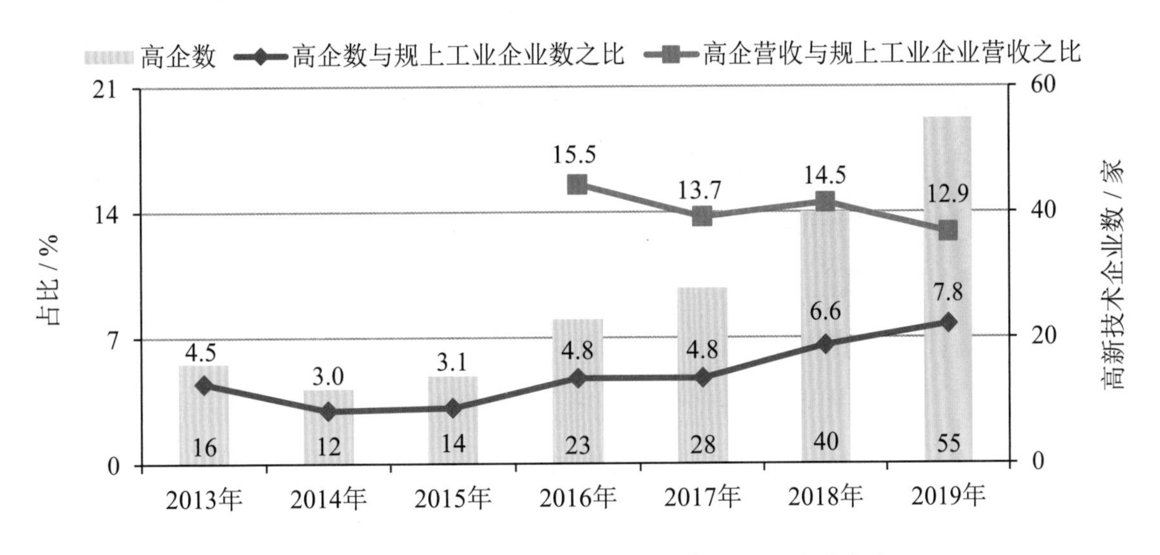


图 2-377　汉中高新技术企业及其与规上工业企业之比

| 排名 | 指标 | 类别 |
| --- | --- | --- |
| 69 | 创新能力指数 24.36 | |
| 47 | 财政科技支出占公共财政支出比重 2.39% | 创新治理力 |
| 66 | 常住人口增长率 0.03% | 创新治理力 |
| 69 | 万名就业人员中研发人员 19.48人年/万人 | 创新治理力 |
| 71 | 万人专利申请量 6.48件/万人 | 创新治理力 |
| 70 | 人均地区生产总值 4.50万元/人 | 创新治理力 |
| 66 | 全社会研发经费支出与地区生产总值之比 1.06% | 原始创新力 |
| 46 | 基础研究经费占研发经费比重 1.34% | 原始创新力 |
| 34 | “双一流”建设学科数 0个 | 原始创新力 |
| 60 | 国家级科技成果奖数 0项当量 | 原始创新力 |
| 46 | 规上工业企业研发经费支出与营业收入之比 1.27% | 技术创新力 |
| 72 | 高新技术企业数 55家 | 技术创新力 |
| 67 | 国家高新区营业收入与地区生产总值之比 0 | 技术创新力 |
| 72 | 万人发明专利拥有量 1.36件/万人 | 技术创新力 |
| 64 | 技术输出合同成交额与地区生产总值之比 0.33% | 技术创新力 |
| 62 | 技术输入合同成交额与地区生产总值之比 0.64% | 成果转化力 |
| 41 | 科创板上市企业数 0家 | 成果转化力 |
| 69 | 国家级科技企业孵化器、大学科技园、双创示范基地数 1个 | 成果转化力 |
| 68 | 国家级科技企业孵化器、大学科技园新增在孵企业数 0家 | 成果转化力 |
| 67 | 科技型中小企业数 112家 | 成果转化力 |
| 63 | 规上工业企业新产品销售收入与营业收入之比 9.97% | 成果转化力 |
| 70 | 高新技术企业营业收入与规上工业企业营业收入之比 12.90% | 创新驱动力 |
| 72 | 城乡居民人均可支配收入之比 2.96 | 创新驱动力 |
| 41 | 单位地区生产总值能耗 0.45吨标准煤/万元 | 创新驱动力 |
| 41 | PM2.5年平均浓度 42微克/立方米 | 创新驱动力 |
| 68 | 人均实际使用外资额 15.79美元/人 | 创新驱动力 |
| 71 | 居民人均可支配收入 3.28万元/人 | 创新驱动力 |

图 2-378　汉中创新能力指标数据及排名

## （十三）兰州

2019 年，兰州常住人口 379 万人，地区生产总值 2837 亿元。兰州创新能力指数为 51.01，在 72 个创新型城市中排名第 38 位（与上年相比进 2 位），属于创新策源地类别城市（在 15 个该类别城市中排名第 14 位）。从创新能力构成看，兰州创新驱动力、成果转化力有待提升；从具体指标看，兰州在城乡协调发展、外资利用等方面存在明显的短板。

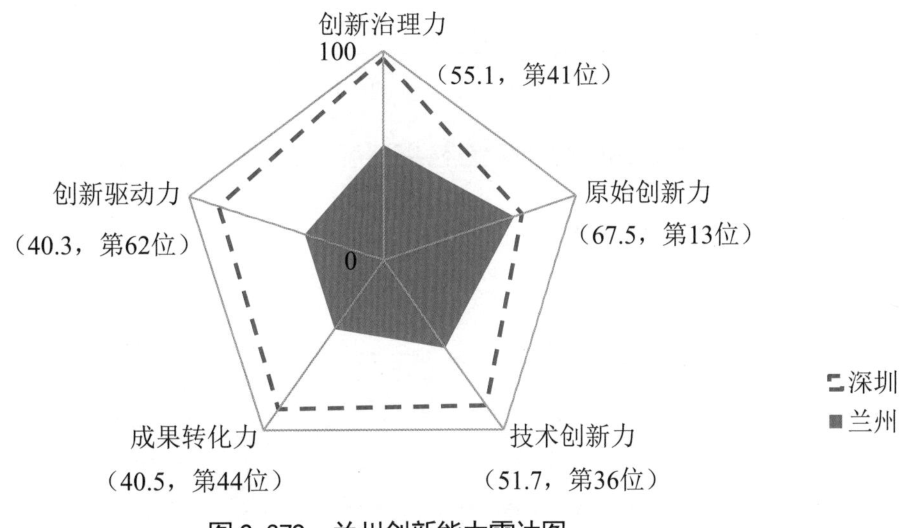


图 2-379　兰州创新能力雷达图

从经济发展阶段来看，近年来兰州固定资产投资与地区生产总值之比呈下降趋势，近 3 年平均值为 52.0%，低于全国平均水平（68.8%），公共财政收入占地区生产总值比重呈上升趋势，总体上兰州已经跨越投资驱动，进入创新驱动发展阶段，高质量发展势头良好。

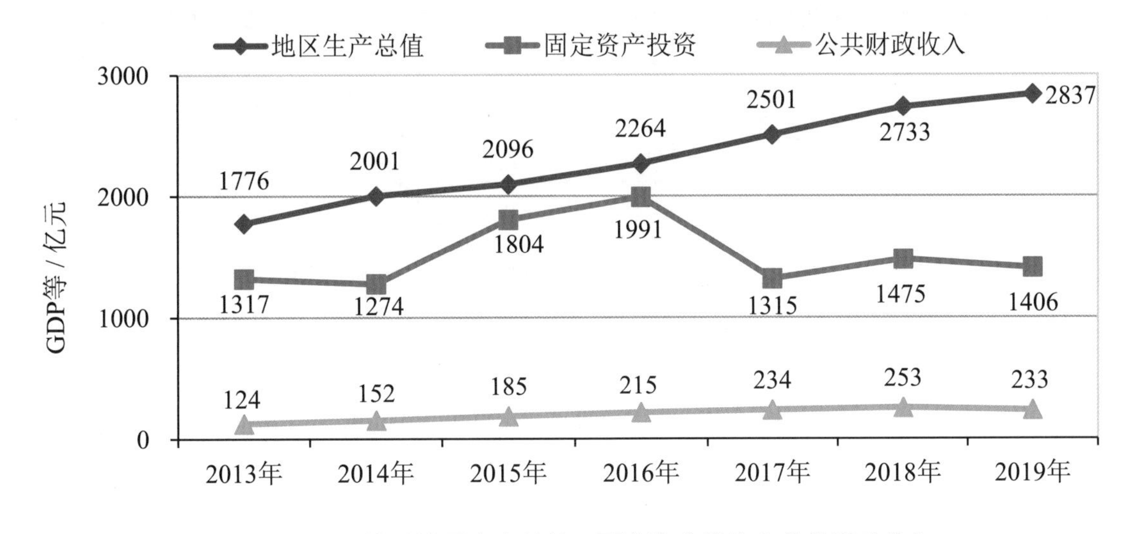


图 2-380　兰州地区生产总值、固定资产投资和公共财政收入

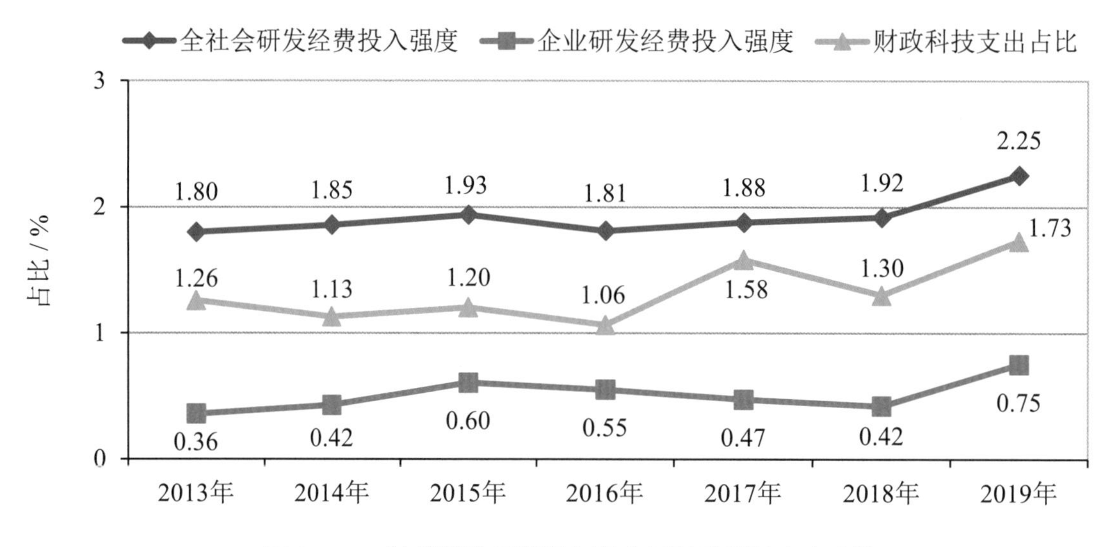


图 2-381 兰州研发经费投入强度及财政科技支出占比

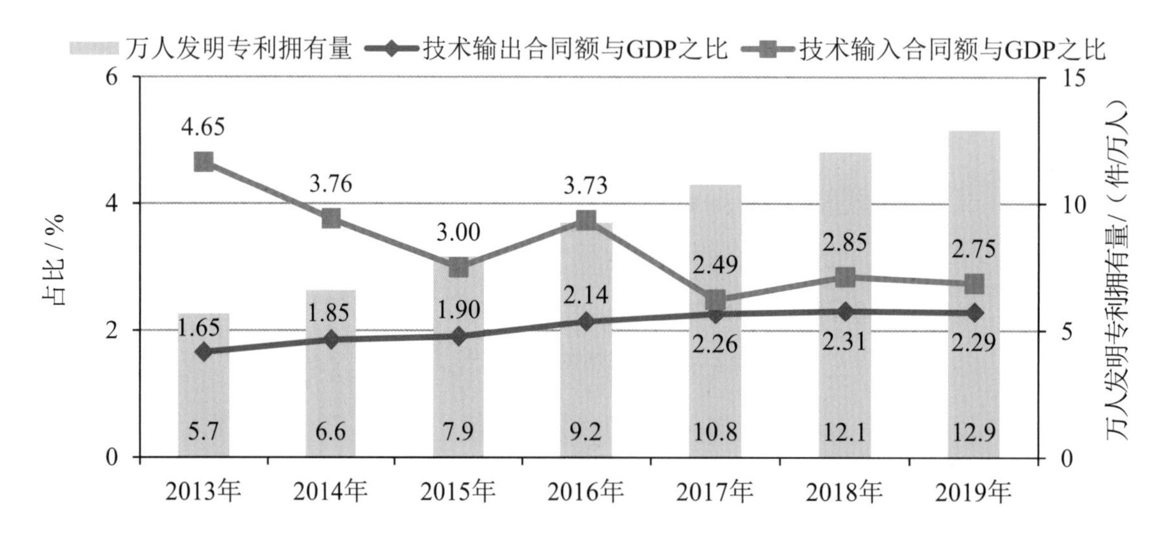


图 2-382 兰州万人发明专利拥有量及技术合同成交额与地区生产总值之比

图 2-383 兰州高新技术企业及其与规上工业企业之比

| 排名 | 指标 | 分类 |
|---|---|---|
| 38 | 创新能力指数 51.01 | |
| 54 | 财政科技支出占公共财政支出比重 1.73% | 创新治理力 |
| 24 | 常住人口增长率 0.99% | 创新治理力 |
| 37 | 万名就业人员中研发人员 70.61人年/万人 | 创新治理力 |
| 35 | 万人专利申请量 33.65件/万人 | 创新治理力 |
| 53 | 人均地区生产总值 7.48万元/人 | 创新治理力 |
| 34 | 全社会研发经费支出与地区生产总值之比 2.25% | 原始创新力 |
| 3 | 基础研究经费占研发经费比重 25.81% | 原始创新力 |
| 12 | “双一流”建设学科数 4个 | 原始创新力 |
| 20 | 国家级科技成果奖数 26.75项当量 | 原始创新力 |
| 64 | 规上工业企业研发经费支出与营业收入之比 0.75% | 技术创新力 |
| 47 | 高新技术企业数 569家 | 技术创新力 |
| 14 | 国家高新区营业收入与地区生产总值之比 64.24% | 技术创新力 |
| 39 | 万人发明专利拥有量 12.92件/万人 | 技术创新力 |
| 19 | 技术输出合同成交额与地区生产总值之比 2.29% | 技术创新力 |
| 18 | 技术输入合同成交额与地区生产总值之比 2.75% | 成果转化力 |
| 41 | 科创板上市企业数 0家 | 成果转化力 |
| 26 | 国家级科技企业孵化器、大学科技园、双创示范基地数 31个 | 成果转化力 |
| 30 | 国家级科技企业孵化器、大学科技园新增在孵企业数 235家 | 成果转化力 |
| 57 | 科技型中小企业数 191家 | 成果转化力 |
| 66 | 规上工业企业新产品销售收入与营业收入之比 7.71% | 成果转化力 |
| 41 | 高新技术企业营业收入与规上工业企业营业收入之比 38.26% | 创新驱动力 |
| 69 | 城乡居民人均可支配收入之比 2.80 | 创新驱动力 |
| 56 | 单位地区生产总值能耗 0.62吨标准煤/万元 | 创新驱动力 |
| 26 | PM2.5年平均浓度 36微克/立方米 | 创新驱动力 |
| 66 | 人均实际使用外资额 19.74美元/人 | 创新驱动力 |
| 58 | 居民人均可支配收入 3.81万元/人 | 创新驱动力 |

图 2-384　兰州创新能力指标数据及排名

## （十四）西宁

2019 年，西宁常住人口 239 万人，地区生产总值 1328 亿元。西宁创新能力指数为 28.07，在 72 个创新型城市中排名第 66 位（与上年相比退 5 位），属于创新集聚区类别城市（在 32 个该类别城市中排名第 24 位）。从创新能力构成看，西宁创新驱动力、技术创新力有待提升；从具体指标看，西宁在财政科技投入、企业研发投入等方面存在明显的短板。

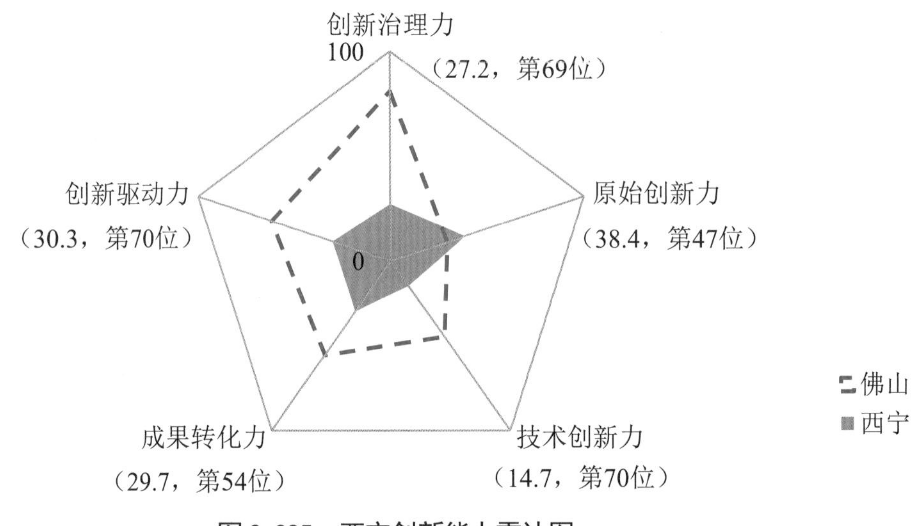


图 2-385　西宁创新能力雷达图

从经济发展阶段来看，近年来西宁固定资产投资与地区生产总值之比总体呈上升趋势，近 3 年平均值为 117.2%，高于全国平均水平（68.8%），公共财政收入占地区生产总值比重呈下降趋势，总体上西宁仍处于投资驱动发展阶段，创新发展动能有待增强。

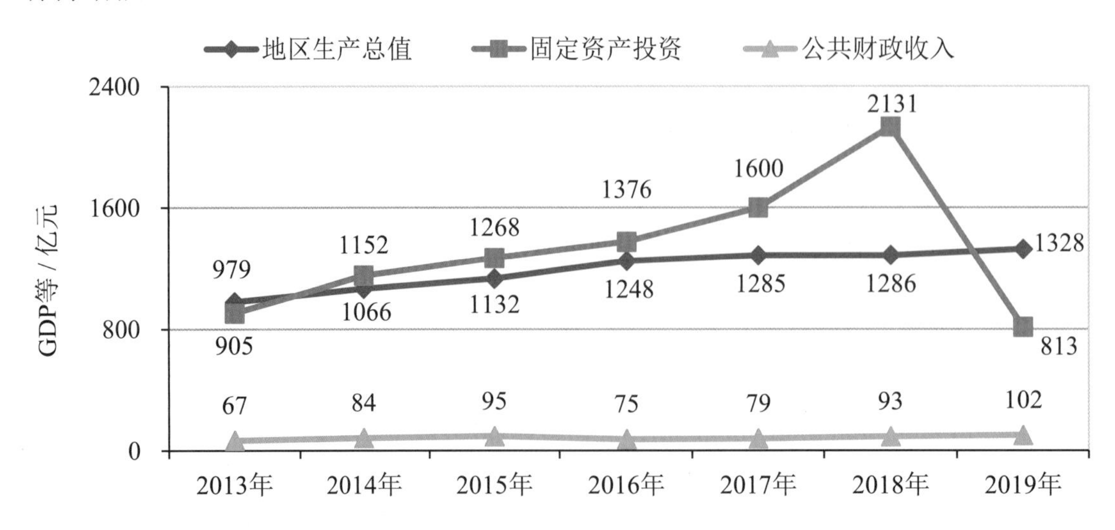


图 2-386　西宁地区生产总值、固定资产投资和公共财政收入

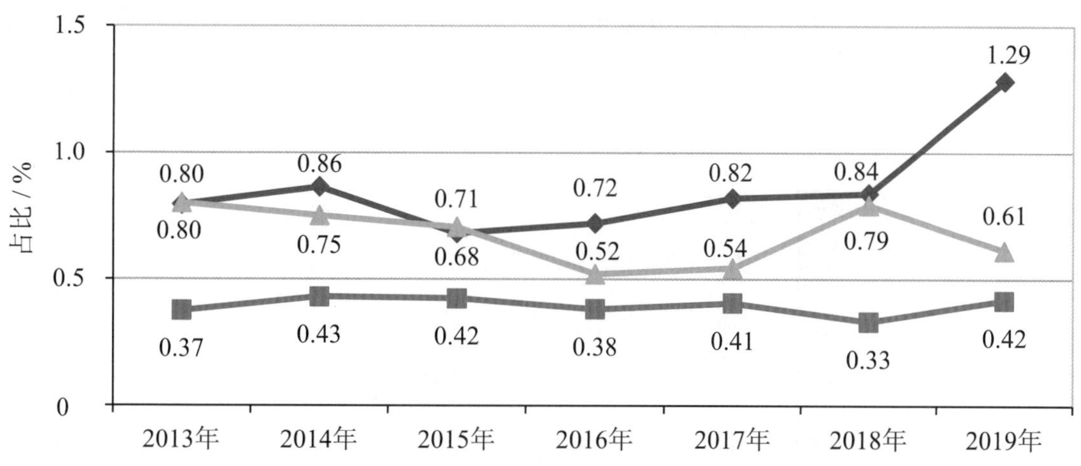


图 2-387　西宁研发经费投入强度及财政科技支出占比

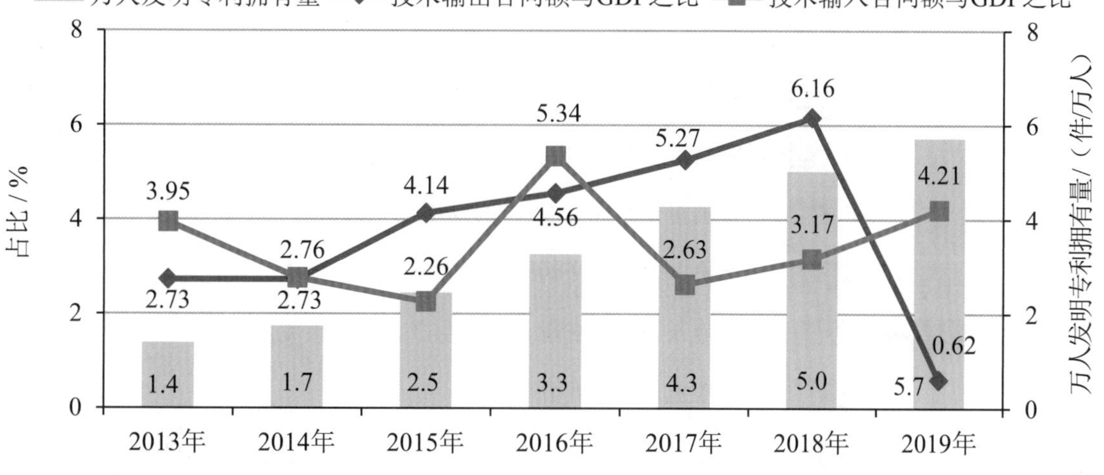


图 2-388　西宁万人发明专利拥有量及技术合同成交额与地区生产总值之比

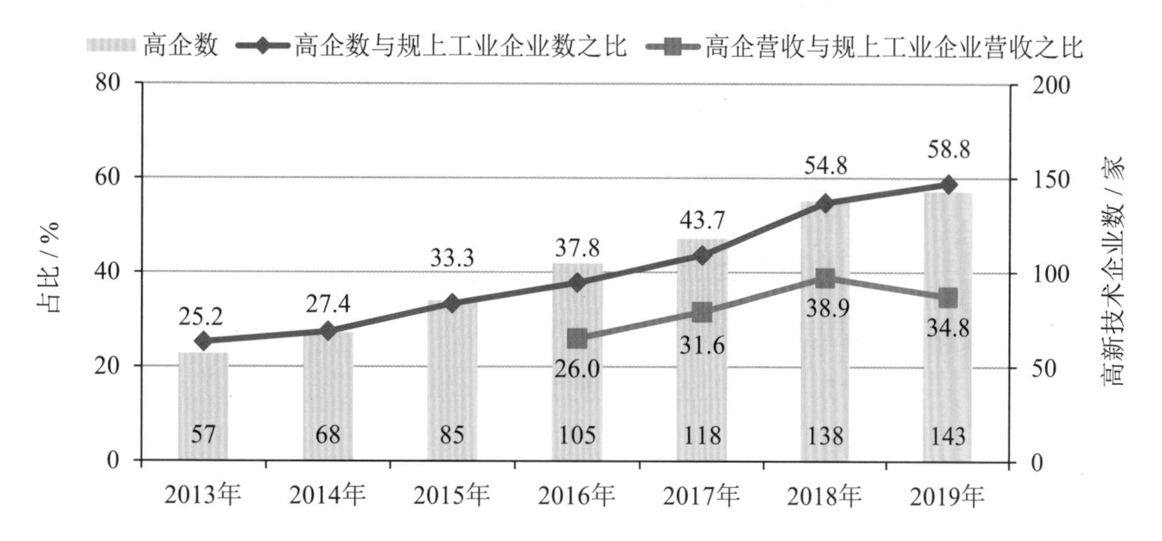


图 2-389　西宁高新技术企业及其与规上工业企业之比

| 排名 | 指标数据 | 类别 |
|---|---|---|
| 66 | 创新能力指数 28.07 | |
| 71 | 财政科技支出占公共财政支出比重 0.61% | 创新治理力 |
| 34 | 常住人口增长率 0.67% | 创新治理力 |
| 60 | 万名就业人员中研发人员 31.75人年/万人 | 创新治理力 |
| 62 | 万人专利申请量 14.87件/万人 | 创新治理力 |
| 61 | 人均地区生产总值 5.56万元/人 | 创新治理力 |
| 60 | 全社会研发经费支出与地区生产总值之比 1.29% | 原始创新力 |
| 11 | 基础研究经费占研发经费比重 12.33% | 原始创新力 |
| 22 | “双一流”建设学科数 1个 | 原始创新力 |
| 60 | 国家级科技成果奖数 0项当量 | 原始创新力 |
| 70 | 规上工业企业研发经费支出与营业收入之比 0.42% | 技术创新力 |
| 67 | 高新技术企业数 143家 | 技术创新力 |
| 65 | 国家高新区营业收入与地区生产总值之比 4.54% | 技术创新力 |
| 59 | 万人发明专利拥有量 5.72件/万人 | 技术创新力 |
| 53 | 技术输出合同成交额与地区生产总值之比 0.62% | 技术创新力 |
| 8 | 技术输入合同成交额与地区生产总值之比 4.21% | 成果转化力 |
| 41 | 科创板上市企业数 0家 | 成果转化力 |
| 38 | 国家级科技企业孵化器、大学科技园、双创示范基地数 16个 | 成果转化力 |
| 53 | 国家级科技企业孵化器、大学科技园新增在孵企业数 65家 | 成果转化力 |
| 62 | 科技型中小企业数 154家 | 成果转化力 |
| 67 | 规上工业企业新产品销售收入与营业收入之比 7.44% | 成果转化力 |
| 49 | 高新技术企业营业收入与规上工业企业营业收入之比 34.83% | 创新驱动力 |
| 68 | 城乡居民人均可支配收入之比 2.77 | 创新驱动力 |
| 69 | 单位地区生产总值能耗 1.65吨标准煤/万元 | 创新驱动力 |
| 21 | PM2.5年平均浓度 34微克/立方米 | 创新驱动力 |
| 62 | 人均实际使用外资额 31.69美元/人 | 创新驱动力 |
| 66 | 居民人均可支配收入 3.48万元/人 | 创新驱动力 |

图 2-390　西宁创新能力指标数据及排名

## （十五）银川

2019 年，银川常住人口 229 万人，地区生产总值 1897 亿元。银川创新能力指数为 33.80，在 72 个创新型城市中排名第 60 位（与上年相比退 9 位），属于创新集聚区类别城市（在 32 个该类别城市中排名第 20 位）。从创新能力构成看，银川创新驱动力、技术创新力有待提升；从具体指标看，银川在综合能耗、高新技术产业发展等方面存在明显的短板。

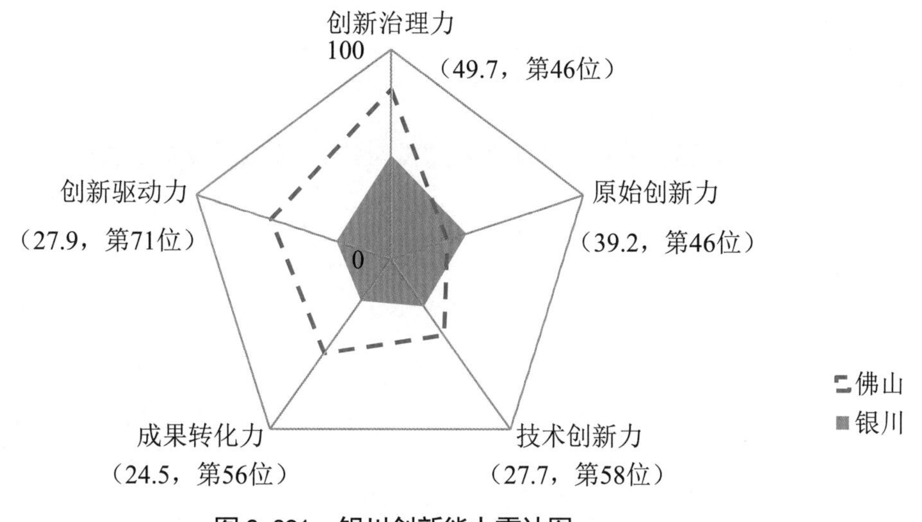


图 2-391 银川创新能力雷达图

从经济发展阶段来看，近年来银川固定资产投资与地区生产总值之比呈下降趋势，近 3 年平均值为 65.1%，低于全国平均水平（68.8%），公共财政收入占地区生产总值比重呈下降趋势，总体上银川处于由投资驱动向创新驱动的过渡阶段，创新发展动能正不断增强。

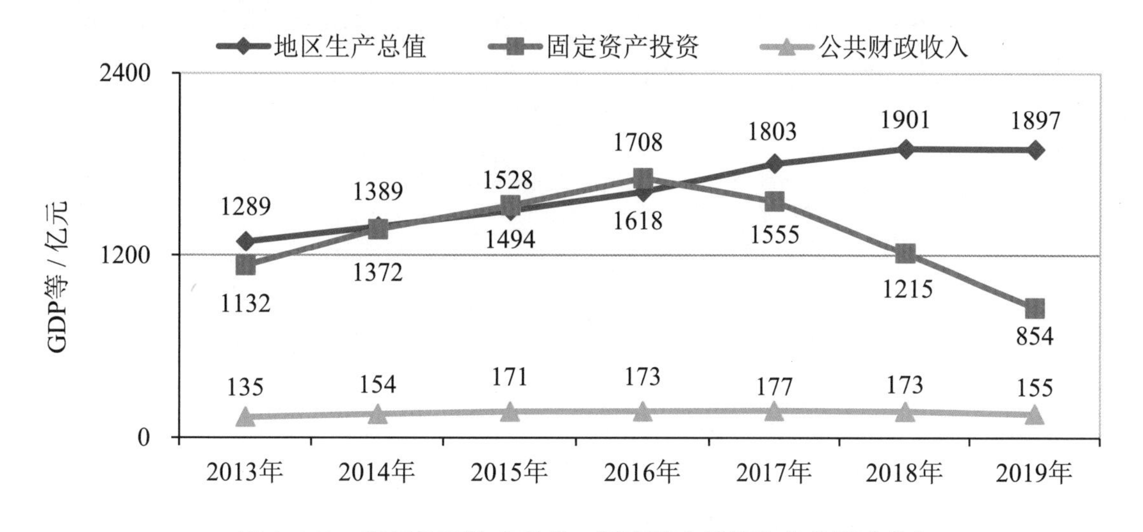


图 2-392 银川地区生产总值、固定资产投资和公共财政收入

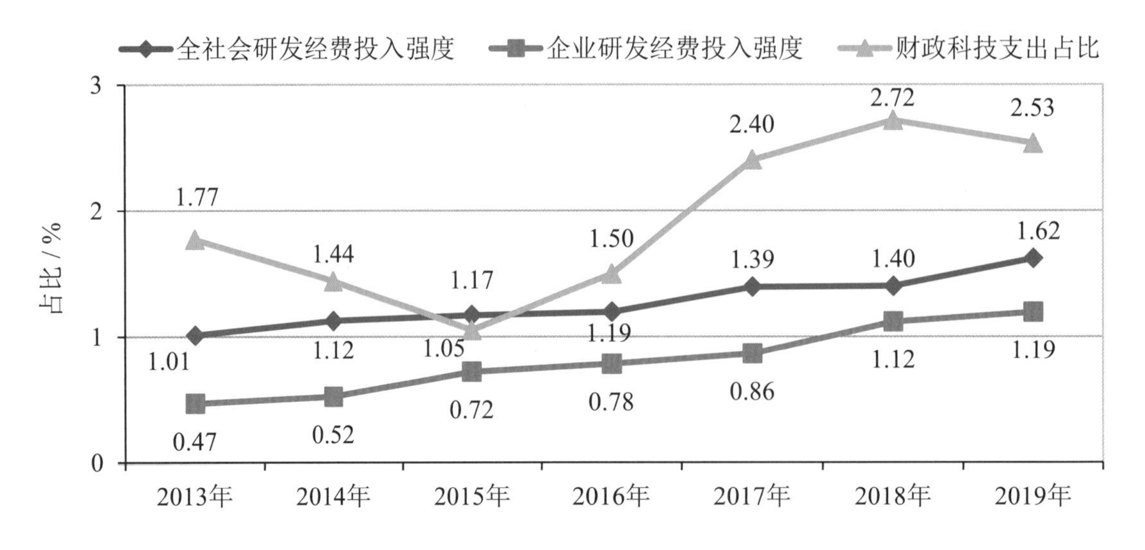


图 2-393 银川研发经费投入强度及财政科技支出占比

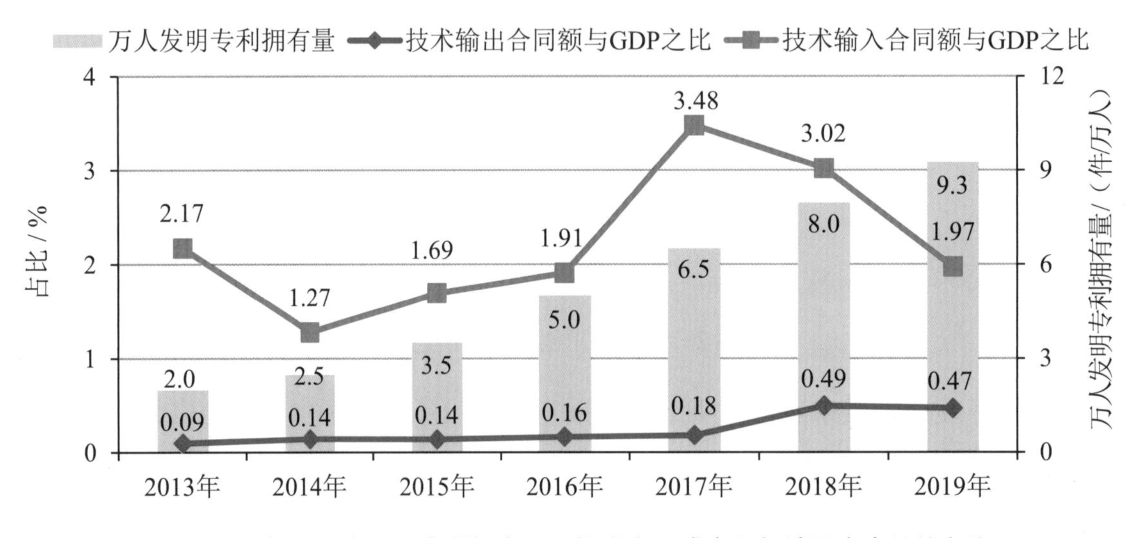


图 2-394 银川万人发明专利拥有量及技术合同成交额与地区生产总值之比

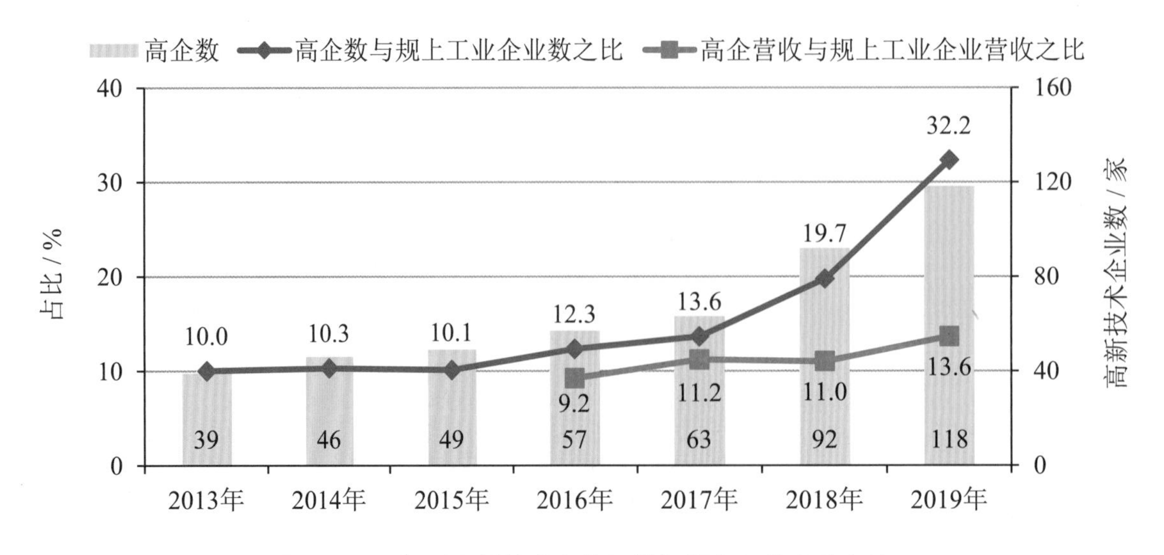


图 2-395 银川高新技术企业及其与规上工业企业之比

| 排名 | 指标 | 分类 |
| --- | --- | --- |
| 60 | 创新能力指数 33.80 | |
| 46 | 财政科技支出占公共财政支出比重 2.53% | 创新治理力 |
| 11 | 常住人口增长率 1.89% | 创新治理力 |
| 62 | 万名就业人员中研发人员 29.91人年/万人 | 创新治理力 |
| 48 | 万人专利申请量 22.35件/万人 | 创新治理力 |
| 45 | 人均地区生产总值 8.27万元/人 | 创新治理力 |
| 54 | 全社会研发经费支出与地区生产总值之比 1.62% | 原始创新力 |
| 19 | 基础研究经费占研发经费比重 8.27% | 原始创新力 |
| 22 | “双一流”建设学科数 1个 | 原始创新力 |
| 60 | 国家级科技成果奖数 0项当量 | 原始创新力 |
| 51 | 规上工业企业研发经费支出与营业收入之比 1.19% | 技术创新力 |
| 69 | 高新技术企业数 118家 | 技术创新力 |
| 64 | 国家高新区营业收入与地区生产总值之比 4.75% | 技术创新力 |
| 49 | 万人发明专利拥有量 9.26件/万人 | 技术创新力 |
| 57 | 技术输出合同成交额与地区生产总值之比 0.47% | 技术创新力 |
| 27 | 技术输入合同成交额与地区生产总值之比 1.97% | 成果转化力 |
| 41 | 科创板上市企业数 0家 | 成果转化力 |
| 52 | 国家级科技企业孵化器、大学科技园、双创示范基地数 9个 | 成果转化力 |
| 61 | 国家级科技企业孵化器、大学科技园新增在孵企业数 26家 | 成果转化力 |
| 58 | 科技型中小企业数 184家 | 成果转化力 |
| 59 | 规上工业企业新产品销售收入与营业收入之比 11.56% | 成果转化力 |
| 69 | 高新技术企业营业收入与规上工业企业营业收入之比 13.60% | 创新驱动力 |
| 56 | 城乡居民人均可支配收入之比 2.50 | 创新驱动力 |
| 72 | 单位地区生产总值能耗 2.12吨标准煤/万元 | 创新驱动力 |
| 17 | PM2.5年平均浓度 31微克/立方米 | 创新驱动力 |
| 50 | 人均实际使用外资额 87.32美元/人 | 创新驱动力 |
| 57 | 居民人均可支配收入 3.82万元/人 | 创新驱动力 |

图 2-396　银川创新能力指标数据及排名

## （十六）乌鲁木齐

2019 年，乌鲁木齐常住人口 355 万人，地区生产总值 3413 亿元。乌鲁木齐创新能力指数为 41.31，在 72 个创新型城市中排名第 53 位（与上年相比退 5 位），属于创新集聚区类别城市（在 32 个该类别城市中排名第 11 位）。从创新能力构成看，乌鲁木齐技术创新力、创新驱动力有待提升；从具体指标看，乌鲁木齐在企业研发投入、研发投入等方面存在明显的短板。

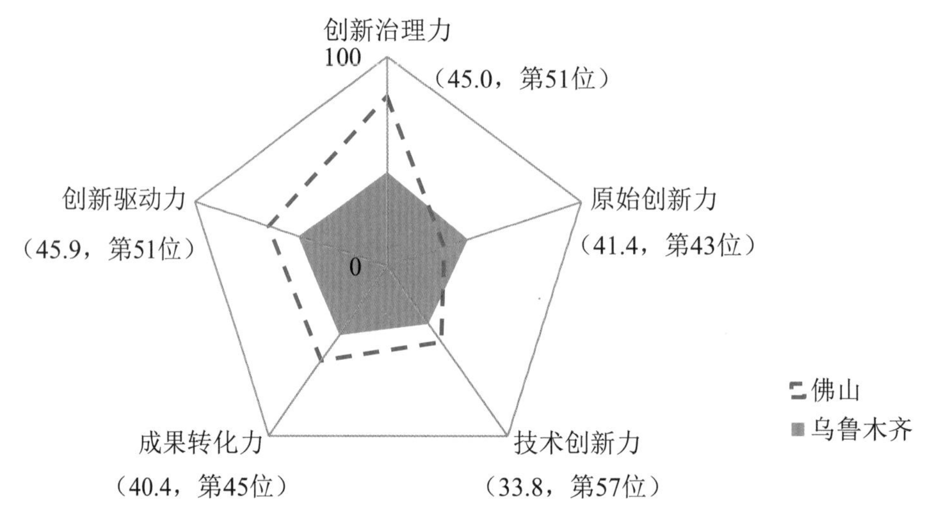


图 2-397　乌鲁木齐创新能力雷达图

从经济发展阶段来看，近年来乌鲁木齐固定资产投资与地区生产总值之比呈下降趋势，近 3 年平均值为 49.5%，低于全国平均水平（68.8%），公共财政收入占地区生产总值比重呈上升趋势，总体上乌鲁木齐处于由投资驱动向创新驱动的过渡阶段，创新发展动能正不断增强。

图 2-398　乌鲁木齐地区生产总值、固定资产投资和公共财政收入

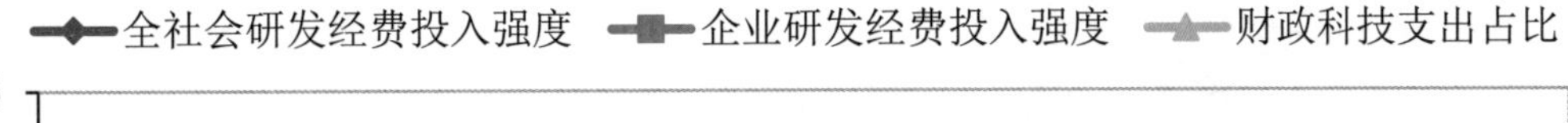


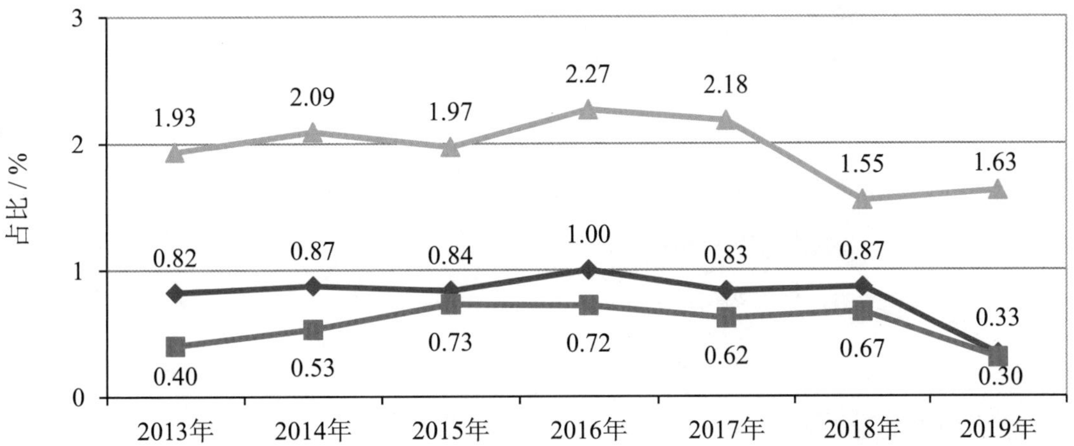


图 2-399 乌鲁木齐研发经费投入强度及财政科技支出占比

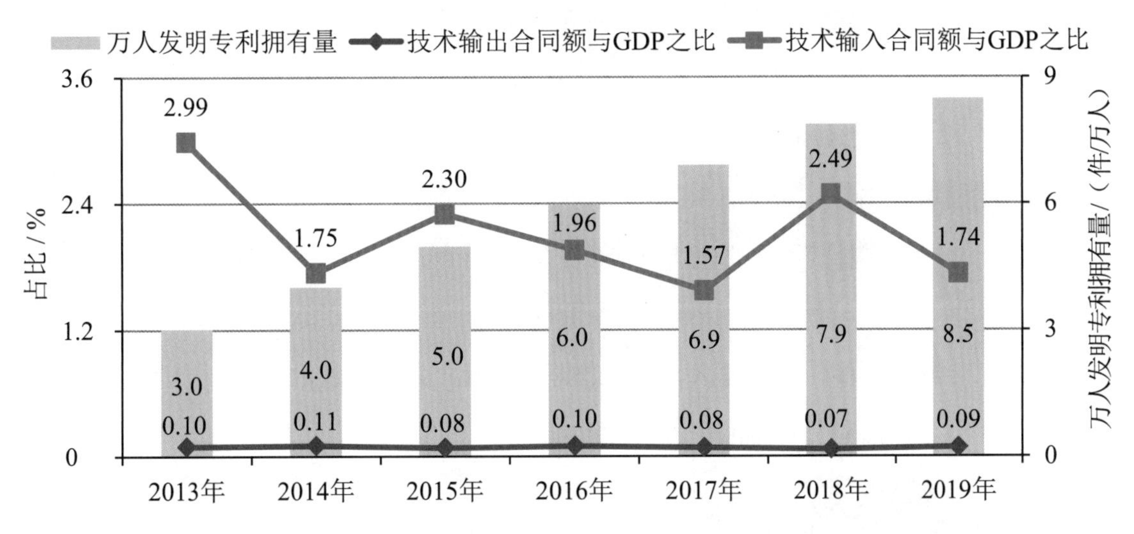


图 2-400 乌鲁木齐万人发明专利拥有量及技术合同成交额与地区生产总值之比

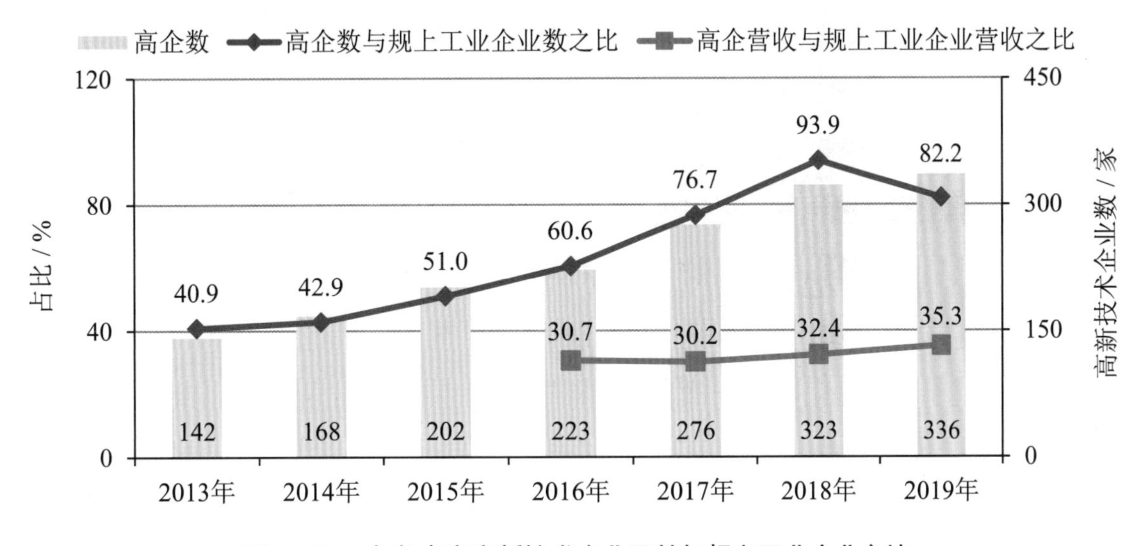


图 2-401 乌鲁木齐高新技术企业及其与规上工业企业之比

| 排名 | 指标 | 分类 |
|---|---|---|
| 53 | 创新能力指数 41.31 | |
| 57 | 财政科技支出占公共财政支出比重 1.63% | 创新治理力 |
| 16 | 常住人口增长率 1.32% | 创新治理力 |
| 71 | 万名就业人员中研发人员 10.27人年/万人 | 创新治理力 |
| 54 | 万人专利申请量 19.26件/万人 | 创新治理力 |
| 34 | 人均地区生产总值 9.61万元/人 | 创新治理力 |
| 71 | 全社会研发经费支出与地区生产总值之比 0.33% | 原始创新力 |
| 1 | 基础研究经费占研发经费比重 49.65% | 原始创新力 |
| 14 | “双一流”建设学科数 3个 | 原始创新力 |
| 49 | 国家级科技成果奖数 2.41项当量 | 原始创新力 |
| 71 | 规上工业企业研发经费支出与营业收入之比 0.30% | 技术创新力 |
| 54 | 高新技术企业数 336家 | 技术创新力 |
| 2 | 国家高新区营业收入与地区生产总值之比 123.57% | 技术创新力 |
| 52 | 万人发明专利拥有量 8.49件/万人 | 技术创新力 |
| 69 | 技术输出合同成交额与地区生产总值之比 0.09% | 技术创新力 |
| 31 | 技术输入合同成交额与地区生产总值之比 1.74% | 成果转化力 |
| 41 | 科创板上市企业数 0家 | 成果转化力 |
| 29 | 国家级科技企业孵化器、大学科技园、双创示范基地数 24个 | 成果转化力 |
| 35 | 国家级科技企业孵化器、大学科技园新增在孵企业数 193家 | 成果转化力 |
| 60 | 科技型中小企业数 171家 | 成果转化力 |
| 56 | 规上工业企业新产品销售收入与营业收入之比 13.24% | 成果转化力 |
| 48 | 高新技术企业营业收入与规上工业企业营业收入之比 35.28% | 创新驱动力 |
| 25 | 城乡居民人均可支配收入之比 1.99 | 创新驱动力 |
| 54 | 单位地区生产总值能耗 0.60吨标准煤/万元 | 创新驱动力 |
| 60 | PM2.5年平均浓度 50微克/立方米 | 创新驱动力 |
| 71 | 人均实际使用外资额 1.87美元/人 | 创新驱动力 |
| 38 | 居民人均可支配收入 4.27万元/人 | 创新驱动力 |

图 2-402　乌鲁木齐创新能力指标数据及排名

# 四、东北地区

## （一）沈阳

2019 年，沈阳常住人口 832 万人，地区生产总值 6470 亿元。沈阳创新能力指数为 60.15，在 72 个创新型城市中排名第 20 位（与上年相比无变化），属于创新策源地类别城市（在 15 个该类别城市中排名第 12 位）。从创新能力构成看，沈阳创新驱动力、创新治理力有待提升；从具体指标看，沈阳在人才吸引力、城乡协调发展等方面存在明显的短板。

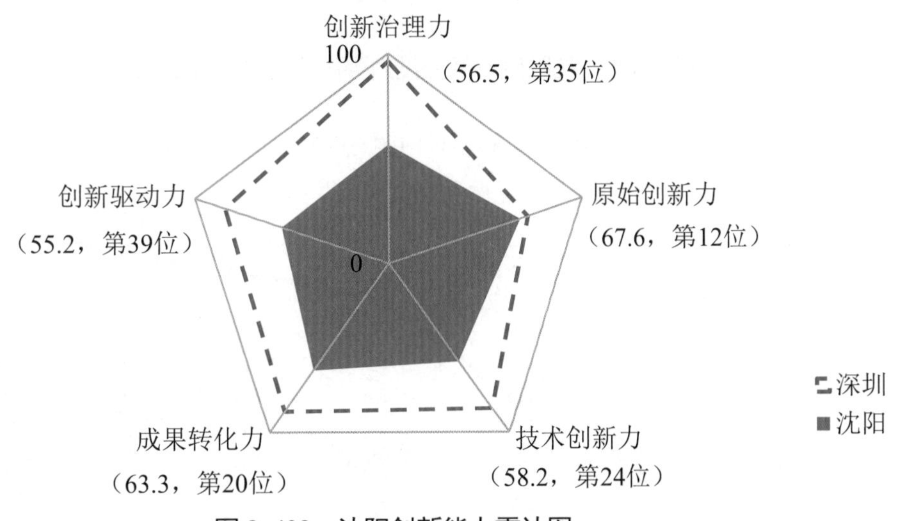


图 2-403　沈阳创新能力雷达图

从经济发展阶段来看，近年来沈阳固定资产投资与地区生产总值之比呈下降趋势，近 3 年平均值为 22.9%，低于全国平均水平（68.8%），公共财政收入占地区生产总值比重呈上升趋势，总体上沈阳已经跨越投资驱动，进入创新驱动发展阶段，高质量发展势头良好。

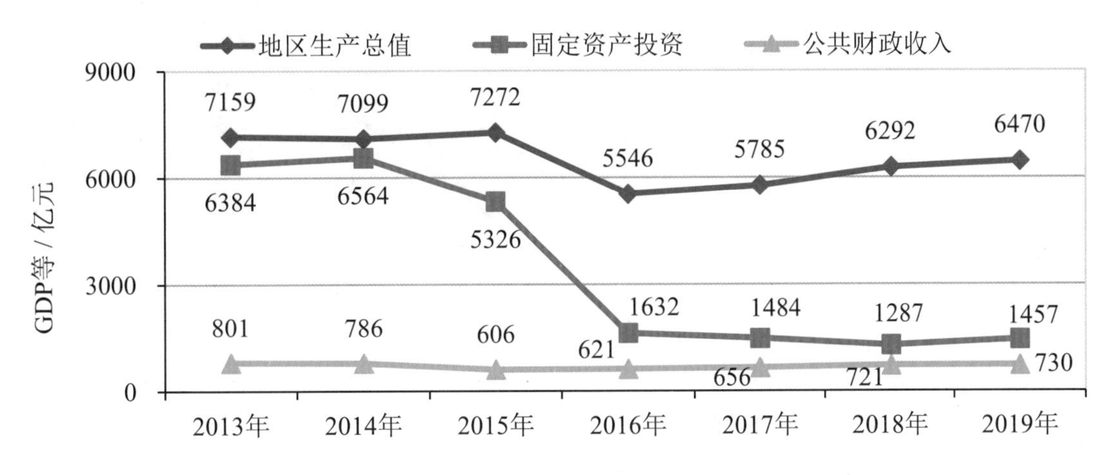


图 2-404　沈阳地区生产总值、固定资产投资和公共财政收入

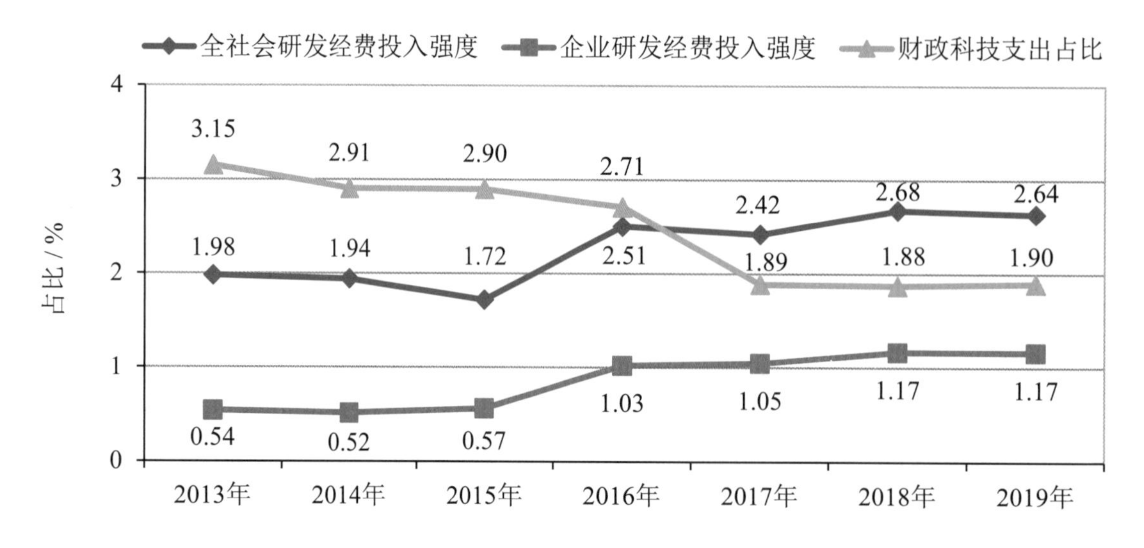


图 2-405 沈阳研发经费投入强度及财政科技支出占比

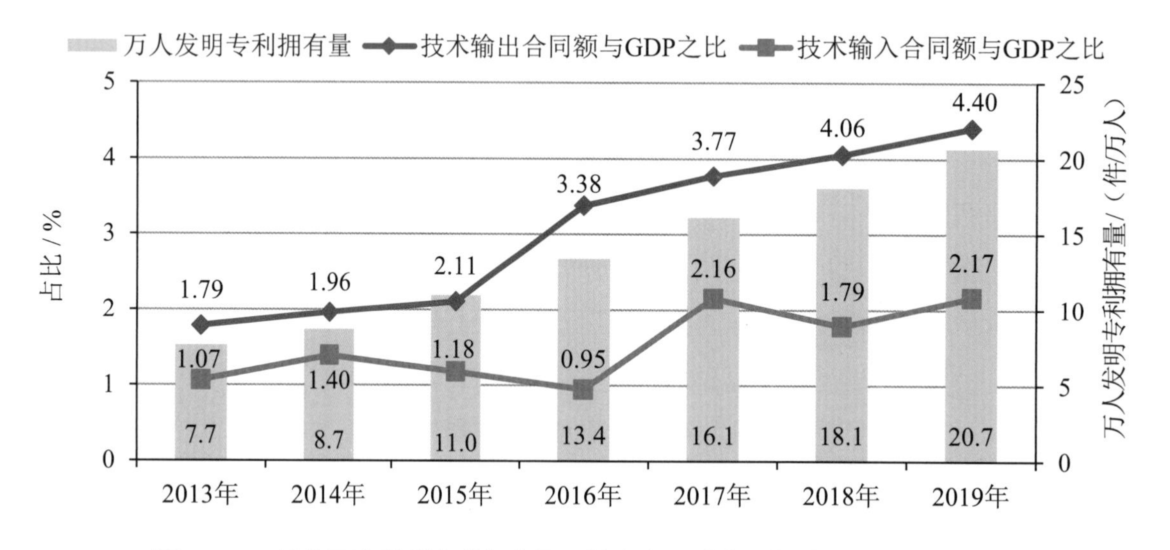


图 2-406 沈阳万人发明专利拥有量及技术合同成交额与地区生产总值之比

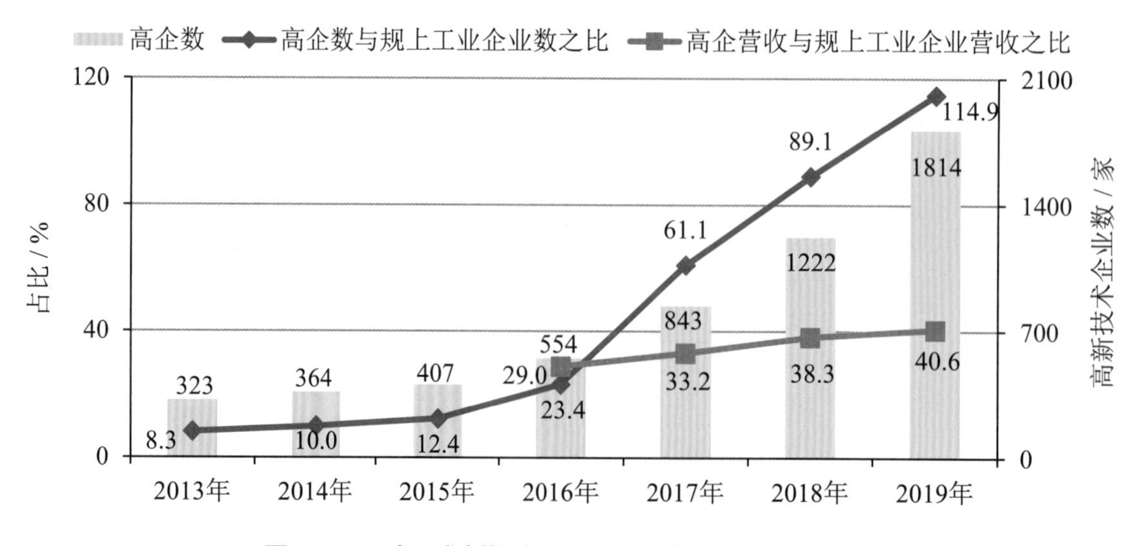


图 2-407 沈阳高新技术企业及其与规上工业企业之比

| 排名 | 指标数据 | 类别 |
| --- | --- | --- |
| 20 | 创新能力指数 60.15 | |
| 52 | 财政科技支出占公共财政支出比重 1.90% | 创新治理力 |
| 62 | 常住人口增长率 0.07% | 创新治理力 |
| 36 | 万名就业人员中研发人员 73.29人年/万人 | 创新治理力 |
| 42 | 万人专利申请量 29.95件/万人 | 创新治理力 |
| 52 | 人均地区生产总值 7.77万元/人 | 创新治理力 |
| 24 | 全社会研发经费支出与地区生产总值之比 2.64% | 原始创新力 |
| 32 | 基础研究经费占研发经费比重 4.90% | 原始创新力 |
| 17 | “双一流”建设学科数 2个 | 原始创新力 |
| 12 | 国家级科技成果奖数 60.29项当量 | 原始创新力 |
| 52 | 规上工业企业研发经费支出与营业收入之比 1.17% | 技术创新力 |
| 20 | 高新技术企业数 1814家 | 技术创新力 |
| 49 | 国家高新区营业收入与地区生产总值之比 21.82% | 技术创新力 |
| 28 | 万人发明专利拥有量 20.69件/万人 | 技术创新力 |
| 6 | 技术输出合同成交额与地区生产总值之比 4.40% | 技术创新力 |
| 24 | 技术输入合同成交额与地区生产总值之比 2.17% | 成果转化力 |
| 30 | 科创板上市企业数 1家 | 成果转化力 |
| 17 | 国家级科技企业孵化器、大学科技园、双创示范基地数 38个 | 成果转化力 |
| 17 | 国家级科技企业孵化器、大学科技园新增在孵企业数 357家 | 成果转化力 |
| 21 | 科技型中小企业数 1171家 | 成果转化力 |
| 38 | 规上工业企业新产品销售收入与营业收入之比 19.06% | 成果转化力 |
| 38 | 高新技术企业营业收入与规上工业企业营业收入之比 40.62% | 创新驱动力 |
| 60 | 城乡居民人均可支配收入之比 2.58 | 创新驱动力 |
| 28 | 单位地区生产总值能耗 0.39吨标准煤/万元 | 创新驱动力 |
| 45 | PM2.5年平均浓度 43微克/立方米 | 创新驱动力 |
| 37 | 人均实际使用外资额 198.33美元/人 | 创新驱动力 |
| 30 | 居民人均可支配收入 4.68万元/人 | 创新驱动力 |

图 2-408　沈阳创新能力指标数据及排名

## （二）大连

2019 年，大连常住人口 700 万人，地区生产总值 7002 亿元。大连创新能力指数为 62.45，在 72 个创新型城市中排名第 17 位（与上年相比无变化），属于创新策源地类别城市（在 15 个该类别城市中排名第 11 位）。从创新能力构成看，大连创新驱动力、创新治理力有待提升；从具体指标看，大连在人才吸引力、城乡协调发展等方面存在明显的短板。

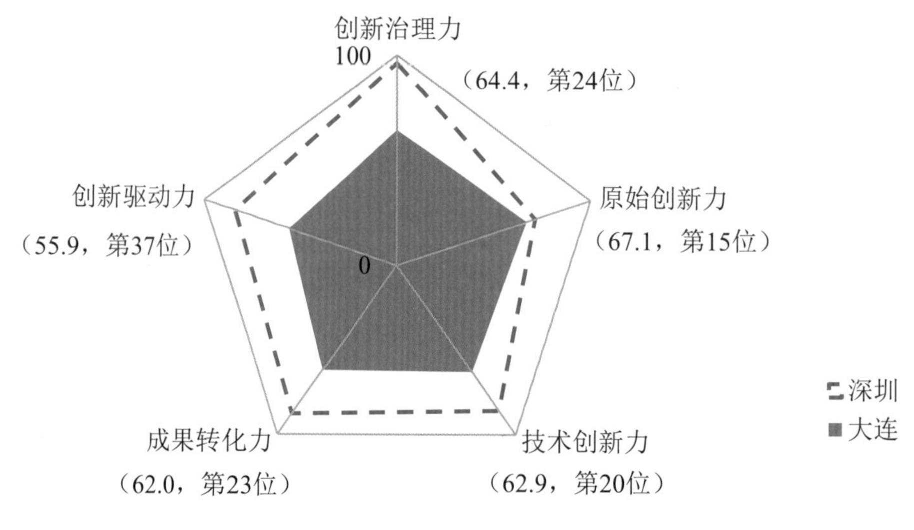


图 2-409　大连创新能力雷达图

从经济发展阶段来看，近年来大连固定资产投资与地区生产总值之比呈下降趋势，近 3 年平均值为 20.1%，低于全国平均水平（68.8%），公共财政收入占地区生产总值比重呈上升趋势，总体上大连已经跨越投资驱动，进入创新驱动发展阶段，高质量发展势头良好。

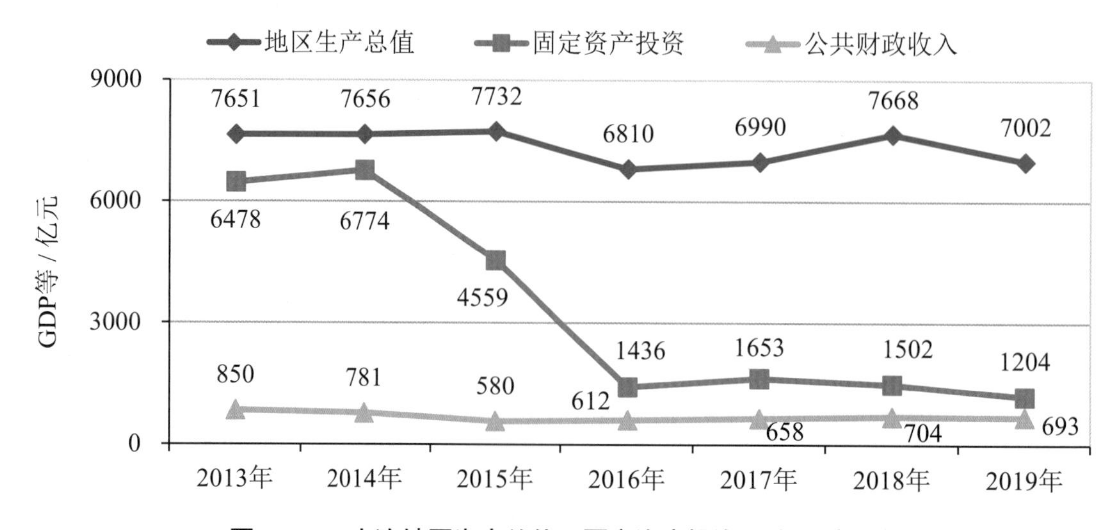


图 2-410　大连地区生产总值、固定资产投资和公共财政收入

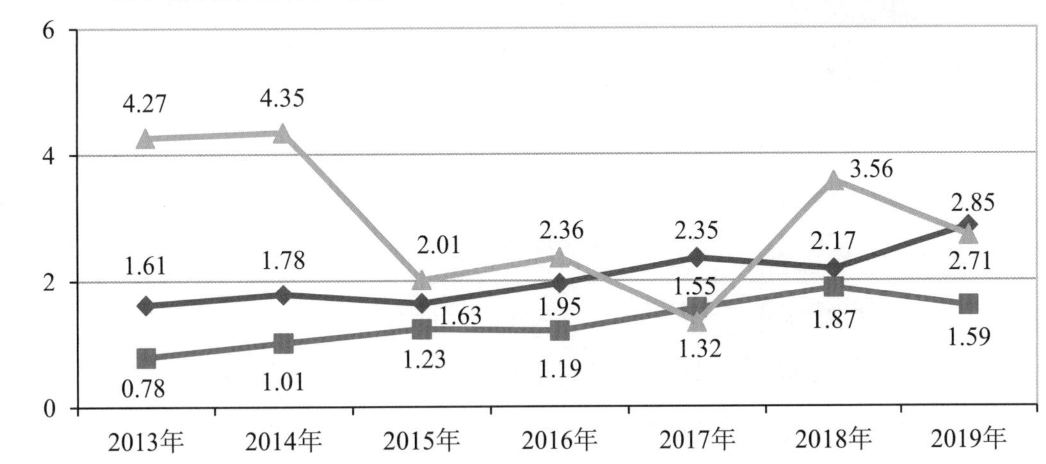


图 2-411 大连研发经费投入强度及财政科技支出占比

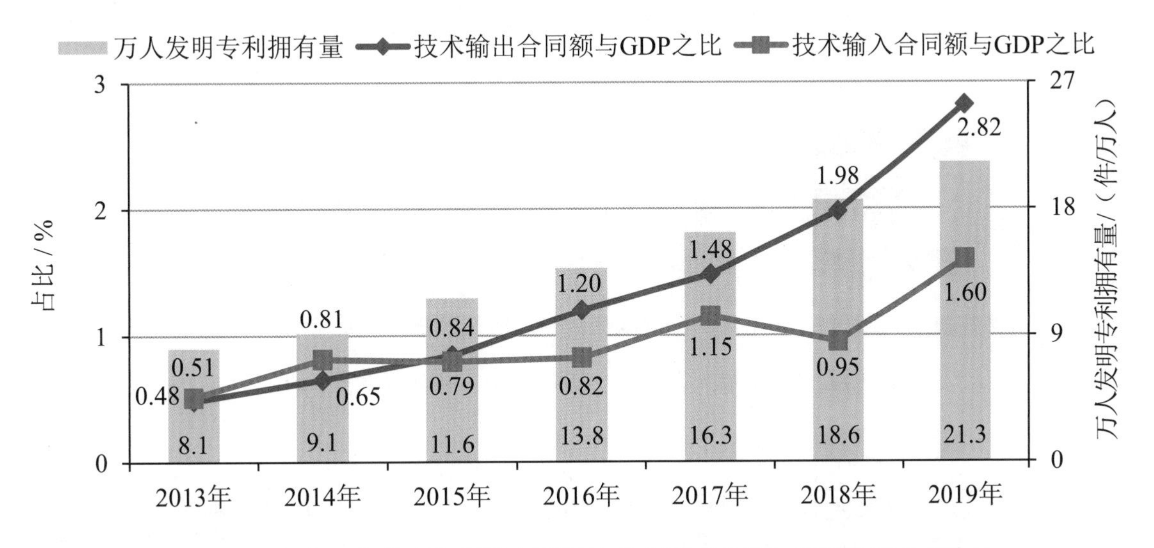


图 2-412 大连万人发明专利拥有量及技术合同成交额与地区生产总值之比

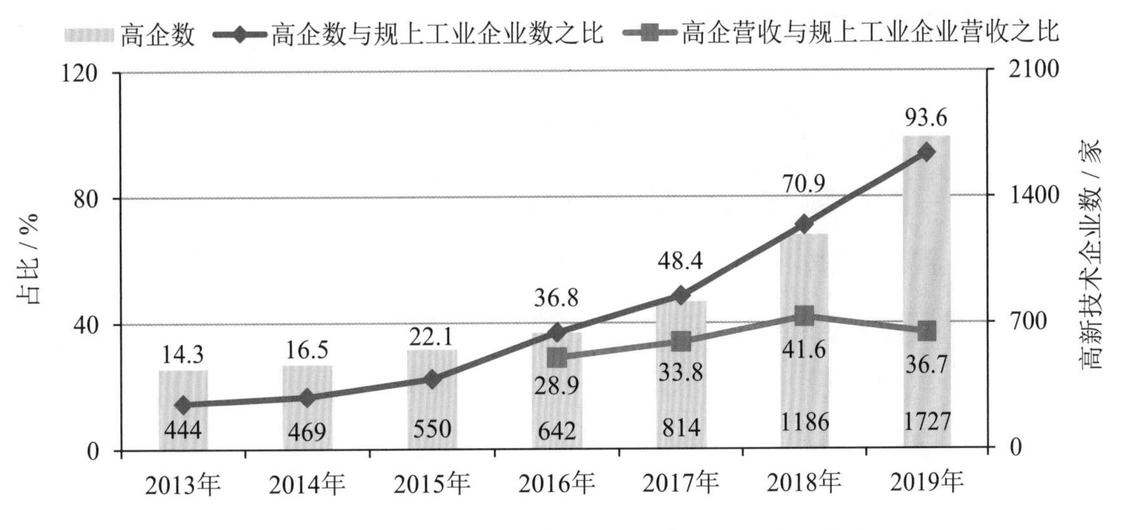


图 2-413 大连高新技术企业及其与规上工业企业之比

| 排名 | 指标 | 分类 |
|---|---|---|
| 17 | 创新能力指数 62.45 | |
| 44 | 财政科技支出占公共财政支出比重 2.71% | 创新治理力 |
| 63 | 常住人口增长率 0.06% | 创新治理力 |
| 23 | 万名就业人员中研发人员 113.02人年/万人 | 创新治理力 |
| 43 | 万人专利申请量 29.47件/万人 | 创新治理力 |
| 32 | 人均地区生产总值 10.00万元/人 | 创新治理力 |
| 17 | 全社会研发经费支出与地区生产总值之比 2.85% | 原始创新力 |
| 16 | 基础研究经费占研发经费比重 9.34% | 原始创新力 |
| 14 | “双一流”建设学科数 3个 | 原始创新力 |
| 15 | 国家级科技成果奖数 45.94项当量 | 原始创新力 |
| 34 | 规上工业企业研发经费支出与营业收入之比 1.59% | 技术创新力 |
| 23 | 高新技术企业数 1727家 | 技术创新力 |
| 38 | 国家高新区营业收入与地区生产总值之比 36.87% | 技术创新力 |
| 26 | 万人发明专利拥有量 21.27件/万人 | 技术创新力 |
| 14 | 技术输出合同成交额与地区生产总值之比 2.82% | 技术创新力 |
| 39 | 技术输入合同成交额与地区生产总值之比 1.60% | 成果转化力 |
| 25 | 科创板上市企业数 2家 | 成果转化力 |
| 11 | 国家级科技企业孵化器、大学科技园、双创示范基地数 42个 | 成果转化力 |
| 22 | 国家级科技企业孵化器、大学科技园新增在孵企业数 285家 | 成果转化力 |
| 15 | 科技型中小企业数 1616家 | 成果转化力 |
| 44 | 规上工业企业新产品销售收入与营业收入之比 16.17% | 成果转化力 |
| 42 | 高新技术企业营业收入与规上工业企业营业收入之比 36.75% | 创新驱动力 |
| 49 | 城乡居民人均可支配收入之比 2.33 | 创新驱动力 |
| 27 | 单位地区生产总值能耗 0.38吨标准煤/万元 | 创新驱动力 |
| 22 | PM2.5年平均浓度 35微克/立方米 | 创新驱动力 |
| 48 | 人均实际使用外资额 92.26美元/人 | 创新驱动力 |
| 32 | 居民人均可支配收入 4.65万元/人 | 创新驱动力 |

图 2-414　大连创新能力指标数据及排名

## （三）长春

2019 年，长春常住人口 754 万人，地区生产总值 5904 亿元。长春创新能力指数为 57.04，在 72 个创新型城市中排名第 26 位（与上年相比进 9 位），属于创新策源地类别城市（在 15 个该类别城市中排名第 13 位）。从创新能力构成看，长春创新驱动力、创新治理力有待提升；从具体指标看，长春在居民收入、企业研发投入等方面存在明显的短板。

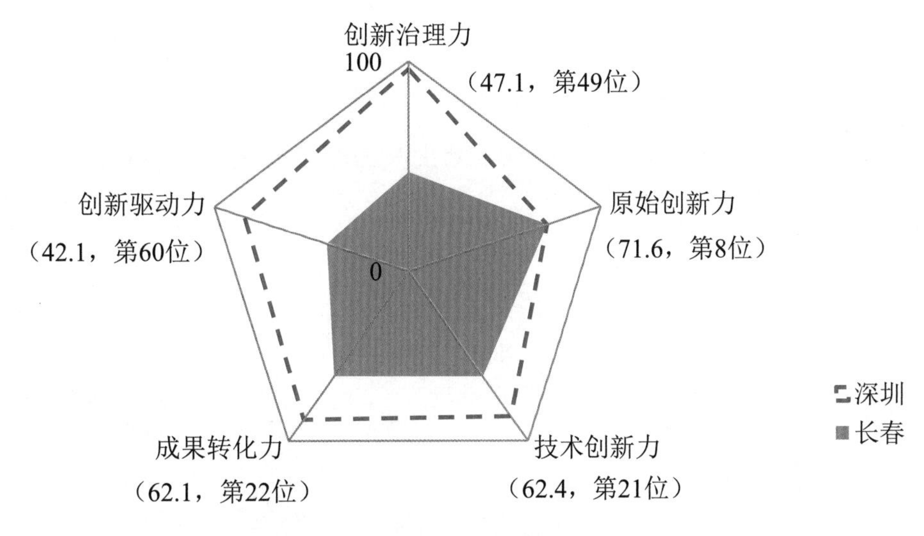


图 2-415　长春创新能力雷达图

从经济发展阶段来看，近年来长春固定资产投资与地区生产总值之比呈上升趋势，近 3 年平均值为 77.8%，高于全国平均水平（68.8%），公共财政收入占地区生产总值比重呈下降趋势，总体上长春仍处于投资驱动发展阶段，创新发展动能有待增强。

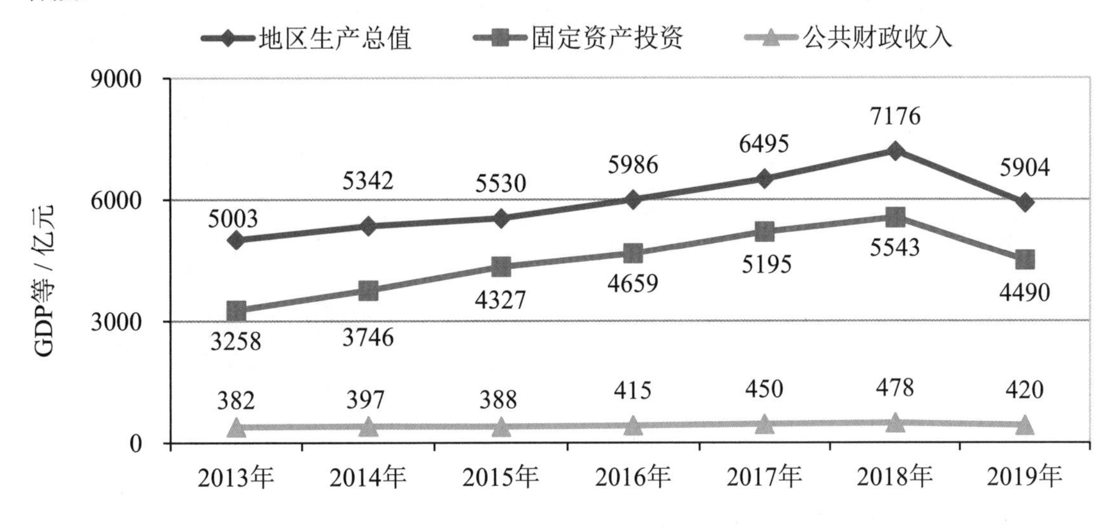


图 2-416　长春地区生产总值、固定资产投资和公共财政收入

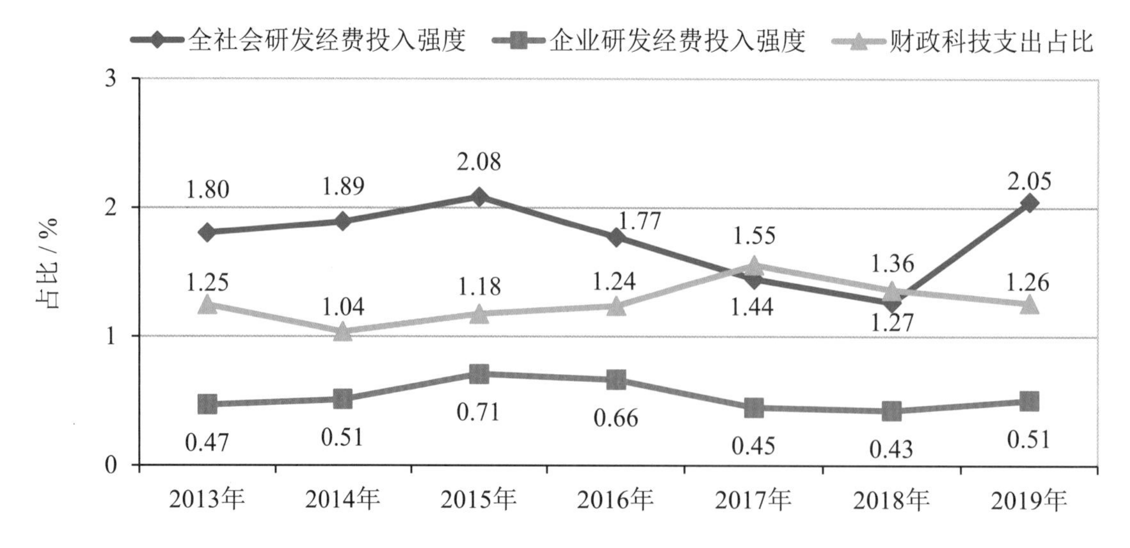


图 2-417　长春研发经费投入强度及财政科技支出占比

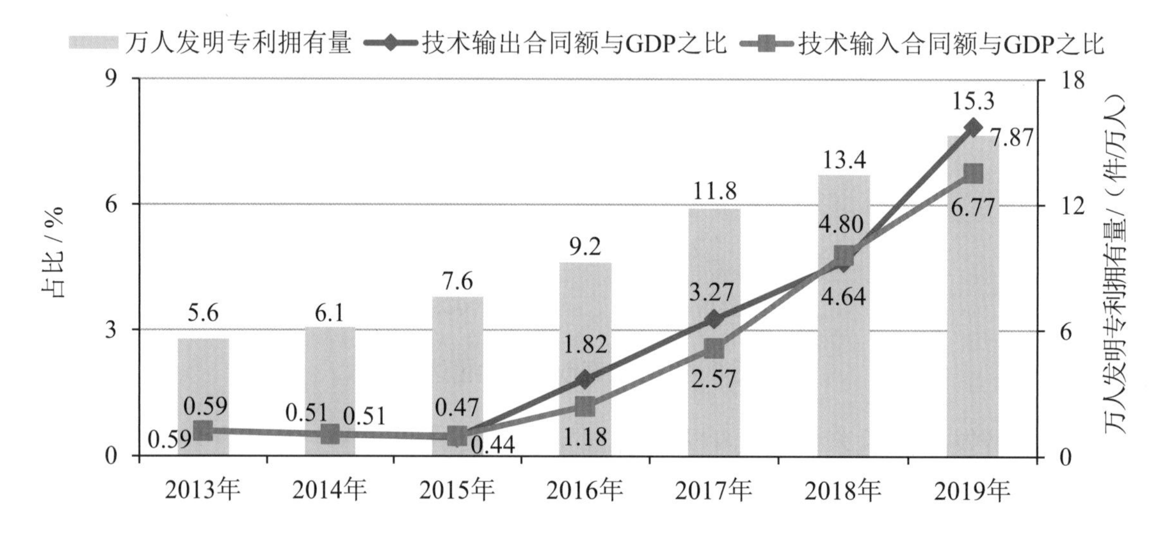


图 2-418　长春万人发明专利拥有量及技术合同成交额与地区生产总值之比

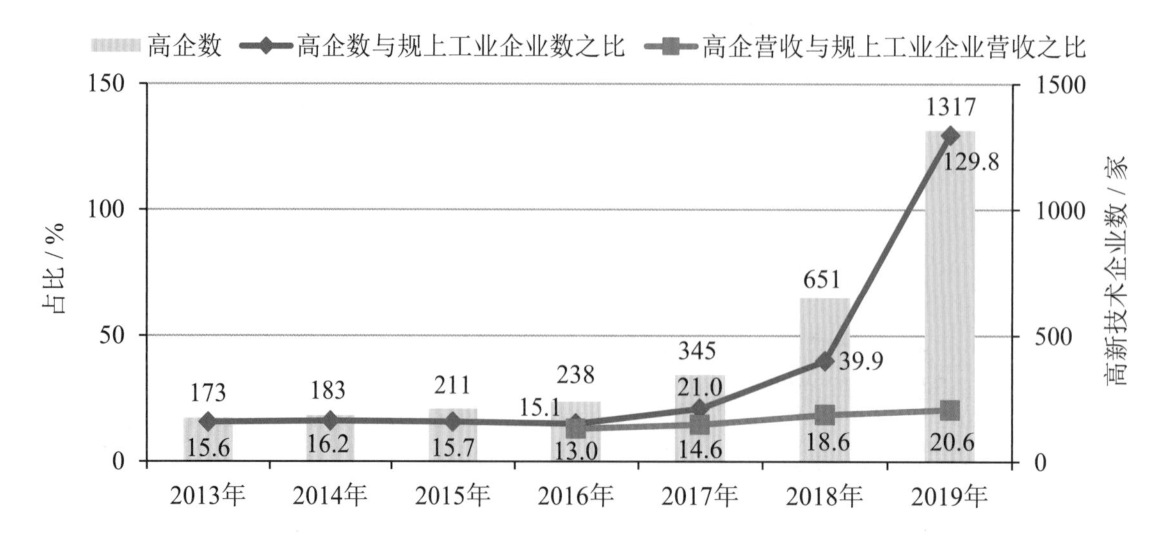


图 2-419　长春高新技术企业及其与规上工业企业之比

| 排名 | 指标 | 分类 |
| --- | --- | --- |
| 26 | 创新能力指数 57.04 | |
| 63 | 财政科技支出占公共财政支出比重 1.26% | 创新治理力 |
| 46 | 常住人口增长率 0.33% | 创新治理力 |
| 38 | 万名就业人员中研发人员 69.52人年/万人 | 创新治理力 |
| 41 | 万人专利申请量 30.15件/万人 | 创新治理力 |
| 51 | 人均地区生产总值 7.83万元/人 | 创新治理力 |
| 40 | 全社会研发经费支出与地区生产总值之比 2.05% | 原始创新力 |
| 8 | 基础研究经费占研发经费比重 14.31% | 原始创新力 |
| 9 | “双一流”建设学科数 11个 | 原始创新力 |
| 8 | 国家级科技成果奖数 106.25项当量 | 原始创新力 |
| 68 | 规上工业企业研发经费支出与营业收入之比 0.51% | 技术创新力 |
| 29 | 高新技术企业数 1317家 | 技术创新力 |
| 5 | 国家高新区营业收入与地区生产总值之比 95.51% | 技术创新力 |
| 32 | 万人发明专利拥有量 15.34件/万人 | 技术创新力 |
| 2 | 技术输出合同成交额与地区生产总值之比 7.87% | 技术创新力 |
| 2 | 技术输入合同成交额与地区生产总值之比 6.77% | 成果转化力 |
| 25 | 科创板上市企业数 2家 | 成果转化力 |
| 26 | 国家级科技企业孵化器、大学科技园、双创示范基地数 31个 | 成果转化力 |
| 20 | 国家级科技企业孵化器、大学科技园新增在孵企业数 310家 | 成果转化力 |
| 45 | 科技型中小企业数 446家 | 成果转化力 |
| 29 | 规上工业企业新产品销售收入与营业收入之比 21.87% | 成果转化力 |
| 63 | 高新技术企业营业收入与规上工业企业营业收入之比 20.59% | 创新驱动力 |
| 38 | 城乡居民人均可支配收入之比 2.16 | 创新驱动力 |
| 15 | 单位地区生产总值能耗 0.32吨标准煤/万元 | 创新驱动力 |
| 32 | PM2.5年平均浓度 38微克/立方米 | 创新驱动力 |
| 59 | 人均实际使用外资额 43.78美元/人 | 创新驱动力 |
| 70 | 居民人均可支配收入 3.34万元/人 | 创新驱动力 |

图 2-420　长春创新能力指标数据及排名

## （四）吉林

2019 年，吉林常住人口 412 万人，地区生产总值 1417 亿元。吉林创新能力指数为 22.12，在 72 个创新型城市中排名第 72 位（与上年相比退 1 位），属于创新集聚区类别城市（在 32 个该类别城市中排名第 32 位）。从创新能力构成看，吉林创新治理力、创新驱动力有待提升；从具体指标看，吉林在居民收入、经济发展水平等方面存在明显的短板。

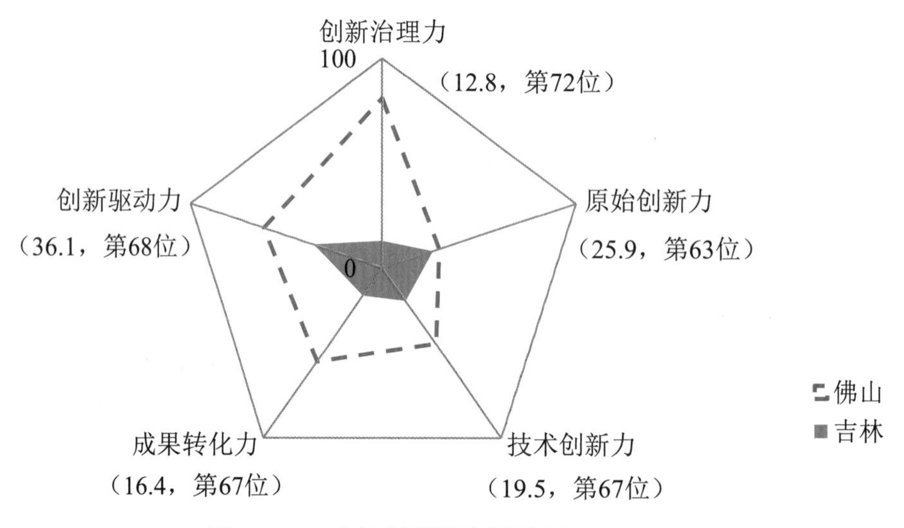


图 2-421　吉林创新能力雷达图

从经济发展阶段来看，近年来吉林固定资产投资与地区生产总值之比呈上升趋势，近 3 年平均值为 116.2%，高于全国平均水平（68.8%），公共财政收入占地区生产总值比重呈下降趋势，总体上吉林仍处于投资驱动发展阶段，创新发展动能有待增强。

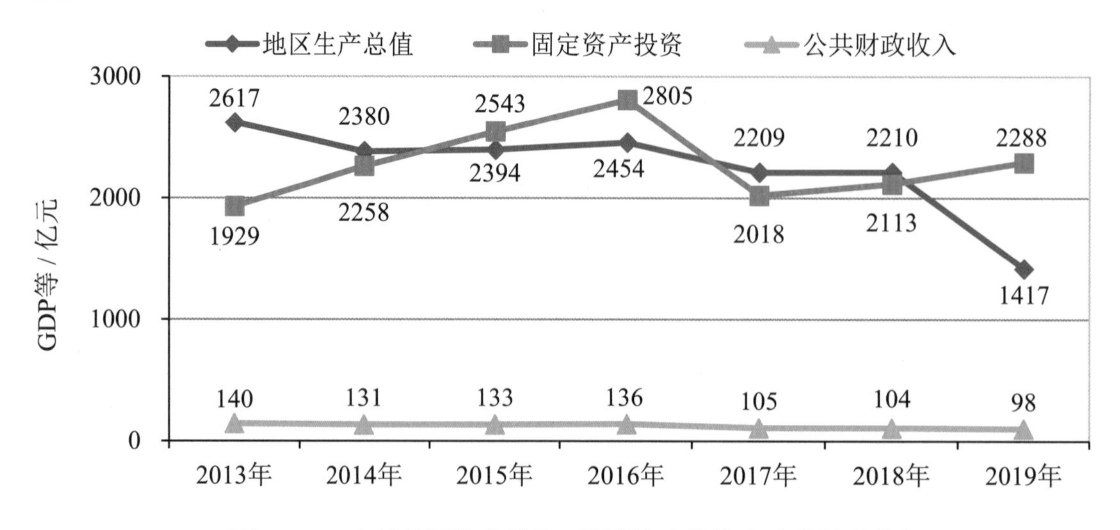


图 2-422　吉林地区生产总值、固定资产投资和公共财政收入

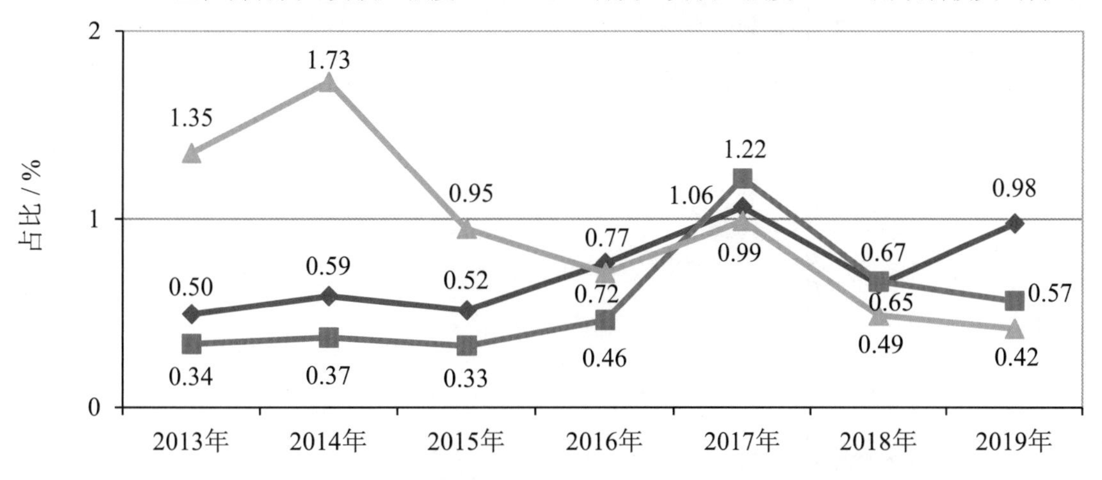


图 2-423　吉林研发经费投入强度及财政科技支出占比

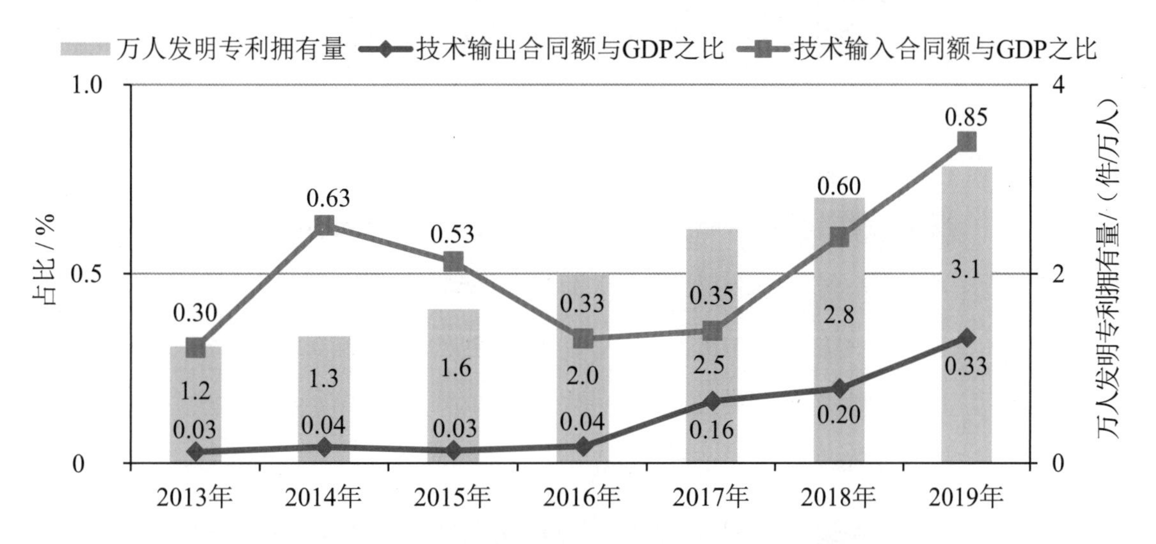


图 2-424　吉林万人发明专利拥有量及技术合同成交额与地区生产总值之比

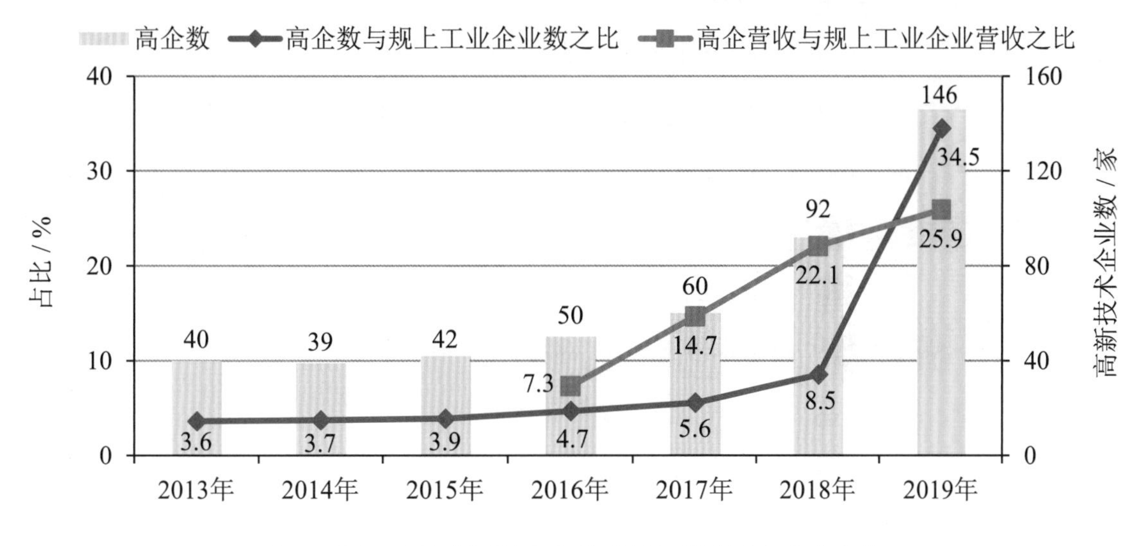


图 2-425　吉林高新技术企业及其与规上工业企业之比

| 排名 | 指标 | 分类 |
|---|---|---|
| 72 | 创新能力指数 22.12 | |
| 72 | 财政科技支出占公共财政支出比重 0.42% | 创新治理力 |
| 71 | 常住人口增长率 -0.46% | 创新治理力 |
| 68 | 万名就业人员中研发人员 24.15人年/万人 | 创新治理力 |
| 70 | 万人专利申请量 6.50件/万人 | 创新治理力 |
| 72 | 人均地区生产总值 3.44万元/人 | 创新治理力 |
| 68 | 全社会研发经费支出与地区生产总值之比 0.98% | 原始创新力 |
| 20 | 基础研究经费占研发经费比重 8.07% | 原始创新力 |
| 34 | “双一流”建设学科数 0个 | 原始创新力 |
| 53 | 国家级科技成果奖数 1.58项当量 | 原始创新力 |
| 67 | 规上工业企业研发经费支出与营业收入之比 0.57% | 技术创新力 |
| 66 | 高新技术企业数 146家 | 技术创新力 |
| 26 | 国家高新区营业收入与地区生产总值之比 56.70% | 技术创新力 |
| 67 | 万人发明专利拥有量 3.14件/万人 | 技术创新力 |
| 63 | 技术输出合同成交额与地区生产总值之比 0.33% | 技术创新力 |
| 57 | 技术输入合同成交额与地区生产总值之比 0.85% | 成果转化力 |
| 41 | 科创板上市企业数 0家 | 成果转化力 |
| 57 | 国家级科技企业孵化器、大学科技园、双创示范基地数 6个 | 成果转化力 |
| 51 | 国家级科技企业孵化器、大学科技园新增在孵企业数 73家 | 成果转化力 |
| 70 | 科技型中小企业数 41家 | 成果转化力 |
| 62 | 规上工业企业新产品销售收入与营业收入之比 10.51% | 成果转化力 |
| 60 | 高新技术企业营业收入与规上工业企业营业收入之比 25.92% | 创新驱动力 |
| 27 | 城乡居民人均可支配收入之比 2.03 | 创新驱动力 |
| 62 | 单位地区生产总值能耗 0.71吨标准煤/万元 | 创新驱动力 |
| 32 | PM2.5年平均浓度 38微克/立方米 | 创新驱动力 |
| 69 | 人均实际使用外资额 8.78美元/人 | 创新驱动力 |
| 72 | 居民人均可支配收入 3.01万元/人 | 创新驱动力 |

图 2-426 吉林创新能力指标数据及排名

## （五）哈尔滨

2019年，哈尔滨常住人口1076万人，地区生产总值5249亿元。哈尔滨创新能力指数为53.10，在72个创新型城市中排名第35位（与上年相比退2位），属于创新策源地类别城市（在15个该类别城市中排名第15位）。从创新能力构成看，哈尔滨创新治理力、创新驱动力有待提升；从具体指标看，哈尔滨在人才吸引力、经济发展水平等方面存在明显的短板。

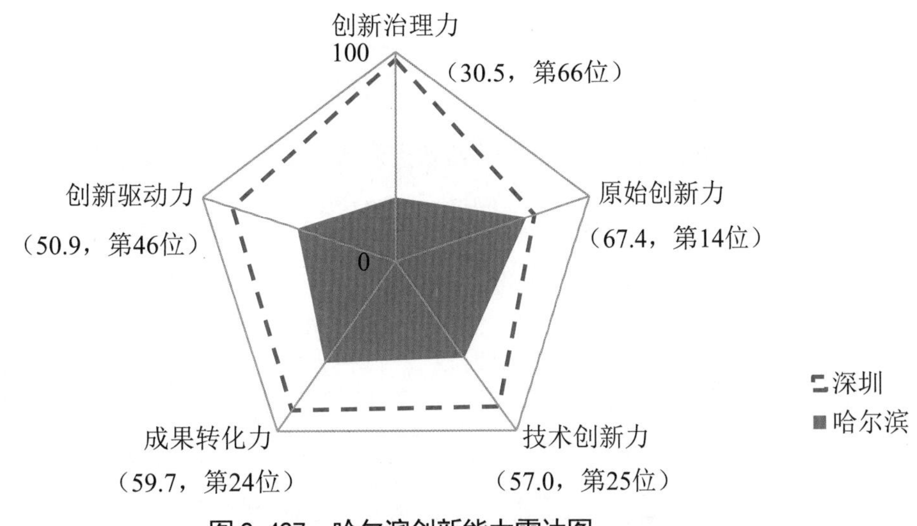


图 2-427　哈尔滨创新能力雷达图

从经济发展阶段来看，近年来哈尔滨固定资产投资与地区生产总值之比呈上升趋势，近3年平均值为89.3%，高于全国平均水平（68.8%），公共财政收入占地区生产总值比重呈下降趋势，总体上哈尔滨仍处于投资驱动发展阶段，创新发展动能有待增强。

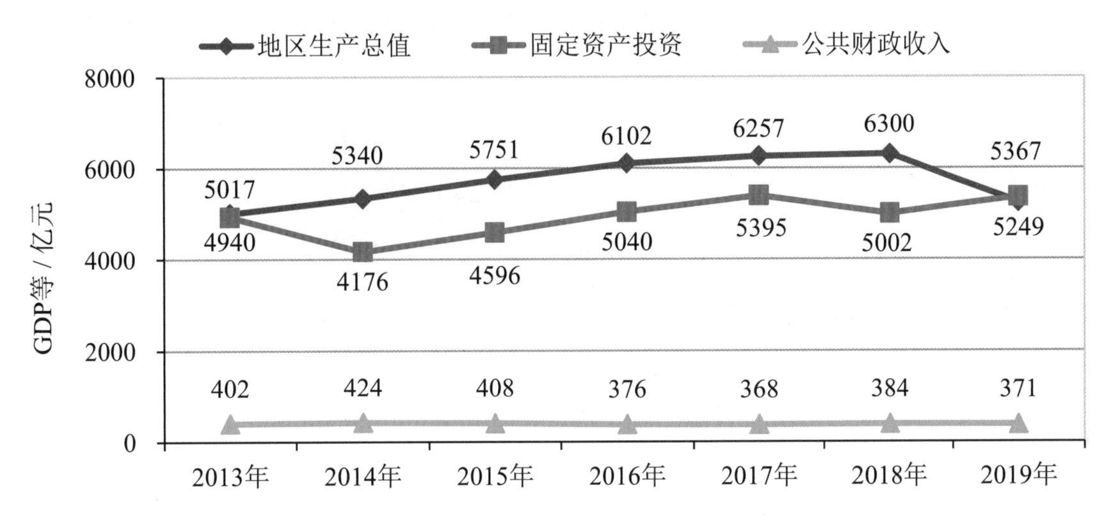


图 2-428　哈尔滨地区生产总值、固定资产投资和公共财政收入

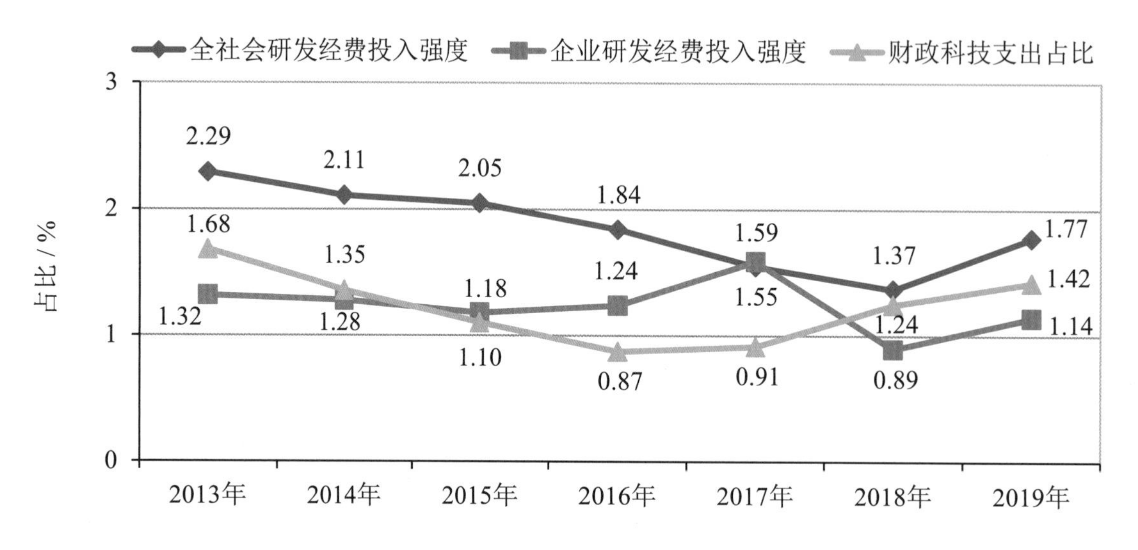


图 2-429　哈尔滨研发经费投入强度及财政科技支出占比

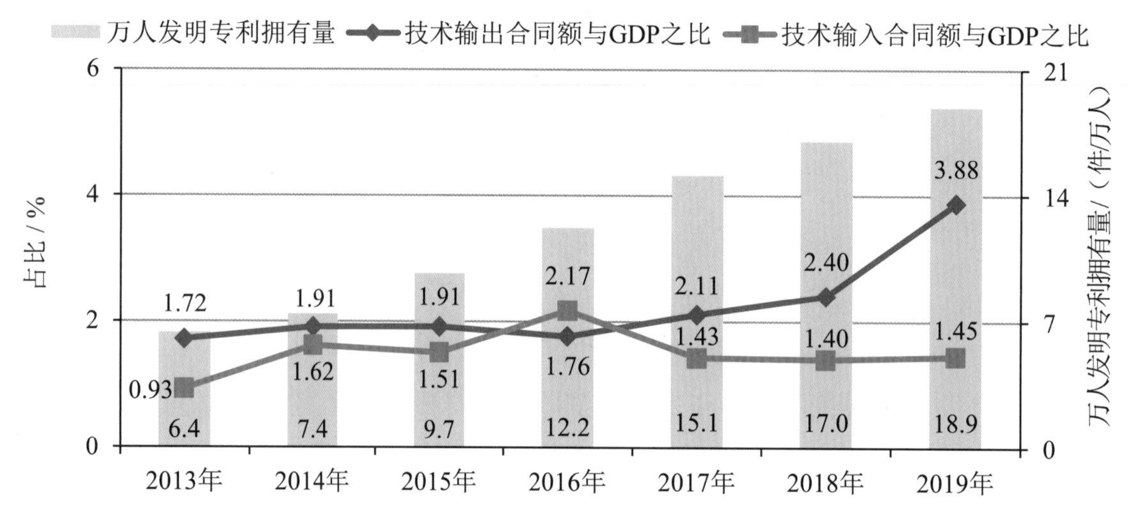


图 2-430　哈尔滨万人发明专利拥有量及技术合同成交额与地区生产总值之比

图 2-431　哈尔滨高新技术企业及其与规上工业企业之比

| 排名 | 指标 | 分类 |
|---|---|---|
| 35 | 创新能力指数 53.10 | |
| 59 | 财政科技支出占公共财政支出比重 1.42% | 创新治理力 |
| 72 | 常住人口增长率 -0.87% | 创新治理力 |
| 41 | 万名就业人员中研发人员 63.78人年/万人 | 创新治理力 |
| 51 | 万人专利申请量 21.88件/万人 | 创新治理力 |
| 67 | 人均地区生产总值 4.88万元/人 | 创新治理力 |
| 47 | 全社会研发经费支出与地区生产总值之比 1.77% | 原始创新力 |
| 2 | 基础研究经费占研发经费比重 26.25% | 原始创新力 |
| 9 | “双一流”建设学科数 11个 | 原始创新力 |
| 10 | 国家级科技成果奖数 69.04项当量 | 原始创新力 |
| 54 | 规上工业企业研发经费支出与营业收入之比 1.14% | 技术创新力 |
| 43 | 高新技术企业数 793家 | 技术创新力 |
| 42 | 国家高新区营业收入与地区生产总值之比 33.37% | 技术创新力 |
| 30 | 万人发明专利拥有量 18.93件/万人 | 技术创新力 |
| 8 | 技术输出合同成交额与地区生产总值之比 3.88% | 技术创新力 |
| 44 | 技术输入合同成交额与地区生产总值之比 1.45% | 成果转化力 |
| 30 | 科创板上市企业数 1家 | 成果转化力 |
| 20 | 国家级科技企业孵化器、大学科技园、双创示范基地数 37个 | 成果转化力 |
| 18 | 国家级科技企业孵化器、大学科技园新增在孵企业数 347家 | 成果转化力 |
| 20 | 科技型中小企业数 1184家 | 成果转化力 |
| 55 | 规上工业企业新产品销售收入与营业收入之比 13.79% | 成果转化力 |
| 16 | 高新技术企业营业收入与规上工业企业营业收入之比 61.06% | 创新驱动力 |
| 39 | 城乡居民人均可支配收入之比 2.19 | 创新驱动力 |
| 50 | 单位地区生产总值能耗 0.56吨标准煤/万元 | 创新驱动力 |
| 41 | PM2.5年平均浓度 42微克/立方米 | 创新驱动力 |
| 63 | 人均实际使用外资额 31.55美元/人 | 创新驱动力 |
| 46 | 居民人均可支配收入 4.00万元/人 | 创新驱动力 |

图 2-432　哈尔滨创新能力指标数据及排名

# 第三章　创新能力部分指标排名

## 一、创新治理力有关指标

### （一）财政科技支出占公共财政支出比重

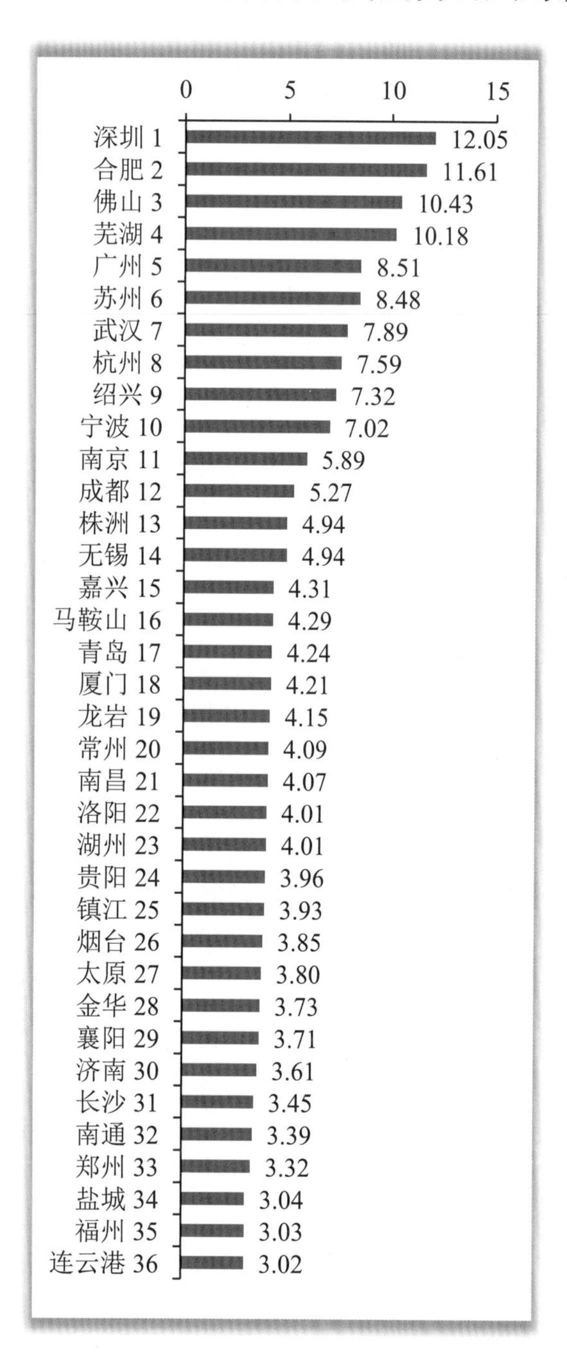

图 3-1　财政科技支出占公共财政支出比重（单位：%）

## （二）常住人口增长率

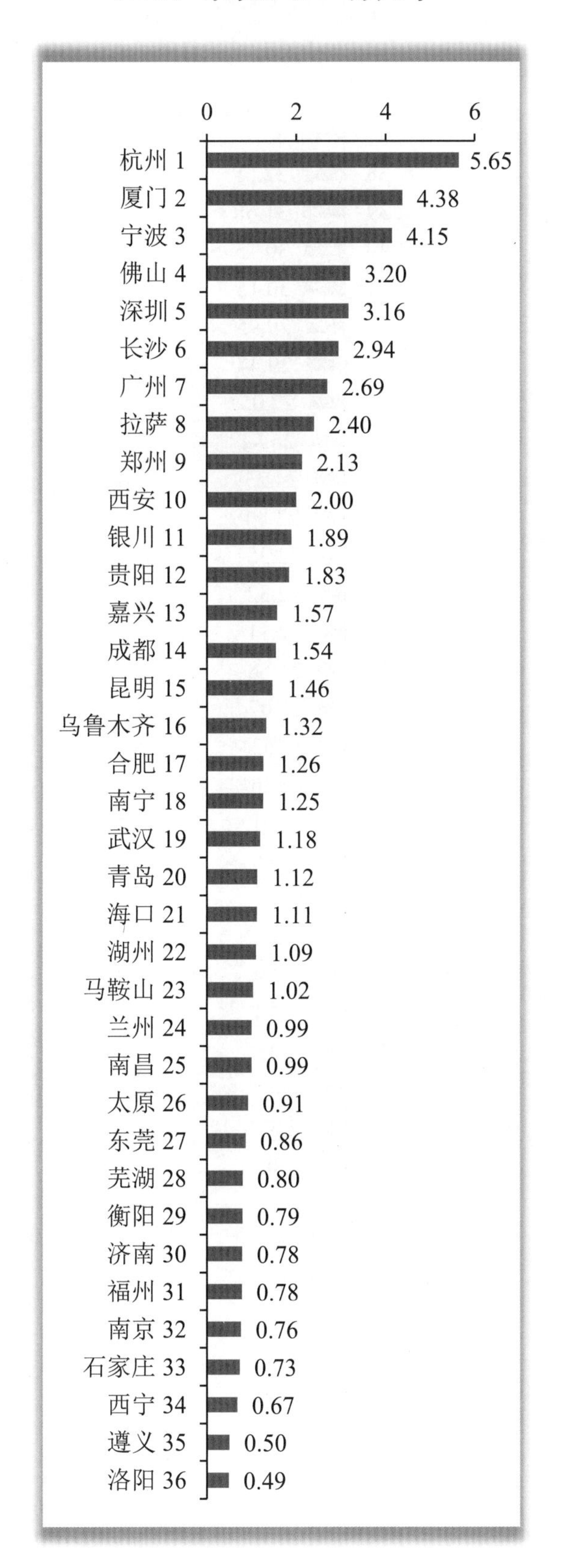


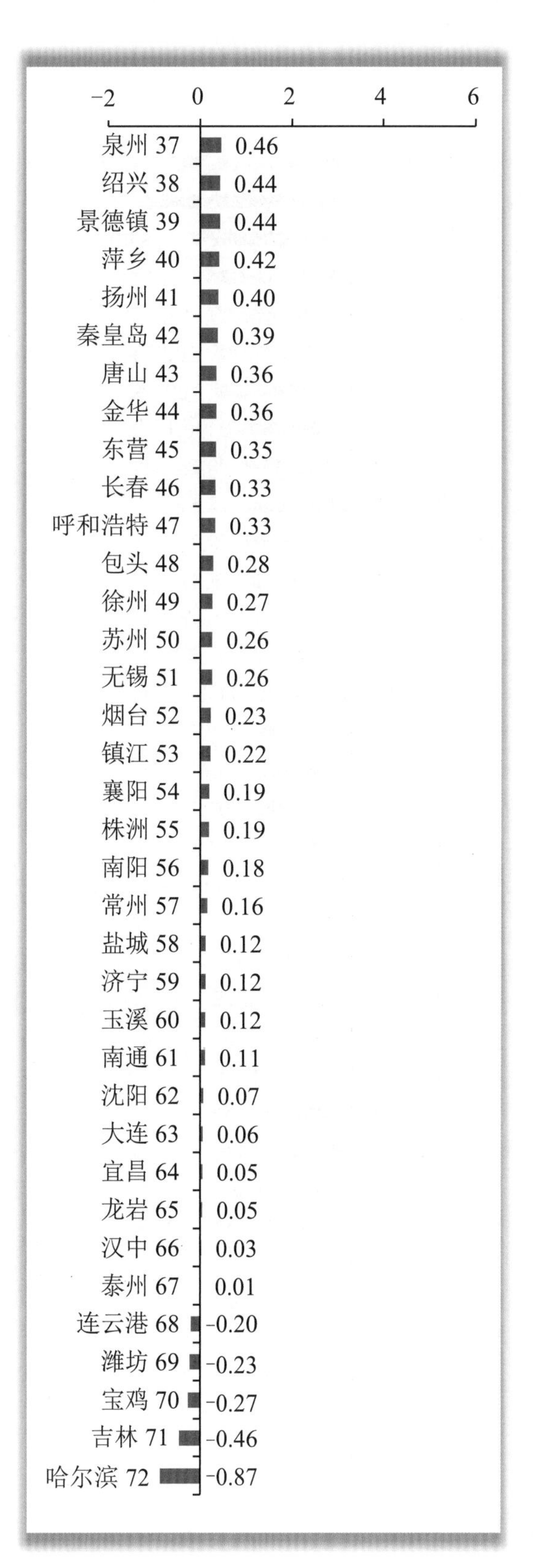


图 3-2 常住人口增长率（单位：%）

## （三）万人专利申请量

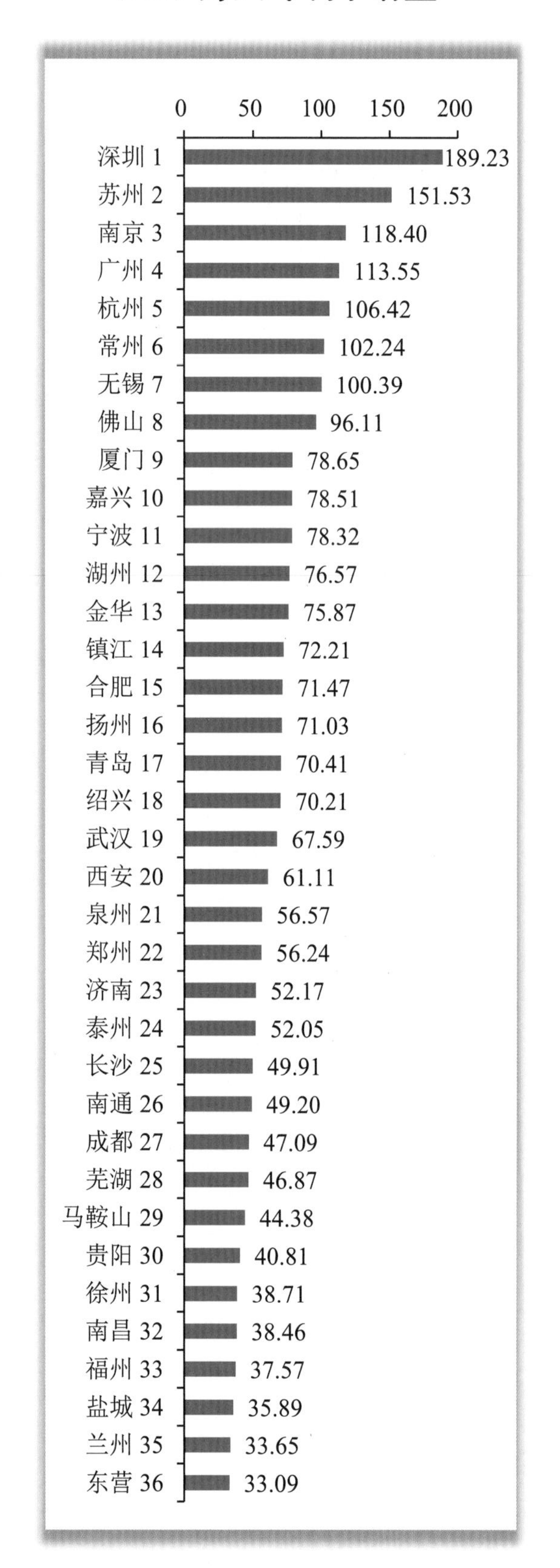


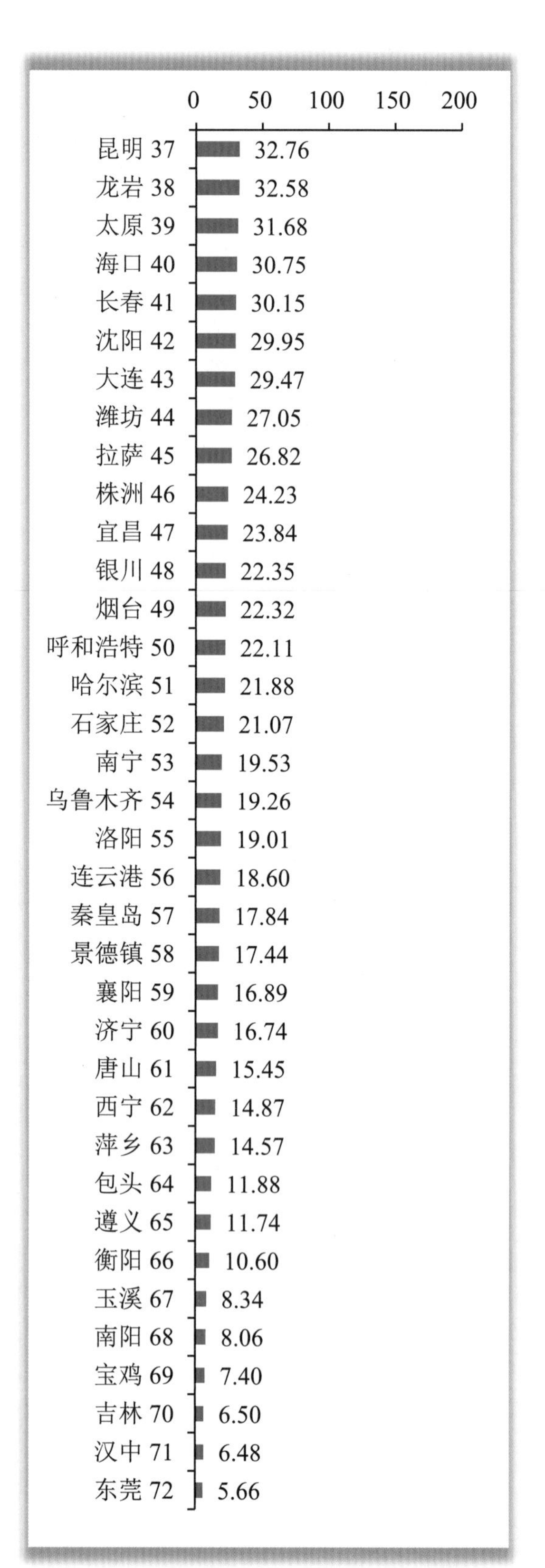


图 3-3　万人专利申请量（单位：件/万人）

## 二、原始创新力有关指标

### （一）全社会研发经费支出与地区生产总值之比

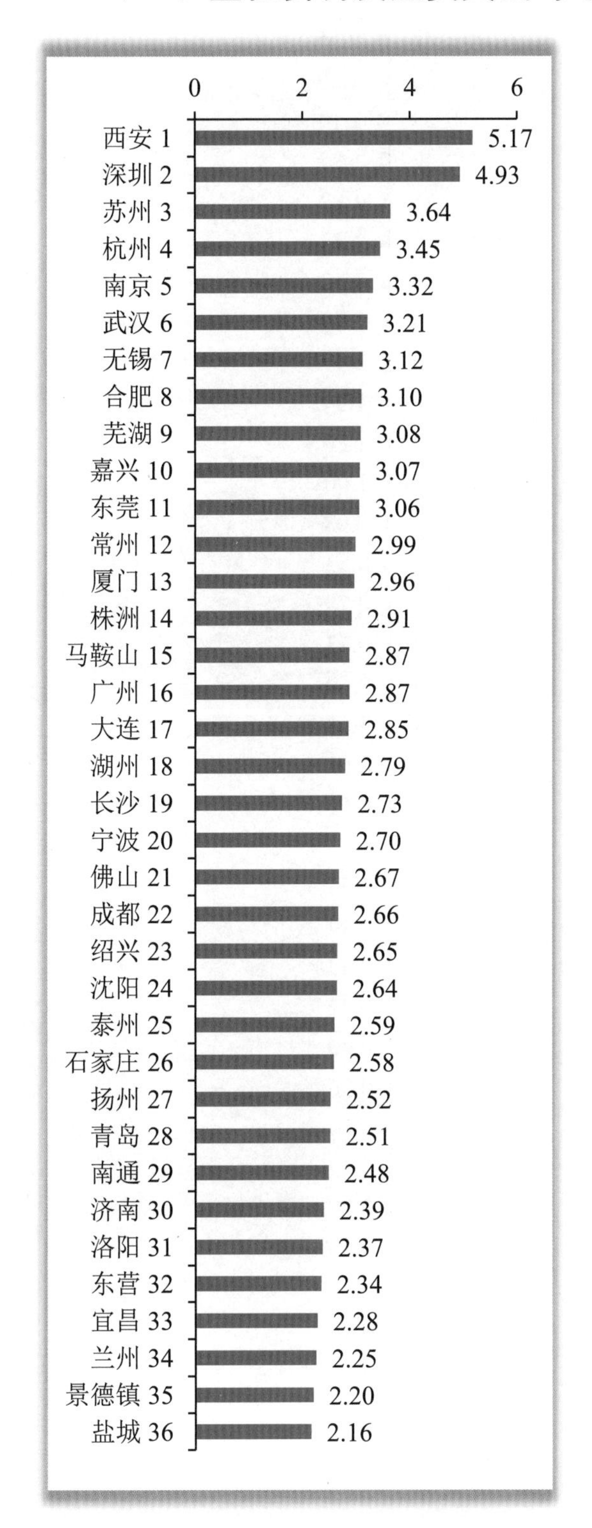

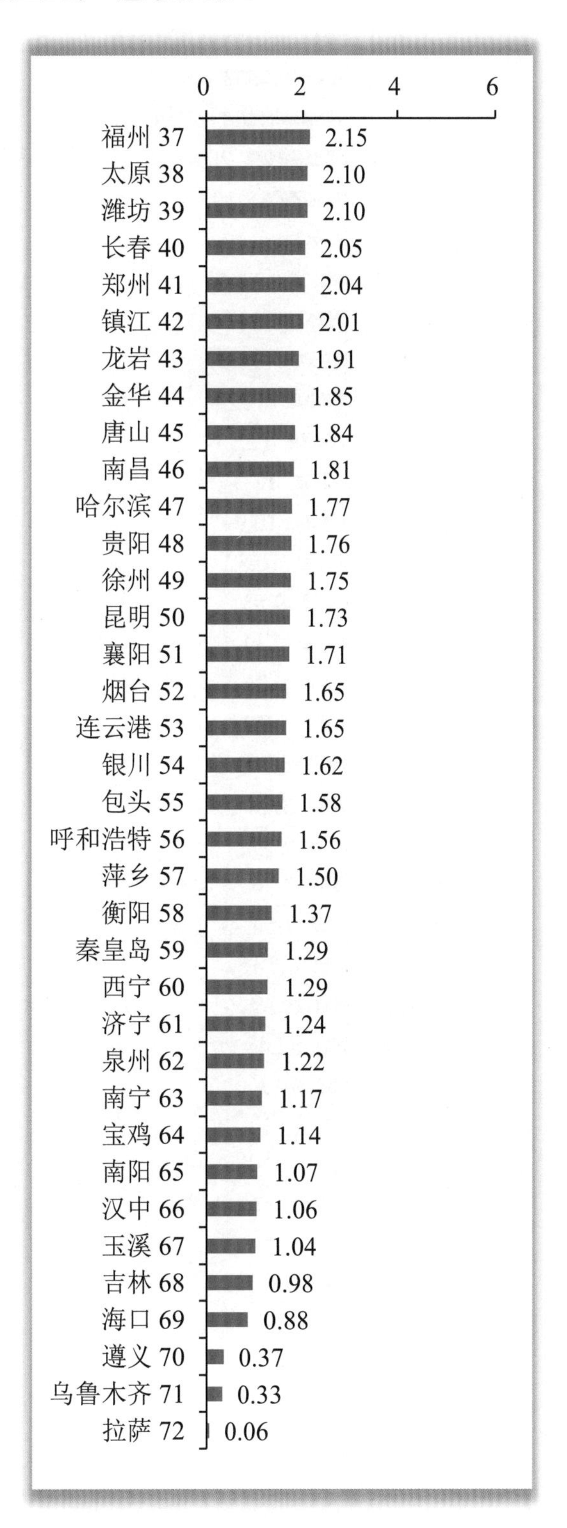


图 3-4　全社会研发经费支出与地区生产总值之比（单位：%）

## （二）基础研究经费占研发经费比重

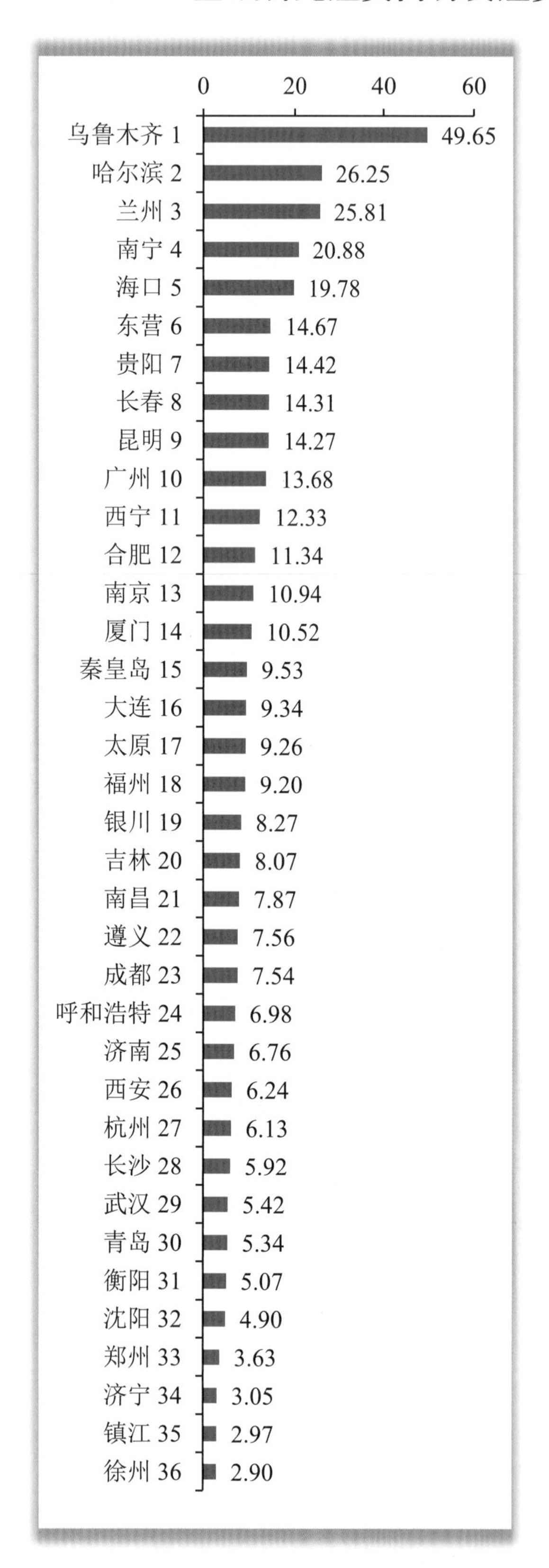


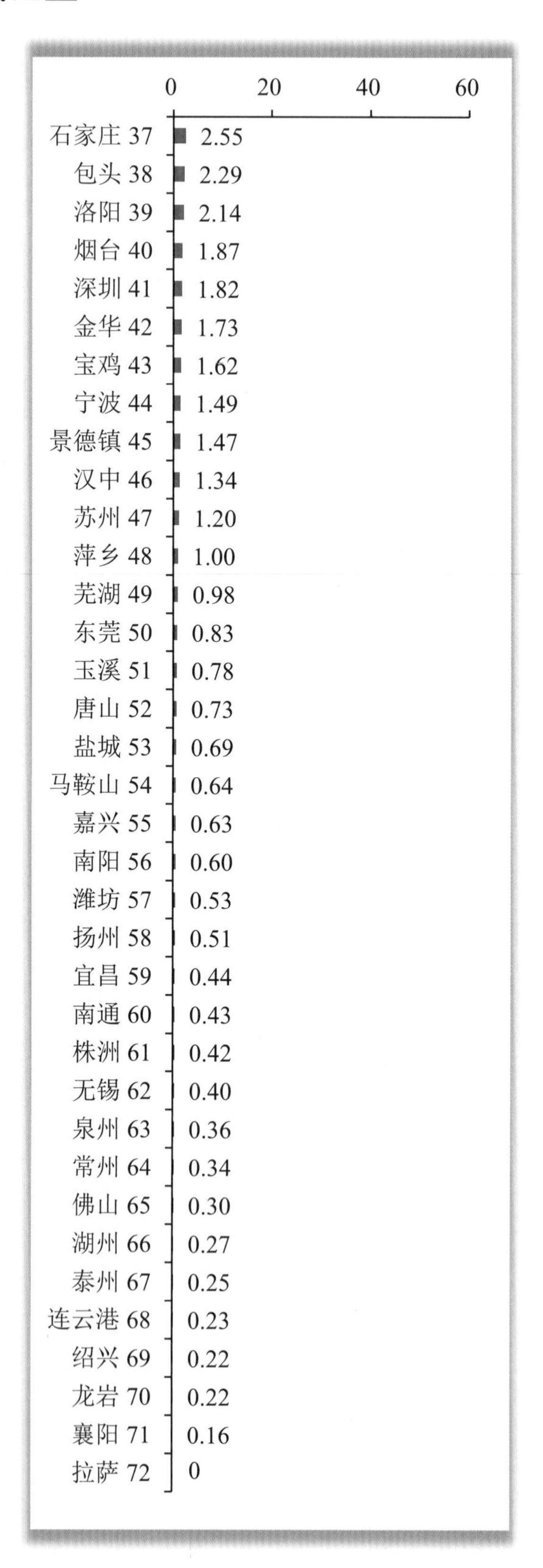


图 3-5 基础研究经费占研发经费比重（单位：%）

## （三）国家级科技成果奖数

图 3-6　国家级科技成果奖数（单位：项当量）

## 三、技术创新力有关指标

### （一）规上工业企业研发经费支出与营业收入之比

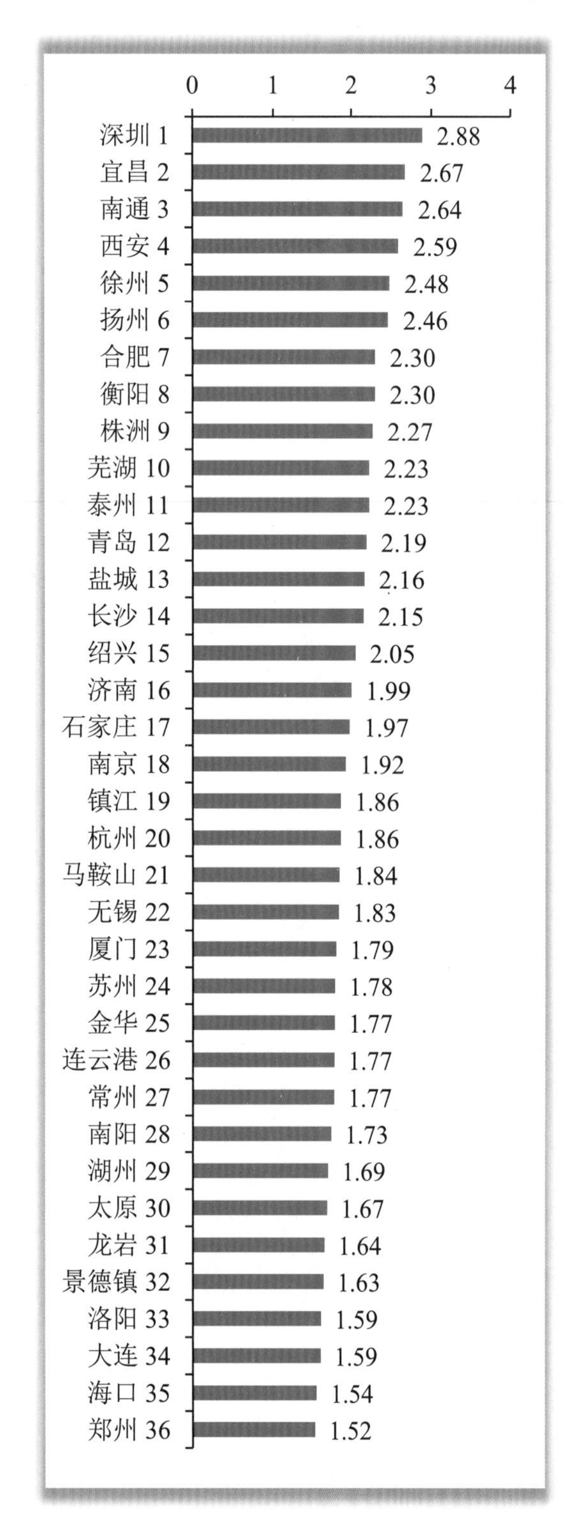


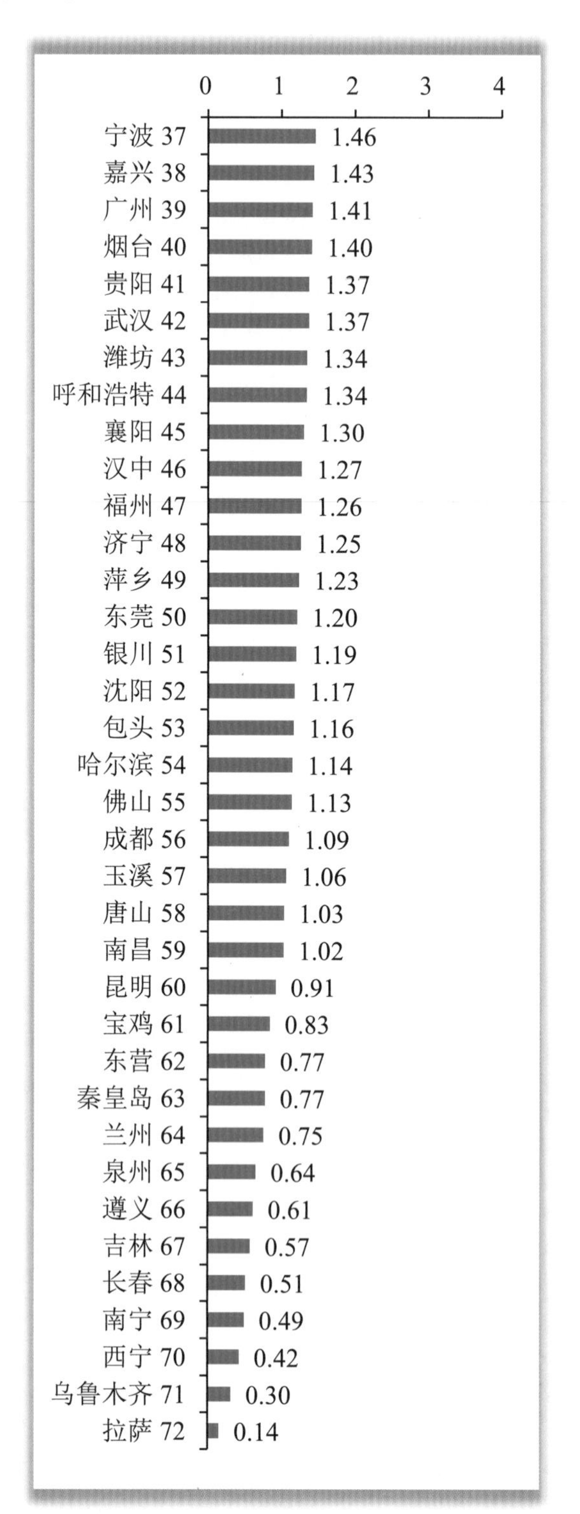


图 3-7　规上工业企业研发经费支出与营业收入之比（单位：%）

## （二）高新技术企业数

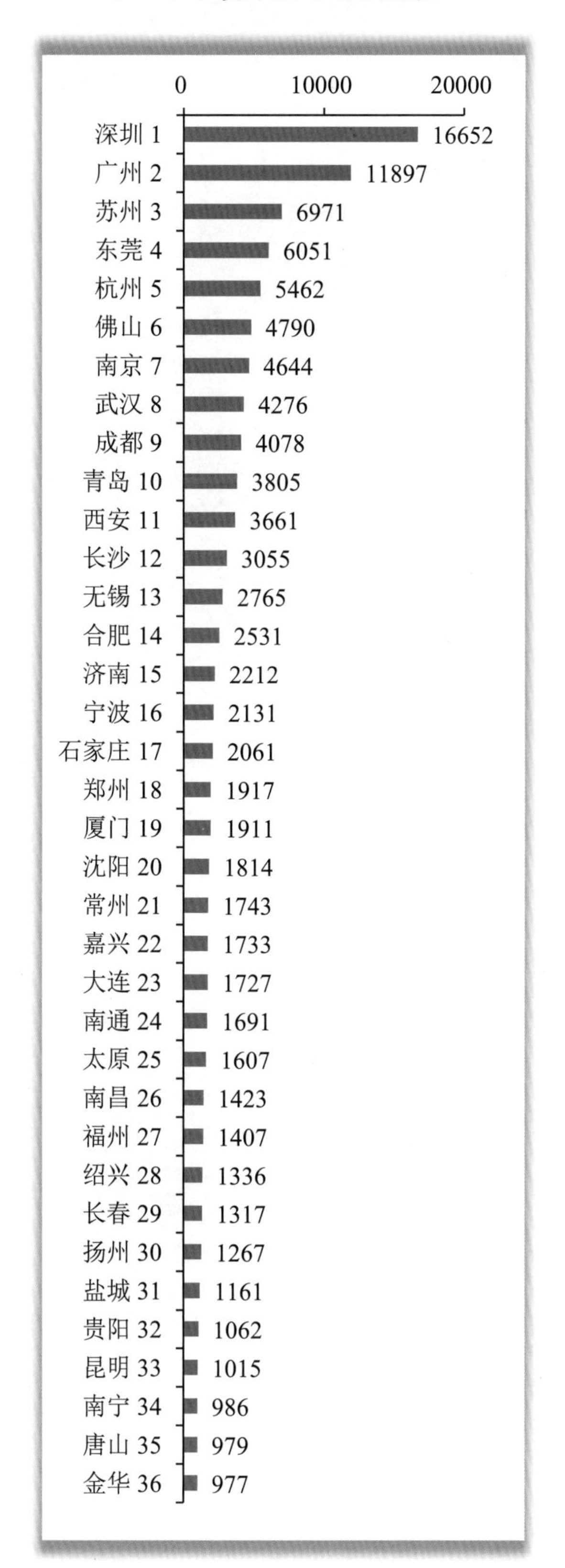


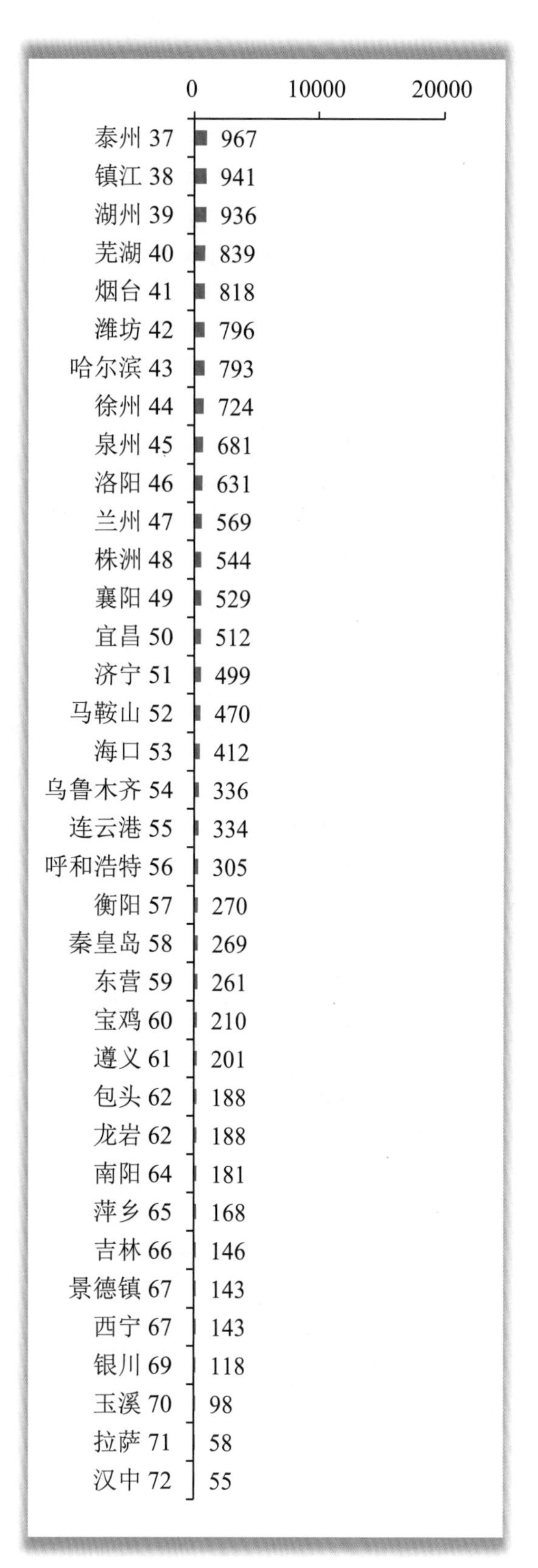


图 3-8 高新技术企业数（单位：家）

## （三）万人发明专利拥有量

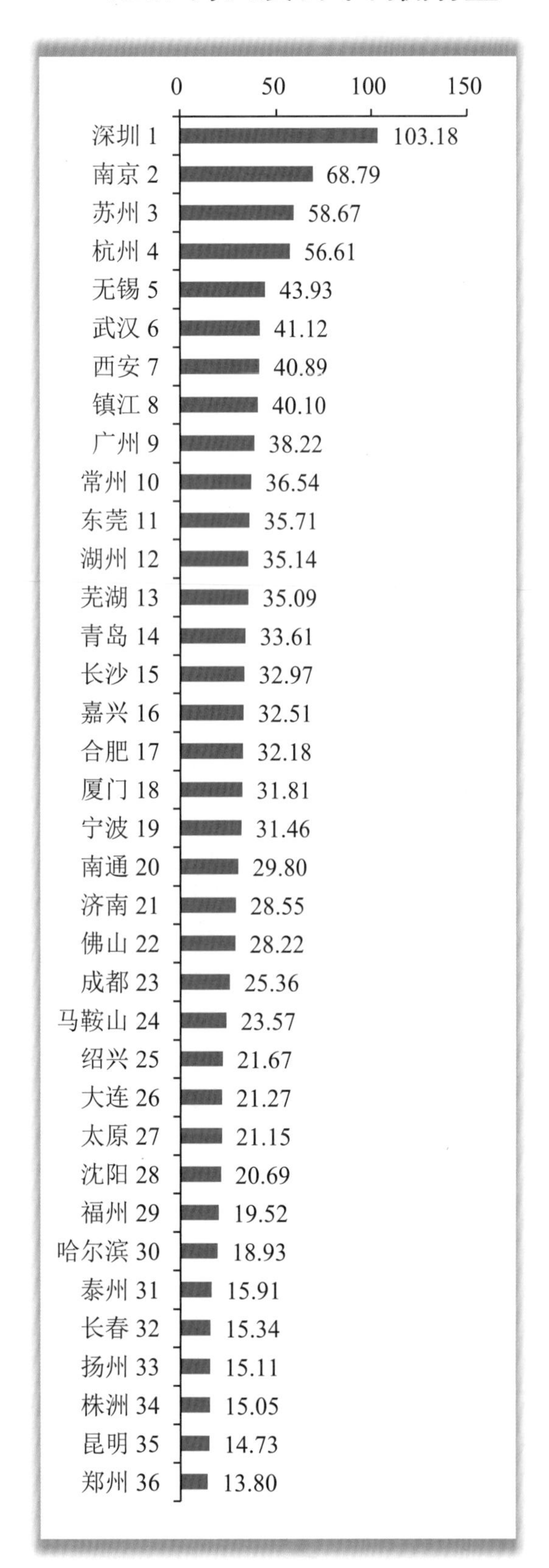


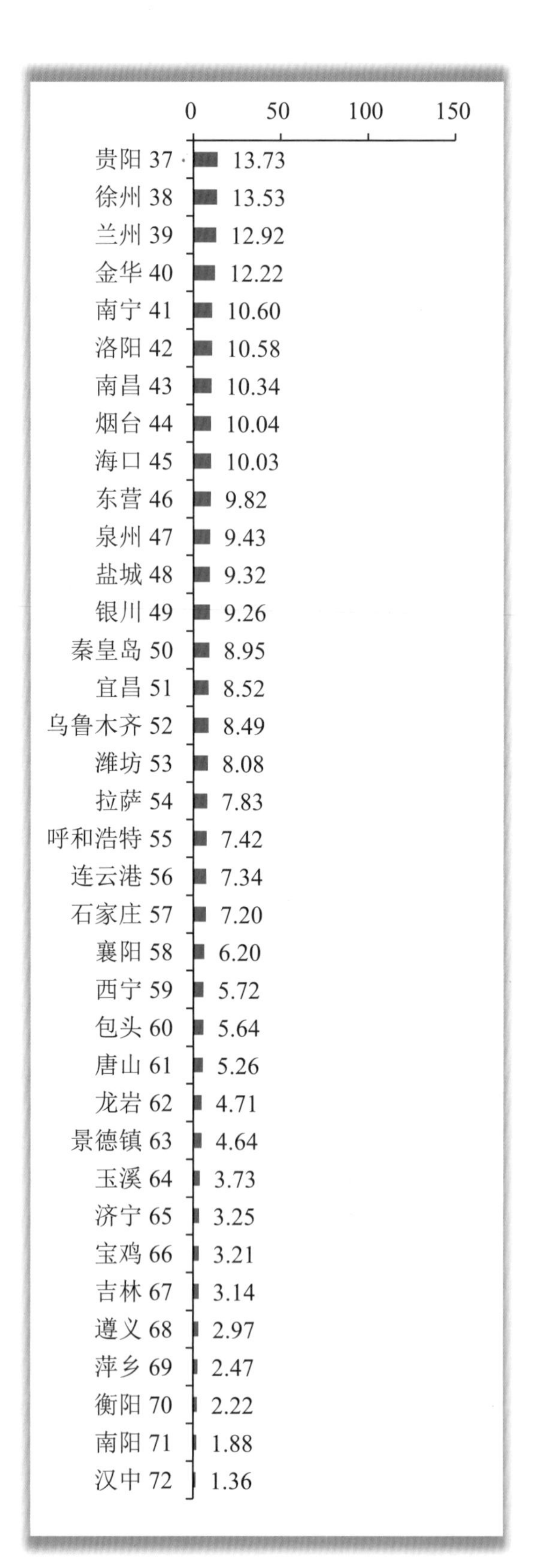


图 3-9　万人发明专利拥有量（单位：件/万人）

## （四）技术输出合同成交额与地区生产总值之比

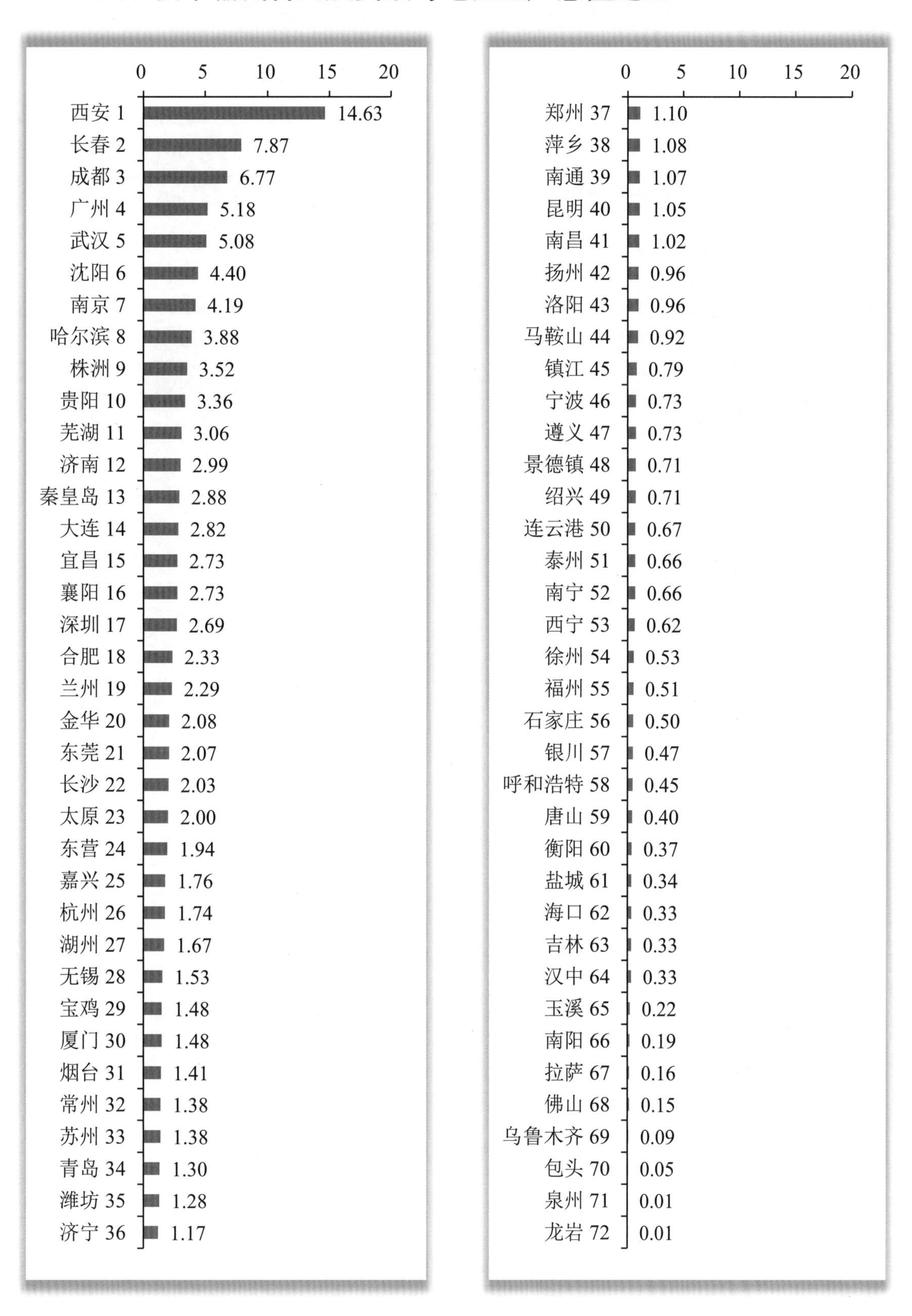


图 3-10　技术输出合同成交额与地区生产总值之比（单位：%）

# 四、成果转化力有关指标

## （一）技术输入合同成交额与地区生产总值之比

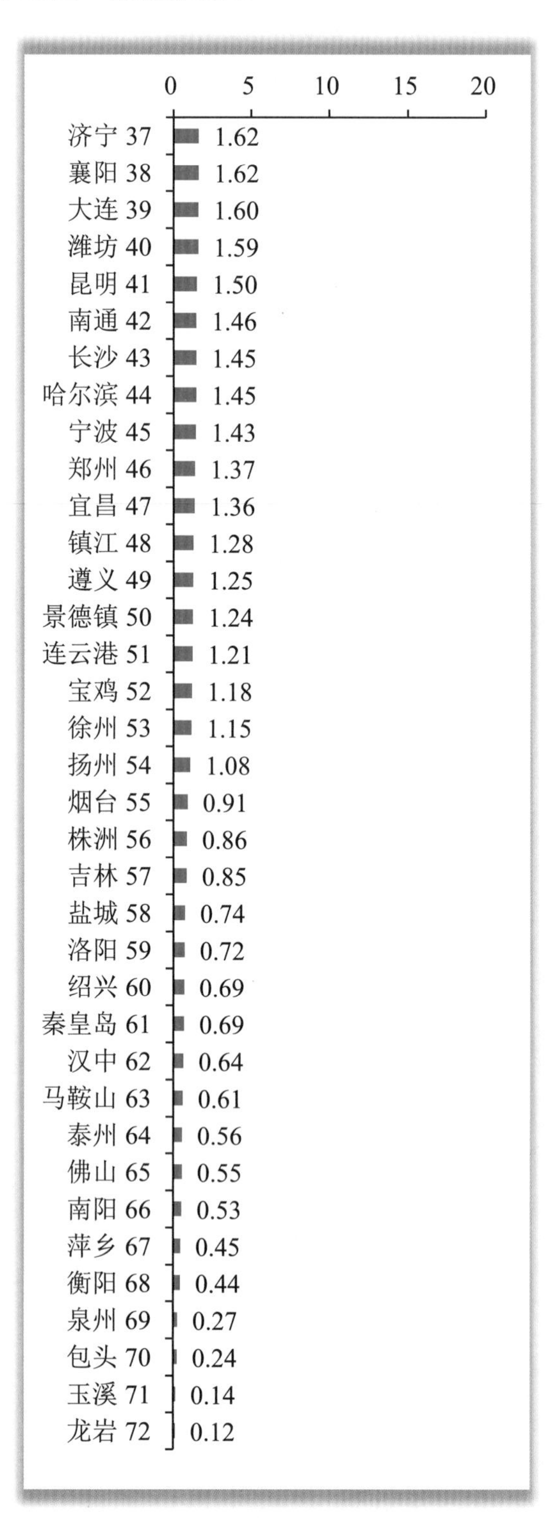


图 3-11　技术输入合同成交额与地区生产总值之比（单位：%）

## （二）国家级科技企业孵化器、大学科技园新增在孵企业数

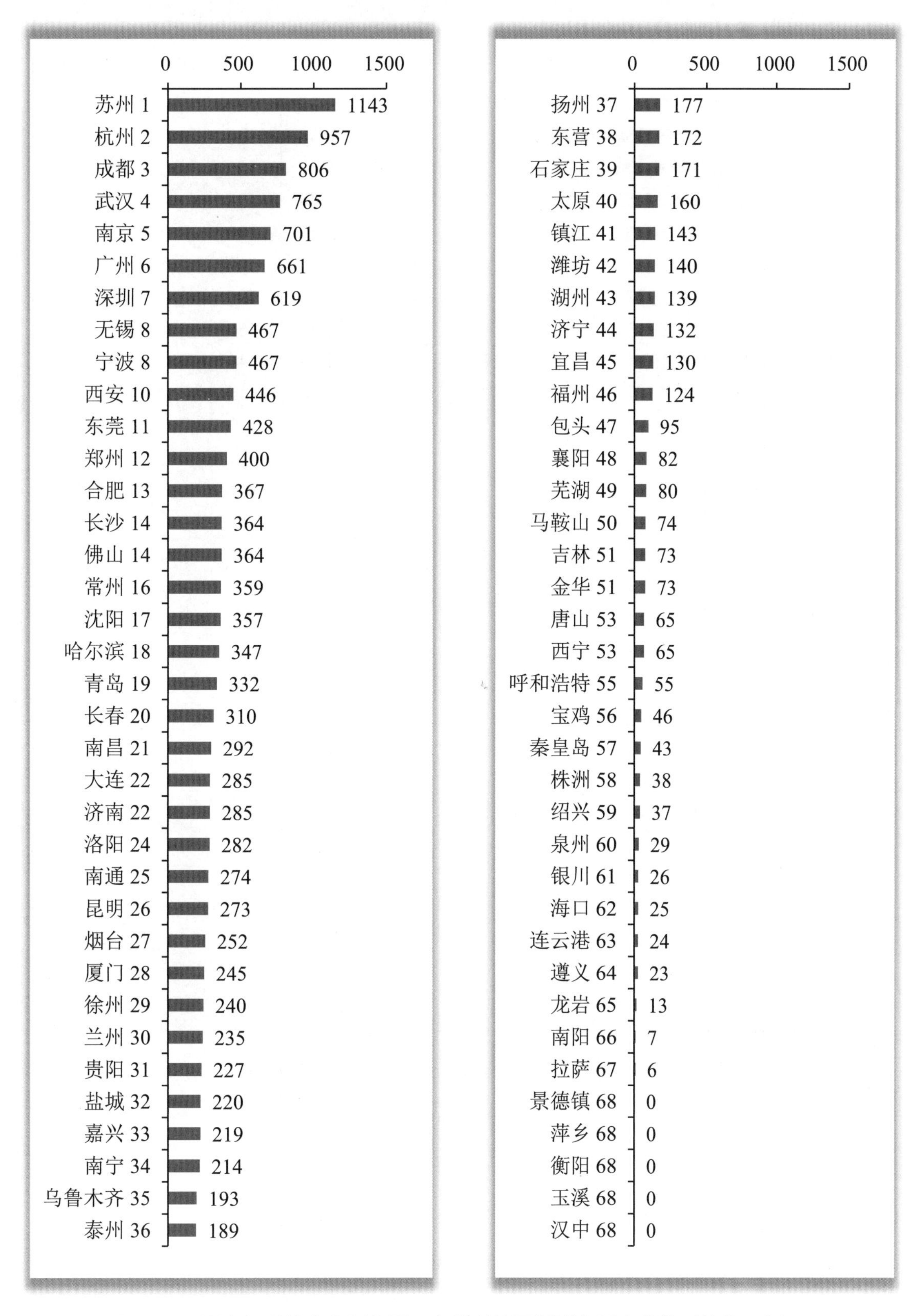


图 3-12　国家级科技企业孵化器、大学科技园新增在孵企业数（单位：家）

## （三）科技型中小企业数

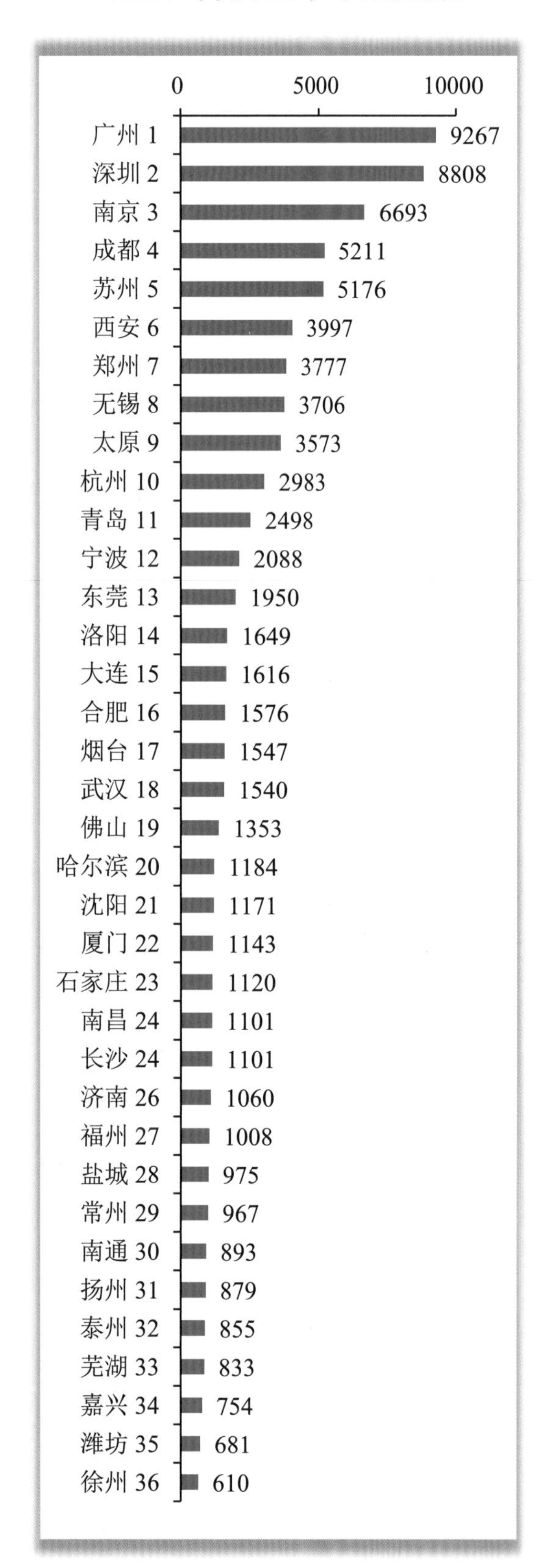

图 3-13 科技型中小企业数（单位：家）

# 五、创新驱动力有关指标

## （一）高新技术企业营业收入与规上工业企业营业收入之比

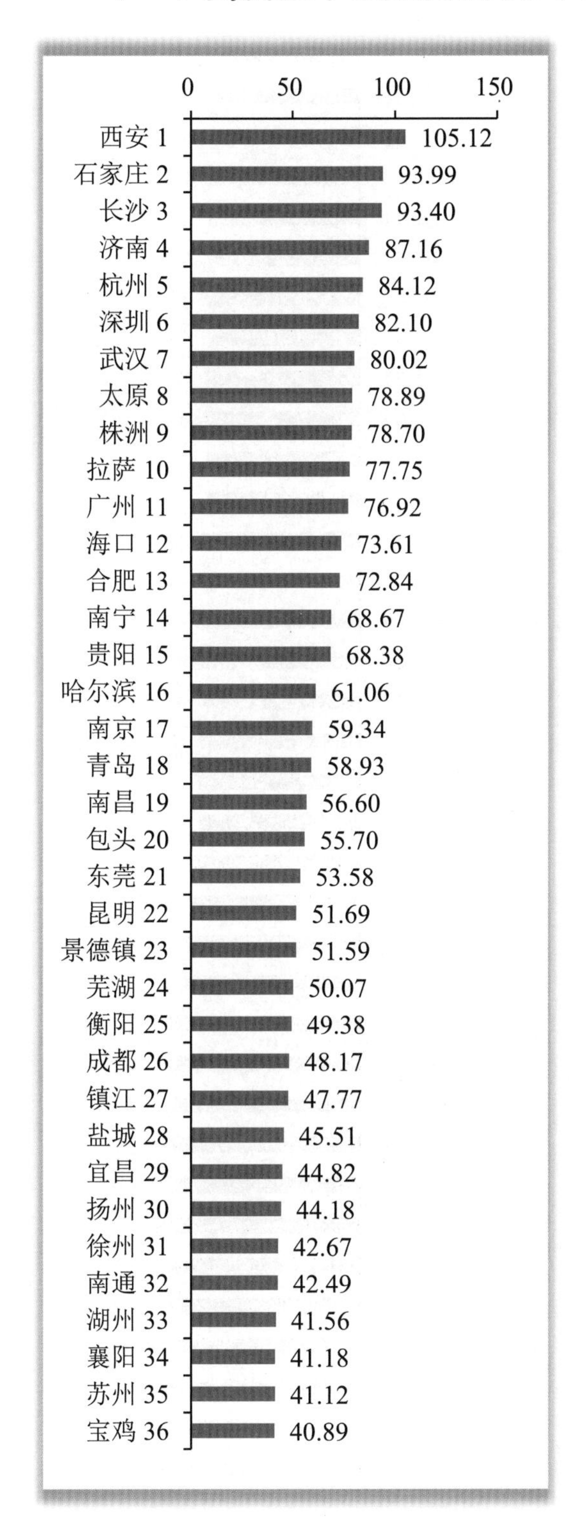


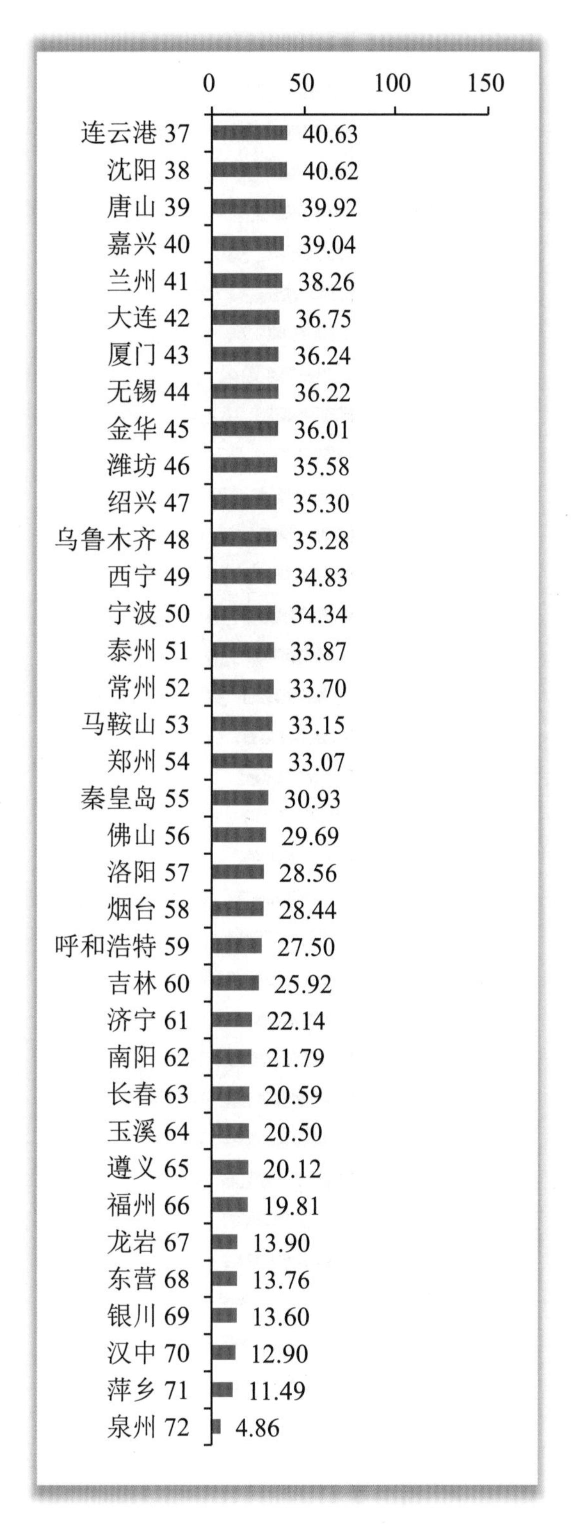


图 3-14　高新技术企业营业收入与规上工业企业营业收入之比（单位：%）

## （二）PM 2.5 年平均浓度

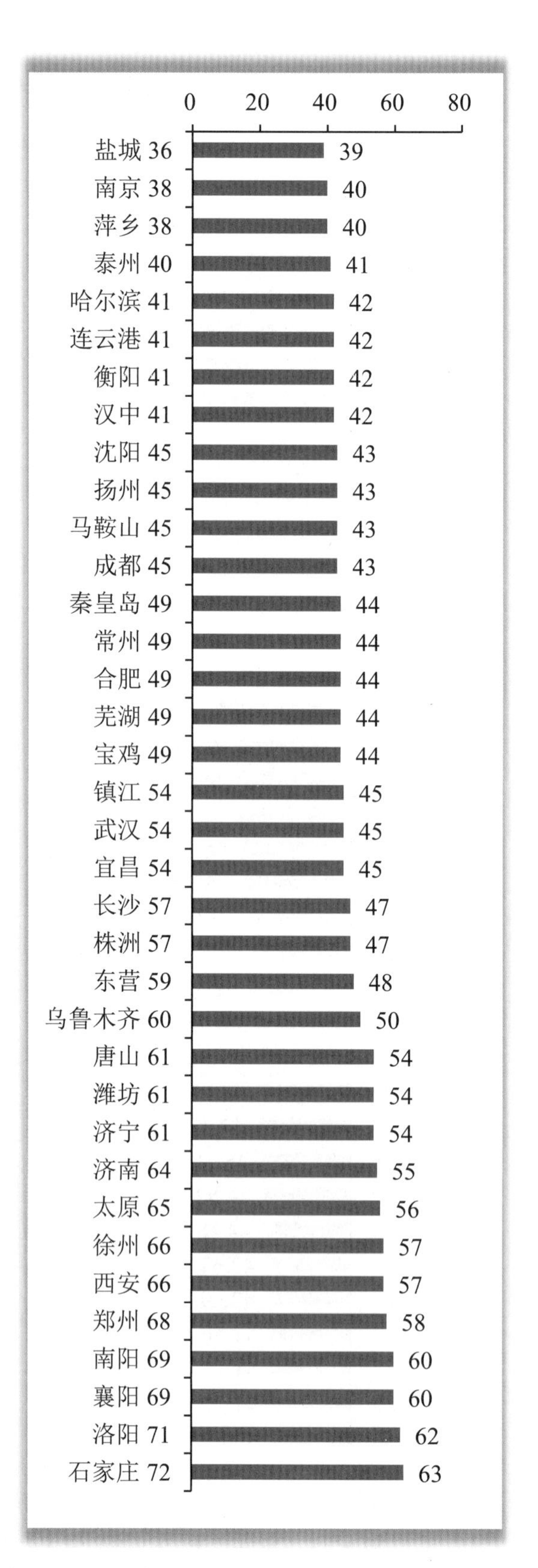


图 3-15　PM2.5 年平均浓度（单位：微克/立方米）

## （三）居民人均可支配收入

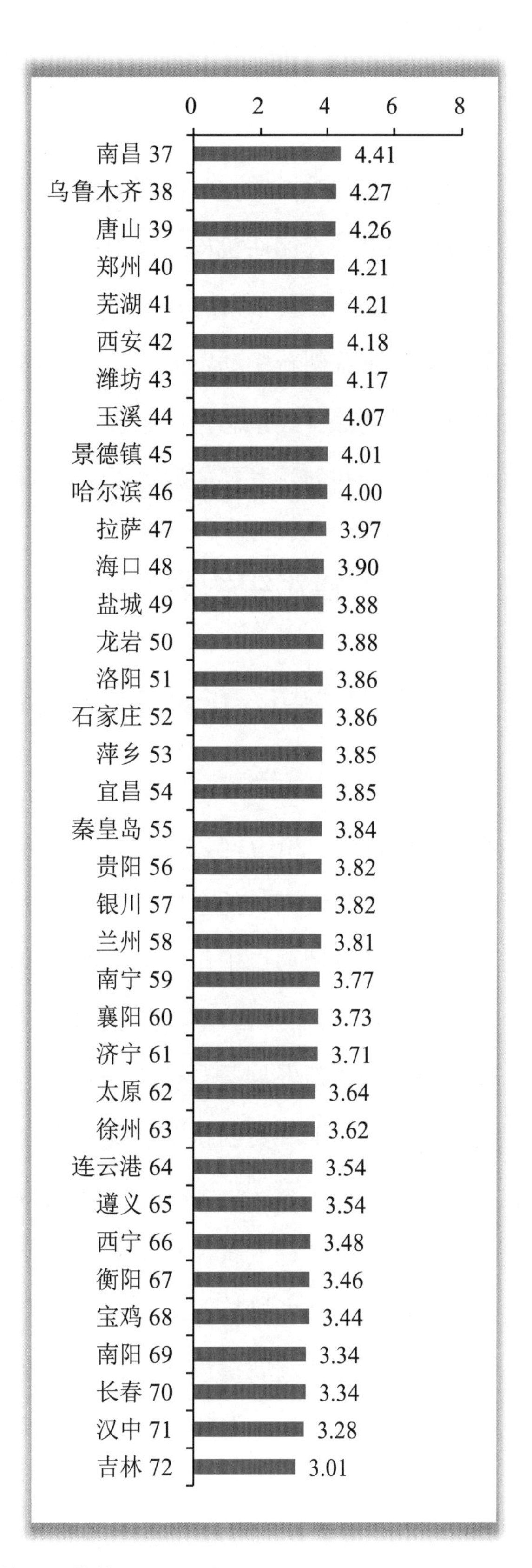


图 3-16　居民人均可支配收入（单位：万元/人）

# 第四章　创新发展典型经验

受科技部成果转化与区域创新司委托，2021 年 5—9 月，中国科学技术信息研究所作为第三方评估机构，对科技部和国家发展改革委 2018 年 4 月发函支持的新一批 17 个创新型城市展开了创新型城市建设评估总结工作。总体来看，这批创新型城市以实施创新驱动发展战略为主线，着力推动科技创新和产业转型升级，着力营造创新创业良好生态，探索各具特色的创新发展路径，取得了显著的成绩，同时也形成了一些创新发展的好做法好经验。

## 一、强化组织领导

### （一）潍坊：在全省率先成立市委创新发展委员会

潍坊市委、市政府高度重视国家创新型城市建设工作，坚持“一把手”高位推动、顶格推进。2019 年，在全省率先成立中共潍坊市委创新发展委员会，统筹协调创新型城市建设相关的全局性、综合性的科技创新重大事项、重大举措等，加快推进科技创新领域重点工作、重大项目等的统筹谋划、综合协调、整体推进和督促落实。2019 年 4 月 29 日，潍坊市委创新发展委员会召开第一次会议，审议通过了《中共潍坊市委创新发展委员会工作规则》《中共潍坊市委创新发展委员会办公室工作细则》《2019 年市委创新发展委员会工作要点》，标志着潍坊市委创新发展委员会正式开始运行。此外，通过将创新型城市建设列入市委、市政府督查检查考核计划，对各县市区、市属各开发区、市直有关部门单位创新型城市建设情况进行督查检查，提高了全市科技创新工作的开展质量。市委创新发展委员会成立后，持续推动落实中央创新发展决策部署和省委重要工作安排，统筹协调处理全局性、长远性、跨领域的重大事项，为推动创新型城市建设和经济社会高质量发展提供了有力的组织保障。

### （二）绍兴：成立市委科技创新委员会

绍兴不断加强党对科技创新的全面领导，成立了市委科技创新委员会，明确市委科技创新委员会承担创新型城市宏观战略及重大建设任务的总体设计、统筹协调、整体推进、督促落实等工作职能，科技创新委员会下设办公室，具体负责协调、指导创新型城市建设各项工作，各职能部门负责具体项目方案的制定、实施和深化，确保各项建设举措落到实处，发挥实效。此外，还建立了区、县（市）主要领导抓创新的工作机制，形成各级各部门联动推进创新改革、制定创新政策、建设创新平台、实施创新项目、引育创新人才的一体化工作体系。制定实施《绍兴市建设国家创新型城市三年行动计划》，把创新型城市建设工作列入市委市政府对市直部门、县（市、区）年度综合考核评价范畴，每年制定创新型城市建设工作要点、重点任务清单、考核办法，逐级落实目标责任。建立创新型城市工作进度定期报送和工作例会制度，各责任单位每月报送相关工作进展情况，建立常态督查通报机制和考核制度，实行月度报、季度查、年度考评。建立督查和抽查相结合的考核机制，健全城市创新发展工作落实情况的跟踪、督查和服务机制。

### （三）东莞：成立全面深化改革加快实施创新驱动发展战略领导小组

东莞成立全面深化改革加快实施创新驱动发展战略领导小组（由市委书记和副书记分别任组长、副组长）、科技领导小组（由市长和分管副市长分别任组长、副组长），研究审议科技发展战略重大问题，统筹推进国家创新型城市建设。相关职能部门负责人担任小组成员，领导小组设在市科技局，负责具体的统筹协调、督促落实等工作。建立镇街（园区）主要领导抓创新的工作机制，在全市遴选创新强镇，形成各级各部门联动推进科技创新、制定创新政策、建设创新平台、实施创新项目的工作体系。2019 年 4 月，东莞高规格召开创新型城市建设科技创新暨全面推进国家创新型城市建设工作大会，听取关于推进国家创新型城市建设的工作报告，印发东莞全面建设国家创新型城市的实施意见，部署推进建设的重点任务，动员全市上下抢抓粤港澳大湾区建设机遇，加快建设国家创新型城市。市政府每年召开全市科技创新会议，明确年度工作重点，并将研发投入完成情况、高新技术企业认定情况等年度指标分解至 33 个镇街（含园区）。

## 二、体制机制改革

### （一）绍兴："揭榜挂帅"——构建重点项目攻关常态化模式

绍兴全面摸排企业关键核心技术需求，积极应对化解疫情及国际断供导致的产业链技术风险，面向全球推出"揭榜挂帅"重点项目攻关，发布首批"揭榜挂帅"核心关键技术需求 35 项，推动人才链、创新链与产业链深度融合、同频共振。

1．摸排三张清单，建立"揭榜挂帅"关键核心技术需求库

聚焦传统产业改造升级，以及数字经济、生命健康、新材料、高端装备四大主攻方向，市县联动成立工作组，深入全市高新技术企业和人才企业调研走访，突出关键技术、关键材料、关键零部件、关键产品，全面摸排产业、企业发展中存在的科研难点、技术堵点，梳理形成"卡脖子"技术、产业短缺技术和替代进口技术三张清单，建立"揭榜挂帅"技术需求项目库。前期共排摸企业技术难题和合作需求 131 项，其中，"卡脖子"技术 55 项、产业短缺技术 52 项、可替代进口技术 24 项。

2．构建三大流程，实施"揭榜挂帅"全流程"闭环"管理

结合"揭榜挂帅"重点项目攻关特点，制定"发榜、揭榜、评榜"的工作流程，推进全过程"闭环"服务管理，搭建"谁能干就让谁干"的大赛场。一是公开发榜。聚焦当前全市亟须突破的核心关键技术和重大科技需求，对"一库三清单"技术需求进行筛选梳理，编制《绍兴市首批"揭榜挂帅"关键核心技术需求榜单》，通过网络、报纸、电视等媒体面向全球发布，并依托海外高层次人才联络站、"引才大使"、科技服务机构等渠道"点对点"方式向国内外相关高校、科研院所发布榜单公告，充分调动国内外科技人才资源积极参与项目攻关。首批 35 项技术需求来自 31 家企业，主要涉及集成电路、高端装备、生物医药、新材料等新兴产业领域，其中总投入 5000 万元以上项目 6 个、1000 万元以上项目 20 个，揭榜总金额达 1.2 亿元，可带动全社会研发投入超 10 亿元。二是竞争揭榜。降低门槛，放宽条件，破除原有对科技项目申报者论资排辈的"老框框"和论文、学历等条件限制，海内外有能力进

行攻关的机构、团队、个人均可报名揭榜。揭榜方、需求方“点对点”对接洽谈，谁有能力谁揭榜挂帅，由企业自行确定合作对象，联合制定攻关计划。三是公正评榜。聚焦问题导向和需求导向，将“揭榜挂帅”重点项目攻关纳入科技项目管理体系，市委人才办、市科技局联合制定“揭榜挂帅”重点攻关项目管理办法，梳理明确评审流程，按项目总投资额、指标技术水平及攻关可行性、项目实施后形成的经济社会效益等，建立 3 个方面 9 项量化评价标准，构建“揭榜挂帅”创新成果客观公正的评审评价机制。

3．建立三项机制，形成“揭榜挂帅”常态化运行模式

围绕“哪些领域揭榜、谁来揭榜、如何揭榜”等关键环节，探索市场“赛马”和竞争选拔机制，推动科技项目管理从“全市域宏观计划”向“精准化攻关需求”转变，“企业自主研发”向“企业+人才联合攻关”转变，探索建立一套符合市场化的长效运作机制。一是建立健全服务保障机制。深化“三驻三服务”机制，发挥 4586 名“驻企服务员”纽带作用，建立“揭榜挂帅”攻关项目服务员制度，制定“揭榜挂帅”作战图，在常态化需求摸排、人才与企业对接洽谈，后续政策兑现等全流程提供“一对一”服务，定期走访了解项目攻关进展、存在困难问题，建立项目攻关台账，确保项目攻关“揭榜挂帅”工作能够“有始有终”“常态长效”。二是建立健全正向激励机制。按照科技新政“20 条”、人才新政“3.0 版”，加大对“揭榜挂帅”重点项目攻关支持力度，建立主导产业技术攻关“揭榜制”，设立专项资金，分类给予经费支持。项目总投入 1000 万元以上，按项目总投入的 25%给予补助，最高不超过 300 万元；项目总投入 500 万元以上，按项目总投入的 20%给予补助，最高不超过 200 万元。三是建立健全引才用才机制。结合“揭榜挂帅”重点项目攻关，大刀阔斧破除按照资历和名气进行项目分配的体制，打破“唯论文、唯职称、唯学历、唯职称”的导向，以解决重大问题的成效为衡量标准，探索建立一套科学的评价标准对揭榜者进行能力认定，用竞争机制选取或整合最好的攻关方案，建立“以项目攻关聚人才、引人才、用人才”的工作机制，在全球范围遴选和吸引一批实战型的创新团队和人才。

## （二）金华：探索全球引才新路径

为面向全球招才引智，金华在浙江省率先推出“揭榜挂帅”机制，以不求所有、只求所用的引才理念，打通企业、高校和科研院所的科技成果转化壁垒，实现用全球大脑解金华难题的迭代升级。2018—2020 年，全市全职引进省级以上人才 419 名、大学生超 25 万名，新增高技能人才 5.97 万人，引进高校院所平台 31 家，金华连续 2 年入选全国十大最年轻城市。

1．以“揭榜挂帅”全球引才

金华出台“揭榜挂帅”10 条举措，推行“寻榜、评榜、发榜、揭榜、奖榜、保榜”六步工作法，构建全流程工作闭环。率先打造“揭榜挂帅”云平台，实现企业“码上发榜”、院所“码上评榜”、人才“码上揭榜”。2020 年举办 22 次制造业重点细分行业专场，联动推进上海、深圳“人才周”，成立 50 亿元“双龙人才基金”，推出“揭榜险”，为科技成果转化提供金融支撑。已累计发布技术难题 485 项，吸引 42 家高校院所 123 个团队“揭榜”，其中 38 项攻克、兑现榜金 1.03 亿元，143 项达成合作、榜额超 3 亿元，为企业节约成本超 10 亿元，带动全市引进顶尖领军人才超百名、大学生超 10 万名、大院大所超 10 家，人才核心指标保持 30%以上的高位增长。该做法被央视一套 3 集连播、深度报道，新华社《国内动态清样》专版解读，被中组部及中共浙江省委办公厅、浙江省人民政府办公厅以专刊形式推广，得到了中组部、国务院督查室、中共浙江省委主要领导等肯定，《人民日报》、新华社《每日电讯》等主要媒体专题报道 150 余次。

2．以金华籍人才回归加速引才

发挥金华籍人才优势，加快人才智力资本回归。始终践行习近平总书记关于“发挥金华籍人才较多的优势”指示精神，深入贯彻人才强省、创新强省首位战略，按照国家创新型城市建设工作总体部署要求，以金华发展大会、“婺星回归”创业大赛、“百名领军人才沙龙”、“百名科学家走进高校”、“百场家乡情结课”等系列活动为载体，推动以会引才、以赛引才、以才引才，构建“智力+资本”的乡情脉络体系，健全金华海内外人才总会、婺商总会合作机制，持续做大金华籍人才基本盘。

3．以改革激发人才创新创造活力

“揭榜挂帅”全球引才机制通过需求端、供给端、服务端“三端”协同发力，打破研发机构、科研院所和企业间的技术壁垒，拓展形成全球引才新路径。加快领域性人才改革试验区建设，出台数字经济、影视文化、国际商贸人才等培育行动，培育后期制作等影视文化人才超 1 万名，培育进出口贸易人才超 15 万人。开展采购商人才专项改革，建设 3 个 5000 名以上采购商集聚地，构筑全球采购商人才高地。实施“直评工程师”“草根人才”制度，打破工程师评聘对资历、学历、年限等条件的限制，直评低学历有实力的工程师 400 余名。推动人才工作市场化变革，与智联招聘合作，打造“智联金华”云平台；试点人才发展集团，引进一览、安歆等高端猎头与员工服务企业。

4．以服务构建最优人才生态

围绕人才创新创业全生命周期“一件事”，优化“热带雨林、无限生长”的人才体验，打造服务闭环。一是加强创新创业全链条扶持。出台“双龙引才”新政 20 条意见，打造从顶尖人才到技能人才的 6 项支持计划，最高给予 1 亿元支持和 1 亿元创业授信。加强资源供给全要素保障。成立总规模超 50 亿元的“双龙人才基金”，加大人才住房用地供给力度。二是加强宜居宜业全周期服务。首批上线一站式“人才码”，集成子女入学、住房保障、医疗健康等 30 类超 100 项人才服务。制定实施全省首个工程师协同创新中心三年行动计划，建成数字文化、电动工具、光电信息等 5 个 200 亿元以上规模产业工程师协同创新中心，成为产业升级新引擎。

## （三）泉州：推进人才评价机制改革

泉州充分发挥市场在人才资源配置中的决定性作用，在人才评价上放权松绑，营造有利于人才成长环境。

1．围绕“谁来评”，落实多元评价主体

推行企业自主“评”，分 4 批确定恒安集团、安踏集团、九牧集团等 116 家行业龙头企业，授权自主认定 514 名市级高层次人才，聘用 18 名院士担任泉州市高层次人才举荐专家，依托各行业协（学）会、产业联盟和人才服务机构等第三方开展人才评价，累计推荐 11 位非公企业高层次创新创业人才获批正高级社会化职称。

2．围绕“评什么”，健全刚性评价体系

严把职业操守，注重经历能力，强调实绩实用，把人才在泉州创造的效益作为人才评价的核心内容，试行高层次人才积分制管理，建立“人才层次+业绩贡献+企业评价”的积分制评价体系，形成以实绩贡献论奖励的鲜明导向。

3．围绕“怎么评”，坚持分层分类推进

出台《泉州市高层次人才认定标准》，系统梳理和规定各层次人才认定的对照条款，直接对号入座评定确认，做到全市“一套标准、一个口径”。搭建高层次人才“一站式”服务系统，实现政策精准推送、查询匹配时时服务功能，整合全市人才服务资源与数据，让人才一次性了解服务事项，实现人才服务资源及数据与各职能部门业务系统对接联动，统一身份认证，按需共享数据，做到“单点登录、全网通办”，高层次人才“足不出户”便可完成相关业务申请办理。

4．围绕“结果运用”，凸显鲜明正向激励

建立“人才层次+政策优待”的评价激励体系，人才依据评价结果享受包括个人最高 200 万元、团队最高 300 万元的资金补助，最高 80 万元购房补助，子女入学保障等在内的 20 项工作生活待遇，调动人才的积极性和荣誉感。

## （四）马鞍山：以亩产论英雄

2018 年以来，马鞍山在安徽省率先实施亩均效益评价，以“亩产论英雄”，倒逼企业提升创新能力，加速转型升级，支撑国家创新型城市建设。主要通过对企业实施综合评价，引导和鼓励企业创新发展、绿色发展，推进以创新为引领的高质量发展。

1．突出科学设计，推动有力有序实施

坚持高位组织推进。市委、市政府成立企业“亩均效益评价”工作领导小组，组建工作专班，结合实际研究制定《马鞍山市企业亩均效益评价实施办法》，并不断修订完善。坚持科学设定指标。以实绩为导向，突出主要指标，对全市工业企业和年度营业收入 100 万元以上的软件及互联网企业，以亩均税收、综合税收、亩均营业收入、综合营业收入、创新平台、智能、绿色、品牌、研发、专利等为指标，实施综合评价。坚持客观公正评价。制定统一标准，由市企业“亩均效益评价”工作领导小组办公室对参评企业进行综合评价，按得分顺序将企业评为 A 类（优先发展类，前 20%）、B 类（提升发展类，20%~65%）、C 类（调控帮扶类，65%~95%）、

D类（倒逼整治类，后5%）4个等次，经相关部门复审，征求县区园区意见，最终由市企业“亩均效益评价”工作领导小组研究确定，并对评价结果进行公示，确保评价过程客观准确、公平公正。

2．突出扶优扶强，落实差别化资源配置

严格执行差别化价格政策。出台《马鞍山市企业亩均效益评价差别化价格政策实施细则》，对D类企业实施供水、供气、供电、排污等资源要素差别化加价供给，提高占用公共资源的成本，倒逼转型退出。其中，电价加价政策（市级无权限）经省市多轮协调，已成功取得试点；根据供水、供电、供气企业的代收周期，逐户征收加价费用。全力实施差别化产业政策。在市级扶持产业发展政策兑现工作中，对A类、B类、C类企业，分别按100%、75%、50%的资金比例享受政策，D类企业不享受；2019年，全市核减政策资金1319万元，2020年核减近500万元。修订市级产业政策，对A类企业加大扶持力度，按110%的比例享受政策。优化配置差别化联动政策。在省市“专精特新”企业、“科技小巨人”企业推荐认定、市级优秀企业家评选等关联工作中，全面运用评价结果。对D类企业，在荣誉称号、财政性奖励政策、人才招引、市场开拓等各方面不予支持。除各级政府明确的产业转型项目外，对C类、D类企业不再新增供地。

3．突出分类施策，实施“四个专项行动”

大力实施优质企业做大做强专项行动。对A类企业，从项目资金申报、评先评优、荣誉称号认定等各方面给予重点支持，推进资金、技术、人才、土地等要素与优质企业精准对接，引导企业上台阶。全市产值超10亿元企业30户、超50亿元企业5户、超100亿元企业3户，一批企业亩均税收超300万元。大力实施潜力企业提档升级专项行动。在全市发掘出269户A类规下工业企业及1036户B类规下工业企业，占比达A类、B类企业总数的60%。建立重点潜力企业培育库，“一企一策”实施精准培育。通过深入挖潜，2020年新增规上工业企业134户，其中76户出自A类、B类规下工业企业。大力实施传统产业改造提升专项行动。加快提升钢铁、机械制造、轻化、建材装饰、食品加工等传统制造业，分行业开展改造提升综合试点，市级重点推动铸造产业绿色转型，与中铸协合作，加快发展绿色、智能、安全铸造；各县区（园区）分别选取1~2个传统支柱产业先行先试，每个产业遴选

10 个左右试点企业进行重点培育。大力发展智能制造，出台《关于马鞍山市深入推进智能制造的实施意见（2020—2022 年）》，加大智能制造、机器人产业政策扶持力度，引导企业实施智能化改造；建立智能制造“项目库”，入库企业 80 户、涉及资金 39.9 亿元。2019—2020 年获认定省级智能工厂 4 个、省级数字化车间 19 个。大力实施低效企业整治退出专项行动。制定低效工业企业倒逼转型工作实施方案和验收办法，重点对 D 类企业及部分 C 类企业，通过实施差别化价格政策、严格环保执法等方式，倒逼低效企业、低效用地退出或转型。2020 年完成 150 户低效企业转型或退出，盘活、腾退低效用地 5163.95 亩。

## 三、加强创新服务

### （一）佛山：打造科技金融“佛山模式”

佛山拥有全省唯一的广东金融高新技术服务区和全省首批省级特色小镇创建对象中唯一一个金融类的特色小镇“千灯湖创投小镇”，为佛山制造业发展提供了更加完善的投融资生态体系和更加多样的金融产品，成为打通科技成果转移转化“最后一公里”的重要力量。

1. 营造优质创投生态圈

立足佛山市万亿 GDP 的发展需要，广东金融高新区坚持“国际化金融后台基地”与“现代产业金融中心”双定位，发挥高规格扶持政策、高效率行政服务、高水平运营管理等有力举措的叠加效应，推出“云”咨询、“云”办事途径，最快可一个工作日完成营业执照办理，快速集聚一批涵盖银行、保险、证券、期货、金融租赁、公募基金、私募创投、融资租赁、金融科技、服务外包等金融及类金融业态的高端优质项目，丰富的金融业态和平台效应为区域经济的高质量发展奠定重要基础，并以此为桥梁，深度连接广州、深圳、香港、澳门的现代服务业。截至 2020 年年底，广东金融高新区核心区累计引进项目 1024 个，累计投资规模超 1580 亿元，吸引金融白领人才数量超 6 万名，千灯湖创投小镇更实现日均吸引 1 亿元投资资金落户的成效，注册成立私募基金类机构累计 828 家，募集资金总额超 1070 亿元，中科沃土成功落户小镇，使佛山成为全国第一个拥有公募基金牌照的地级市。广东金融高新区金融服务业业态不断丰富，抗风险能力不断增强，服务实体经济水平也不断提升，2020 年在新冠肺炎疫情及国际复杂形势等多重不利因素的影响下，广东金融高新区逆市上扬，成为“不停工的金融后台”，汇丰、欧时、TP 等业务量不降反升，服务半径不断扩大，推动佛山成为粤港澳大湾区金融服务链的重要极点。

2．积极发挥财政资金“四两拨千斤”作用

成立佛山市融资担保基金，建立“政银担”三位一体及“政银”联合的风险分担机制，在省内率先探索政府融资担保国、省、市三级合作模式，业务规模突破 50 亿元，鼓励商业银行降低贷款利率最低至 LPR，推动将“政银”模式下本地法人银行新发放信用贷款纳入人民银行购买普惠小微信用贷款支持政策范围，建立扶持对象“白名单”制度，引导金融机构与企业精准对接。目前，融资担保基金累计服务企业近 1.3 万家，促成贷款近 200 亿元。创新知识产权质押融资模式，作为首批国家知识产权投融资试点，探索建立了全国首个由省、市、区、镇四级财政组成的知识产权质押融资风险补偿资金池，以佛山市内拥有自主知识产权的科技型中小企业为重点扶持对象，全方位鼓励金融机构为中小微科创企业提供质押融资，推出全国首个实现对底层资产全生命周期监控证券化产品，有力提升佛山首单知识产权证券化产品信用等级，2020 年，佛山知识产权质押融资额 43.95 亿元，创历年新高，占全省 13%；其中，商标质押融资额 11.69 亿元，占全省的 42.5%，位居全省第一。加大政府引导基金改革力度，整合设立创新创业、产业发展、基础设施等多领域政府引导基金，通过让渡引导基金收益等优惠政策，有针对性地引导社会资本投向专业领域，如市创新创业引导基金重点扶持创新人才团队、科技成果转化等创新创业领域的种子期、初创期和高成长型项目，市产业发展投资基金主要扶持重大关键技术产业化，推动全市经济结构调整和资源优化配置，培育和促进先进制造业、战略性新兴产业和高新技术产业，引导风险资本对佛山企业进行创新投资、价值投资和长期投资。

3．全省首推科技信贷专营机构

科技型企业因其研发周期长、技术应用前景不明确、成长性和盈利能力难以预判等特点，在获得银行授信贷款时的难度高于生产性企业。佛山针对制约科技型中小企业获得传统商业银行信贷支持的体制机制问题，在全省率先推出科技支行政策，并于 2018 年和 2021 年两次修订，鼓励商业银行设立专门为科技型企业提供金融服务的专营机构，进一步推动金融资本和科技产业的融合发展。截至 2020 年年底，全市已设立各类科技支行 21 家，累计为 5029 家次企业提供 295.62 亿元贷款资金，其中为 1896 家次科技型企业发放贷款 157.13 亿元，科技型企业贷款占科技支行全部企业贷款的比重为 53.15%，服务对象基本覆盖高端装备、节能环保、新材料、新能源、电子信息技术等战略性新兴产业。以全市第一批科技支行的南海农商银行科创支行为例，该行立足本土发展，积极与市区各级政府联动，先后与各个政府风险补偿基金合作，创新研发政银合作类信贷产品，针对企业创新创业过程的不同发展阶段，创新推出“政银科技宝”“政银技改宝”“政银知识产权宝”等多款无抵押、低利率普惠产品，累计为 621 家科技型企业发放 139.9 亿元贷款。

4. 支持企业登陆多层次资本市场

佛山通过实施《佛山市促进企业上市扶持办法》等政策，累计推动 73 家（含 4 家待发行）企业成功上市，总市值近 2 万亿元，位列全国第 7 名。佛山上市企业呈现出制造业主导、高新技术企业主导两大特征，行业分布范围包括机械设备、家用电器、化工、电子等，上市（过会）高新技术企业 35 家，占全市上市企业的 47.95%。2019 年 3 月，上交所科创板正式启动，为推动本土科技型企业利用科创板及注册制改革的红利，通过资本市场助力科技型企业做优做强，佛山市多部门联合，实施企业上市“添翼计划”，对全市科技型企业进行全面筛查，动态筛选优质上市后备企业，分梯度建立包含 100 家企业的上市后备企业库，并对后备企业实施分类指导，开辟企业上市绿色通道，协助企业解决拟申报 IPO 企业等问题。共推动 5 家科技型企业（华特气体、莱尔科技、富信科技、德冠新材、蓝箭电子）在科创板上市。大力推动中小微企业利用区域性股权交易市场规范运营，截至 2020 年，广东股权交易中心已集聚佛山市展示挂牌企业超 4000 家，累计为企业实现融资交易额超 800 亿元；佛山在广东股权交易中心挂牌优质中小微企业 492 家，全省地级市排名第一；累计融资额 858.36 亿元，持续稳居全省第一。

### （二）衡阳：赋能企业创新发展“船山论坛”模式

衡阳创新举办“船山论坛”，搭建了一个企业交流展示、专家“把脉问诊”、寻求资源共享、探索合作共赢的交流平台和“特色课堂”，为衡阳的科技创新、结构优化、企业转型升级等提供先进理念与发展思路。

1．把论坛办成“群英会”，以对话谋对策

论坛每期由 3 家衡阳企业介绍运营情况、提出问题困惑，并邀请国内相关领域知名专家导师与企业座谈交流，为企业问诊把脉、提出指导意见。目前已邀请包括腾讯公司副总裁张纾翔、芝麻资本管理有限公司 CEO 赵春彦、滨江星传媒董事长李定真等 200 余名国内顶尖投资人和知名企业家参与，组成了“船山论坛”强大导师团阵容。

2．把论坛办成“T 台秀”，以对话看对眼

企业通过参加论坛展示发展方向与合作需求，获得各方支持。例如，常宁市隆源铜业有限公司参加“船山论坛”路演结束后，就有银行到企业考察，表达金融合作意向；恒飞、金杯、通用、凤凰等本土电缆企业纷纷与其建立业务合作关系，推动公司新增 2 亿元的年产值。

3．把论坛办成“连心桥”，以对话结对子

企业通过论坛反映问题、提出诉求，市长及相关市直部门全程参与，商议解决方案，为政府、企业和导师搭建了常态化沟通交流桥梁。例如，衡阳德邦新金生物科技有限公司反映不了解高新技术企业申报政策，市科技局第二天就到该公司调研，就高新技术企业申报、项目支持等给予确切性政策指导；路演企业普遍反映缺乏资金，不懂资本运作的问题，衡阳及时成立企业上市辅导中心，对拟上市企业提供政策支持、上市指导服务。

2017—2020 年，衡阳高新技术企业数由 142 家增至 415 家，增长率为 192%；2020 年，高新技术企业增速在全省一类市州排名第一。科技型中小企业数则由 207 家增加到 472 家，增长率为 128%。

### （三）潍坊：营造最优创新创业环境

潍坊把优化营商环境作为推动经济发展的“牛鼻子”，着力打造高效透明的政务环境、公平正义的法治环境、诚信守约的社会环境和绿水青山的生态环境。

1．推行服务企业专员制度

潍坊以企业为主体，着眼于帮助企业解决实际困难，在全市范围内推行服务企业专员制度，组织市、县、镇三级万名机关干部联系包靠企业和项目，及时解决企业发展过程中存在的问题，引导科技资源向企业聚集，首批联系企业 1.9 万家，其中，科技型企业 3500 多家。

2．大力推进“双招双引”流程再造

深入开展审批模式精简创新，高效配套资源要素，解决了一批制约工业项目开工落地的难点堵点问题。出台《关于提升“双招双引”工作效能的意见》，建立健全项目分拨流转、顶格洽谈、专班推进、问题解决等工作机制，落地开工效率全面提升。坚持“要素跟着项目走”，确保好钢用在刀刃上，及时有效保障重点项目所有土地、资金、能耗指标等各类要素。对重特大项目积极创新资源要素供给模式，新事新办、特事特办。大力创新拿地即开工、验收即拿证、工业地产（M0）等领域改革，审批时限大大缩短。

3．全面推进“放管服”改革

始终坚持“亲”“清”新型政商关系，全力以赴为来潍企业当好“店小二”，连续 5 年开展进企业、送温暖等系列主题活动，帮助企业解决了一大批热点难点问题。全面落实减税降费政策，营商环境持续优化，其中，136 项国家和省重大改革试点任务有效实施。财政管理、棚户区改造、创新落实重大政策措施、河长制湖长制改革等获国务院通报表扬，成为 2020 年国务院大督查及专项督查“免督查”单位。

## （四）徐州：以科技招商快速集聚高新技术企业

徐州把强化企业创新主体地位，培育壮大高新技术企业规模，作为实施创新驱动发展战略的牵引抓手和重要载体，创新思路举措，健全工作机制，狠抓任务落实，全力开展科技招商，高新技术企业培育招引成效明显，探索出老工业城市高新技术企业快速集聚的徐州路径。2019 年全市高新技术企业达 738 家。2020 年，全市共招引有效期内国家高新技术企业 69 家，在谈 89 家，新认定高新技术企业 300 多家，呈现增幅连年加快的良好趋势。

1. 系统化构建工作机制

坚持对标一流、提升标杆，站在全省看徐州，锚定“2020年新认定高新技术企业300家以上、2023年科技创新指标淮海经济区领先”的目标，制定科技招商三年行动计划，做到一年接着一年干，一锤接着一锤敲。研究出台《做好常态化科技招商的工作意见》《高新技术企业培育招引任务分解方案》等系列文件，成立全市科技招商工作领导小组，由市科技局主要领导任组长，市科技局分管领导、县级科技局主要负责人等为成员，细化分解高新技术企业招引任务，带着任务走出去，主动参加各类招商活动，形成市县联动抓科技招商的工作格局。

2. 狠抓“两招引”“三落地”

坚持面向科技前沿、面向主导产业，以科技企业、科研成果项目“两招引”为主攻方向，把高新技术企业、新型研发机构、科技成果“三落地”作为最终目的，在产业所需、发展所急、地方所盼的优质项目上发力突破。聚焦重点区域。抓住国家产业格局重组机遇，到创新创业活力最强的地方去，在科创资源集聚地开辟招商根据地。聚焦主导产业。在高和新上做文章，紧扣全市产业链和各县区产业特色，重点规划布局了装备与智能制造、新能源、集成电路与ICT、生物医药与大健康四大战略性新兴产业，明确了18个符合产业政策、能够形成重大突破的主攻方向，精准开展延链补链强链招商。聚焦高端人才。密切跟踪科技研发应用前沿阵地，加强与高端人才服务机构合作，重点引进创新创业领军人才、高层次人才和一流人才团队，带动招引一批科技创新型企业和“四新经济”，不断增强引资引智的黏合度，加快抢占人工智能、5G通信、大数据等领域的“智高点”。

3. 多措并举提升招引实效

克服新冠肺炎疫情影响，坚持围着高新技术企业转、盯着高新技术企业干，创新方式、多线发力，确保高新技术企业招引节奏不停、力度不减。拓宽高新技术企业“信息源”。发挥市县两级招商优势，精心构建科技招商信息网，打造行业协会、论坛展会、招商顾问等多维度稳定的招商信息渠道。深度挖掘长三角、珠三角等地区相关科技资源，利用大数据平台和专业科技服务机构，定期精准检索、收集有外迁意向的高新技术企业，组织招商小分队及时跟进对接，切实提升招商实效。打出系列“组合拳”。市县两级分别成立科技招商小分队，分领域开展领导带队、小分队登门拜访精准招商；借助高交会、大院大所对接会等契机，积极组织招商推介专场，全力提升徐州创新影响力。2020 年以来先后组织开展各类洽谈会 30 余场次，例如，10 月 27 日在成都举办的“中国·徐州国际英才创业大赛”共吸引 60 多个海内外生物医药与大健康项目、20 位海内外英才参赛，多家企业对落户徐州有强烈意向；利用深圳第二十二届高交会举办之际，11 月 13 日成功举行 2020 徐州（深圳）科技招商对接恳谈会，吸引珠三角地区 60 余家科技企业洽谈。用好考核“指挥棒”。研究制定科技招商考核办法，建立“周调度、月通报、季总结”工作机制，组建市县“科技招商”工作群，实施科技招商百日攻坚行动，定期组织开展科技招商现场观摩会，对招商活动实行动态管理，形成“比学赶超”浓厚氛围。

4．立体化打造最优环境

风景好的地方才能有新经济，高新技术企业对发展环境要求越来越高，只有提供更优良的创新生态，才能获得青睐、引来投资落地。高质量建设平台。构建国家级、省级高新区、经开区、科技企业孵化器等多层次、宽领域的创新载体，高水平、特色化打造“一城一谷一区一院”等专业化创新核心区，排定承载园区 55 家、双创载体 126 家，为各类高新技术项目和企业提供多样化空间选择。高标准完善政策。围绕企业需求优化政策设计，聚焦体制机制、科技投入、创新主体、人才支撑等创新领域，制定出台 115 项科技招商政策，打造了针对不同创新主体从落地到成长的全周期完备政策体系。例如，财税金融政策方面，保证所得税减免、研发费用加计扣除等税收优惠政策应享尽享；研发支持政策方面，对首次认定为高新技术企业的，由同级财政给予 30 万元奖励；顶尖人才引进方面，对引进培育的诺贝尔奖、国内外院士等顶尖人才（团队），最高给予 1 亿元项目资助。高效率服务保障。组织生产力促进中心及知识产权中介机构，帮助企业办理工商、税务等工作流程，为高新技术企业落地提供全方位、定制化跟踪服务，最大限度减少落地周期。对落户高新技术企业，积极解决企业发展过程中的共性问题和个性诉求，积极兑现各项奖励政策，让各类创新主体落得放心、发展舒心。例如，新冠肺炎疫情期间，积极兑现减免在孵科技型中小企业房租政策，累计减免房租 718.3 万元，惠及中小企业 1433 家。开展 2020 年度“发现徐州”最具投资价值企业、最具发展活力企业评选，对获批企业精准定制综合金融服务方案，初步达成授信额度 6.5 亿元。

## 四、扩大开放合作

### （一）株洲：积极融入内外双循环

株洲从省内、国内、国际多个方面开展开放协同创新，积极融入内外双循环，推进技术及产业的“引进来”和“走出去”。

1．不断提高国际开放水平

与美国加州“硅谷”、西雅图“云谷”及德国“碳纤维谷”建立“四谷”联动机制，合作建立中国动力谷·美国硅谷科技创新服务中心、美国云谷科技创新服务中心、德国碳纤维谷创新平台等离岸创新中心，与海外高端创新创业资源形成有效对接。积极开展人才国际培训交流，建立中德智能制造技术公共服务平台，首次引进德国职业教育“双元制”教学模式，为中车等企业培训了大量的产业工人。目前已建立了国家级和省级国际科技合作基地 4 家，全市 140 多家企业与国外建立了业务合作关系。株洲市企业“走出去”步伐加快，兼并欧美国家企业 13 家，建立了多个海外研发生产基地。例如，中车株洲所先后并购丹尼克斯、代尔克、德国 E+M、BOGE（博戈）、英国 SMD，较短时间内迅速拓展业务领域，在英国伯明翰设立中车时代电气英国创新中心（分公司），打造“英国研发+中国制造”模式，成为我国“高铁出海”先锋。

2．主动推动东中西部开放协同

一是高位推动政产学研合作。市政府与武汉大学、武汉理工大学、中国科学院武汉分院等签订战略合作协议，中科（湖南）先进轨道交通研究院在株洲成立，在科技、人才和平台合作等方面展开深度融合，实现区域协同和共同发展。二是探索共建产业中心。茶陵经开区探索湘赣边电子信息产业区域联动，与江西永新县、莲花县电子信息产业园加强交流合作，在上下游配套、产业链补充等方面开展协同协作，共同建设湘赣边电子信息产业中心。三是升级发达地区科技资源引进模式。从单一的项目引进落地发展到研发团队/科研所整体引进或联合共建株洲分中心。高新区管委会与上海机动车检测认证技术研究中心有限公司共同建设完成国家新能源机动车质量监督检测中心株洲分中心，进一步推进株洲新能源汽车产业关键共性技术研发、产品试验检测。

3．着力强化长株潭自创区协同创新

全面落实《长株潭城市群一体化发展株洲市行动方案》，助力长株潭自创区迈入新阶段、长株潭一体化站上新台阶。一是在市政府层面高位推动政产学研合作，与中南大学、湖南中医药大学、湖南工程学院签订战略合作协议，充分利用长沙科教力量，在硬质合金、轨道交通等优势领域实现了深度合作。二是加速长株潭人才、成果要素自由流动。对接长株潭人才一体化，将人才服务事项从“市内圈”扩展到“城市圈”，积极协调帮助重点企业核心人才到长沙购房、子女就学和就医；坚持一体化开放，长沙、湘潭的高层次人才在株洲研学疗养、子女入学等享受同城优待。长株潭知识产权资源共建共享合作落地，年均知识产权转化合作近亿元。三是园区合作加速破圈。株洲经开区主动加强与长沙雨花区、浏阳市、长沙县等地对接，先后开展 10 余次重大对接活动，签署 12 个区域一体化发展相关合作协议；荷塘工业集中区与岳麓高新区、雨湖高新区签订长株潭区域一体化园区“一体三互”先行战略合作框架协议，共同布局“规划、产业和服务三位一体”及“产销互供、招培互补、人才互动”的战略举措，以体制机制创新合力打造产业共建、园区共享样板。

## （二）东莞：科技引领开放共享

东莞充分发挥产业体系优势、地理区位优势与粤港澳大湾区综合性国家科学中心先行启动区建设的吸引力，不断强化与港澳地区及世界各国的科技创新合作交流，有效聚集了一大批创新资源，已初步形成了多形式、多层次、多渠道的国际科技合作格局。

1．推动科技资源开放共享

推进大科学装置的开放共享，其中来自美国、英国、中国香港、中国澳门的用户有 40 多家。采取合作方式共建散裂中子源用户谱仪，和香港城市大学合作建设的多物理谱仪成功出束，并通过用户验收，与香港城市大学、澳门大学联合共建粤港澳联合实验室，接受开放课题申请。依托松山湖材料实验室建设粤港澳交叉科学中心，已举办 22 次国际性学术会议，参会总数达 1000 多人次。

2．拓展国际合作新渠道

依托东莞市国际技术转移中心、东莞（硅谷）海外创新中心等力量，拓展重点国别国际合作渠道。建设8个海外人才工作站；新增拓展与韩国、以色列、俄罗斯、伊朗等6个海外机构合作，累计与美国、欧洲、澳大利亚等20个地区的人才项目开展对接合作；组建东莞“一带一路”国际科技合作中心，推动企业与白俄罗斯国家科学院信息学问题联合研究所、乌克兰国家科学院材料问题研究所等合作对接。

3．加强与港澳地区合作

建设松山湖港澳青年创新创业基地，组织面向港澳地区的创新创业大赛，吸引港澳青年来莞创新创业，已累计吸引港澳等地区团队报名参赛276个，吸引落地港澳青年创业项目64个。积极推进滨海湾新区建设，集聚高端制造业总部、发展现代服务业，打造粤港澳大湾区特色合作平台。

## （三）芜湖：打造内陆开放创新高地

芜湖坚定不移实施创新驱动发展战略，推进更高起点的深化改革和更高层次的对外开放，构筑开放“动力源”，不断以创新“加速度”成就开放“新高度”。

1．积极融入长三角一体化

积极参与长三角科技创新共同体和G60科创走廊建设，争取芜湖创新发展思路和重点项目、重大工程纳入《长三角科技创新共同体建设发展规划》《长三角G60科创走廊建设方案》《安徽省实施长江三角洲区域一体化发展规划纲要行动计划》。芜湖（上海）产业创新中心启动运营，首批8家单位入驻。发起成立长三角区域技术市场联盟、G60科创走廊机器人产业联盟、通航产业联盟，获批长三角G60科创走廊科技成果转移转化示范基地。成功举办第一届长三角一体化创新成果展，组织32项成果参加2020长三角一体化（网上）创新成果展，占全省总数的1/5。64项成果参加2021中国（安徽）科技创新成果转化交易会现场视频发布，10项科技“双招双引”和大院大所合作项目参加线上签约，合同金额近50亿元。

2．加强国际科技交流合作

坚持对外开放，加强对外合作与交流，印发《芜湖市加强科技创新能力开放合作工作举措的通知》，积极开拓国际新兴市场，继续依托芜湖传统产业和新兴产业的优势，支持奇瑞、海螺、埃夫特、华东光电等龙头企业、科研院所深化国际合作交流，获批省级以上国际科技合作基地8个（国家级2个），引才引智基地7个（国家级 2 个)。加强外国专家服务管理，不断优化、改进、调整外国人来华许可流程，3 年累计办理外国人来华许可 578 件。

3．主动参与“一带一路”倡议

支持奇瑞集团在全球建立了六大研发基地、10 个海外工厂、1500 余家海外经销商和服务网点，海外总产能达到20 万台/年。支持海螺集团大力实施国际化战略，瞄准东南亚、中亚新兴市场，加速海外布局，推动产业全球化发展，在东南亚、欧洲、北美、非洲等地区已拥有 42 家企业、13 个实体工厂，海外员工达 4000 多人，用工本土化率达到 70%以上，累计投资已超 120 亿元，实现了从产品出口到技术输出、再到实体投资的全面国际化，为“一带一路”沿线国家间接创造上万个就业岗位。

## （四）东营：释放油地融合发展潜能

东营是胜利油田的诞生地、主产区和机关驻地，油地融合发展是东营的独特优势和重要潜力。多年来，围绕油田创新资源如何融入地方发展，东营走出了一条油地融合发展的新路径，并探索应用于与“三桶油”的合作共建中。

1．探索混合所有制改革

落实中共中央、国务院《关于深化石油天然气体制改革的若干意见》，按照“逐步形成以大型国有油气公司为主导、多种经济成分共同参与的勘查开采体系”要求，东营市属国企东营港经济开发区财金投资发展有限公司、民企富海集团新能源控股有限公司，与中海油集团合资注册中海油（东营）油田开发有限公司，成为国内首个石油勘探开发领域实施的混合所有制项目。中海油（东营）油田开发有限公司以列入国务院第三批重要领域混改试点名单的垦利油田群为重点，以混改项目为突破口，探索实现税收和统计的属地化，开创了中央企业与地方政府利益分配新格局。

2．共建产业创新平台

依托东营高新区，联合胜利油田共建“胜利工程高端装备产业基地”，整建制引入油田二级单位——测控技术研究院，以及钻井工艺研究院的石油机械研究所、钻井工具研究所、石油完井研究所、欠平衡技术研究所、钻井自动化控制技术中心等科研单位及其全部中试项目，推动实现油田技术成果从研发设计到中试生产的“一站式”就地转化。联合胜利油田、山东石油化工学院及高新区内龙头企业，成立东营石油技术与装备产业研究院，打造集“政产学研金服用”于一体的新型研发机构。

3．推动资源共用共享

联合中石油管材研究院共建东营分院，借助中石油管材研究院国家重点实验室和国家石油管材质量监督检验中心的技术和资质，集聚山东、京津地区油气采输及炼化领域的创新资源。依托胜利工程高端装备产业基地建设，引进油田科研人员270人，其中教授、副教授级高工53人；引进省部级以上研发平台3家，各类实验、检测仪器设备225台。东营市人才政策、科技政策同等覆盖胜利油田的单位、企业和人员，并将胜利油田纳入市科技成果评价补助、国家和省科技奖励服务范围。

## 五、综合

### （一）吉林：“六位一体”全要素推动碳纤维产业发展

吉林市以科技创新为核心，从“六位一体”全要素的角度整合资源，集聚上下游、强韧产业链、构建新平台，全力打造碳纤维及复合材料产业创新发展集群，形成了“丙烯—丙烯腈—碳纤维原丝—碳丝—下游制品”全产业链条，推动碳纤维产业实现规模化、集群化、链式化发展。全市现有23家从事碳纤维原丝、碳丝及碳纤维制品研发及生产企业，其中规模以上企业10家、高新技术企业4家。碳纤维产业快速发展，规模效益迅速放大。目前，吉林市碳纤维产业规模在国内居首位，其中大丝束碳纤维产能国际领先，已经成为中国最重要的碳纤维产业基地。

1．创新资源

吉林市针对碳纤维发展核心技术不强、发展路线不够清晰的局面，面向吉林市碳纤维发展实际，组织国内行业顶级专家编制了吉林市碳纤维产业技术路线图，成立了“吉林碳纤维及复合材料产业研究院”，以研究院为平台依托，成立了碳纤维知识创新中心作为碳纤维全产业链的创新指引，为整个产业发展提供创新支撑。依托上中下游企业，谋划组建了碳纤维原丝创新中心、碳纤维碳丝创新中心、风电新材料创新中心等细分产业创新中心，以吉林碳纤维及复合材料产业研究院为基础的“1+$N$”创新平台体系正逐步建立。为更加巩固吉林市碳纤维产业在全国的优势地位，积聚力量，瞄准重点需求开展科研攻关。组织吉林乾仁公司研发的碳纤维原丝油剂、上浆剂，达到国际同类先进水平，已实现批量生产；吉林碳谷和吉林精功率先攻克 25K~50K 聚丙烯腈基原丝及碳纤维产业化技术，填补国内空白；组织开发了碳纤维座椅骨架、汽车碳纤维传动轴、碳纤维氧气瓶、储氢气瓶等一系列产品；同时，推动吉林碳谷牵头制定了聚丙烯腈基大丝束碳纤维原丝行业标准。

2．龙头企业

支持产业链重要节点龙头企业发展，发挥其产业链节点资源整合功能，增强产业链资源整合能力。依托龙头企业建立专业化产学研合作体系，成立创新联合体和产业创新联盟，建立新型研发机构。发挥资本与金融资源整合能力，利用资本市场进行直接融资，支持吸引产业投资和风险投资向吉林市集聚，放大商业银行产业支持规模。发挥人才资本整合能力，作为主体吸引产业高端人才加盟，培养“大国工匠”等实用型人才，吸纳培养大学生等新生产业后备人才。发挥产业资源整合能力，以其原料规模和技术等优势，吸引国内外产业和技术资源向吉林市集聚，促进招商引资与招才引智。

3．专业园区

为打通全产业链条，实现产业集聚，吉林市利用国家专项债券，规划建设了总投资 31 亿元的中国吉林国家碳纤维产业园和高性能纤维复合材料产业园，为产业发展提供了物理空间。目前，正在规划建设碳纤维助剂产业园及碳纤维中间产品产业园和终端制品产业园等细分专业化园区，已初步实现碳纤维供应链优化、创新链协同、产业链集聚式发展。

4．金融支撑

为进一步支持产业发展，加强金融要素支撑，吉林市建立了规模 3 亿元的碳纤维及新材料产业发展基金，并组织国内知名投资机构，吸纳近 200 亿元资本，成立了碳纤维产业发展投资联盟，为碳纤维产业发展提供资金支撑，并组织召开银企对接活动，利用市“产融平台”向碳纤维企业发展提供商业银行支持。

5．人才保障

吉林市与科技部人才中心合作成立科技领军人才创新中心，引进碳纤维领域高端人才杨春才博士创办了吉林乾仁新材料有限公司，开发的碳纤维油剂和上浆剂技术通过了专家鉴定，为吉林市碳纤维生产提供了优良的配套产品；引进的山东大学碳纤维制品专家朱波教授创办了吉林聚鑫碳纤维制品公司开展碳纤维汽车传动轴、氧气瓶和氢气瓶研发。2018 年以来已连续两年组织中国“吉林化纤杯”碳纤维产业创新创业设计大赛和碳纤维产业链创新大会。在市级“科技创新发展计划指南”中连续设立杰出青年专项，支持青年科技工作者开展碳纤维领域基础研究，为碳纤维产业发展提供不竭动力。碳纤维产业“政企学”联动，“留引培”一体的人才兴业工程，为碳纤维产业发展构建领军人才、创新人才、实用型人才与青年科技人才的支撑体系。

6．市场资源

吉林市作为国内最大的碳纤维生产基地，拥有绝对的上游优势，但下游发展处于劣势，碳纤维产业链存在头重脚轻的问题，为破解这一局面，吉林市引入了世界风电巨头丹麦维斯塔斯作为吉林市碳纤维下游的合作企业，实现了生产—加工—销售一体化的产业链发展模式。此外，吉林市还积极探索与一汽等企业围绕汽车轻量化等领域开展下游合作，旨在构建更加丰富、完整的碳纤维下游体系。同时，推动成立中国大丝束碳纤维应用联盟，以集合的方式，共同推进相关技术开发、产品应用与服务。

## （二）玉溪：着力实施研发投入倍增行动

玉溪着力实施研发投入倍增行动，推动了全社会研发经费连续 3 年高速增长。2019 年，玉溪研发投入规模和研发投入强度较 2016 年均实现倍增。

1．加强组织领导，积极构建有利于研发“软环境”

定期召开玉溪市国家创新型城市建设动员大会、国家创新型城市建设工作推进会等专题会议，将加大研发投入作为重要工作要求；充分利用新媒体、互联网等渠道，建立健全统一的、汇集各项创新环境政策的发布平台，用企业家听得懂、会操作、简明扼要的语言，宣传好政策的核心观点。

2．强化培训方法，着力提升研发统计“精准性”

深入玉溪企业和科研院所进行宣传发动，不断强化企业依法统计研发投入意识，严格依法依规开展研发投入统计工作，切实做到依法统计、精准统计、应统尽统，执行国家统计制度不走样、不变通、不打折，让制度成为科技投入统计行为的规范、权威。持续组织科技研发投入工作培训会，邀请云南省科技厅、云南省统计部门和省内研发投入工作做得最好的州（市）专家进行授课和经验分享，提高了企业申报积极性和研发投入归集统计水平。2017 年以来，共举办规模在 600 人以上的培训班 3 期，累计培训人数达到 2000 余人次，参培企业 1000 家次以上，实现纳统企业全覆盖。依托云南省科技厅在上海交通大学组织两期共 100 人参加的科技型企业家培训班，统一了思想、提高了能力、增强了行动自觉。

3．推进政策落实，坚决兑现奖励研发“硬支撑”

出台《玉溪市实现 2020 年 R&D 经费投入占 GDP 2.5%实施方案（试行）》，明确对科技型企业、有研发投入的企业、院士专家工作站等进行后补助，2018 年实施企业研发经费投入、高新技术企业补助政策，对 147 家企业补助资金 4261.82 万元；2019 年继续实施企业研发经费投入、高新技术企业、科技型中小企业、创新平台等补助政策，对 496 家企业补助资金 9415.78 万元，增长幅度为 120.93%，激发了企业加大研发投入的积极性。

4．开展专项行动，努力做到对口服务“全覆盖”

建立领导干部服务科技企业机制，帮助企业解决在科技创新中存在的问题；科技、发改、工信、统计等部门主动沟通协调，利用各自信息平台，宣传研发经费补助政策；强化研发投入统计上报跟踪，进行“一对一”“面对面”研发投入统计指导，帮助查找问题症结、解决统计难点、找出解决路径，确保及时、准确、如实填报研发经费，提高统计成功率。

### （三）汉中：“三生融合”推动绿色循环发展

汉中自觉践行“绿水青山就是金山银山”理念，全面拓宽“两山”转化通道，坚持走“三生融合”之路，打造最严生态环保执法区、碳达峰碳中和先行示范区，加快建设以“生态经济化、经济生态化”为显著特征的现代化生态经济体系，推动实现生产总值和生态价值较快增长，在创新实践“绿水青山就是金山银山”上蹚出新路、打造样板。

1．优化生态空间

推行生态环境保护“多规合一”，严控城镇、农业、生态“三个空间”，守牢城镇开发、基本农田保护、生态保护“三条红线”；统筹山水林田湖草系统治理，深入开展城乡环境综合整治，坚决守好“绿水青山”。市政府与生态环境部华南环境科学研究所签订《战略合作框架协议》，建立健全嘉陵江流域跨界水污染防治联防联控机制，签订《嘉陵江流域跨界水污染防治联防联控框架协议》，开启了三市“共抓大保护、协同大治理”的新篇章。

2．推动产业结构绿色转型

构建集约高效的绿色生态产业体系，聚集化、链条化、协同化发展绿色生态产业，加快建设汉江生态经济带。坚持“减量化、再利用、资源化”原则，创新企业循环生产、园区循环发展、产业循环组合，构建企业小循环、产业中循环、社会大循环的绿色循环体系，实现低消耗、低排放、高效率，创建国家循环经济建设示范城市。

3．推动生态、文化、产业等融合发展

实施绿色低碳行动，倡导绿色生活方式，加强生态文明宣传教育，巩固国家园林城市、森林城市建设成果，加快创建国家生态文明建设示范市。“绿水青山就是金山银山”的发展理念深入人心，良好的生态优势逐步转化为全市发展的红利和活力。

## （四）龙岩：探索废弃矿山生态治理新模式

龙岩持续推进环境保护和生态建设，全力打造中心城区紫金山矿区综合治理示范项目，积极探索废弃矿山生态治理和转型升级新路子，取得明显成效。矿山生态治理做法如下。

1．坚持科技复绿

本着因地制宜、因灾设防等原则，加大对矿区植被生态修复、矿区矿渣处理和巷道回填等领域科技攻关支持力度，通过超声波物探、地质勘探等措施，对不良地质区域采用基质改良、回灌砂浆、强夯打桩、植物修复等措施进行综合治理。例如，永强岩土承担的省级重大专项“岩溶塌陷地质灾害监测治理技术及其装备的研发与应用示范”，针对矿山采空区及废弃巷道传统填充采用纯水泥或双液注浆，消耗大量水泥材料及充填压力与充填率难保证问题，充分利用矿山废弃粉煤灰、矿粉及现场细沙等，改进充填材料比例和注浆工艺，采用复合浆液，在保证强度要求条件下节约大量水泥材料，还提高了注浆效率和充填率。目前该技术已在全市推广，实现“变废为宝”的同时，还大大减少因水泥等原材料消耗带来的污染，经济效益和生态效益显著。

2. 坚持生态优先

坚持把生态环境修复和保护放在首位，通过污染整治、绿色修复，为龙岩城市发展注入绿色发展新动力。大力开展综合整治，对紫金山矿区进行拉网式清查和整治，关停区域内所有煤矿和污染企业，确保不留空挡、不留死角、不留难题。运用先进技术回填种植土壤改良土壤，实施绿化、美化、香化和净化“四化”工程，最大限度恢复矿区原生态，实现绿化率占建设面积的58%，基本完成生态综合治理目标。

3. 坚持市场运作

出台推进矿山生态治理和综合开发实施意见，制定奖励措施和保障政策，将各级政府投入矿山生态环境恢复治理的资金改为以奖励为主，按照“谁治理、谁投资、谁受益”的办法，将废弃矿山土地承包经营权交由参与治理的企业承包经营，确保其收益权，激发企业参与治理和开发的积极性。为解决废弃矿山治理成本高、治理融资难等问题，采取政府主导、市场运作、统一规划、分步实施的方式，融入生态、体育、教育等核心元素，分阶段进行综合开发。例如，紫金山废弃矿区围绕打造“奥运冠军之乡”，以“奥运金牌纪念馆”为引领，深入推进体育休闲主题公园、体育综合会馆、全民健身中心、五星级度假酒店等重点项目，建设福建首例城市运动主题居住公园。

# 附　录

## 一、国家创新型城市名单

国家创新型城市（区）名单

| 序号 | 地区 | 城市（区） |
| --- | --- | --- |
| 1 | 北京 | 海淀区 |
| 2 | 天津 | 滨海新区 |
| 3 | 河北 | 石家庄市、唐山市、秦皇岛市 |
| 4 | 山西 | 太原市 |
| 5 | 内蒙古 | 呼和浩特市、包头市 |
| 6 | 辽宁 | 沈阳市、大连市 |
| 7 | 吉林 | 长春市、吉林市 |
| 8 | 黑龙江 | 哈尔滨市 |
| 9 | 上海 | 杨浦区 |
| 10 | 江苏 | 南京市、无锡市、徐州市、常州市、苏州市、南通市、连云港市、盐城市、扬州市、镇江市、泰州市 |
| 11 | 浙江 | 杭州市、宁波市、嘉兴市、湖州市、绍兴市、金华市 |
| 12 | 安徽 | 合肥市、芜湖市、马鞍山市 |
| 13 | 福建 | 福州市、厦门市、泉州市、龙岩市 |
| 14 | 江西 | 南昌市、景德镇市、萍乡市 |
| 15 | 山东 | 济南市、青岛市、东营市、烟台市、潍坊市、济宁市 |
| 16 | 河南 | 郑州市、洛阳市、南阳市 |
| 17 | 湖北 | 武汉市、襄阳市、宜昌市 |
| 18 | 湖南 | 长沙市、株洲市、衡阳市 |
| 19 | 广东 | 广州市、深圳市、佛山市、东莞市 |
| 20 | 广西 | 南宁市 |
| 21 | 海南 | 海口市 |
| 22 | 重庆 | 沙坪坝区 |

续表

| 序号 | 地区 | 城市（区） |
|---|---|---|
| 23 | 四川 | 成都市 |
| 24 | 贵州 | 贵阳市、遵义市 |
| 25 | 云南 | 昆明市、玉溪市 |
| 26 | 西藏 | 拉萨市 |
| 27 | 陕西 | 西安市、宝鸡市、汉中市 |
| 28 | 甘肃 | 兰州市 |
| 29 | 宁夏 | 银川市 |
| 30 | 青海 | 西宁市 |
| 31 | 新疆 | 乌鲁木齐市、昌吉市、石河子市 |

## 二、指标解释及数据来源

### （一）创新治理力

1．党委政府加快科技管理职能转变，加强创新体系顶层设计和系统布局，出台实施创新驱动发展战略的决定或意见及其配套政策

反映党委、政府提升创新治理现代化水平，定战略、定方针、定政策，创造环境、做好服务，全面激发全社会创新创业创造活力的行动和成效。

2．财政科技支出占公共财政支出比重

财政科技支出是指用于科学技术方面的公共财政支出，包括科学技术管理事务、基础研究、应用研究、技术研究与开发、科技条件与服务、社会科学、科学技术普及、科技交流与合作等。公共财政支出是指地方财政将筹集起来的资金进行分配使用，以满足经济建设和各项事业的需要。计算公式：财政科技支出/公共财政支出×100%。数据来源：财政部。

3．常住人口增长率

常住人口包括居住在本乡镇街道且户口在本乡镇街道或户口待定的人，居住在本乡镇街道且离开户口登记地所在的乡镇街道半年以上的人，户口在本乡镇街道且外出不满半年或在境外工作学习的人。计算公式：（本年度常住人口数－上一年度常

住人口数）/上一年度常住人口数×100%。数据来源：国家统计局。

4．万名就业人员中研发人员

研发人员是指调查单位内部从事基础研究、应用研究和试验发展三类活动的全时人员加非全时人员按工作量折算为全时人员数的总和。就业人员是指在 16 周岁及以上，从事一定社会劳动并取得劳动报酬或经营收入的人员。计算公式：研发人员/就业人员数×10000。数据来源：国家统计局。

5．万人专利申请量

专利申请量是指专利机构受理技术发明申请专利的数量，包括发明、实用新型和外观设计。计算公式：专利申请量/常住人口数×10000。数据来源：国家统计局。

6．人均地区生产总值

地区生产总值是指一个地区所有常住单位在一定时期内生产活动的最终成果。计算公式：地区生产总值/常住人口数。数据来源：国家统计局。

## （二）原始创新力

1．全社会研发经费支出与地区生产总值之比

全社会研发经费支出是指调查单位在报告年度内用于内部开展研发活动的实际支出，包括用于研发项目（课题）活动的直接支出，以及间接用于研发活动的管理费、服务费、与研发有关的基本建设支出和外协加工费等。计算公式：全社会研发经费支出/地区生产总值×100%。数据来源：国家统计局。

2．基础研究经费占研发经费比重

基础研究是指为了获得关于现象和可观察事实的基本原理的新知识（揭示客观事物的本质、运动规律，获得新发展、新学说）而进行的实验性或理论性研究。基础研究经费是指用于基础研究的实际支出。计算公式：基础研究经费/全社会研发经费支出×100%。数据来源：国家统计局。

3．“双一流”建设学科数

“双一流”建设学科是指教育部、财政部、国家发展改革委按照《统筹推进世界一流大学和一流学科建设实施办法（暂行）》认定的世界一流学科。数据来源：教育部。

4．中央级科研院所数

中央级科研院所是指中国科学院、农业农村部等国家部委所属科研院所（不含军口）。数据来源：国家统计局。

5．国家级基础研究基地数

国家级基础研究基地是指国家基础学科研究中心、国家重点实验室、省部共建国家重点实验室等高水平基础研究基地。数据来源：科技部。

6．国家级科技成果奖数

国家级科技成果奖数是指国家自然科学奖、国家科学技术进步奖和国家技术发明奖按照奖项的等级（以各等级奖项所颁发的奖金金额确定等级权重）和参与单位的排序（排在前面的单位权重较高）的加权平均数。数据来源：科技部。

## （三）技术创新力

1．规上工业企业研发经费支出与营业收入之比

营业收入是指企业从事销售商品、提供劳务和让渡资产使用权等生产经营活动形成的经济利益流入。计算公式：规上工业企业研发经费支出/规上工业企业营业收入×100%。数据来源：国家统计局。

2．高新技术企业数

高新技术企业是指按照《高新技术企业认定管理办法》获得认定的，持续进行研究开发与技术成果转化，形成企业核心自主知识产权，并以此为基础开展经营活动，在中国境内（不包括港、澳、台地区）注册的居民企业数量。数据来源：科技部。

3．国家级技术创新类科技创新基地数

国家级技术创新类科技创新基地数是指国家技术创新中心、国家工程技术研究中心、国家临床医学研究中心数之和。数据来源：科技部。

4．国家高新区营业收入与地区生产总值之比

国家高新区是指国务院批准成立的国家级科技工业园区。计算公式：国家高新区营业收入/地区生产总值×100%。数据来源：科技部。

5．万人发明专利拥有量

发明专利拥有量是指调查单位作为专利权人在报告年度拥有的、经国内外知识

产权行政部门授权且在有效期内的发明专利件数。计算公式：发明专利拥有量/常住人口数×10000。数据来源：国家统计局。

6．技术输出合同成交额与地区生产总值之比

技术输出合同成交额是指技术市场管理办公室认定登记的、技术转让方为当地企业或机构的技术合同的合同标的金额的总和。计算公式：技术输出合同成交额/地区生产总值×100%。数据来源：科技部。

### （四）成果转化力

1．技术输入合同成交额与地区生产总值之比

技术输入合同成交额是指技术市场管理办公室认定登记的、技术受让方为当地企业或机构的技术合同的合同标的金额的总和。计算公式：技术输入合同成交额/地区生产总值×100%。数据来源：科技部。

2．科创板上市企业数

科创板上市企业数是指在上海证券交易所科创板上市的企业数量。数据来源：上海证券交易所。

3．国家级科技企业孵化器、大学科技园、双创示范基地数

国家级科技企业孵化器是指依据《科技企业孵化器管理办法》认定的，以服务大众创新创业，促进科技成果转化，优化创新创业生态环境，培育企业家精神为宗旨，面向科技型创业企业和创业团队，提供物理空间、共享设施和专业化服务的科技创业服务载体（含众创空间）。国家大学科技园是指依据《国家大学科技园认定和管理办法》认定的，以具有较强科研实力的大学为依托，将大学的综合智力资源优势与其他社会优势资源相结合，为推动高等学校产学研结合、技术转移和科技成果转化、高新技术企业孵化、战略性新兴产业培育、创新创业人才培养、服务区域经济提供支撑的平台和服务的机构。双创示范基地是指根据《国务院办公厅关于建设大众创业万众创新示范基地的实施意见》确定的，集聚资本、人才、技术、政策等优势资源，探索形成区域性的创新创业扶持制度体系和经验的示范基地。数据来源：科技部、国家发展改革委。

4．国家级科技企业孵化器、大学科技园新增在孵企业数

国家级科技企业孵化器、大学科技园新增在孵企业数是指当年入驻国家级科技企业孵化器、大学科技园且尚未毕业的企业数量。数据来源：科技部。

5．科技型中小企业数

科技型中小企业是指依据《科技型中小企业评价办法》认定的，依托一定数量的科技人员从事科学技术研究开发活动，取得自主知识产权并将其转化为高新技术产品或服务，从而实现可持续发展的中小企业。数据来源：科技部。

6．规上工业企业新产品销售收入与营业收入之比

新产品是指采用新技术原理、新设计构思研制、生产的全新产品，或在结构、材质、工艺等某一方面比原有产品有明显改进，从而显著提高了产品性能或扩大了使用功能的产品。计算公式：规上工业企业新产品销售收入/规上工业企业营业收入×100%。数据来源：国家统计局。

## （五）创新驱动力

1．高新技术企业营业收入与规上工业企业营业收入之比

高新技术企业营业收入是指高新技术企业经营主要业务和其他业务所确认的收入总额。计算公式：高新技术企业营业收入/规上工业企业营业收入×100%。数据来源：科技部。

2．城乡居民人均可支配收入之比

居民可支配收入是指居民可用于最终消费支出和储蓄的总和，即居民可用于自由支配的收入。计算公式：城镇居民可支配收入/农村居民可支配收入。数据来源：国家统计局。

3．单位地区生产总值能耗

能源消费总量是指一定地域内，国民经济各行业和居民家庭在一定时间消费的各种能源总和。计算公式：能源消费总量/地区生产总值。数据来源：国家统计局。

4．PM 2.5 年平均浓度

PM 2.5 年平均浓度是指一个城市在一个完整的自然年内每日 PM 2.5 浓度的算术平均值。数据来源：生态环境部。

5．人均实际使用外资额

实际使用外资额是指批准的合同外资的实际执行数，包括外国投资者根据批准外商投资企业的合同（章程）的规定实际缴付的出资额和企业投资总额内外国投资者以自己的境外自有资金实际直接向企业提供的贷款。计算公式：实际使用外资额/常住人口数。数据来源：国家统计局。

6．居民人均可支配收入

居民可支配收入是指居民可用于最终消费支出和储蓄的总和，即居民可用于自由支配的收入，本报告中的居民仅指城镇居民。计算公式：被调查居民可支配收入总额/被调查居民数。数据来源：国家统计局。